IMAGES
ET IMAGINAIRES
D'ARCHITECTURE

IMAGES
ET IMAGINAIRES
D'ARCHITECTURE

DESSIN · PEINTURE · PHOTOGRAPHIE
ARTS GRAPHIQUES · THÉÂTRE · CINÉMA
EN EUROPE AUX XIXᵉ ET XXᵉ SIÈCLES

OUVRAGE PUBLIÉ
À L'OCCASION DE L'EXPOSITION
«IMAGES ET IMAGINAIRES D'ARCHITECTURE»
PRODUITE PAR
LE CENTRE DE CRÉATION INDUSTRIELLE
ET PRÉSENTÉE DU 8 MARS AU 28 MAI 1984
À LA GRANDE GALERIE
DU CENTRE NATIONAL D'ART ET DE CULTURE
GEORGES POMPIDOU
À PARIS

Conception du catalogue : Jean Dethier
Maquette et mise en page : Marc Walter
Coordination : Sabine Huet, Danièle Wozny
Secrétariat de rédaction : Sabine Huet assistée de Fabienne Jonieaux
Sélection iconographique : Jean Dethier, Marc Walter et Ruth Eaton
Introduction aux décennies : Patrick Céleste
Légendage des œuvres : Véronique Parent, Anne Lambrichs, Ruth Eaton
Bibliographie : Monica Baillon
Fabrication : Jacky Pouplard
Secrétariat : Nicole Latappy, Annie Zabawski

© Centre Georges Pompidou/CCI, Paris 1984.
Nº d'éditeur : 384
ISBN : 2-85850-241-2
Dépôt légal : mars 1984

En couverture : Ernst Lohse, architecte danois (né en 1944, vit à Copenhague), *Demeure de Mythra en Utopie*, aquarelle 80 × 80 cm, 1982; Kunstakademiets Bibliotek, Copenhague.

REMERCIEMENTS

EN FRANCE : JEAN AUBERT, PARIS. MR AUJAME, FONDATION LE CORBUSIER, PARIS. MME BEAUSOLEIL, FONDATION ALBERT KAHN, BOULOGNE-SUR-SEINE. M. ET MME BLONDEL, PARIS. YVE-ALAIN BOIS, PARIS. RICARDO BOFILL, PARIS. GENEVIÈVE BONTE, BIBLIOTHÈQUE DES ARTS DÉCORATIFS, PARIS. MARIE-CHRISTINE BOUCHER, MUSÉE DU PETIT PALAIS, PARIS. PHILIPPE BOUDON, PARIS. MME BOURDON, SERVICE PHOTOGRAPHIQUE DES MUSÉES NATIONAUX, PARIS. DANIEL BOUTEILLER, PARIS. SONIA BOVE, FONDATION NATIONALE DE LA PHOTOGRAPHIE, LYON. PATRICK BRACCO, PARIS. YVES BRAYER, MUSÉE MARMOTTAN, PARIS. HENRI BRESLER, PARIS. AGNÈS DE BRETAGNE, MUSÉE NATIONAL D'ART MODERNE, PARIS. JEAN-MARIE DE BUSSCHER, PARIS. PIERRE CAMBINI, ÉCOLE NATIONALE DES PONTS ET CHAUSSÉES, PARIS. M. CARUSO, CENTRE CULTUREL ITALIEN. PATRICK CÉLESTE, PARIS. FRANÇOIS CHASLIN, PARIS. PAUL CHEMETOV, BAGNOLET. JEAN-FRANÇOIS CHEVRIER, PARIS. HENRI CIRIANI, PARIS. MAURICE CULOT, PARIS. MARTINE DAUVERGNE, PARIS. MARIA DEUBERGUE, BIBLIOTHÈQUE HISTORIQUE DE LA VILLE DE PARIS. M. DUFOURNET, ACADÉMIE D'ARCHITECTURE, PARIS. ÉDITIONS DARGAUD, NEUILLY-SUR-SEINE. ÉDITIONS CASTERMAN, TOURNAI/BRUXELLES. ÉDITIONS LES HUMANOÏDES ASSOCIÉS, PARIS. ÉDITIONS *A SUIVRE*, MAGAZINE MENSUEL DE BANDE DESSINÉE, PARIS. ANDRÉ FAGE, MUSÉE FRANÇAIS DE LA PHOTOGRAPHIE, BIÈVRES. REVUE *FEUILLES*, PARIS. MARIANNE DE FLEURY, CINÉMATHÈQUE FRANÇAISE, PARIS. ANNIE FORGIA, PARIS. BRUNO FOUCART, BIBLIOTHÈQUE MARMOTTAN, BOULOGNE-BILLANCOURT. JACQUES FOUCART, MUSÉE DU LOUVRE, PARIS. MICHEL FRIZOT, CENTRE NATIONAL DE LA PHOTOGRAPHIE, PARIS. CATHERINE FROCHEN, *LES CAHIERS DU CINÉMA*, PARIS. GALERIE ARCHÉTYPE, PARIS. MARIE-NOËLE DE GARY, MUSÉE DES ARTS DÉCORATIFS, PARIS. MARIE-ODILE GERMAIN, BIBLIOTHÈQUE NATIONALE, PARIS. MARIE-NOËLLE GIRET, CINÉMATHÈQUE FRANÇAISE, PARIS. MLLE GITEAU, BIBLIOTHÈQUE DE L'ARSENAL, PARIS. CHARLES GIULIOLI, PARIS. ALAIN GOURDON, BIBLIOTHÈQUE NATIONALE, PARIS. MLLE GUIBERT, BIBLIOTHÈQUE DU THÉÂTRE DE LA COMÉDIE FRANÇAISE, PARIS. ALAIN GUIHEUX, PARIS. ANNE ET NORBERT DE GUILLEBON, PARIS. JACQUES GUILLERME, PARIS. JEAN HUMBERT, MUSÉE DE L'ARMÉE, PARIS. ROSELYNE HUREL, MUSÉE CARNAVALET, PARIS. ANNIE JACQUES, ÉCOLE NATIONALE SUPÉRIEURE DES BEAUX-ARTS, PARIS. ANDRÉ JAMMES, PARIS. PAUL JAY, MUSÉE NIEPCE, CHÂLONS-SUR-SAÔNE. MME JESTAZ, BIBLIOTHÈQUE NATIONALE, PARIS. CATHERINE JOIN-DIETERLE, MUSÉE DU PETIT PALAIS, PARIS. M. JOLY, SOCIÉTÉ MIRA X, PARIS. JEAN-PAUL JUNGMANN, PARIS. MARTINE KAHANE, BIBLIOTHÈQUE DE L'OPÉRA, PARIS. ÉLISABETH LEBOVICI, PARIS. JEAN-CLAUDE LEMAGNY, BIBLIOTHÈQUE NATIONALE, PARIS. GÉRARD LÉVY, PARIS. GIOVANNI LISTA, PARIS. ANNIE LOTTE, CENTRE DE RECHERCHE SUR LES MONUMENTS HISTORIQUES, PARIS. ISABELLE MAEGHT, GALERIE ADRIEN MAEGHT, PARIS. M. MARBOT, BIBLIOTHÈQUE NATIONALE, PARIS. M. MELOT, BPI, PARIS. CLAUDE MIGNOT, PARIS. FERNANDO MONTES, PARIS. JEAN-MARIE MOULIN, MUSÉE NATIONAL DU CHÂTEAU DE COMPIÈGNE. PHILIPPE NÉAGU, MUSÉE D'ORSAY, PARIS. JEAN NOUVEL, PARIS. RENZO PIANO, PARIS. VICTORIA PIGNOT, PARIS. PANCHO QUILICI, PARIS. J.J. POULET-ALLAMAGNY, ARCHIVES PHOTOGRAPHIQUES DE LA CAISSE NATIONALE DES MONUMENTS HISTORIQUES ET DES SITES, PARIS. M. POUPÉE, CONSERVATOIRE NATIONAL DES ARTS ET MÉTIERS, PARIS. FRANÇOISE RAYNAUD, MUSÉE CARNAVALET, PARIS. ANTOINETTE REZE, MUSÉE NATIONAL D'ART MODERNE, PARIS. CHRISTINE ROGER, SOCIÉTÉ FRANÇAISE DE PHOTOGRAPHIE, PARIS. M. ROSSIGNOL, FONDATION ALBERT KAHN, BOULOGNE. SOCIÉTÉ RUGGIERI, PARIS. JEAN-PAUL SAINT AUBIN, PARIS. ÉDITH SALZMAN, MUSÉE DE LA PHOTOGRAPHIE, BIÈVRES. BERNARD SANCERNI, PARIS. ALAIN SARFATI, PARIS. ALAIN SAYAG, MUSÉE NATIONAL D'ART MODERNE, PARIS. JOHANNES SCHAUB, PARIS. MAURICE SERULLAZ, MUSÉE DU LOUVRE, PARIS. EDMÉE SIMON, FONDATION ALBERT KAHN, PARIS. TÉLÉVISION FRANÇAISE, TF1, ÉMISSION «DOMINO». MARIE DE THÉZY, BIBLIOTHÈQUE HISTORIQUE DE LA VILLE DE PARIS. HUBERT TONKA, PARIS. MME TRÉHIN, FONDATION LE CORBUSIER, PARIS. ARMANDE DE TRENTINIAN, FONDATION JEAN DUBUFFET, PARIS. MME VALENTIN, MUSÉE DES ARTS DÉCORATIFS, PARIS. MME DE VAULCHIER, ACADÉMIE D'ARCHITECTURE, PARIS. MICHÈLE VÉNARD, GALERIE MAEGHT-LELONG, PARIS. MICHEL VERNES, PARIS. GERMAIN VIATTE, MUSÉE NATIONAL D'ART MODERNE, PARIS. ALINE VIDAL, MUSÉE D'ART MODERNE DE LA VILLE DE PARIS. TERI WEHN-DAMISCH, PARIS. M. YVON, ÉCOLE NATIONALE DES PONTS ET CHAUSSÉES, PARIS. JEAN ZEITOUN, PARIS.

EN BELGIQUE : SEFIK BIRKIYE, BRUXELLES. GILBERT BUSIEAU, BRUXELLES. M. COQUELET, MUSÉE COMMUNAL D'IXELLES, BRUXELLES. MAURICE CULOT, ARCHIVES D'ARCHITECTURE MODERNE, BRUXELLES. JOSETTE JAVAUX, BRUXELLES. ANNE VAN LOO, ARCHIVES D'ARCHITECTURE MODERNE, BRUXELLES. PAUL NOIRET, ÉCOLE NATIONALE SUPÉRIEURE DES ARTS VISUELS DE LA CAMBRE, BRUXELLES. CHARLES VANDENHOVE, LIÈGE. PHILIPPE PÉTRÉ, ÉCOLE NATIONALE SUPÉRIEURE DES ARTS VISUELS DE LA CAMBRE, BRUXELLES.

EN ESPAGNE : JUAN BASSEGODA NONELL, CATEDRA GAUDÍ, BARCELONE. DAVID FERRER COLEGIO OFFICIAL DE ARQUITECTOS DE CATALUNYA, BARCELONE. IGNASI DE SOLA-MORALES.

EN GRANDE-BRETAGNE : DAVID ALSTON, SHEFFIELD CITY ART GALLERIE, SHEFFIELD. DON ANDERSON, ANDERSON O'DAY GALLERY, LONDRES. LADY BLISS, LONDRES. ALVIN BOYARSKY, ARCHITECTURAL ASSOCIATION, LONDRES. GEREMY AND RITA BUTLER, LONDRES. SIR HUGH CASSON, ROYAL ACADEMY OF ARTS, LONDRES. HENRIETTA CHAMIER, WADDINGTON GALLERIES LTD., LONDRES. PETER COOK, LONDRES. STEPHEN CROAD, ROYAL COMMISSION ON HISTORIC MONUMENTS (ENGLAND) LTD., LONDRES. PETER DAVEY, *THE ARCHITECTURAL REVIEW*, LONDRES. MARGARET AND PETER EATON, LONDRES. ROBERT ELLWALL, ROYAL INSTITUTE OF BRITISH ARCHITECTS, LONDRES. MARK FISHER, LONDRES. PHILIPPE GARNER, SOTHEBY AND CO., LONDRES. BEN GIBSON, LONDRES. DAVID DE HAAN, IRONBRIDGE GEORGE MUSEUM, SWOPSHIRE. JOHN HARRIS, ROYAL INSTITUTE OF BRITISH ARCHITECTS, LONDRES. MARTIN HARRISON, OLYMPUS GALLERY, LONDRES. MICKI HAWKES, ARCHITECTURAL ASSOCIATION, LONDRES. MARK HAWORTH-BOOTH, VICTORIA AND ALBERT MUSEUM, LONDRES. RON HERRON, LONDRES. EDWARD JAMILLY, LONDRES. BEN JOHNSON, LONDRES. ANNELY JUDA, ANNELY JUDA FINE ART, LONDRES. C.M. KAUFFMANN, VICTORIA AND ALBERT MUSEUM, LONDRES. LÉON KRIER, LONDRES. ALEXANDER LAMPERT, OXFORD. CATHERINE LACEY, TATE GALLERY, LONDRES. JILL LEVER, ROYAL INSTITUTE OF BRITISH ARCHITECTS, LONDRES. CONWAY LLOYD MORGAN, LONDRES. RUPERT MARTIN, THE PHOTOGRAPHER'S GALLERY, LONDRES. MARTIN MEADE, *THE ARCHITECTURAL REVIEW*, LONDRES. ERIK MONK, SOCIETY OF ARCHITECTURAL AND INDUSTRIAL ILLUSTRATORS, GLOUCESTERSHIRE. CAVAN O'BRIEN, FISCHER FINE ART LTD.,

LONDRES. VALÉRIE PAINE, YOUNG ARTISTS, LONDRES. ANDREAS C. PAPADAKIS, *ARCHITECTURAL DESIGN*, LONDRES. CONSTANCE-ANNE PARKER, ROYAL ACADEMY OF ARTS, LONDRES. JANE PRAEGER, ROYAL INSTITUTE OF BRITISH ARCHITECTS, LONDRES. JOHN VAN REMSDIJK, THE SCIENCE MUSEUM, LONDRES. MARGARET RICHARDSON, ROYAL INSTITUTE OF BRITISH ARCHITECTS, LONDRES. PIERS ROGERS, ROYAL ACADEMY OF ARTS, LONDRES. CHARLES TARLING, ADAMS, HOLDEN AND PEARSON, LTD., LONDRES. DAVID THOMAS, THE SCIENCE MUSEUM, LONDRES. MARITZA VALSAMIDI, ROYAL ACADEMY OF ARTS, LONDRES. JOHN WARD, THE SCIENCE MUSEUM, LONDRES. BEN WEINREB, LONDRES. ALEXANDRA WETTSTEIN, MARLBOROUGH FINE ART (LONDON) LTD., LONDRES. PETER WILSON, LONDRES. SARAH WILSON, COURTAULD INSTITUTE OF ART, LONDRES. RITA WOLFF, LONDRES.

EN HOLLANDE : J.B.J. BREMER, RIJKSMUSEUM, KRÖLLER-MÜLLER, OTTERLO. PIET DE JONG, STEDELIJK VAN ABBEMUSEUM, EINDHOVEN. BERNARD COLENBRANDER, STICHTING ARCHITECTUUR MUSEUM, AMSTERDAM. M. VAN GREVENSTEIN, STEDELIJK MUSEUM, AMSTERDAM. REYN VAN DER LUGT, ROTTERDAMSE KUNSTSTICHTUNG, ROTTERDAM. LUCE VAN ROOY, VAN ROOY GALERIE, AMSTERDAM. EVERT J. VAN STRAATEN, DIENST VERSPREIDE RIJKSCOLLECTIES. TH. VAN VELZEN, HAAGS GEMEENTEMUSEUM, LA HAYE. E. DE WILDE, STEDELIJK MUSEUM, AMSTERDAM. SYLVIE WILLINK, AMSTERDAM. DICK VAN WOERKOM, STICHTING ARCHITECTUUR MUSEUM, AMSTERDAM.

EN ITALIE : PARIDE ACCETTI, MILAN. GABRIELE BASILICO, MILAN. JIANFRANCO COLOMBO, CENTRO IL DIAFRAMMA-CANON, MILAN. MME CORDELLA, MUSEO DE LA SCALA, MILAN. PHILIPPE DAVERIO, GALLERIA DAVERIO, MILAN. DONATA DEVOTI, UNIVERSITA DEGLI STUDI DI PISA, PISE. GIORGIO GRASSI, MILAN. SERGIO GROSSETTI, CENTRO ANNUNCIATA, MILAN. ANTONIA JANNONE, MILAN. PIERO PINTO, MILAN. ARTURO CARLO QUINTAVALLE, CENTRO STUDI E ARCHIVIO DELLA COMUNICAZIONE, UNIVERSITA DI PARMA, PARME. M. TINTORI, MUSEO DE LA SCALA, MILAN. FIORELLA URBINATI, GALLERIA D'ARTE MODERNA, ROME. FILIPPO ZEVI, STUDIO ALINARI, FLORENCE.

EN RÉPUBLIQUE FÉDÉRALE D'ALLEMAGNE : DR ALBERT, FOTOMUSEUM, MUNICH. E. BERCKENHAGEN, KUNSTBIBLIOTHEK, BERLIN. REINER BUDDE, WALLRAF-RICHARTZ-MUSEUM, COLOGNE. M. CONRADS, *DAIDALOS*, BERLIN. GOTZ CZYMMEK, WALLRAF-RICHARTZ-MUSEUM, COLOGNE. GERHARDT DIETRICH, KÖLNER DOM, COLOGNE. BARBARA ESCHENBURG, STADTMUSEUM, MUNICH. VOLKER FISCHER, DEUTSCHES ARCHITEKTUR MUSEUM, FRANCFORT. JANOS FRECOT, BERLINISCHE GALERIE, BERLIN. GALERIE AEDES, BERLIN. DR. HAHN, BAUHAUS ARCHIV, BERLIN. GUDRUN HAMACHER, INTERNATIONALE BAUAUSSTELLUNG, BERLIN. DR. HAPPRATH, STAATLICHE GRAPHISCHE SAMMLUNG, MUNICH. CHRISTOPH HEILMANN, NEUE PINAKOTHEK, MUNICH. DR. VAN KAMPEN, LANDESBILDSTELLE, BERLIN. ARMANDO KACZMARCZYK, BERLIN. FLORIAN KARSCH, GALERIE NIERENDORF, BERLIN. J.P. KLEIHUES, BERLIN. HEINRICH KLOTZ, DEUTSCHES ARCHITEKTUR MUSEUM, FRANCFORT. KASPER KONIG, COLOGNE. PETER KRIEGER, NATIONALGALERIE, BERLIN. RICHARD KUSTERMANN, MUNICH. MAGNANO LAMPUGNANI, BERLIN. THOMAS LEVY, GALERIE LEVY, HAMBOURG. REINHOLD MISSELBRECK, MUSEUM LUDWIG, COLOGNE. WINFRIED NERDINGER, TECHNISCHE UNIVERSITÄT, MUNICH. URSULA OPITZ, *DAIDALOS*, BERLIN. SUZANNE PASTOR, GALERIE RUDOLF KICKEN, COLOGNE. PETER RADICKE, TECHNISCHE UNIVERSITÄT, BERLIN. FRAU REICHENWALLNER, STADTMUSEUM, MUNICH. KRYSTYNA RUBINGER, GALERIE GMURZYNSKA, COLOGNE. CHRISTOPH STÖLZL, STADTMUSEUM, MUNICH. WERNER SUDENDORF, STIFTUNG DEUTSCHE KINEMATHEK, BERLIN. OSWALD MATTHIAS UNGERS, COLOGNE. EVELYN WEISS, MUSEUM LUDWIG, COLOGNE. ANN ET JURGEN WILDE, GALERIE WILDE, COLOGNE. ARNOLD WOLFF, KÖLNER DOM, COLOGNE. CHRISTIAN WOLSDORFF, BAUHAUS ARCHIV, BERLIN.

EN SCANDINAVIE : MME ALVAR AALTO, HELSINKI. HENRIK O. ANDERSSON, ARKITEKTURMUSEET, STOCKHOLM. LISBET BALSLEV-JORGENSEN, KUNSTAKADAMIETS BIBLIOTEK, COPENHAGUE. LENNART DUREHED, CAMERA OBSCURA, STOCKHOLM. JUHANI PALLASMAA, HELSINKI. ELISABETH SEIP, NORSK ARKITEKTURMUSEUM, OSLO. SIRKKA VALANTO, MUSÉE FINLANDAIS D'ARCHITECTURE, HELSINKI.

EN SUISSE : ARCHITHESE, NIEDERTEUFEN. FÉLIX BAUMANN, KUNSTHAUS, ZURICH. URS BONA, SOCIÉTÉ MIRA-X, ZURICH. CLAUDIA COLOMBINI, ARCHIV FÜR MODERNE SCHWEIZER ARCHITEKTUR, ZURICH. JURGEN GLAESEMER, KUNSTMUSEUM, BERNE. ALFRED HABLÜTZEL. ROBERT ET TRIX HAUSSMANN, ZURICH. KATHARINA MEDICI-MALI, ARCHIV FÜR MODERNE SCHWEIZER ARCHITEKTUR, ZURICH. MIRIAM MILMAN, TANNAY. THEO PINKUS, STIFTUNG STUDIENBIBLIOTHEK ZÜR GESCHICHTE DER ARBEITERBEWEGUNG, ZURICH. ALBERTO SARTORIS, LAUSANNE. ELKA SPOERRI, KUNSTMUSEUM, BERNE. WALTER BINDER, STIFTUNG FÜR PHOTOGRAFIE, KUNSTHAUS, ZURICH.

NOUS REMERCIONS PARTICULIÈREMENT LA SOCIÉTÉ SUISSE MIRA-X, AINSI QUE SA FILIALE FRANÇAISE, ET LA SOCIÉTÉ ALLEMANDE TAUNUS-TEXTILDRÜCK POUR LE DON DES TISSUS EN TROMPE-L'ŒIL ARCHITECTURAL DE LA COLLECTION « H-DESIGN » DESSINÉS PAR TRIX ET ROBERT HAUSSMANN ET ALFRED HABLÜTZEL. CES TISSUS ONT SERVI À L'AMÉNAGEMENT DE LA GRANDE GALERIE CENTRALE DE L'EXPOSITION.

NOUS REMERCIONS ÉGALEMENT LA REVUE SUISSE *ARCHITHESE* DE NOUS AVOIR AUTORISÉ À REPRODUIRE DES EXTRAITS DE L'ARTICLE D'YVE-ALAIN BOIS « AVATARS DE L'AXONOMÉTRIE ».

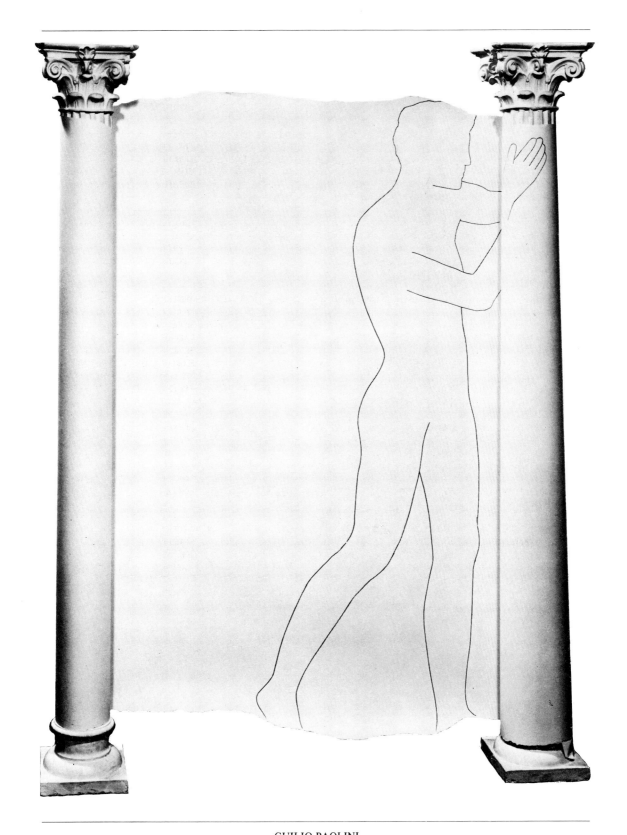

GUILIO PAOLINI
artiste italien (né en 1940)
Caryatide, colonnes en plâtre et papier Canson
182 × 22 × 204 cm, 1980
Musée national d'Art moderne,
Centre Georges Pompidou

CONCEPTION ET RÉALISATION
DE L'EXPOSITION

COMMISSAIRE GÉNÉRAL :
Jean Dethier
architecte-conseil au CCI

COMMISSAIRE-ADJOINT :
Ruth Eaton

CHARGÉS DE RECHERCHE OU DE PRODUCTION :
Monica Baillon, Antoine Bruhat, Nicole Latappy,
Véronique Parent

AVEC LA COLLABORATION TEMPORAIRE DE :
Martine Durel, Anne Lambrichs, Jacqueline Stanic-Costa

RECHERCHES PHOTOGRAPHIQUES EN FRANCE :
François-Xavier Bouchart

RECHERCHES PHOTOGRAPHIQUES EN ITALIE :
Galerie Diaframma-Canon, Milan

PHOTOGRAPHIE DES ŒUVRES :
Jean-Claude Planchet

CONSULTANTS :
pour le dessin d'architecture :
Henri Bresler et Patrick Céleste
pour la photographie :
Jean-François Chevrier et Philippe Néagu
pour la peinture :
Bruno Foucart et Germain Viatte
pour le théâtre et l'opéra :
Catherine Join-Diéterle
pour le cinéma :
Marianne de Fleury et Philippe Nedellec
pour la bande dessinée :
Jean-Marie de Busscher

PRODUCTION ET EXÉCUTION
DE L'EXPOSITION

ARCHITECTE :
Jean Dethier

ARCHITECTES ASSOCIÉS :
Antoine Bruhat et Véronique Parent

ARCHITECTES-CONSEILLERS :
Alfred Hablützel et Robert Haussmann

COLORISTE :
Marc Walter

MAQUETTISTE :
Dominique Leduc

RÉGISSEUR GÉNÉRAL :
Stéphane Iscovesco

RÉGISSEUR :
Claude Balleur

avec la participation aux ateliers du CCI de :
Pascal Dossat, Philippe Fourrier,
Azzedine Messahli, Jean-Claude Perrault,
Pierre Pocton, André Toutcheff

SERVICE DE PRESSE :
Marie-Jo Poisson-Nguyen

RELATIONS PUBLIQUES :
Ariane Diané

SECRÉTARIAT/PRESSE :
Marie-Thérèse Mazel-Rocca

ADMINISTRATION :
Josette Lelange

GESTION ET COORDINATION :
Joséphine Asselin-Tissot et Colette Oger

ENCADREMENT DES ŒUVRES :
Florence Turner
assistée de Elisabeth Bonvarlet et Delphine Bernard

MENUISERIE :
société G. Pousset

PEINTURE :
société CGEE Alsthom

TAPISSERIE :
société SODICO

TISSUS :
conçus par Alfred Hablützel, Robert et Trix Haussmann
édités et offerts par la société Mira X-Suisse,
imprimés par la société Taunus-Textildrück, RFA,
diffusés par la société Mira X-France

TRANSPORT DES ŒUVRES D'ART :
à l'étranger : société Chenue, Paris
à Paris avec l'aide du Musée national d'Art moderne

ASSURANCE DES ŒUVRES :
société Gras Savoye

SOMMAIRE

JEAN MAHEU

Président du Centre national
d'art et de culture Georges Pompidou

De la maison d'Abraham d'Ur en Chaldée aux immeubles-tours contemporains, du labyrinthe crêtois aux jardins Renaissance issus du «Songe de Poliphile» et au futur Parc de La Villette, l'architecture est le champ d'un perpétuel affrontement au réel et à ses contraintes, mais aussi d'un jaillissement continu de l'imaginaire et de ses utopies. L'archéologie et l'histoire attestent que la création architecturale est un geste essentiel : par elle, les civilisations investissent sites et lieux et ce faisant conquièrent leur durée, édifient leur mémoire, configurent leurs mythes.

A son échelle, le Centre Georges Pompidou en fait quotidiennement l'expérience : l'affirmation architecturale du bâtiment est l'une des sources fondatrices de son succès comme elle est un rappel constant de sa vocation et de ses contradictions.

Mais les liens du Centre avec l'architecture ne se bornent pas au bâtiment qu'il habite. La création architecturale est un domaine privilégié des recherches et des activités de l'un de ses départements, le Centre de Création Industrielle, qui lui a consacré de nombreuses expositions et par exemple : «Le temps des gares» (1978-1979), «Architecture en France, modernité et post-modernité» (1981-1982), «Architectures de terre» (1982-1983), «Architecture et industrie» (1983), contribuant ainsi au développement d'une culture architecturale si nécessaire au progrès de la création en ce domaine.

Au moment où le débat architectural s'amplifie et paraît se dégager du discours sur l'urbanisme, au moment où est mis en œuvre un important programme de grands projets d'architecture dans la capitale, l'exposition «Images et imaginaires d'architecture» conçue par Jean Dethier propose un vaste panorama européen des différents modes de représentation de l'architecture, rassemblant plus de six cents œuvres originales de toute nature (peinture, dessin, photographie, scénographie, bande dessinée, etc.).

Ces représentations d'œuvres architecturales réalisées ou projetées, inventées ou simplement rêvées, d'origines très variées (contributions de professionnels de l'architecture ou de créateurs de nombreuses autres disciplines), nous révèlent des résonnances multiples et souvent inattendues avec les grands courants artistiques qui ont bouleversé l'Europe depuis le XIXᵉ siècle. Elles témoignent aussi de la liberté d'imagination et de la formidable puissance d'invention qui ont animé durant cette période historique architectes et fous d'architecture.

IMAGES ET IMAGINAIRES D'ARCHITECTURE
ENJEUX SOCIAUX ET CULTURELS

— JEAN DETHIER —

De toutes les productions culturelles ou artistiques modernes, l'architecture est sans doute celle qui conditionne le plus puissamment notre comportement physique et psychique puisque nous sommes contraints chaque jour à subir, au dedans comme au dehors, son emprise permanente.

Paradoxalement, c'est aussi le domaine culturel où le citoyen et l'usager n'ont pas les moyens d'opérer de choix réels. L'immense majorité de «nos» architectures s'édifient sans nous ou malgré nous. Et quand ce choix semble exister, il est souvent bien étriqué ou parodique. Cette impuissance conduit souvent le public à se réfugier dans une sorte d'ignorance passive de l'architecture fortement caractéristique de la culture contemporaine : elle semble d'autant plus marquée que l'environnement bâti se rétrécit à une médiocrité agressive. Ce cercle vicieux redoutable et ce fatalisme archaïque pourraient être brisés si nos contemporains étaient initiés à comprendre l'architecture, à apprécier ses qualités et critiquer ses déchéances, à analyser ses enjeux. Mais, hélas, on ne trouve pas trace de telles tentatives, ni dans l'enseignement primaire ou secondaire ni même dans la plupart des mass-médias qui souvent ignorent tout autant cette composante essentielle de la culture et de la politique, de l'économie et de la vie sociale.

Ainsi, paradoxalement, le public est abreuvé d'informations sur les productions culturelles à l'égard desquelles la liberté de choix du consommateur peut s'exercer (littérature, télévision, arts plastiques, arts du spectacle, musique, etc.), mais il est maintenu dans une ignorance obscure à l'égard de ce qui est la plus contraignante et la plus omniprésente des productions culturelles; ainsi en France la télévision n'a, depuis son apparition, jamais réalisé une seule émission régulière autour de l'architecture des temps modernes. Ce phénomène général est d'autant plus alarmant que la société industrielle a progressivement perdu la maîtrise de ses villes et de ses architectures. Seules quelques rarissimes expériences sont amorcées ici et là (à Bruxelles ou Berlin, Londres ou Roubaix) pour donner aux usagers la dignité d'une liberté de choix, pour essayer de démocratiser les processus de conception et de décision qui aboutissent à édifier ou modifier l'architecture de nos habitats, de nos quartiers ou de nos villes.

Il faut restaurer un concensus social autour de l'architecture; et pour cela instaurer un dialogue entre concepteurs, décideurs et usagers. Et ce dialogue réclame notamment un langage commun pour comprendre quelles architectures on évoque et quelles alternatives peuvent s'envisager. Paradoxalement encore, la voie orale ou écrite est la plus abstraite, la plus insaisissable pour comprendre ce que sont réellement les architectures en question. C'est donc un langage visuel qui peut contribuer à ce dialogue, si ses codes sont définis comme un vocabulaire de base destiné à conquérir cette convivialité élémentaire. L'un des buts de l'exposition est précisément de réhabiliter des éléments de ce langage de communication visuelle, d'en révéler certaines potentialités traditionnelles ou nouvelles pour participer à une démocratisation des processus de choix de notre environnement quotidien, pour échapper à la bureaucratisation de ces procédures qui, si souvent, prend l'allure d'un totalitarisme ne se reconnaissant évidemment pas comme tel. Certes, il existe des exceptions — parfois louables — de consultation du public, mais l'immense majorité de ce qui se construit échappe à tout véritable contrôle social, à toute concertation.

Pour tenter de reconstruire un tel langage de communication à propos de l'architecture, il faut d'abord sortir de l'amnésie où nous avons été progressivement plongés depuis quelques générations. Il faut redécouvrir ce vocabulaire riche et nuancé qui a commencé à se formaliser à la Renaissance pour connaître un plein épanouissement au XIXe siècle et au début de ce siècle. Il avait atteint une extraordinaire perfection pour assumer la représentation de l'architecture sous des formes vivifiantes et intelligibles.

Bien sûr, ce savoir-faire n'était pas alors au service de la collectivité mais servait seulement aux architectes, pour permettre à leurs clients privilégiés de visualiser leurs propositions et aux artistes pour exprimer leurs pulsions individuelles. Si, au cours des temps modernes, le principe — par exemple — des élections politiques a été progressivement élargi à tous les citoyens majeurs, on ne voit pas pourquoi l'élection et le choix de l'architecture de notre cadre de vie ne pourrait pas suivre une démocratisation au moins similaire ?

Mais il ne s'agit pas nécessairement à ce propos de réduire l'imagerie architecturale à un quelconque réalisme populiste. Il convient d'ailleurs — en plus des architectes — d'appeler aussi les artistes, les imagiers et les imaginateurs à investir, élargir et vivifier ce champ social de la création, en y provoquant l'irruption d'un imaginaire dont le pouvoir créatif a été trop souvent mis à l'écart ou négligé. C'est notamment avec la perspective de cette utopie socio-culturelle que le parcours chronologique de cet ouvrage (et de l'exposition dont il rend compte) nous convie à investir l'histoire, l'actualité et le devenir des représentations de l'architecture : découvrir les nombreux chefs-d'œuvre de ces genres artistiques méconnus ou oubliés, suivre leurs fluctuations, constater à partir des années 1930 leur déclin qui aboutit à l'effondrement de ce langage après la Deuxième Guerre mondiale. Historiquement dans ce domaine, on traversera alors un désert (ponctué des oasis de quelques brillantes exceptions) pour observer enfin, depuis une décennie, une véritable Renaissance de l'imagerie et de l'imaginaire d'architecture.

Dans un panorama de l'actualité, où se conclut ce parcours, on assiste à l'actualisation de diverses traditions de la représentation, à la reprise en compte d'une mémoire culturelle et de la spécificité européenne. A l'emprise d'un « style international » accablant par ses stéréotypes éculés se substitue heureusement une diversité stimulante d'attitudes créatives. Si cette régénération doit parfois beaucoup à la redécouverte et à la réhabilitation de notre Histoire — que nos aînés avaient depuis deux ou trois générations si facilement méprisée ou oubliée — il n'en demeure pas moins que l'imaginaire architectural actuel s'alimente aussi à d'autres sources, en exploitant notamment les potentialités des nouvelles techniques de l'image offertes par le formidable renouveau des outils de création.

Lorsque l'informatique fit son apparition avec la Conception assistée par ordinateur (CAO), certains avaient annoncé la mort des modes traditionnels de représentation. Mais, force est de constater aujourd'hui que la renaissance du dessin d'architecture correspond, presque chronologiquement, à cette irruption de la technologie. C'est alors, aussi qu'une nouvelle génération de créateurs s'est mise, à travers toute l'Europe à reconsidérer l'architecture comme un sujet digne de ses préoccupations culturelles et artistiques.

Les apports respectifs de l'histoire et de l'actualité, loin d'être en conflit, semblent donc pouvoir coexister afin d'élargir la gamme des possibilités offertes désormais, pour appréhender et aborder la création architecturale. Ce ne sont là que les débuts d'une ère nouvelle où les voies de la créativité devraient se diversifier et s'enrichir considérablement. Déjà on appréhende dans de multiples domaines l'impact de cette étonnante renaissance de l'image architecturale. Nombreux sont les architectes, les peintres ou les photographes, les scénographes ou autres créateurs d'images qui en redécouvrent l'évidence avec une jouissance communicative. L'imaginaire architectural investit la bande dessinée, la publicité et toutes les formes de l'illustration; il revient en force au cinéma, au théâtre ou à l'opéra. Cet élan vital comble enfin le vide qui, en ce domaine, a souvent caractérisé la «période d'opulence» matérielle des années 1960 et 1970. Il reste à espérer que cette effervescence créative pourra susciter dans le public un regain d'intérêt pour l'architecture. Un des buts de la recherche proposée ici est de participer à la reconstruction d'un consensus social autour de l'architecture, et à travers le nouveau langage visuel qui s'ébauche, de chercher à promouvoir des pratiques de la création où de multiples élans culturels et sociaux puissent s'épanouir et participer à ce grand... «dessein».

Le but de la démarche ici est d'abord d'ébaucher un panorama de l'évolution des multiples représentations de l'architecture en Europe du XIXe siècle à nos jours. Pour amorcer ce récit, la date choisie est celle de l'apparition d'un nouveau mode de représentation de notre environnement — la photographie — qui dès 1826 va considérablement élargir le champ d'investigation dans ce domaine et permettre bientôt l'épanouissement d'une nouvelle sensibilité, d'un nouveau regard sur l'architecture.

Ce choix est apparu déterminant car cette recherche s'attache à confronter, tout au long d'un parcours chronologique de plus de cent cinquante années, la diversité des interprétations qu'on pu faire de l'architecture des créateurs relevant de disciplines très diverses. Bien sûr, les architectes sont ici largement représentés par les multiples usages qu'ils font de toute une gamme de productions graphiques ou picturales, mais nous avons voulu, d'emblée, rassembler autour d'eux une part au moins égale d'œuvres relevant d'autre logiques professionnelles, d'autres sensibilités et finalités, d'autres savoir-faire. Jusqu'ici, on n'avait jamais confronté leurs travaux à ceux des peintres ou des photographes, des scénographes, cinéastes ou illustrateurs inspirés par l'architecture ou portés vers l'architecture dans leur démarche créatrice. Ce sont ces divisions artificiellement élevées entre ces genres que nous avons notamment tenté de gommer pour restituer, à sa vraie dimension, l'imaginaire architectural qui dépasse évidemment tous les clivages corporatistes.

Des peintres aussi importants que Gaertner ou Monet au XIXe siècle, que Delaunay, Klee, Feininger ou Dubuffet au XXe siècle, semblent avoir été habités par une vision arhcitecturale, parfois à travers l'ensemble de leur œuvre. Des photographes aussi influents que Baldus, Atget, Mantz ou Basilico ont consacré leur talent à interpréter ou révéler l'architecture de leur temps. Des créateurs aussi essentiels que Méliès ou Fellini, Lang, Lubitsch, Tati ou Resnais ont, à travers le cinéma, traduit une vision — voire une invention — de l'architecture qui a contribué largement à la sensibilité moderne.

Au nom de quelle manie désuète de classement arbitraire faudrait-il continuer à isoler, séparer, dissocier ces créateurs qui contribuent, chacun à leur façon, à une culture architecturale contemporaine ? Et cette culture-là n'a de sens que si elle traverse généreusement tous les genres et tous les mouvements créatifs, sans se limiter à des préjugés ou des a priori. Les œuvres ici rassemblées tentent de rendre compte de cette diversité, de cette profusion créatrice en Europe autour de l'architecture.

Pour les besoins du balisage de ce parcours, nous avons ici choisi — comme dans l'exposition — un itinéraire chronologique scandé par décennie. Pour chacune d'elle, le choix consiste à confronter des œuvres d'auteurs, de disciplines et de pays très divers, afin de suggérer des rapprochements, des comparaisons qui puissent révéler la multiplicité et la richesse des images et des imaginaires d'architecture. Il s'agit de rendre compte des cheminements les plus variés qui conduisent à l'architecture, pour en faire apprécier toutes les saveurs mais parfois aussi toutes les perversions.

Si l'on peut espérer revivifier dans le public un intérêt pour l'architecture, ce sera en la restituant notamment dans le contexte culturel et artistique où elle est par nature immergée et non plus en l'isolant comme une production autonome artificiellement détachée de ce qui lui confère une vitalité et une signification.

Au-delà du caractère éphémère de l'exposition, dont ce livre rend compte, et au moment où la France sort enfin d'une longue léthargie, d'une longue amnésie dans le domaine de la création architecturale, n'est-il pas vraiment opportun d'amorcer la création d'un musée international d'architecture moderne? Alors que la multiplication et la fréquentation assidue des musées offrent désormais des signes évidents d'une demande sans précédent du public, pourquoi l'architecture resterait-elle la seule discipline culturelle majeure — le seul art dont l'impact social est notoire — à ne pas bénéficier d'un lieu spécifique majeur où elle puisse se déployer en permanence où l'on puisse la comprendre, dialoguer et l'aimer enfin.

L'architecture a toujours été le plus fidèle et le plus évident reflet de toutes les sociétés; la nôtre saura-t-elle créer la magie du lieu où pourrait se cristalliser l'alchimie d'une nouvelle culture architecturale? Un lieu d'élection pour de nouvelles Muses avec qui nous pourrions créer un goût de l'architecture qui ne soit plus amer : créer un désir d'architecture. Peut-être même un plaisir?

V. DALHERUP
architecte danois du XIXᵉ siècle
Autoportrait de l'architecte de retour de son grand voyage en Italie
la tête pleine d'images architecurales et historicistes
encre sur papier, 5 × 3 cm, 1866
Kunstakademiets Bibliotek, Copenhague.

LES AUTEURS

BOIS Yve-Alain : Chargé de recherche au Centre national de la recherche scientifique (CNRS), Paris.

BOUDON Philippe : Chercheur; enseignant d'architecture; auteur de divers ouvrages sur l'architecture.

BRACCO Patrick : Documentaliste à la Direction régionale des affaires culturelles (DRAC) d'Ile-de-France, Paris.

BRESLER Henri : Architecte, professeur d'architecture et d'histoire de l'architecture à l'École (UPA3) de Versailles.

DE BUSSCHER Jean-Marie : Journaliste et scénariste de bande dessinée, Paris.

CÉLESTE Patrick : Architecte; professeur d'architecture et d'histoire de l'architecture à l'École (UPA3) de Versailles.

CHASLIN François : Critique d'architecture. Paris.

CHEVRIER Jean-François : Rédacteur en chef de la revue *Photographies*, Paris.

CULOT Maurice : Directeur des Archives d'architecture moderne, Bruxelles.

DETHIER Jean : Architecte conseil au Centre de création industrielle, Centre Georges Pompidou, Paris.

FISCHER Volker : Directeur-adjoint du Deutsches Architekturmuseum, Francfort.

FOUCART Bruno : Professeur d'histoire de l'art contemporain à l'université de Paris-Sorbonne.

GIBSON Ben : Rédacteur-adjoint à la revue de cinéma *Framework*, Londres.

GUIHEUX Alain : Architecte, sociologue, Centre de création industrielle, Centre Georges Pompidou, Paris.

GUILLERME Jacques : Chercheur au Centre national de la recherche scientifique (CNRS), Paris.

HARRIS John : Directeur du Cabinet des dessins du Royal Institute of British Architects (RIBA), Londres.

JOIN-DIÉTERLE Catherine : Conservateur au musée du Petit Palais, Paris.

LEBOVICI Elisabeth : Historienne d'art, Paris.

LISTA Giovanni : Chargé de recherche au Centre national de la recherche scientifique (CNRS), Paris.

MAHEU Jean : Président du Centre national d'Art et de Culture Georges Pompidou, Paris.

MIGNOT Claude : Maître-assistant à l'UER d'art et d'archéologie de Paris IV.

MILMAN Miriam : Docteur en sciences; effectue des recherches d'histoire de l'art pour l'université de Genève.

NÉAGU Philippe : Attaché principal au musée d'Orsay.

NERDINGER Winfried : Directeur du Cabinet des dessins à la Technische Universität, Munich.

PIGNOT Victoria : Architecte, Paris.

SAINT AUBIN Jean-Paul : Conservateur de l'Inventaire général; responsable de l'atelier de photogrammétrie architecturale, Paris.

SARFATI Alain : Architecte, Paris.

SAVIGNAT Jean-Michel : Architecte; professeur à l'École d'architecture de Marseille.

VERNES Michel : Professeur d'histoire à l'École des beaux-arts, Paris.

WEINREB Ben : Libraire, spécialisé dans les ouvrages anciens d'architecture, Londres.

ZEITOUN Jean : Directeur du Centre informatique et de méthodologie en architecture (CIMA), Paris.

E S S A I S

IL Y A CERTAINEMENT QUELQUE CHOSE
DE DIVIN DANS CES CONSTRUCTIONS,
TOUT COMME LA FORCE DU GRAND POÈTE QUI
DE LA VÉRITÉ ET DU MENSONGE
FAIT NAITRE UN TROISIÈME ÉLÉMENT
DONT L'EXISTENCE CACHÉE NOUS ENVOUTE.
JOHANN WOLFGANG GŒTHE

ARCHITECTURE, ART DU DESSIN

LES ARCHITECTES AURAIENT DONC, JUSQU'À LA DEUXIÈME MOITIÉ DU XVIIIe SIÈCLE, DÉDAIGNÉ LES ARTIFICES DU RENDU. PHILIBERT DE L'ORME NE DISAIT-IL PAS QU'IL SUFFISAIT À L'ARCHITECTE DE SAVOIR DESSINER « MÉDIOCREMENT, PROPREMENT ET NETTEMENT » : LE DESSIN SOMMAIRE, FRUIT DE LA RATIONALITÉ DE LA RENAISSANCE, PARLAIT DE LUI-MÊME. MAIS AVEC LES ENSEIGNEMENTS DE BLONDEL ET DE LEGEAY, LA MANIÈRE DE DESSINER, L'IMAGE, PRENNENT UNE PLACE DE PLUS EN PLUS IMPORTANTE.

— JEAN-MICHEL SAVIGNAT —

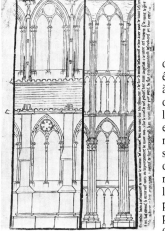

Quand Vasari, au milieu du XVIe siècle, classe l'architecture, avec la peinture et la sculpture, comme l'un des trois arts du dessin, il semble bien que ce soit là une évidence : l'architecture serait avant toute chose dessinée, et le travail de l'architecte cet art de « la préordination faite de droites et d'angles » que définissait Léon Battista Alberti un siècle plus tôt.

Pourtant, si architecture et figuration sont indissociables, des différences significatives apparaissent quand on regarde les pratiques graphiques qui ont marqué les différentes époques. Le tracé à même le sol des épures des maîtres tailleurs de pierres sur les chantiers des cathédrales, l'investigation opérative de l'espace perspectif par les architectes de la Renaissance, les jeux d'optique et d'images des savants du XVIIe, les perspectives rehaussées des peintres d'architecture ou le premier cours de géométrie descriptive donné par Gaspard Monge à l'Ecole polytechnique, sont autant d'indices de cette diversité que l'on rencontre du Moyen Age à la Révolution dans les manières de dessiner.

Plutôt qu'une constante, le dessin, l'image en tant qu'outil de conception, mais aussi de communication, auront bel et bien été, tout au long de ces années, un enjeu : de l'affirmation d'un nouveau rôle intellectuel — l'architecte de la Renaissance — à la rationalisation du travail de conception qui accompagne la « querelle » architectes/ingénieurs, nous allons essayer ici d'en donner quelques repères.

La pratique figurative médiévale

Jusqu'au milieu du XIIIe siècle, on ne trouve aucune trace de représentations d'édifices qui pourraient être assimilables ou directement comparables à ce que nous entendons aujourd'hui par dessins d'architecture. C'est-à-dire, non seulement aucune image où l'édifice soit dessiné en plans ou en élévations relativement stricts, mais surtout aucune image où l'édifice soit le sujet unique de la représentation. Que ce soit dans les enluminures des manuscrits, dans les miniatures des livres d'Heures ou bien dans les fresques peintes, les édifices représentés, principalement religieux, sont toujours partie prenante d'une scène, ils s'inscrivent toujours dans une composition où les personnages ont autant d'importance, si ce n'est plus, dans la lecture de l'image que l'édifice lui-même : scènes de l'histoire religieuse, ouvriers au travail, etc.

Vers 1250 seulement commencent à apparaître des dessins concernant la construction des cathédrales gothiques : ainsi les dessins des palimpsestes de Reims, ceux de l'album de Villard de Honnecourt ou ceux plus tardifs, de la façade de la cathédrale de Strasbourg. Et, tout au long des XIVe et XVe siècles, ces dessins vont se multiplier. Quant à la perspective, on ne verra en France ses premières formes apparaître que plus tard, au XVe siècle. Sur ces dessins de la période gothique, aussi diverses qu'en soient les origines, plusieurs observations peuvent être faites : tout d'abord, les élévations sont en nombre disproportionné par rapport aux plans et ces plans et élévations ne s'appliquent pour ainsi dire jamais à la totalité de l'édifice; presque aucun de ces dessins n'est à une échelle exacte et ils ne sont jamais cotés, aucun d'entre eux n'est un véritable dessin en géométral, c'est-à-dire

VILLARD DE HONNECOURT
Détail des élévations pour la cathédrale de Reims, vers 1230
Bibliothèque nationale, Paris.

une représentation non déformée. De plus, on ne trouve jamais de concordances directes entre les parties d'un édifice construit et les dessins qui les concernent, qu'ils soient antérieurs ou non à la réalisation.

Ces dessins ne constituent pas des projets au sens moderne, ils ne concernent jamais la totalité d'une construction, et encore moins des projets d'exécution. Ce sont des relevés d'exemples ou des croquis d'intentions et de références qui viennent nourrir l'élaboration corporative de l'œuvre, des guides pour l'avancement du chantier, des repères indispensables quand on pense à la durée de la construction d'une cathédrale. La pratique constructive médiévale est empirique, intuitive, continue, elle fait appel à un savoir directement investi dans la matière. Les constructeurs ne travaillent pas à partir de données précises préétablies qu'il suffirait de transcrire, mais plutôt d'intentions qui s'inscrivent dans une chaîne de dépendances culturelles et sociales, à la rencontre de l'expérience d'une pratique et d'un savoir-faire traditionnel. Et il en est de même quand à la commande d'un édifice; ce devis établi vers 1284 pour la reconstruction de l'église des Cordeliers à Provins, traduit bien cette intrication de l'idée et du faire : « D'abord le couvent sera abattu à ras de terre. Et le pignon devant et le côté seront de la dimension qu'ils avaient auparavant, si ce n'est que le côté de l'aile sera sur piliers ronds et sur arcs en pierre de taille de la longueur de l'ancienne aile. Et les voussures de ces arcs auront la hauteur que commandera l'écartement, pour rejoindre l'entablement qui supportera la charpente de la nef; et il y aura en ce côté autant d'arcs qu'il y aura de travées entre deux tirants, comme l'exige la longueur de la vieille aile, et ces arcs seront de la dimension qu'exigera la charpente. Et il y aura à la retombée de ces arcs au pignon, du côté de la cour, un contrefort de six pieds de saillie et de trois pieds de parpaings qui sera amorti d'un revêtement en biseau en dessus du soutien du pignon[1]. »

Qu'apparaît-il dans ce devis ? Tout d'abord, on peut noter qu'il n'y a que très peu de données chiffrées, et surtout qu'aucune des dimensions principales de l'édifice n'est cotée. Ensuite, ce qui frappe dans ce texte est l'intrication permanente qui se forme entre ces différentes dimensions; il se crée entre elles une chaîne de dépendances, l'une déterminant l'autre. Aucun élément de l'édifice n'est considéré indépendamment de l'ensemble; il ne peut y avoir, dans de telles conditions, une autonomie propre et finalement non plus une élaboration propre; chaque élément doit être conçu en liaison avec les autres composants de l'édifice. Les dimensions de l'édifice sont fonction de sa mise en œuvre, des techniques employées et des matériaux utilisés. La production de l'édifice relève finalement d'une confrontation permanente entre la commande et les possibilités techniques. Ainsi les constructeurs travaillaient généralement à partir d'un plan tracé en grandeur réelle sur le sol; il fallait ensuite « tirer l'élévation ». Ce qui ne voulait pas dire en dessiner la façade mais, par exemple, déduire, à l'aide de la technique du trait, du plan d'une croisée d'ogives, sa structure et les coupes de pierres à réaliser. L'écartement d'une travée étant donné, on tire la hauteur qu'il est possible d'atteindre en fonction de la technique de voûtement choisie; mais tous ces tracés étaient effectués en grandeur nature, directement sur le sol ou sur un lit de plâtre et ensuite reportés sur les pierres à tailler.

La « costruzione legittima »

« Désormais, il est presque possible de prédire avec exactitude où se fera la jonction d'où partira la voie menant à la perspective moderne : elle se fera là où, renforcé par ses contacts avec l'architecture et surtout la sculpture, le sentiment de l'espace propre au gothique de l'Europe du Nord rencontre les formes d'architecture et les paysages conservés, à l'état de fragments, dans la peinture byzantine et s'en empare pour les fondre en une unité nouvelle[2]. »

Cette synthèse des arts gothiques et byzantins va se manifester pour la première fois au milieu du Trecento, en Italie, dans les travaux de Giotto et de Duccio : la représentation d'un espace intérieur clos, qui est alors clairement ressenti comme un corps creux, se traduit par une nouvelle appréciation formelle de la surface de représentation, qui devient un plan transparent au travers duquel le regard passe pour plonger dans cet espace. Mais ce n'est qu'au début du Quattrocento que la perspective moderne sera réellement définie et qu'elle pourra prétendre à l'universalité de son propos. « En effet, à partir des frères Lorenzetti, les tableaux du Trecento deviennent de plus en plus faux, jusqu'au moment où, aux alentours de 1420, la costruzione legittima fut, on peut bien le dire, inventée ». Dans les panneaux peints de Brunelleschi s'affirme alors la priorité de l'espace sur les objets singuliers, et, à partir de là, la construction perspective peut être systématisée en tant qu'outil de représentation de l'espace. Et, quelques années plus tard, Alberti dans son traité Della pittura formulera pour la première fois la théorie de la « costruzione legittima ». En France, ce n'est qu'en 1505 que paraîtra le premier livre consacré à la perspective : le De artificiali perspectiva de Jean Pelerin, dit « le Viator ». La construction perspective de la Renaissance a pour base cette définition fondamentale d'Alberti : « Le tableau est une intersection plane d'une pyramide visuelle formée par les rayons dont l'origine, le sommet de la pyramide, est l'œil de l'observateur et qui relie ce point aux points caractéristiques de la configuration spatiale à représenter. ».

Mais ce qui est remarquable dans cette méthode de construction de l'image perspective n'est pas tant le résultat, la mise en perspective d'un corps que l'utilisation des notions de plan et d'élévation. L'établissement de la perspective d'un corps s'effectue par décomposition de la pyramide visuelle en plan et élévation : la représentation en plan donne les valeurs en largeur de l'intersection des rayons visuels et du tableau, l'élévation des valeurs en hauteur. Il suffit ensuite de relier entre elles ces valeurs, qui fournissent les coordonnées des points du dessin perspectif, sur un troisième dessin pour obtenir l'image recherchée. Le calcul de ces valeurs en hauteur et largeur nécessite donc des dessins à l'échelle; le plan et l'élévation sont alors conçus comme des représentations théoriquement rigoureuses. Corrélativement à la naissance de la perspective moderne apparaît donc la représentation en géométral.

Cette entreprise de rationalisation des méthodes de représentation graphique est donc systématique « car tout ce qui se peut voir est superficie ou corps solide. Superficie n'est autre chose que ce que nous appelons plan [...]. Quant aux corps solides, nous les appelons en notre perspective montées et élévations[3]. » Le discours englobe l'ensemble de la production d'images, qu'elles soient en perspective ou en géomé-

1 - Cité par Jean Gimpel in : Les bâtisseurs de cathédrales, Paris : Seuil, 1958.
2 - Erwin Panofsky, La perspective comme forme symbolique, Paris : Minuit, 1975.
3 - Léon Battista Alberti, De re œdificatoria, extraits in : Renato De Fusco, Il codice dell'architettura-Antologia di trattatisti, Napoli : Ed. Scientifiche Italiane, 1968.

tral, qu'elles cherchent à créer l'illusion de la troisième dimension ou qu'elles restent rigoureusement bidimensionnelles.

Ce système de représentation graphique ainsi défini est le système producteur des nouvelles règles de visibilité; il construit le code de lecture, de perception de l'espace, qui est le fondement même de toute intervention sur cet espace. La perspective à point de vue central est la structure régulatrice de ce système de représentation qui sera celui de toute l'époque classique.

Le projet d'architecture

«La construction consiste essentiellement en dessin et maçonnerie[4]». C'est par cette phrase qu'Alberti commence le premier livre de son traité d'architecture, le *De re aedificatoria*. D'emblée, la distinction entre conception et réalisation est clairement énoncée. Dès lors, la conception est «le dessin d'une préordination arrêtée et rigoureuse, conçue par l'esprit, faite de droites et d'angles[5]». Préordination qui doit être telle que «la figure du bâtiment se comprenne et se forme [et que] finalement toute la forme de cet édifice se repose dans ces dessins[6]». Et dans la définition de cette préordination se trouve la définition du rôle de l'architecte, de la place et de la fonction du travail intellectuel dans la production des édifices. Car il n'est plus alors question de reproduire les modèles qui étaient transmis par les maîtres maçons et tailleurs de pierres; la nécessité d'une rupture formelle avec la féodalité et la nouvelle fonction signifiante attribuée au construit sont les impératifs d'une nouvelle commande à laquelle il faut répondre. C'est-à-dire concrétiser ces réponses et leur donner corps mais aussi, par contrecoup, fonder la légitimité de formes qui ne sont plus l'héritage d'une tradition : ce travail intellectuel de conception a pour pendant sa théorisation dans le discours de l'architecture.

Et dans ce passage du terrain où était tracé à même le sol la marque de l'édifice qui allait être construit à la représentation sur la feuille de papier ne s'exprime pas seulement, dans le processus de réduction graphique, la nouvelle maîtrise de l'espace, mais s'effectue aussi un renversement du rapport à l'œuvre produite. Ainsi Alberti constate que traditionnellement «le dessin a en lui l'instinct de suivre la matière». Mais, grâce au travail de composition «il nous sera permis, avec l'esprit et l'âme, de déterminer les formes entières de bâtiments séparément de chaque matière[7]». Ici apparaît la rationalité constructive de la Renaissance : d'un rapport physique à la matière, d'une production empirique de l'œuvre on passe à l'élaboration dans l'abstraction du dessin, à une production intellectuelle, le projet. De plus, cette rationalisation des méthodes de projet ne sera pas sans conséquences sur l'organisation du chantier. Composition et représentation font donc partie d'une même totalité produite par l'investigation/intervention sur l'espace construit; ils forment une totalité opérative : le projet d'architecture.

L'architecture des perspectivistes

Le XVIIᵉ siècle va bâtir un décor stable : la monarchie étend dans l'espace la marque de son pouvoir. L'architecture, érigée en académie, en est un des principaux outils et l'architecte va régler dans ses ordonnances construites le jeu des comportements humains.

«Les bâtiments s'alignent, s'écartent, s'étagent, pour déclencher des jeux de fuyantes. Les salles en enfilades rythmées par la répétition des fenêtres, portes et glaces, obéissent aux mêmes impératifs : rendre sensible l'infini horizon[8]». Le regard est dirigé, le cheminement tracé entre les façades symétriquement déployées, à travers de vastes places et les avenues profondément creusées où la pierre dessine dans l'espace des perspectives. Les lois de la perspective régissent alors celles de toute composition architecturale. L'architecte y est en premier lieu ordonnateur de points de vues. Et cette osmose de l'illusion dessinée et de la réalité bâtie atteindra parfois ce point, apparemment paradoxal, où le mur construit deviendra lui-même support d'une illusion dessinée : les ouvrages de perspective présentent souvent, dans ces années-là, des propositions qui tendent à améliorer, retoucher ou transformer les architectures par ce qui sera appelé des architectures peintes. Ainsi Vauzelard dans l'avis au lecteur de son *Abrégé ou raccourcy de la perspective par l'imitation* (1643) explique qu'il a le «dessein de donner au public quelques pièces de perspective propres pour orner ou prolonger les salles, galeries, promenoirs et autres lieux de plaisir, comme aussi d'autres par le moyen desquelles on pourra réparer les défectuosités d'un bâtiment ou autre édifice». Où s'arrête ce qui est dessiné ? Où commence ce qui est construit ? Ce sont les questions qui nous sont posées par cette tendance illusionniste de l'architecture et les réponses ne sont alors pas toujours évidentes.

Les architectes affichent ainsi la maîtrise qu'ils ont acquise dans le maniement de l'outil dont ils s'étaient dotés à la Renaissance : la «*costruzione legittima*». Ils en épuisent toutes les possibilités et ses règles semblent immuables. L'académie ne se voulait-elle pas le garant des acquis de la Renaissance ? Pourtant, c'est au cœur de ces années d'apparente stabilité que les cercles scientifiques se passionneront pour tout ce qui touche à la perception et à la vision : et l'image perspective n'échappera pas à leurs travaux.

Les questions à l'image

«Paris fut pendant une trentaine d'années le centre de la recherche mathématique. La cheville ouvrière de cet aréopage de savants [...] fut le Père Mersenne. Le couvent des Minimes en fut le lieu géographique. Parmi les amis et les correspondants du Révérend Père : Fermat, Descartes, Desargues, Pascal, Huygens, Roberval, les PP. du Breuil et Nicéron, les graveurs Bosse et Melan[9]». Tous vont être fascinés, passionnés par les problèmes de la perception, de la vision et l'illusion. Ceux qu'on va appeler les «perspecteurs» vont investir, explorer, pousser à l'absurde toutes les possibilités de constructions graphiques offertes par la perspective à point de vue central. Cette investigation du seul outil qu'ils possèdaient pour appréhender la réalité visible, va les amener à se poser une série de questions dont on peut trouver l'origine commune dans cette réflexion du Père Nicéron : «Les figures appartenantes à la vision directe [c'est-à-dire à la perspective à point de vue central], lesquelles hors de leur poinct semblèrent déformez et sans raisons et veues de leur poinct paraitront bien proportionnées[10]». Une telle constatation sur les conséquences de l'unicité du point de vue, aussi évidente qu'elle nous paraisse, est pour l'époque une brèche ouverte dans l'assurée position de l'image perspective : l'image n'est plus alors considérée forcément dans sa totalité comme le reflet objectif d'une réali-

4 - Jacques Androuet du Cerceau, *Leçons de perspective positive*, 1576.
5 - L. B. Alberti, *op. cit.*
6 - *Ibid.*
7 - *Ibid.*
8 - Albert Flocon et René Taton, *La perspective*, Paris : PUF, 1970.
9 - *Ibid.*
10 - Cité par Jurgis Baltrusaitis *in : Anamorphoses ou magie artificielle des effets merveilleux*, Paris : Olivier Perrin Editeur, 1969.

té, mais seulement vue d'un point précis. L'affirmation de Nicéron est fondamentalement une relativisation de la possibilité d'information de l'image, une mise en cause de son objectivité.

La « Récréation de sçavants », les jeux avec l'image illustrent bien cette interrogation. Tout au long du XVIIe siècle, les anamorphoses vont être systématiquement explorées : « La mode était aux cabinets de curiosités, dont les attractions les plus prisées furent les perspectives curieuses : images visibles d'un seul point de vue, sur des surfaces coniques, cylindriques, réfléchies par des prismes, miroirs simples ou courbes[11]. » Les « perspecteurs », passés maîtres dans la technique du dessin, jouent avec les images : ils les déconstruisent, les déforment, puis ils les reconstruisent, les recomposent. On pourrait parler de l'anamorphose comme d'un jeu graphique où les règles de base — les lois de la construction perspective à point de vue central — sont poussées à l'absurde. Mais en introduisant l'acte, l'action dans la lecture de l'image, en sollicitant le déplacement du spectateur vers le point de découverte de l'autre image, ou en imposant l'emploi d'artifices tels que le miroir pour la recompositon de l'image, l'anamorphose modifie le rapport du spectateur à l'image, transforme le statut même de l'image perspective, et ce, de l'intérieur même du procédé. En offrant plusieurs possibilités de lecture d'une image, l'anamorphose pose le problème du pouvoir d'information rationnelle de la vue perspective.

Et cette interrogation sur l'image rejoint les réflexions qu'a pu tirer Descartes de ses analyses des erreurs visuelles. Ainsi, dans le discours IV de *La Dioptrique*, il pose le problème de la ressemblance des choses représentées dans les images perspectives, ressemblance qu'il juge imparfaite « vu que, sur une superficie toute plate, elles nous représentent des cors diversement relevés et enfoncés et que mesme suivant les règles de la perspective, souvent elles représentent mieux des cercles par des ovales que par d'autres cercles, et des quarrés par des losanges que par d'autres quarrés; ainsi de toutes les autres figures : en sorte que souvent, pour être plus parfaites en qualités d'images, et représenter mieux un objet, elles doivent ne luy pas ressembler ». En posant le problème de la ressemblance, Descartes renforce les constatations de Nicéron sur l'unicité du point de vue. L'image n'est plus qu'illusion et non plus une fenêtre ouverte sur le monde. Pour que l'illusion soit parfaite, il faut justement que l'image ne ressemble pas à la réalité ! Le débat est ainsi posé : apparence ou réalité. En jouant avec l'image les perspecteurs dévoilent l'illusion de l'image et contestent à la perspective sa valeur universelle et sa capacité d'être la forme régulatrice de la vision.

De la géométrie projective à la géométrie descriptive

Les recherches des « perspecteurs », leurs réflexions autour des anamorphoses avaient démontré l'arbitraire que représentait le choix de la direction du regard et de l'éloignement du point de vue dans la méthode de la « *costruzione legittima* ». Il n'est pas étonnant alors que ce soit dans un tel contexte, face à toutes ces interrogations que le géomètre français Gérard Desargues (1591-1662) jette les bases de l'espace théorique moderne en formulant sa géométrie projective. Dans ses énoncés il allait, grâce au remplacement pour la première fois du « cône visuel » unilatéral d'Euclide par le « faisceau géométrique des rayons » multilatéral (c'est-à-dire un faisceau de rayons parallèles dont la direction est conceptuellement

secondaire) faire totalement abstraction de la direction du regard et ouvrir ainsi toutes directions de l'espace uniformément. Dans son approche mathématique de la représentation de la forme, Desargues définit donc un espace abstrait qui ne fait plus référence dans ses fondements à ce que l'œil peut voir, à l'expérience individuelle. L'image ainsi produite doit être saisie en dehors du rapport premier, direct, que l'individu peut avoir avec le sujet de la représentation. Avec cette dépersonnalisation de la vision, le statut de l'image est transformé : l'image dessinée n'est plus forcément le reflet du visible.

Ces recherches ne sont pas sans rapport avec cette fascination pour les machines et les automates que l'on retrouve chez tous les philosophes et les scientifiques de l'époque. La réalité figée dans l'image perspective ne laissait voir qu'un aspect d'une machinerie, alors qu'il ne s'agissait plus seulement de mettre en scène la machine, mais d'en démontrer le fonctionnement, le mécanisme pris dans toutes ses phases. Il ne suffit plus de montrer, il faut pouvoir démontrer le mouvement. Et la géométrie projective est une première réponse à ce nouveau besoin de décomposer rationnellement l'objet, la forme, la mécanique.

Cette recherche d'une technologie appliquée se retrouve dans le souci de Desargues de se présenter comme un praticien. A ses yeux, un des mérites essentiels de son œuvre est de fonder sur des bases sûres et d'unifier les divers procédés graphiques en usage en perspective, en gnomonique (étude des cadrans solaires) et dans la technique de coupe des pierres. Ce souci de synthèse des divers procédés graphiques donne une nouvelle dimension à ses travaux : l'éclatement des pratiques productives dans l'organisation traditionnelle corporative peut être remis en cause. Et c'est autour de la création de l'Ecole polytechnique, avec les travaux de Gaspard Monge que ces recherches amorcées par Desargues sur le problème du traitement et de la communication d'un nouveau type d'informations ordonné au développement technologique, trouveront leur aboutissement. « La géométrie descriptive est l'art de représenter sur des feuilles de dessin qui n'ont que deux dimensions, les objets qui en ont trois et qui sont susceptibles d'une définition rigoureuse. » C'est avec cette définition que Monge commence son article « Stéréotomie » paru dans le premier cahier du *Journal polytechnique*. La contrainte de la bidimensionnalité de la feuille de dessin est donc positivement acceptée. Alors que la grande préoccupation de la Renaissance avait été justement de rompre cette bidimensionnalité en introduisant dans l'image l'illusion de la troisième dimension, la problématique de Monge est de ramener toute forme à ces deux dimensions en la décomposant à l'aide de la méthode des projections géométriques. La perspective se contentait de montrer, la descriptive, quant à elle, a pour fonction d'analyser. Monge définit ainsi un outil graphique qu'il veut précis et cette volonté apparaît clairement quand il délimite le champ d'application de la géométrie descriptive : elle ne doit être employée que dans les « arts qui exigent l'exactitude ». Avec l'emploi de ces images graphiques produites en dehors de toute référence figurative, on assiste à une réduction logique des pouvoirs d'information de l'image; la descriptive offre alors la possibilité d'avoir une grille unique de lecture des projets et des diverses opérations techniques. Et Monge dira que la géométrie descriptive « est devenue une espèce de langue nécessaire à tous les artistes », faisant ainsi ressortir sa fonction

---

11 - A. Flocon et R. Taton, *op. cit.*

d'outil de communication rationnel entre les différentes instances d'élaboration des projets. Ce langage graphique, commun à tous les ingénieurs, autorise alors l'unification des programmes techniques, mais aussi, pour la première fois, la distinction entre projet et projet d'exécution.

La bipartition de l'image

On assiste donc, tout au long de ces années, à une remise en cause du statut de l'image, à une rupture dans le rapport à l'image. On peut rapprocher ce phénomène d'une constatation de Michel Foucault dans *Les mots et les choses* : « Mais si on interroge la pensée classique au niveau de ce qui, archéologiquement l'a rendue possible, on s'aperçoit que la dissociation du signe et de la ressemblance au début du xviie siècle a fait apparaître ces figures nouvelles qui sont la probabilité, la combinatoire, l'analyse, le système et la langue universelle ». C'est ce même phénomène de dissociation du signe et de la ressemblance que l'on trouve dans la nouvelle approche de la représentation graphique : l'image produite par la géométrie projective ou la géométrie descriptive n'a plus la prétention de « ressembler » à quelque chose, elle doit être saisie dans l'abstraction du signe graphique. On est donc confronté alors à la coexistence de deux types d'images : les images figuratives qui font référence à ce que l'œil peut voir et des images graphiques totalement abstraites. Et en produisant le premier diagramme, le « tableau poléométrique » de Charles de Fourcroy, le xviiie siècle inventera l'image la plus abstraite qui soit, à l'extrême opposé de la représentation picturale.

Plus généralement, il apparaît « qu'au xviie et surtout au xviiie siècle, une évolution se fait dans le sens d'une bipartition de l'image toujours plus méthodique : c'est-à-dire qu'elle va dans le sens de l'attribution à deux catégories d'images de plus en plus distinctes des pouvoirs symboliques de la figuration et des pouvoirs d'information des messages visuels rationnels[12] ». Cette bipartition se fait en images figuratives et en images graphiques : alors que l'image figurative appelle une interprétation globale et toujours équivoque de la scène représentée, l'image graphique transmet des messages rigoureusement univoques, tels que ceux de la géométrie scientifique.

L'apparition de cette nouvelle catégorie d'images, les images graphiques, est une réponse à ce besoin d'un nouveau mode de représentation rationnel et dont la géométrie projective avait été une des premières formes. Et cette dichotomie, qui apparaît dans le statut des images et qui tend à séparer ce que la Renaissance avait voulu associer, est « l'élément qui marque le plus évidemment la rupture en voie d'accomplissement entre l'esthétique et le rationnel qui s'achève en fin de siècle[13] ».

Et les architectes

Cette distinction qui apparaît dans le statut des images n'est pas sans conséquences sur la manière des architectes de concevoir leurs dessins. Ainsi on peut lire dans la *Notice sur Charles de Wailly* d'Andrieux : « Autrefois et jusqu'au temps de l'école de Legeay, les architectes se contentaient de fixer les lignes et tout au plus de tracer des plans, mais ne dessinaient ni les contours, ni les corps avancés, ni les ornements [...], l'on ne pouvait juger de l'effet de leur composition ».

Les architectes auraient donc, jusqu'à la deuxième moitié du xviiie siècle, dédaigné les artifices du rendu. Philibert de

l'Orme ne disait-il pas qu'il suffisait à l'architecte de savoir dessiner « médiocrement, proprement et nettement » : le dessin sommaire, fruit de la rationalité de la Renaissance, parlait de lui-même. Mais avec les enseignements de Blondel et de Legeay, la manière de dessiner, l'image, prennent une place de plus en plus importante. Blondel, dans son cours d'architecture (1771-1777) insiste longuement sur les effets graphiques à rechercher, notamment grâce à l'emploi des ombres : « Lorsque nous avons recommandé de se rendre compte des développements géométriques de ses projets, nous avons supposé qu'à cette étude on joindrait la manière de dessiner l'Architecture avec intelligence. Pour cela il faut descendre dans tous les détails de la théorie des ombres; les dessins d'Architecture étant pour l'Architecte une espèce de modèle, qui lui fait juger si l'idée qu'il en a conçue lui offre celle qu'il en avait droit d'espérer. En effet cette théorie lui apprendra à concevoir ce qu'il est nécessaire d'ajouter ou de retrancher dans les différentes parties de son projet, pour parvenir à un plus grand succès ». Cette recherche de mise en scène du projet, dans l'image, se retrouve dans ses conseils pour les lavis : « Après cette étude intéressante, nous conseillons de faire usage du lavis pour ombrer les coupes d'une manière tendre et moelleuse, les façades d'une touche plus ferme, sans les trop pousser au noir, les plans au contraire peuvent trancher davantage, chaque objet devant s'annoncer différemment ».

Ce souci de l'image n'est pas sans rapport avec l'avalanche contemporaine de dessins qui ont pour sujet l'architecture et sur laquelle Pérouse de Montclos s'interroge : « L'on voyait en effet de moins en moins ce qui distinguait le relevé d'un beau fragment d'architecture, les inventions d'un ornemaniste, les projets en perspectives rehaussées de savants effets, les ouvrages d'un védutiste ou d'un ruiniste[14]. » Suivant Piranèse ou Legeay, beaucoup d'architectes sont aussi peintres de ruines ou peintres d'architectures, et leurs dessins sont alors travaillés et conçus comme de véritables œuvres picturales. Même si tous les architectes ne donnent pas dans ce genre, cette production de papier que décrit Pérouse de Montclos est révélatrice d'un glissement grâce auquel le dessin d'architecture peut devenir un domaine de création autonome, et prend une valeur nouvelle. Quatremère de Quincy, dans son article « Dessiner » de l'*Encyclopédie* résume ainsi la situation : « Les modernes architectes semblent avoir fait un art particulier de dessiner l'architecture. Je crois que cet art s'est accru ou perfectionné en raison inverse du nombre des travaux et des édifices qui s'exécutent ».

Ces dessins sont conçus en dehors d'une commande, ou d'un type de commande précise, ou d'une réalisation possible. On assiste avec cette production de papier à une rupture de l'idée de la totalité du projet d'architecture telle qu'elle s'était formée à la Renaissance, rupture qui se traduit par cette dissociation conceptuelle entre l'élaboration de dessins, le projet et la réalisation. Et cette rupture n'est évidemment pas indépendante de la place prépondérante que prennent les corps d'ingénieurs dans l'invention constructive et la conduite des grands chantiers. Lucidement, Quatremère de Quincy constate que « depuis que l'art s'est divisé par le fait et dans la pratique, en invention et exécution; depuis qu'il s'est trouvé des hommes qui inventent ou composent sans savoir construire, et d'autres qui construisent pour ceux qui ne savent qu'inventer, il a bien

12 - Marc Le Bot, *Peinture et machinisme*, Paris : Klincksieck, 1973.
13 - M. Le Bot, *op. cit.*
14 - Jean-Marie Pérouse de Montclos, *Louis Etienne Boullée, 1728-1799. De l'architecture classique à l'architecture révolutionnaire*, Paris : Arts et métiers graphiques, 1969.
15 - Manfredo Tafuri, « Giovan Battista Piranesi, l'utopie négative dans l'architecture » *in* : *L'architecture d'aujourd'hui*, n° 184, 1976.

fallu des dessins plus rendus, plus précieux et plus finis ». Mais, dans ce repli des architectes sur le dessin, « ce qui pourrait sembler un temps de pause ou un « renoncement », révèle au contraire sa pleine valeur anticipatrice. L'invention, fixée et diffusée par la gravure, concrétise le rôle de l'utopie : présenter une alternative qui, faisant abstraction des conditions historiques réelles, se donne comme une dimension métahistorique, mais pour projeter dans le futur l'écho des contradictions du présent [...]. Ainsi le thème de l'imagination fait-il son entrée dans l'histoire de l'architecture moderne[15]. »

MATTHAUS BOBLINGER (1450-1505)
Détail des élévations pour l'aile sud de la cathédrale d'Ulm, vers 1474
Musée d'Ulm.

LES OMBRES DE LA BEAUTÉ

SUR LE DESSIN D'ARCHITECTURE NÉO-CLASSIQUE

LE XIXᵉ SIÈCLE SEMBLE BIEN AVOIR FAIT « UN ART PARTICULIER DE DESSINER L'ARCHITECTURE ». CET ART REPOSE DAVANTAGE SUR LE FINI QUE SUR L'EXACTITUDE, SUR L'ANALOGIE QUE SUR L'ANALYSE. C'EST UN ART D'IMITATION MÉTICULEUX DANS SA FIDÉLITÉ À L'ANTIQUITÉ « RELEVÉE » OU « RESTAURÉE ». L'AFFINEMENT DU DESSIN ET L'APPROFONDISSEMENT DU SAVOIR HISTORIQUE SERVENT ENSEMBLE UNE EXIGENCE D'AUTONOMIE DE L'ARCHITECTURE. L'ARCHITECTURE ÉLABORE SOUS DES RAPPORTS NOUVEAUX LES IMAGES DONT SA MÉMOIRE A FAIT UNE PROVISION. L'ÉCOLE DES BEAUX-ARTS PRÉPARE LES ARCHITECTES À CE MAGISTÈRE.

——— MICHEL VERNES———

Beauté *toujours seule au milieu de l'esprit*

Que nul dessein ne peut posséder ni atteindre. Pierre Jean Jouve, *« Ténèbre »*

Esquisse dérive de *Schizzo* et *Schizo* de *Schizein,* comme tout schiste qui se délite au préjudice des bâtisseurs. Ainsi se croisent pour nous éclairer, par hasard et par bonheur, l'*improvisé,* l'*imprévu* et le *séparé,* le *fendu.* Se signalant par une perte de contact avec la réalité, le schizoïde se confond avec l'architecte en méditation, au moment où lui vient l'idée première d'une architecture. L'un s'exile du monde par la rêverie, l'autre anticipe sur son avenir en esquissant un nouvel espace. Leurs imaginaires sont également «détachés» ou «désintéressés». A l'origine du projet, l'architecte croit être délivré de la tentation du siècle. Il pratique un art subtil. Mais voici que l'idée de nécessité, de régularité et de convenance s'impose à lui. Le dessin se précise et se discipline dans sa quête de perfection. La composition architecturale s'explicite en mûrissant, s'ordonne suivant les règles intangibles de la symétrie, devient discursive et scripturaire. Elle est un raisonnement et par le dessin, une écriture. L'intuition de la forme achevée est au travail dans le trait délié et enlevé de l'esquisse. Lors de l'ébauche initiale, l'aisance du dessinateur, son savoir-faire lui tiennent lieu d'entendement. La main schématise sans concept. Elle improvise une splendeur qui rappelle le passé et annonce l'avenir, l'œuvre construite. «La faculté de juger de la dignité qui convient à un édifice, des ornements qui ne doivent pas contrarier la fin poursuivie[1]» s'exerce dans le moindre brouillon, là où fusionnent nombre d'éléments dans un

ensemble neuf, une création qui ressortit souvent à la prestidigitation. Ce qui est à l'œuvre dans un dessin d'architecture, ce n'est pas tant la science que le goût et le tact, l'intelligence du geste éduqué par l'habitude et l'imitation. L'histoire elle-même ne sert l'architecte qu'en le pourvoyant d'une mémoire visuelle associée à la mémoire gestuelle. Mais ce serait ternir l'inspiration, ce témoignage de dignité, que de l'avouer trop ouvertement. Pour J. A. Coussin, ancien pensionnaire de l'Académie de France à Rome, l'architecture, privée du «charme que l'invention prête à toutes choses», sombrerait dans «une sorte de matérialisme qui n'est pas déjà sans commencement et que l'on reconnaît aux prétentions marquées de l'esprit, de la mémoire et de l'adresse, à tenir lieu de sentiment, de génie et de goût[2]». Il défend l'instinct, «faculté innée» qui apprécie sans commentaire ce qui est beau et bon, contre la «mémoire et l'adresse».

La postérité d'un artifex ne retient que ses dessins achevés ou «arrêtés». Elle apprécie leur fini en oubliant que l'invention se révèle davantage dans le premier feu d'une composition que dans sa raideur finale et glacée. Un griffonnement peut engager l'avenir d'un projet; il est «la première pensée, ou plutôt le germe d'un dessin [...] que l'inventeur indique seulement par quelques traits de crayon, ou quelques traces de couleur sans dégradation[3]». Les croquis précèdent l'esquisse, comme un soliloque intérieur une déclaration publique. Ils bougonnent sans témoin et sans détour, s'éprouvent dans le remâchement et la rumination avant de se parfaire, puis de se fixer[4]. Ce qui était instable se

MICHEL VERNES
architecte français (vit à Paris)
Variation sur la colonne du Désert
plume et crayon de couleur, 20 × 14 cm, 1983
Collection de l'auteur.

fige dans un postulat de perfection, un « axiome de l'imitation en général » (E. Cassirer), l'idée inaugurale s'altère en se précisant; elle sacrifie son infinitude à une finalité « naturelle ». En comblant ses lacunes, le projet devient inexpressif, presque énigmatique. Pour cette raison, peut-être, il existe « des curieux qui prisent beaucoup les croquis des grands artistes, qui vont même à cet égard jusqu'à une vénération superstitieuse[5] ». Le croquis est à une esquisse ce qu'une esquisse est à un dessin, un préalable. « L'esquisse équivaut à peu près à un plan détaillé d'un ouvrage[6] » mais ce n'est pas un dessin d'exécution. L'inspecteur des travaux ou l'entrepreneur l'interprète dans les *dessins grandeur* qui sont remis aux artisans du bâtiment; l'usage veut que l'on conserve une esquisse parce qu'en elle s'achève la pensée de l'architecte. Elle conserve la vivacité de l'ébauche en y ajoutant la netteté et la propreté. Quatremère de Quincy refuse que tous les détails y soient développés. Ce qui la différencie du *dessin en grand* ou du projet terminé, ce n'est pas seulement la légèreté du trait et du lavis, ce sont les nombreuses incertitudes relatives à l'agencement de toutes les parties du plan, et de tous les rapports de celui-ci avec l'élévation. Dans la scolarité de l'architecte puis dans sa carrière, l'esquisse joue un rôle décisif. Sur elle, son talent est jugé. Par elle, il emporte la décision des commandes et des récompenses. Elle dirige le jugement des hommes instruits de l'architecture comme de ceux qui ne le sont pas. Le xixe siècle académique accentue la double métonymie classique : l'architecture est assimilée au projet et le projet à l'esquisse. En amont se révèle l'inspiration, en aval le métier. C'est par le dessin que l'architecte domine les « hommes de métier », par lui qu'il se protège de l'erreur et du déshonneur. L'esquisse est une illumination qui éclaire la bâtisse. Le dessin d'exécution n'est qu'une prescription d'usage courant et continu; l'architecte néo-classique renoue avec les arts libéraux. Il s'efforce d'assujettir le quotidien « manouvrier » du chantier à son inspiration première et instantanée.

Prolongement du regard, le dessin explique à la fois toutes les fonctions et facultés de l'entendement, toutes les déterminations et opérations de la volonté (Destutt de Tracy); il est le dépositaire des pouvoirs de l'intelligence sur la matière[7]. Au lendemain de la Révolution, les « arts du dessin » répondent aux vœux de la technologie naissante, ils s'approprient l'initiative et l'invention techniques. Le savoir artisanal est capté par le trait, décrit et analysé en vue d'être rationalisé et transféré à l'industrie. C'est alors que la géométrie des mécaniciens, celle de Monge, Hachette ou Dupin, s'oppose à la géométrie projective des architectes. La première exprime le volume des corps et le mouvement des machines, la seconde compose des figures planes et inertes. Malgré la révolution industrielle qui se prépare, les architectes reproduisent les grandes compositions emblématiques du siècle des Lumières. Chez Durand comme chez Baltard, Vaudoyer ou Fontaine, le plan[8] qui donne la distribution d'un édifice, gouverne son espace, ses coupes et ses élévations, avec une autorité d'autant plus grande que la construction et l'ordonnance des façades évoluent lentement. Un projet, c'est d'abord une composition qui assemble et dispose les parties d'un tout. Elle enchaîne des fragments d'espace en les projetant sur un géométral, sol abstrait qui se confond avec le support matériel du dessin, la feuille de papier. La tradition vitruvienne veut que le plan soit une ichnographie ou empreinte du pied... d'un édifice. Sur lui

repose le destin du projet; à partir de lui s'élabore son volume. Les élévations portent son apparence. Les coupes dévoilent ses agencements secrets. Composer ou inventer le plan d'un édifice, c'est déterminer son contenu sans faire nécessairement appel à la construction. Selon Boutard, critique du *Journal des débats*, « les travaux préparatoires de la construction, tels que la combinaison et le dessin de trait, bien qu'ils soient du ressort de la science et du génie de l'architecte — de son ingéniosité — ne sont pas nécessairement compris dans ce qu'on appelle une composition architectonique[8] ». Aussi ne peut-on s'étonner que dans les concours publics ayant pour objet la composition de grands monuments, on n'exige d'ordinaire que les plans, les élévations et le détail des ornements inspirés des « autorités ».

La plupart des architectes projeteurs feignent d'ignorer la statique et la géométrie descriptive. Ils pratiquent la composition au mépris des lois physiques. En 1840, Henri Labrouste critique encore la distinction qui est faite à l'Ecole des beaux-arts entre les concours de construction et les concours d'architecture : « C'est presque admettre, écrit-il, que l'architecture et la construction sont deux choses différentes qui peuvent s'étudier séparément[9] ». Il stigmatise l'apathie des élèves qui suivent la marche que leur a tracé son ancien adversaire, Quatremère : « On faisait autrefois des dessinateurs [...] mais l'expérience a bientôt montré que le dessin n'était pas le seul exercice à proposer aux élèves, qu'on devait les initier à l'art de bâtir[9] ». Ce témoignage ressemble trop à un vœu pour faire oublier le divorce qui fonde, en pratique autant qu'en théorie, les illusions du dessin et la gloire des architectes. Hier comme aujourd'hui, l'architecte est un évadé du « cercle de la nécessité »; la servitude du besoin lui fait horreur. D'aucuns persistent à croire, comme Quatremère, que « la grandeur dans la pensée, dans l'invention, dans la composition, dans le dessin, dans l'effet se fait pardonner une multitude de défauts et de négligences ».

Le xixe siècle semble bien avoir fait « un art particulier de dessiner l'architecture ». Cet art repose davantage sur le fini que sur l'exactitude, sur l'analogie que sur l'analyse. C'est un art d'imitation méticuleux dans sa fidélité à l'Antiquité « relevée » ou « restaurée » par les architectes archéologues. L'affinement du dessin et l'approfondissement du savoir historique servent ensemble une exigence d'autonomie de l'architecture suggérée par le service de l'Etat. L'architecte de génie « élabore sous des rapports nouveaux les images dont sa mémoire a fait une provision[10] » au cours de ses études et de ses voyages. Dans ces *rapports* qui relèvent de la composition, son imagination sait interpréter l'utilité publique, l'ancrer dans la neutralité historique en la visualisant. L'Ecole des beaux-arts, puis l'Académie de France à Rome préparent les architectes à ce magistère. Devenu architecte des bâtiments civils, il servira l'ordre public et l'unité nationale par ses palais qui mettent en scène la vie politique et sociale. Le *caractère* d'un monument public ou sa physionomie morale doivent exprimer l'idée la plus générale possible. Si cette idée est « vague mais puissante et grande par son vague même, si le monument n'a aucune utilité pratique, aucune destination que de s'élever comme un symbole de la croyance universelle, l'architecture n'a point alors de caractère déterminé; mais elle est grandiose, mystérieuse, étonnante, elle a du caractère[11]. » Comme l'« empire du concept » de Schiller, pareille architecture « avec mille formes empruntées n'en fabriquent qu'une seule figée

1 - E. Kant.

2 - J. A. Coussin, Du génie de l'architecture, 1822.

3 - Edouard Charton écrit à l'article « Architecte » de son *Dictionnaire des professions* : « On nous apprend à écrire dès l'enfance. L'écriture n'est-elle pas en quelque sorte un dessin ? Quant à nous, nous ne serions pas très éloignés de croire que l'étude du dessin proprement dite pourrait suivre de très près l'enseignement de l'écriture. »

4 - Les croquis n'ont ordinairement de valeur que pour les auteurs, parce qu'eux seuls y voient et y découvrent ce que la main de l'art n'a pu encore

développer. Ils n'ont certainement de mérite que pour les artistes, ceux qui ne le sont pas, ne sont que très rarement en état d'apprécier l'esprit, l'heureuse négligence de cette manière d'écrire sa pensée », A. L. Millin, *Dictionnaire des beaux-arts*, 1806.

5 - A. L. Millin, *Ibid*.

6 - J. C. Quatremère de Quincy, *Dictionnaire historique d'architecture*, 1832; pour ce légiste de l'architecture, le « rendu » : « C'est dans la délinéation des ouvrages ou des projets d'architecture un synonyme de fini, terminé, achevé. [Il] ne

constitue pas sans doute le mérite intrinsèque d'un projet; mais il est l'indication d'un talent exercé, et du soin que l'artiste a pris de se rendre un compte fidèle de toutes les parties de son travail ».

7 - L'architecte Thomas de Thomon vit en lui : « Une espèce de création qui commence à tirer comme du néant les productions visibles de la nature... », Traité de peinture précédé de *L'origine des arts*, 1809.

8 - « C'est le dessin au simple trait, des lignes et des contours suivant lesquels doivent s'élever les constructions d'un édifice projeté... » M. Boutard,

dans un repos rigide et se suffisant à elle-même ». Les consciences fusionnent dans son silence et le respect craintif qu'elle inspire. Vertige et grandeur sont unanimes. Comme une belle composition appelle un fond immaculé, un beau monument exige le vide autour de lui. Il crée son propre site et récuse toute situation qui pourrait ternir sa pureté d'intention. La solitude accuse sa majesté et son dédain des contingences. Son architecture « ne contracte aucun rapport avec ce qui vit en dehors d'elle — le territoire et ses paysages — mais reste enfermée intérieurement et extérieurement, dans son indécise unité [...]. Grâce à [elle], le monde inorganique extérieur subit une purification, est ordonné selon les règles de la symétrie, rapproché de l'esprit », peut-on lire dans l'*Esthétique* de Hegel.

Le « jugement matériel des mesures et du calcul » ne pouvant s'appliquer au dessin d'architecture, il ne saurait trouver d'autre régulateur que l'«autorité du témoignage universel des temps passés, ou celle des exemples qu'une succession non interrompue d'approbations des hommes les plus éclairés en tous pays ont transmises à leur postérité[10] ». Tout en se défiant de la mobilité des opinions et des caprices de la mode, et bien qu'il se soit efforcé toute sa vie durant de fixer par ses travaux d'érudition l'idée du vrai et du beau, Quatremère de Quincy redoute que le fini excessif du dessin annonce la fin de son perfectionnement : « L'expérience a prouvé que, n'ayant point de perfection sans terme, et le mot de perfection indiquant à chaque qualité son point final, l'art arrivé une fois, du consentement universel des hommes à ce point, trouve dans sa perfection même la cause de son déclin[10] ». Comme son ami Durand et son jeune contradicteur Labrouste, Quatremère ne peut s'empêcher de regretter le temps où il n'y avait point de hiatus entre l'esquisse et le dessin arrêté. « Cela devait être ainsi lorsque l'architecte exécutait lui-même sur son esquisse (d'après elle), et tout dans les modèles en relief qu'il était universellement d'usage de faire alors. Depuis que l'art s'est divisé, par le fait et dans la pratique, en invention et en exécution; depuis qu'il s'est trouvé des hommes qui inventent et composent sans savoir construire, et d'autres qui construisent pour ceux qui ne savent qu'inventer, il a bien fallu faire des dessins plus rendus, plus précieux et plus finis[6] ». Le fini d'un projet est un leurre qui dispense l'architecte de poursuivre au-delà dans l'adhérence au chantier, la réalisation de son projet. Ceux-là même qui savent construire mais souffrent de la «disette d'occasions propres à exercer leur talent » mettent plus de prétention dans leurs dessins que n'en mettaient les maîtres de la Renaissance qui se contentaient du simple trait, fait à main levée avec une plume d'oie ou de corbeau. Leurs esquisses étaient tout juste hachées ou légèrement lavées au bistre. Dès le XVIIIe siècle, les architectes adoptent la couleur et le modelé du clair-obscur. Ils introduisent dans leurs ouvrages les effets d'ombre, la pureté du trait, la propreté du lavis, la précision des proportions et la fidélité des mesures. Ils y témoignent d'une attention nouvelle à la «bienséance » ou accord et harmonie des parties. Les analogies avec la nature et l'Antiquité envahissent l'architecture sous forme d'allégories ou de motifs décoratifs souvent rapportés.

Par la grâce du géométral, la ligne qui circonscrit les masses architecturales devient proprement idéale. Le trait de délinéation tourne à la métaphore ou à la convention, convention qui produit sur nous le plaisir que nous demandons au plein et à l'achevé. Il est le pacte — l'accommodement — qui s'interpose entre l'imitateur et son modèle, le dessein architectural et les yeux de l'esprit. Il garantit l'unité intellectuelle et sensible du projet, éveille « l'idée d'un système d'inventions, de formes, de propositions, de rapports tellement combinés entre eux, qu'on ne puisse y rien ajouter ni retrancher[10] ». La méthode de projettation de Jean Nicolas Louis Durand s'accorde avec le désir unitaire de Quatremère, bien qu'elle prétende économiser la part historique de l'imitation. « Séquestré du passé dans le présent », l'apprenti architecte est instruit par Durand des préjugés qui perdent l'architecture et des vrais principes qui transcendent les âges et les révolutions du goût; les convenances ou règles, préceptes et lois qui interprètent ces principes premiers et immuables se simplifient dans son enseignement contracté. Elles deviennent pures conventions accordées à la pensée technicienne sur l'espace. La trame de Durand résulte d'une obligation morale et esthétique[12], qui s'assimile l'impératif rationnel fomenté par les techniciens de l'espace, ingénieurs et administrateurs. Il s'agit de bien administrer la société en la distribuant dans des espaces très lisibles. A cet effet, la trame corrige les combinaisons confuses et capricieuses, les plans désordonnés et mixtilignes. L'ingénieur militaire Belmas, élève de Durand, veut que l'architecte ne s'occupe que de disposition «quand même il tiendrait à la décoration architectonique, quand bien même il ne chercherait qu'à plaire, puisque cette décoration ne peut être appelée belle, ne peut causer un vrai plaisir, qu'autant qu'elle est l'effet nécessaire de la disposition la plus convenable et la plus économique[13] ». L'économie architecturale bien comprise ne se confond pas avec la gestion financière de l'espace; elle se dévoue au sublime des monuments qui interpelle les cœurs, les captive, les enrôle et stabilise ainsi la société. A trop vouloir économiser sur les apparences, on ternit l'éloquence architecturale si profitable aux nations. J. A. Coussin dénonce «cette menaçante erreur sur l'économie » en évoquant un souvenir d'étude : « Un homme en place avait à parler dans une Académie; on s'attendait à ce qu'il félicite les lauréats d'un concours sur leur paisible victoire. Il n'en fut rien; entraîné par cette manie qui veut tout rapporter au calcul, il se met à leur parler d'économie, non dans le sens dont chacun d'eux avait déjà donné l'exemple dans sa production distinguée, mais selon de petites vues, pour ne rien dire de plus. Après avoir fait l'exposition de ces dogmes capables de glacer les plus ardents, il en vint à parler de probité, et crut devoir alors dérouler devant ses auditeurs toutes les turpitudes de compositeurs et d'exécuteurs infidèles[14] ». Il faut éviter, conclut l'auteur, les effets destructeurs de la mauvaise économie sur l'architecture : « Indifférence, nullité d'idée et de composition, dégoût, astuce dans l'exécution ». Eclairée et autoritaire, l'économie néo-classique de l'espace invoque les rêves d'accomplissement politique chers au XVIIIe siècle. Ce que disent ces compositions vastes et méticuleuses c'est la résolution de l'histoire dans l'ordre et la transparence. Parvenue à Durand, la subjectivité académique aliène ses fastes. Une détermination impersonnelle, mais toujours grandiose, prend le relais du génie individuel. En réglant sa marche, l'imagination devient étrangère à elle-même. Légataire de Boullée, Durand ne retient de sa dramaturgie que la composante abstraite et invisible, un procédé de composition qu'il s'emploie à publier et à commenter. Devenu systémati-

Dictionnaire des Arts du dessin, 1826.
9 - H. Labrouste, «Travaux des élèves de l'Ecole d'architecture de Paris pendant l'année 1839 » in : *Revue générale d'architecture et de travaux publics (RGATP)*, 1840.

10 - Quatremère de Quincy, *Dictionnaire historique d'architecture*, 1832.
11 - Charles Blanc, *Grammaire des arts du dessin*, 1867.
12 - A l'orée du XIXe siècle, cette obligation est universellement admise. Viel de Saint Maux peut définir l'architecture comme «un art ou plutôt une science, dont le premier caractère est l'utilité

morale... l'ordre [en] est l'âme et l'essence » in : *Etat des arts du dessin en France à l'ouverture du XIXe siècle*, 1809.
13 - Belmas, *Mémoires sur les bâtiments militaires*, 1823.
14 - J. A. Coussin, *Du génie de l'architecture*, 1822.

que, le procédé favorise la répétition et détend l'expression. L'architecture publique se dédramatise. Normalisé, le sublime survit néanmoins dans l'anonymat des édifices d'utilité et d'autorité, dans leur écart à l'hétérogène du paysage. Plutôt que de fuir l'imagerie rationnelle, l'imagination la perfectionne de l'intérieur. La planche à dessin lui offre une carrière illimitée.

Où la ville, suspendue au présent, indécise et inachevée s'abandonne, l'architecture impose sa raison suffisante et décidée. Durand, comme Baltard, exorcise l'éphémère et l'ambigu, la «mollesse des sentiments» et le «fol amour de la nouveauté», tout ce qui dérive et ondoie.

Dans une composition réglée, l'idée et l'image ne font qu'un. Quatremère affirme le caractère spéculatif de toute composition : « L'artiste n'invente et n'imagine qu'en faisant un tout nouveau des parties, dont son esprit a les éléments; l'ouvrage qui est le produit de l'invention n'est qu'un composé, c'est-à-dire une image nouvelle formée de la réunion de beaucoup d'autres partielles, dont l'imagination produit un ensemble nouveau[10] ». Il n'est guère éloigné de Durand qui ne s'arrête sur les fragments d'architecture que pour les réduire à des composants visuels. Murs, colonnes, planchers et voûtes ne sont que les parties d'une composition. L'ensemble d'un édifice, résumé dans un plan, ne peut être, écrit-il, que « le résultat de l'assemblage et de la combinaison de [ces] parties plus ou moins nombreuses[15]. » La préséance du plan sur les élévations tient à l'étendue de son pouvoir représentatif. « Que fait un architecte avant de dessiner un édifice ? interroge Charles Blanc, il en trace d'abord le plan, qui en mesure la profondeur, ensuite le profil, qui en détermine la hauteur, ensuite la face, qui en donne la largeur; et c'est quand il possède toutes ces mesures qu'il dessine l'édifice en géométral, sauf à le dessiner plus tard, en perspective tel qu'il sera en apparence ». Le plan doit donner par sa clarté, son dépouillement et son unité l'image d'une rationalité naturelle. Pour Hegel, « le terme nature implique l'idée de nécessité et de régularité ». Wilgrin-Taillefer établit de son côté « le principe fondamental de la simplicité et régularité ramenées à l'unité par la raison et le goût[16] ». D'après cet auteur « le quadrilatère est la forme la plus pure de toutes [...] les ellipses ne peuvent avoir la même bonté de forme ».

Dans la première moitié du XIXe siècle, la régularité conquiert la puissance d'un dogme, ce qui provoque une contradiction théorique : le dessin doit oublier la main qui le conduit pour devenir neutre et pouvoir « représenter les objets sous un point de vue général ». Tenté par le pittoresque, il cesse d'être architectural, trop proche de la perfection mathématique, il renonce à la création. La sécheresse du plan révèle l'impossible métissage de l'architecture, son impossible alliance avec toute autre production artistique. Et si la philosophie la place en tête de tous les arts, c'est sans nul doute en raison de sa *pureté* inaccessible. Est-il donc possible de dessiner l'architecture avec des moyens et des sentiments qui lui soient étrangers ? Averti de cette difficulté, Quatremère croit pouvoir y remédier en invitant les architectes à cultiver leur individualisme. Il faut revendiquer la qualité d'artiste pour demeurer architecte devant le pouvoir ascendant de la technique. « Bien [qu'il] procède dans son dessin ou circonscription des lignes qui composent les objets d'architecture, à l'aide de la règle et du compas, c'est-à-dire par des moyens

mécaniques, [l'architecte] a cependant besoin d'être jusqu'à un certain point, dessinateur à la manière des peintres, pour un grand nombre d'objets qui entrent dans les embellissements des édifices. Il y trouvera l'avantage de n'avoir pas besoin de recourir dans ses dessins à des mains étrangères[10]. » Le beau dessin, lui, est un recours et un refuge contre la science des ingénieurs occupés à réaliser les formes suivant les règles du calcul. A mesure que le siècle avance, le dessin d'architecture tend à se personnaliser en se chargeant. L'architecte revendique avec constance sa propriété artistique et intellectuelle. A l'inverse, l'ingénieur qui bâtit abandonne ses épures à l'anonymat. « La main de l'architecte n'a aucune autorité, écrit le polytechnicien Lebrun en 1809, la manière n'entre pour rien dans la composition d'un projet fondé sur le raisonnement, et il peut être manchot et aveugle et faire encore établir des monuments estimables et dignes de la science à laquelle sa raison est assujettie. » Les architectes dessinent et composent, les ingénieurs rédigent[17] ou calculent en observant le protocole des toisés. Les uns composent leur projet dans une esquisse ayant valeur d'ébauche et de synthèse, les autres le décomposent en articles dans un devis[18] descriptif et chiffré. « Les applications du calcul, de la géométrie, de la mécanique à l'art de tracer, de distribuer sans prétentions folles et sans ornements déplacés, les maisons, les ateliers, les manufactures de toute espèce...[19] » induisent une vision analytique de l'architecture. Professeur à l'Ecole polytechnique, Durand présente dans la partie graphique de son *Précis* une suite de combinaisons architecturales. Son collègue Mandar, professeur à l'Ecole d'application des ponts et chaussées, publie dans son cours les éléments disparates d'un édifice unique, il l'anatomise pour élucider sa fabrication. Dans une brève introduction, il paraît s'adresser, au-delà de ses élèves, à Durand, leur premier professeur d'architecture. Il stigmatise, non sans paradoxe, sa frivolité : « Dans le cours de notre carrière, se souvient-il, nous avons eu l'occasion d'observer combien sont incertains et chancelants les premiers pas de l'élève qui, instruit au cabinet par les leçons de la théorie, veut essayer d'en faire l'application à la pratique. Quand on n'a pas encore été éclairé par l'expérience, on pense n'avoir plus rien à faire si l'on a bien médité l'ensemble d'un projet, sous les rapports de la commodité et du goût, de la solidité et de l'économie; et l'on croit que quelques plans, quelques élévations et coupes suffiront pour faire exécuter ce que l'on a conçu : c'est une grave erreur, et en même temps la source d'un grand nombre de fautes. Ce n'est que lorsqu'on est appelé à diriger des travaux dans l'intérêt de l'art et de sa propre réputation qu'on s'aperçoit de l'intervalle immense qui sépare la conception de l'exécution; c'est seulement alors qu'on apprend qu'il ne suffit pas d'avoir composé l'ensemble d'un projet, et d'en avoir étudié les principales divisions, mais qu'il faut encore en étudier tous les détails; et, ce qui n'est pas toujours facile, faire bien comprendre ses intentions aux divers ouvriers qui, avec des talents plus ou moins grands, sont chargés de les réaliser[20]. »

Matériaux et techniques qui forment la chair d'un bâtiment sont à peine indiqués dans l'esquisse où se réfugie son esprit. Celui qui conduit des travaux a recours à la géométrie descriptive qui donne aux corps des volumes déterminés et rigoureux. Il cherche « le contact le plus parfait entre les parties en simplifiant leurs formes et se préoccupe de les faire exécuter

15 - J. N. L. Durand, « Partie graphique des cours d'architecture faits à l'Ecole royale polytechnique depuis sa réorganisation... », 1821.
16 - Wilgrin-Taillefer, *L'architecture soumise au principe de la nature et des arts*, 1804.
17 - « C'est dans les écoles qu'on apprend à bien rédiger un projet sous les rapports de solidité, de goût, de convenance et d'économie » écrit Tarbé

de Vauxclairs, ingénieur des Ponts et Chaussées, dans son *Dictionnaire des travaux publics,* Paris, 1835.
18 - C'est le « mémoire général des quantités, qualités et façons pour la construction d'un chemin, d'un pont, et de bâtiments quelconques ». Ce mémoire se fait sur des dessins cotés et expliqués en détail. On marque des prix à la fin de

chaque article et espèce d'ouvrage... Un devis doit être clair et précis, de manière qu'il ne puisse donner prise à aucune discussion. » Delaitre; *Manuel de l'architecte et de l'ingénieur*, 1825.
19 - Ch. Dupin, *Les forces productives de la France*, 1828.
20 - Mandar, *Etudes d'architecture civile*, Paris, 1819.

par des moyens faciles et certains[21]. » On est loin de l'architecture qui triomphe sur le papier mais, selon Hegel, sort de son domaine propre lorsqu'elle « veut réaliser une adéquation parfaite entre le contenu et la forme ». Son domaine légitime c'est « la surface sensible, l'apparence du sensible comme tel qui est objet d'art, alors que le désir de bâtir porte sur l'objet dans son extention empirique et naturelle, sur sa matérialité concrète ». Ce que l'architecte recherche c'est « le sensible et l'individuel abstrait de sa matérialité ». Ses dessins occupent le milieu entre le sensible pur et la pensée pure. Ils ressortissent à un art de faire qui fuit ces extrêmes et demeure jalousement indéfinie. Au tournant du XVIIIe siècle, l'esquisse change de définition. D'Aviler voyait en elle le « premier crayon ou une légère ébauche d'un morceau d'architecture, qu'on nomme encore griffonnement, ou première idée[22] ». En 1830, c'est une étape plus avancée du projet. Par son élaboration elle se situe plus près du *dessin arrêté* que du brouillon. A la fin du XIXe siècle, Pierre Chabat la définit comme « le premier tracé d'un dessin ou d'un projet d'exécution, indiquant seulement — il est vrai — l'ensemble et les divisions principales qui servent de base pour l'exécution du devis ou du projet définitif[23] ». A son propos, Quatremère met en garde contre « le fini du crayon, de la plume et du lavis [qui] n'est qu'un fini apparent et superficiel, propre à imposer aux hommes peu instruits[24] ».

C'est elle pourtant qui départage les concurrents dans les concours de l'Ecole des beaux-arts. Celui du Grand prix d'architecture annuel se déroule en deux temps. Le candidat est d'abord isolé dans une loge pendant quatre jours et trois nuits « pour l'exécution d'une esquisse dont il sera tenu de prendre un calque ». On recouvrira celle-ci en entier d'une seule feuille de papier lors de sa réception. « Tous les papiers destinés aux dessins définitifs seront visés et contresignés.[25] » Le logiste disposera ensuite de cent dix journées de travail public pour la mise au net de son projet. Avant le jugement, les dessins définitifs seront comparés à l'esquisse pour vérifier leur conformité. Si l'écart est trop prononcé, le projet sera refusé. Ces précautions attestent la valeur exemplaire de l'esquisse, geste d'inspiration personnelle. Elle est moins un simulacre qu'une promesse, et n'est illusoire que dans son indétermination technique. C'est une peinture retenue dans les limites conventionnelles de toute représentation architecturale. Dans sa réussite l'habitude le dispute à l'inspiration. « Avant de se mettre face à face avec la réalité — dit Charles Blanc — il est bon d'apprendre les procédés de convention par lesquels on l'interprétera[26] ». Un dessinateur exercé est rompu au symbolisme matériel des formes et des couleurs. Pour atteindre à la perfection, sa main doit être agile au maniement du crayon, de la plume et du pinceau. Le pinceau fait assaut de légèreté avec la plume. La transparence des couleurs à l'eau autorise une finesse de trait toujours plus grande. Les façons du lavis sont caressantes à l'extrême et très respectueuses du dessin qui est le sexe masculin de l'art, suivant Charles Blanc, tandis que la couleur en est le sexe féminin. Le trait délibère puis décide; les couleurs séduisent et se dévouent. Le trait d'encre dessiné à la plume ou au tire-ligne[27] délimite les surfaces qui seront parcourues par un pinceau docile de trois pouces de long, y compris la plume de cygne dans laquelle il est emmanché. La souplesse de ses poils est décisive. Ils doivent faire ressort lorsqu'ils sont gorgés d'eau afin de « reprendre subitement la

ligne droite en faisant la pointe ». Un pinceau effleure le papier de la pointe et non du ventre moins contrôlé. Le dessinateur d'architecture dispose de deux pinceaux : un pour l'encre et un pour l'eau qui sert à étendre et adoucir les teintes. « On appelle teinte une couleur aussi liquide que l'eau, et dont le corps est transparent et non opaque, de manière qu'étant étendue sur quelques traits elle n'empêche pas de les voir » (Buchotte) *Les règles du dessin et du lavis*, 1754). De son côté le papier a un corps uniforme, si le papetier l'a généreusement battu et lavé. Les meilleurs ont un imperceptible grain. Pour l'empêcher de boire et favoriser la fixation des couleurs à la surface sans qu'elles s'étalent ou pénètrent à l'intérieur, on l'imprègne d'une solution d'alun, sel qui s'achète chez les épiciers. Les crayons d'une qualité commune ont une mine trop tendre et souvent graveleuse. Il faut les choisir fermes, mais point trop durs. Pour effacer son trait, le dessinateur utilise la gomme élastique la plus épaisse, en prenant garde de ne pas trop appuyer pour ne pas érailler ou déchirer le papier. L'encre s'utilise en bâtons d'un noir luisant et un peu roussâtre. Les bâtons d'encre de Chine authentique sont ornés sur leurs faces de figures d'animaux fabuleux recouvertes d'une feuille d'or. « Cette encre doit être préférée à la sépia, au bistre ou à toute autre mixtion[28] ». Les couleurs employées pour laver les dessins d'architecture sont liquides. On les achète en bouteille. Au tout début du XIXe siècle « des boîtes dites aquarelles » font leur apparition dans le commerce. « Elles offrent le moyen le plus expéditif de faire un lavis » remarque de la Gardette[29].

Si le plan relève du *dessin exact*, les élévations, en revanche, relèvent du *dessins d'imitation et de goût* en ce qu'elles représentent l'aspect extérieur de l'édifice, son apparence. A la différence du plan qui exprime son organisation cachée, elles développent un décor et restituent son relief par les procédés de la peinture. C'est le même souci de présentation qui décide parfois le dessinateur à recourir à la perspective. Il reconnaît alors que l'intérêt du public pour l'architecture se porte d'abord sur sa physionomie et son environnement, sur ce qui la relie au temps, son style, et au territoire, son pittoresque. Le dessin d'architecture est toujours divisé entre le désir de plaire et le refus de se donner, entre la séduction et le mutisme, l'évanescence et le fini, associés à l'âge néo-classique dans le dessin éthéré. Les débutants acquièrent le « génie pratique », ou dextérité du geste, par la copie des antiques. On leur enseigne le trait et la figure si nécessaires pour produire des idées avec aisance. Le dessin linéaire, outre qu'il exerce la main, forme le coup d'œil. Ce n'est qu'après, qu'ils sont initiés à « l'intelligence des lumières et des ombres », à la science des effets sans laquelle les élévations seraient ternes et plates. Ils apprennent à ombrer les coupes avec tendresse et précision. C'est à l'époque où l'architecture affiche les plus grandes ambitions que l'exercice du dessin et la connaissance des surfaces connaissent leur apogée. Le XIXe siècle commençant voit le dessin d'architecture parvenir à un niveau de perfection jamais atteint. Il charme avec retenue et informe sans lourdeur. Ni trop technique, ni trop pictural, il est perçu comme un mode d'expression indépendant qui honore l'architecture et lui vaut une position dominante dans les arts. C'est alors que le dessin linéaire discipline la sculpture, la peinture et les arts de l'industrie. Il prend possession de la totalité de l'univers des formes[30]. C'est aussi le temps où se précisent et se fixent ses règles.

21 - Ch. Dupin, *Essais historiques sur les services et travaux scientifiques de Gaspard Monge*, 1819.
22 - D'Aviler, *Dictionnaire d'architecture civile et hydraulique*, 1755.
23 - Pierre Chabat, *Dictionnaire des termes employés dans la construction*, 1875.
24 - Quatremère de Quincy, *Dictionnaire historique d'architecture*, 1832.
25 - *Statuts et règlements de l'Académie des beaux-arts*, 1891.
26 - Charles Blanc, *Grammaire des arts du dessin*, 1867.
27 - « C'est à regret que les véritables artistes voient les dessinateurs d'architecture civile les préférer aux plumes d'oiseau... Il en résulte toujours un trait sec et dur, qui gêne au moelleux

et détruit le suave qu'exigent les angles et les extrémités des façades et des coupes. » C.M. de la Gardette, *Nouvelles règles de la pratique du dessin et du lavis*, 1803.
28 - C.M. de la Gardette, *ibid.*
29 - *Ibid.*
30 - N. Ponce va jusqu'à décréter que : « Celui qui n'aurait d'autre but que de ramener toutes nos connaissances aux seuls objets d'utilité, ne pourra se passer de notions du dessin ». Ce texte, « Réflexion sur la manière d'étudier le dessin, considéré sous les rapports de l'éducation », est cité par A.M. Perrot dans son *Manuel du dessinateur*, 1827.

10 - Quatremère de Quincy, *Dictionnaire historique d'architecture*, 1832.
31 - César Daly, *Revue générale d'architecture et de travaux publics*, 1840.
32 - C.M. de la Gardette, *op. cit.*
33 - L.A. Dubut, *l'architecture civile. Maisons de ville et de campagne*, Paris, 1803, texte cité par Pierre Saddy in : *Napoléon et la perspective ou le beau idéal de la mémoire*, 1832. Il s'agit de montrer plusieurs de ses façades sur une même image. Le « développement » d'après Delaitre est une « représentation, sur un plan, de toutes les faces qui composent un solide ». Delaitre, *Manuel de l'architecte et de l'ingénieur*, 1825.
34 - Jean Thomas Thibault, *Applications de la perspective aux arts du dessin*, 1827.

Des traits d'épaisseurs variées et des «teintes plates» sont employés dans le plan pour aider à sa lecture. Les usages sont codifiés; il est ainsi convenu que dans un plan «la construction est coupée horizontalement au-dessus de l'appui des fenêtres[31]». Ce qui permet de montrer tous les détails et distributions. Les murs mitoyens sont désignés par une ligne ponctuée, etc. Des symboles élémentaires sont employés pour la désignation des espaces couverts et découverts : une cour est annoncée par un cercle figurant un puits, un carré représente le poêle d'une pièce habitée, un triangle à angle coupé la girandole ornant un salon ou une salle de compagnie, etc. Les couleurs elles-mêmes indiquent la nature des matériaux; les ombres étant préjudiciables à l'interprétation d'un plan en sont bannies. Pour obvier à cette interdiction on «repasse, avec de l'encre très noire, sur toutes les lignes opposées à celles qui reçoivent le jour[32]». Une bordure dessinée à l'encre encadre les dessins; elle est faite de deux traits de grosseurs inégales et d'une large bande de papier bleu.

Les effets sont autorisés dans le dessin des coupes. Ils sont recommandés dans celui des élévations. Les *ombres portées* sont tracées à 45 degrés; plus vigoureuses sur les parties proches de l'œil, elles s'adoucissent sur les parties éloignées. Les teintes plates sont réservées aux parties éclairées. Cette superposition de teintes détermine une sensation voluptueuse de profondeur. Elle constitue le procédé par lequel on supplée la perspective réputée mensongère. Le lavis se trouve partagé en ombres et lumières savamment fondues. En les faisant ainsi participer l'une de l'autre, on obtient un modelé expressif digne des meilleurs peintres. Mais, à la différence de ces derniers, les architectes ne peuvent mêler leurs couleurs; ce serait offenser le rigorisme géométrique et minéral de leur art. De manière analogue, les couleurs ne peuvent faire l'objet de dégradés, car elles se substitueraient alors aux clairs-obscurs pour signifier la profondeur et donneraient de celle-ci une impression qui ne serait plus optique ou géométrique, mais proprement «physique» et immédiate. Comme les ombres, la couleur doit seconder les lignes dans leur circonscription des volumes et ne point servir la *perspective aérienne* en devenant vaporeuse et instable. Seule la *perspective linéaire* est du ressort de l'architecture. Elle doit ce privilège au dessin et au fait d'être «soumise, comme les mathématiques, à des principes rigoureusement démontrés[10]». Prohibée dans le dessin académique et professionnel, la perspective est de mieux en mieux tolérée dans les «tableaux» et les publications. L'affranchissement «du sens physique et de la matière» exigé par Quatremère, semble avoir longtemps confiné le dessin dans le géométral. Après avoir recouvré son autorité institutionnelle, l'Académie a même obtenu que le dessin se purifie par l'affinement des lignes et l'éclaircissement du lavis. «Nous l'avons presque réduit à un simple trait destiné à indiquer la forme et la disposition des objets; et si nous avons eu recours au lavis, ce n'a été que pour distinguer les pleins d'avec les vides dans le plan et dans les coupes» écrit Durand. L'architecture s'imposait une sujétion sublime en se vouant à la pâleur et à la pureté. Elle exorcisait les troubles du sentiment et la tentation du dehors.

Bien vite cependant, *l'enthousiasme du coloris* l'emportera sur la *méditation du dessin*. Alors que s'achève le règne de Quatremère, «les dessins d'architecture sont devenus de magnifiques aquarelles, où les artistes révèlent une habileté de main et un sentiment de l'effet général vraiment merveilleux» écrit César Daly en 1840[31].

Au début du siècle, la perspective est utilisée par Dubut «afin de faciliter davantage l'intelligence et de donner plus de développement à l'architecture[33]». Cette tentative comme quelques autres n'a encore qu'une valeur pédagogique. J. T. Thibault, professeur de perspective à l'Ecole des beaux-arts après 1819, enseigne le dessin d'architecture d'après nature. «La perspective rend de grands services, lit-on dans son cours, à ceux qui peignent l'architecture et les ruines, lorsqu'ils ne peuvent se placer à une distance favorable pour dessiner [...] l'édifice qu'ils veulent représenter sous un bel aspect». En utilisant l'effet optique, cette science aide à «mettre l'architecture en évidence». Il remarque qu'elle permet aussi à l'architecte «d'en procurer la jouissance anticipée à ceux pour lesquels ils doivent l'exécuter[34].» Cet ancien associé de Durand avoue sa préférence pour la peinture qui lui fut si profitable à l'époque révolutionnaire où l'ouvrage était rare pour les architectes. A son instar, Valencienne, Ransonnette et Normand se veulent illustrateurs dans leur enseignement de la perspective.

En se répandant à l'écart de l'Ecole des beaux-arts, dans les salons et les musées, la perspective architecturale prend une signification publicitaire. Au sens le plus strict, elle met en scène l'architecture, l'arrache à l'intemporel, la déforme et la déstabilise, la rend certes plus attrayante et familière, mais aussi plus trompeuse, moins certaine. Sa passagère infidélité à l'absolu du géométral lui vaut un regain de popularité. Elle s'offre au public qui peut enfin l'introduire dans ses rêves, se livre à son regard singulier et discriminateur. Mais les instances de jugement cessent de dénoncer cet égarement, ainsi qu'en témoigne cette métaphore de l'académicien Charles Blanc : «Le langage imprimé, c'est le géométral de la langue, et l'altération qu'elle subit dans la bouche du peuple en est comme la perspective.» Alors que le dessin géométral est l'idée même, le dessin perspectif n'en est que l'interprétation. Un plan ou une élévation n'asservissent pas le dessin à un point de vue déterminé. Ils ne regardent personne en particulier et se voient partout de manière identique. Ils sont à eux seuls une totalité qu'on ne peut éprouver que dans l'adhésion. «Point d'architecture possible comme art d'émulation, là où l'homme peut s'en expliquer ou s'en appliquer les conceptions» dit encore Charles Blanc. Le mot perspective se rapporte indirectement à la racine sanscrite *spac*, proprement toucher, puis d'après Wilson, informer, rendre clair, évident. Pour conserver son prestige le dessin d'architecture doit demeurer obscur. Sa pureté et son autorité procèdent de son hermétisme.

MICHEL VERNES
Paysage d'architecture, plume sur papier Canson
4,5 × 8 cm, 1982; collection de l'auteur.

DESSINER L'ARCHITECTURE

POINT DE VUE BEAUX-ARTS ET CHANGEMENT DE POINT DE VUE

DEPUIS PLUS D'UNE DÉCENNIE, L'ARCHITECTURE REDÉCOUVRE LE DESSIN. MAIS IL NOUS FAUT CONSTATER LE DIVORCE ENTRE UN DESSIN CONVENTIONNEL PROPRE À LA PRODUCTION ET UN DESSIN QUI SE DONNE À VOIR, UN DESSIN DE REPRÉSENTATION. ALORS QUE LE DESSIN D'ARCHITECTURE FAIT SON ENTRÉE AU SEIN DU « MUSÉE IMAGINAIRE », NOUS POUVONS NOUS INTERROGER SUR LE CHANGEMENT DE SON STATUT. FAUT-IL Y VOIR L'ULTIME ÉTAPE D'UNE LONGUE ÉVOLUTION OÙ LE DESSIN SE VERRAIT, COMME PUR OBJET DE DÉLECTATION, INVESTI D'UN NOUVEAU REGARD SITUÉ AU-DELÀ MÊME DE L'ARCHITECTURE ?

——— HENRI BRESLER ———

Comment ne pas constater l'impact du dessin appelé communément « beaux-arts » au cours des décennies ? Il s'impose au siècle dernier, il se manifeste au siècle présent.

Ce dessin beaux-arts qui dépasse, et de loin, la simple production de l'Ecole des beaux-arts de Paris, relève aussi bien d'une façon de représenter l'architecture que d'une manière de la concevoir; chaque image transcrit la formalisation d'un projet réel ou imaginaire et chaque image révèle la conceptualisation de ce projet.

Dessin et projet sont intimement liés et se fondent dans un couple où s'articulent la théorie et la pratique.

Il nous paraît opportun de saisir combien le dessin beaux-arts, dans son processus de mise en forme, essaie de qualifier, de spatialiser dans une visée quasi réaliste, la matérialité de l'architecture. A partir de cette réflexion, il nous sera alors possible de montrer comment, au regard de nouvelles spéculations, de nouvelles théories, ce mode de représentation tendra à se désagréger, en faisant progressivement basculer le plan même du *tableau* et en portant le dessin aux confins de l'abstraction.

Du dessin beaux-arts

Le dessin beaux-arts n'a point attendu l'avènement à Paris de l'école du même nom pour s'ériger en système et faire prévaloir ses propres règles de composition.

Dès le milieu du XVIIIᵉ siècle, l'Académie d'architecture, en faisant porter l'épreuve du Prix de Rome non plus sur un élément architectural (galerie, portique ou façade) mais sur un édifice public dans son ensemble, a su donner la primauté à la composition du plan. Les envois de Rome, les relevés, les restitutions de thermes, de temples, de basiliques ou de palais, viendront constamment alimenter cette nouvelle pratique du projet.

Loin de se définir par un programme, l'édifice public se qualifie alors à l'aide de sa propre appellation; aussi dit-on une bibliothèque, un collège, un institut.

L'exercice de composition consiste en la mise en forme d'une *figure* dont l'expression et surtout le caractère permettent d'identifier, de requalifier cet édifice. Quant au programme, il n'interviendra que dans un second temps pour conforter éventuellement la proposition.

Ce travail sur la figure, qu'illustrent magistralement les planches de Durand[1], a certes favorisé l'émergence typologique de ces nouveaux et multiples édifices publics tout au long du siècle dernier. Nous ne saurions à ce sujet assez insister sur l'importante contribution de l'Ecole des beaux-arts dont la renommée, l'influence et le rayonnement sont alors sans égal. Mais sur quelles bases théoriques, doctrinaires même, repose cette production de dessins ? Sur quelles pratiques spécifiques s'élabore-t-elle ?

L'esquisse. Dès que le programme est énoncé, aussi succinct soit-il, la première opération consiste à esquisser le bâtiment. Jeter quelques traits sur une feuille de papier, trouver l'idée maîtresse et, à travers cette ébauche, cet écheveau de lignes, faire émerger le projet. Oui, dans une gestuelle hâtive et fébrile, l'esquisse tente de saisir le projet

THÉODORE LABROUSTE
architecte français (1799-1885)
Cour de cassation
plan, projet d'étudiant à l'École des beaux-arts
Prix de Rome, 1824
Collection de l'École nationale supérieure
des beaux-arts, Paris.

dans sa globalité, tente de la contenir dans une forme prédéfinie, préétablie.

Cette formalisation ne prend tout son sens que si le projet s'affirme comme un tout, une entité difficilement réductible. Unité du projet, unité conceptuelle, *l'idée,* l'unité projective s'impose : c'est un acte délibéré, un *parti pris;* la notion de *parti* qui en résulte recouvre tout à la fois la figure proposée, son schéma spatial et les éléments constructifs. Or nous savons combien cette notion de parti prime dans le travail des architectes. Nous connaissons trop ces pratiques où en griffonnant hâtivement un bout de calque, un bout de papier, le déclic s'établit, le *parti* est trouvé ! nous connaissons trop ces phrases toutes faites du genre : la première esquisse est toujours la meilleure !

L'Ecole des beaux-arts avait institutionnalisé ce mode d'exercice avec d'une part *l'esquisse* en douze heures — et même en vingt-quatre heures lors du concours du Prix de Rome — et d'autre part, *l'esquisse-esquisse* préalable aux concours d'émulation. Pour ces derniers, les étudiants montaient en loge en vue d'établir l'esquisse du projet, esquisse à laquelle il fallait impérativement se conformer sous peine de mise hors concours. Quelques semaines plus tard — de six à huit semaines — le projet était rendu et soumis au jury pour l'obtention de mention ou de médaille. Et c'est bien dans cette esquisse que devait se concrétiser tout à la fois *l'idée* et le *parti.*

Mais laissons parler Gromort : «Il va sans dire, bien au contraire, qu'aucun projet d'architecture ne peut avoir une valeur réelle s'il ne se compose pas seulement de *traits,* mais s'il est l'expression d'une idée. Vous savez déjà, je vous l'ai répété assez souvent, que cette idée doit être claire et non moins franchement exprimée : il me semble que je ne devrais pas avoir grand peine à vous convaincre qu'il faut, pour cela, que cette idée *existe déjà,* exprimée plus ou moins naïvement, dans l'esquisse faite en loge[2]» (nous sommes en 1950 !). Et s'il était possible de réduire cette esquisse à un pur exercice mental ? C'est ce que propose Arnaud dans son *Cours d'architecture* qu'il professe à l'Ecole centrale des arts et manufactures : «On arrive à développer les facultés mentales à tel point que je connais des exemples de solutions complètes de programmes importants, trouvées uniquement par la méditation, sans qu'aucun croquis n'ait été fait. Cela demande évidemment un entraînement spécial, salutaire en soi, mais pas si difficile que vous pourriez le croire. Les combinaisons au lieu de se faire sur calque se font dans le cerveau jusqu'à la solution qui est fixée ensuite sur le papier. Alors plus d'impedimenta d'aucune sorte; on réalise ainsi la méthode de travail la plus rapide, la plus souple qui puisse exister pour suivre la pensée créatrice[3]».

Du dessin géométral. Alors que l'esquisse peut aisément s'affranchir de son support, qu'elle peut diversifier ses effets graphiques, le projet lui ne peut se départir des modes conventionnels de représentation réunis sous l'appellation de dessin géométral. «Seul, ce mode de dessin permet la réalisation identique d'une conception ou la reproduction identique d'une chose déjà réalisée» nous dit Guadet[4] et il poursuit : «Quels sont pour cela les moyens? Les diverses projections, qui se résument en plans, en coupes, en élévations. Notez bien cet ordre car il est l'ordre logique».

A vrai dire, ces dessins géométraux que l'on projette à même la feuille de papier n'entretiennent aucun conflit avec le plan de projection. Tout comme pour un édifice réel, ils trouvent leur assise aussi bien sur le plan horizontal représentant le sol que sur les plans verticaux résultant de la gravité.

Et suivant les principes de la géométrie descriptive de Monge[5] c'est au plan de projection, à la feuille de papier de faire office de charnière entre le plan horizontal et les plans verticaux. Aussi ces dessins qui trouvent leur propre limite dans leurs arêtes, dans leurs contours, dans leurs traits de coupes se libèrent de leur support; la feuille de papier fonctionne comme un cadre qui polarise l'ensemble de ces images. Le phénomène est d'autant plus important que dans ce mode de projection géométrale, l'œil de l'observateur se voit rejeté à l'infini; aussi est-ce au dessin même, à sa formalisation, à son pouvoir iconique de recentrer l'œil du spectateur.

Faut-il y voir une des raisons de la redécomposition interne de ces images, de leur partition, qui affecte plus particulièrement le plan où s'opère à plein l'effet de recentrement ? Partition de l'image, partition du support, c'est ainsi que s'élabore *la mise en page,* réalisée bien souvent à l'aide d'un petit croquis préalable agrandi à la méthode des carreaux. Inversement, il était d'usage d'utiliser une loupe réductrice, un «œil de vieux», afin de contenir l'ensemble du dessin dans le champ visuel du concepteur.

Primauté du plan et de la composition. Dans la mise en forme du projet, c'est l'élaboration du plan qui prime; il s'agit là d'un exercice de composition aux règles extrêmement précises. A partir du programme, aussi succinct soit-il, il s'avère primordial de dégager l'élément dominant, *la dominante,* autour duquel s'organise le projet.

C'est autour de cet espace majeur, cette «grande salle», salle de lecture ou salle des pas perdus, ce hall vitré, ou cette cour principale que viennent s'articuler, se combiner les éléments secondaires du programme. C'est ainsi que doit naître l'harmonie du plan. «Un plan est bien proportionné lorsque tous les éléments dominants, secondaires ou accessoires, déterminés ou indéterminés, sont entre eux dans des rapports résultant des nécessités, de la nature et du caractère de l'édifice[6]».

Viollet-le-Duc, bien que détracteur du système beaux-arts, souscrit au même principe : «Dans tout édifice, il y a, dirai-je, un organe principal, une partie dominante, puis des organes secondaires, des membres, et ce qu'il faut pour alimenter toutes ces parties, par la circulation[7]. L'architecte Louis Kahn[8] qui demeure toujours un tenant du système beaux-arts, parlera lui d'*espaces servants* et d'*espaces servis.* Simple déplacement de la terminologie qui permet d'articuler ces différents espaces entre eux et de hiérarchiser.

Le positionnement des axes permet d'élaborer la figure; la mise en place de l'axe longitudinal et de l'axe transversal permet d'organiser la composition et la distribution qui en découlent.

C'est le long de *l'axe principal,* appelé aussi *axe d'équilibre[9],* que se matérialise la *bonne marche* du projet, cette bonne marche où se succèdent espaces majeurs et espaces mineurs et que révèle d'une manière encore plus spécifique la coupe longitudinale sur l'édifice.

L'Opéra de Paris de Charles Garnier demeure un modèle en la matière. Dans cette mise en scène architecturale, chaque espace est valorisé par l'espace qui le précède et l'espace qui le prolonge, par un premier plan et par un arrière-plan.

1 - J.N.L. Durand, *Précis des leçons d'architecture,* Paris : chez l'auteur, 1802-1805.

2 - Georges Gromort, *Lettres à Nicias,* Paris : Vincent, Freal et Cie, 1950.

3 - M. E. Arnaud, *Cours d'architecture et de constructions civiles,* 1re partie : «L'ensemble des opérations à envisager pour l'édification des bâtiments», Paris : s.d.c., 1925.

4 - J. Guadet, *Eléments et théorie de l'architecture,* Paris : Librairie de la Construction Moderne, 3e édition, 1909.

5 - G. Monge, 1796-1818, professeur à l'Ecole polytechnique, auteur de la *Géométrie descriptive,* Paris, 1800.

6 - Arnaud, *op. cit.*

7 - Viollet-le-Duc, *Entretiens sur l'architecture,* Paris : Ed. A. Morel et Cie, 1863 et 1872.

8 - Louis I. Kahn, 1901-1974.

9 - Albert Ferran, *Philosophie de la composition architecturale,* Paris : Ed. Vincent, Fréal et Cie, 1955.

Le projet peut se complexifier en jouant tout à la fois de son axe longitudinal, de son axe transversal et même des axes diagonaux, qui ne manqueront pas alors de se croiser au centre de la composition. «L'axe d'équilibre et l'axe secondaire passent obligatoirement par le point architectural[10]».

Le Corbusier s'élèvera contre cette pratique : «Les axes de l'Ecole des beaux-arts sont la calamité de l'architecture [...] Les axes se croisent, tous vers l'infini, l'indéfini, l'inconnu, le rien, sans but. L'axe est une recette, un truc... C'est même tellement un truc qu'on le dessine sur le papier pour qu'il fasse l'étoile comme le paon la roue![11]»

Recettes, ficelles, trucs, n'en déplaise à Le Corbusier, c'est à l'aide de ces procédés que se réalise le projet. Du plan il sera aisé de déduire la coupe qui non seulement donne à voir le dedans de l'édifice, mais bien plus encore révèle les agencements constructifs. Du plan il sera facile de déduire la façade qui, dans la pure tradition, doit être la traduction du rapport de la coupe au plan. A Albert Ferran de résumer : «Dans la recherche d'une solution architecturale, lorsque le croquis du plan est établi, le contrôle de l'idée se poursuit par un croquis de coupe qui permet de vérifier avant tout l'équilibre de l'ensemble par rapport à l'axe vertical. Un croquis de façade principale peut ensuite être établi, façade qui constitue comme son nom le suggère, le visage de l'œuvre[12]».

Et à Charles Blanc de conclure : «A ces trois termes, convenance, solidité, beauté, correspondent trois opérations de l'architecte : le plan, la coupe et l'élévation[13]».

Du rendu. La dernière opération consiste à rendre le projet. A l'aide de pochés, de hachures, de tortillons, à l'aide de lavis, de couleurs, de valeurs, les images jouent de leur modelé, de leurs ombres et de leurs contre-ombres; elles se libèrent de leur support en affirmant leur matérialité d'une manière plus que réaliste.

La maçonnerie coupée en plan est cernée, puis lavée en rose, couleur conventionnelle de la maçonnerie projetée. On préfère fréquemment la pocher en noir, afin de la soustraire du plan de projection, à la manière d'un haut-relief.

Les profils en coupe sont bien souvent uniquement cernés, sans lavis, sans poché, de telle sorte qu'ils se confondent avec la feuille de papier : le dessin contenu dans cette coupe apparaît alors comme creusé à l'intérieur de la feuille de papier à la manière d'un bas-relief; la projection de l'ombre portée par la coupe sur ce dessin (ombre complètement factice) ne fait que renforcer cet effet.

C'est grâce au modelé, à la perspective aérienne, aux ombres à 45°, aux rehauts de couleurs que la façade essaie tout autant de s'affranchir du plan du tableau. Quant au détail, en général un motif ornemental, il est comme perçu à travers une loupe grossissante; il se détache, se décroche de la façade en faisant valoir son statut emblématique.

Les ombres propres, les ombres portées qui se déploient sur l'ensemble des dessins ne peuvent trouver une meilleure utilisation, un meilleur effet que sur le plan masse. Là les valeurs s'équilibrent en un jeu de blancs, de gris et de noirs.

Dans les dernières décennies de l'Ecole des beaux-arts, ce monde de rendu s'est tellement développé que l'architecture tend à n'être plus que l'ombre d'elle-même. Avec des effets de toitures, de «parapluies», de «porte-à-faux», de terrasses, de courbes de niveaux, l'architecture n'avait plus qu'à s'effacer pour ne laisser subsister qu'une apparence bien fantomatique.

De même les traits de coupe s'amplifient, s'épaississent, se dédoublent, recherchant dans l'effet d'ourlet, de bordure, leur propre expression graphique. Comment ne point reconnaître dans cette calligraphie bien singulière les indices permettant, lors des jugements, d'identifier l'atelier d'origine des projets?

Du dessin perspectif. Nous n'avons jusqu'ici pas parlé du dessin perspectif; à vrai dire, celui-ci échappe au système beaux-arts. C'est un procédé qui appartient bien plus au dessin pictural; il nécessite son propre support, son propre cadre, il induit sa propre ligne d'horizon, il établit son propre rapport vis-à-vis de l'œil du spectateur. Ce dessin est un dessin que l'on donne en plus, afin de faire valoir le bâtiment en le situant dans un point de vue pittoresque à l'aide d'un, de deux ou trois points de fuite.

Néanmoins, bon nombre de ces dessins perspectifs se rapprochent du dessin géométral en proposant de disposer un plan privilégié parallèlement au plan de projection. Ce dispositif qui ne nécessite qu'un seul point de fuite suppose que l'élévation ou le plan de coupe, (il s'agit alors d'une coupe perspective) se réinscrive dans le plan de projection. D'autres dessins se présentent comme le développé des deux faces de l'édifice dont l'angle se trouve ainsi aplati pour privilégier l'effet de façade.

Force est de constater combien ces modes de représentation qui échappent au pittoresque, s'adaptent au mieux au dessin architectural, combien ils permettent de décrypter à la fois l'enveloppe, l'espace extérieur et l'espace intérieur.

Mise en crise du système. Le système beaux-arts implique une logique interne bien difficile à outrepasser.

Il y a une adéquation entre l'espace architectural induit et sa matérialité spatiale physiquement circonscrite, mais surtout une unité d'ensemble où chaque partie n'est qu'un élément de cette entité, un élément du tout. Aussi, dès que cette unité tend à se disloquer, dès qu'il s'opère un certain morcellement, dès que l'espace architectural rentre en contradiction avec sa propre enveloppe, l'édifice s'ébranle. Faut-il y voir une des raisons du divorce entre l'architecture et la contruction? Faut-il y voir d'une façon plus générale, l'autonomisation du champ de l'architecture vis-à-vis des autres disciplines?

Cependant, au siècle dernier, les planches des concours de construction de l'Ecole des beaux-arts font montre d'une étonnante habileté doublée de connaissances techniques certaines. Mais à y regarder de près, ces dessins qui empruntent leur savoir à celui des ingénieurs se disposent sur la feuille à la manière des planches encyclopédiques; l'ensemble des détails s'organise en sorte qu'il soit aisément possible de reconstituer la globalité de l'édifice; le détail existe rarement pour lui-même. Aussi, dès que le détail s'affirme comme un maillon d'un savoir spécifique, dès qu'un regard inquisiteur pénètre au sein de la matière, en la découpant, en la délitant, à la manière d'Auguste Choisy[14] dans ses planches archéologiques, le système perd de sa pertinence. C'est à ce moment que l'architecture s'ouvre à de nouveaux programmes, à la maison, au pavillon, à l'immeuble. C'est à ce moment que de nouveaux matériaux industrialisés diffusés dans les revues, dans les catalogues, modifient profondément le cadre de production. Et cependant l'Ecole des beaux-arts, malgré une tentative de réforme en 1863, demeure imperméable à cette réalité et elle le demeurera jusqu'à sa fin.

---

10 - Albert Ferran, *op. cit.*
11 - Le Corbusier, *Vers une architecture*, Paris : Ed. Crès, 1923.
12 - A. Ferran, *op. cit.*
13 - Charles Blanc, *Grammaire des arts du dessin*, Paris : Henri Laurens Editeur, nouvelle éd., 1880.
14 - *Cf.* Auguste Choisy *L'art de bâtir chez les Romains*, Paris : éd. Dacher et Cir, 1873.

Changement de point de vue

Mise à plat de l'architecture. Au siècle dernier, la notion de structure investit tout autant l'ensemble d'un bâtiment que le simple motif ornemental. Des axes, des lignes de construction, une géométrie dessinée à l'équerre, au compas altèrent le contour, la délinéation de ces édifices, de ces ornements; il en résulte un nouveau dessin, un graphe, un abstract qui prélude à toute formalisation. Il faudra attendre le tournant du siècle pour voir ce graphe, cet abstract s'intégrer, se substituer même au dessin; l'ensemble des lignes structurelles se fond alors dans un jeu de lignes intentionnelles, bien souvent chargées de symbolisme. Ces desseins de transformation, ces visées organicistes qui s'opèrent alors sur l'architecture ne manquent pas de puiser leur origine dans des domaines aussi féconds que variés comme la physique, les sciences naturelles ou la botanique. Des ouvrages tels la *Flore ornementale* de Ruprich-Robert[15], *The technical Educator* de Christopher Dresser[16], ont fortement contribué à renouveler le vocabulaire de l'architecture. Aussi le simple trait se métamorphose-t-il en une « ligne de beauté », une ligne qui joue de ses nouvelles potentialités, une ligne qui s'incurve ou se tend dans sa rectitude. « La ligne est une force, nous dit Van de Velde, dont les activités sont pareilles à celles de toutes les forces élémentaires naturelles[17] ».

Cette « ligne qui emprunte sa force à l'énergie de celui qui l'a tracée » se déploie, s'incruste, s'engrave à même son support. Au moment où l'architecture rêve de fusionner l'art et la technique, comment ne point voir dans l'empreinte du tracé, la matérialité de l'outil qui l'a dessinée ? Comment ne point voir dans la blancheur ou le grisé, dans le lisse ou le granulé du papier la prégnance de cette image figurée ? Le trait de crayon, l'encre du tire-ligne, la tache, la touche du pinceau, l'aplat du pochoir adhèrent au grain d'un canson, d'un rive, d'un bulle ou d'un fidelis[18].

A travers la démultiplication des procédés, des outils, le dessin s'individualise, tout en révélant l'état d'âme du concepteur; aussi le dessin d'architecture puise ses atouts dans les arts graphiques et plus encore dans la peinture. Il ne faut donc point s'étonner que loin de spéculer sur des effets de profondeur, le dessin joue à plein de ses effets graphiques; il se plaque, il s'aplatit sur la surface à l'aide de formes fortement délimitées, fortement cernées. Les traits s'épaississent tout en se colorant, les ombres s'autonomisent et perdent leur fonction première... Ce ne sont que jeux de lignes, de taches, d'aplats, de couleurs. Ce mode graphique fait valoir la suprématie de la façade qui impose plus que jamais la réalité du géométral.

Le plan se résout le plus souvent à n'être qu'une sorte de vignette collée à même la planche. Les coupes, elles, vont jusqu'à perdre leurs traits de coupe pour s'affirmer comme des façades d'intérieurs. L'intérêt porté alors à l'architecture domestique ne peut à lui seul expliquer ces changements de point de vue. Car il s'agit bien d'un changement de point de vue : le plan de projection pivote sur lui-même en imposant sa frontalité, sa verticalité; il se transforme en *tableau* dans le sens le plus restrictif du terme.

Certains dessins perspectifs affirment à plein cet effet de verticalité, en faisant pivoter le plan de la façade qui se rapproche alors d'un plan normal au tableau. L'effet pittoresque qui en résulte est à rapprocher de l'art de l'affiche. D'autres dessins perspectifs accusent un point de vue plongeant; le faisceau du regard tend à se confondre avec le plan même du tableau.

Points de vue éminemment frontaux, points de vue perspectifs, points de vue plongeants, autant de modes de représentation qui sont révélateurs d'un nouveau regard plus intimiste, plus introspectif porté sur l'architecture.

Mise à nu de la représentation. Il a fallu cette mise à plat de l'architecture pour la voir aussitôt investie par de nouvelles théories. Il a fallu rabattre l'enveloppe du bâti, à la manière des découpages d'enfant, des images d'Epinal, pour rétablir l'équivalence des faces : des plans, des coupes et des façades. Dans ce système non hiérarchisé, l'architecture se définit comme un objet isomorphe, qui s'isole, se libère du sol et s'appréhende de tout côté.

Le plan n'est plus le lieu géométrique de la composition, il perd sa hiérarchie interne, il perd sa force iconique que contribuait à lui donner le *poché*. Il dresse un réseau de lignes constructives, structurelles, une texture dans laquelle s'inscrivent des signes, des symboles, autant d'éléments d'écriture traduisant les données de la « fonctionnalité ». « Un plan n'est pas joli à dessiner comme le visage d'une madone, écrit Le Corbusier, c'est une austère abstraction; ce n'est qu'une algébrisation aride au regard[19] ».

Les coupes et les façades utilisent le même graphisme, le même langage; il en découle un trait homogène qui se transmet du tire-ligne au graphos, du graphos au rapido[20] et qui trace tout autant les contours, les arêtes, le calpinage des matériaux, les lignes de construction, les lignes de cote ou le tracé régulateur. Il faut remarquer combien le « Modulor »[21] de Le Corbusier, ce personnage idéal qui détient à la fois la mesure, l'échelle et les proportions, trouve sa configuration dans cette délinéation; sans la moindre épaisseur, il colle inéluctablement aux parois de l'édifice, à l'aplat des façades et des coupes d'où il est issu.

Aussi est-ce dans la matérialisation de ces faces, de ces multiples surfaces, que l'architecture trouve sa nouvelle raison d'être; elle fonctionne comme un kaléidoscope qui, tout en démultipliant les plans, démultiplie les effets de vision. L'unité de la composition, l'unité d'un regard centré et focalisé, éclatent en se projetant sur les parois; il s'ensuit une confrontation à l'ensemble de ces plans, de ces surfaces à travers un *cheminement* qui participe plus que jamais à l'élaboration, à la définition du projet.

« L'architecture se marche, se parcourt, affirme Le Corbusier, et n'est point, comme selon certains enseignements, cette illusion toute graphique organisée autour d'un point central abstrait qui se prétendrait homme, un homme chimérique, muni d'un œil de mouche et dont la vision serait simultanément circulaire [...] La symphonie qui en fait se joue ne pouvant être saisissable qu'au fur et à mesure que les pas nous portent, nous placent et nous déplacent, offrant à notre regard la pâture des murs ou des perspectives, l'attendu ou l'inattendu des portes livrant le secret de nouveaux espaces, la succession des ombres, pénombres ou lumière que gère le soleil pénétrant par les fenêtres ou les baies, la vue des lointains bâtis ou plantés comme aussi celle des premiers plans savamment aménagés[22] ».

Mise en relief de l'espace. Comment dès lors trouver des modes de représentation qui puissent prendre en considération l'ensemble de ces données ? On a recours à d'autres procédés

15 - Ruprich-Robert, *Flore ornementale*, Paris : éd. Dunod, 1876.
16 - Christopher Dresser *The technical Educator*, Londres, 1870.
17 - Cité par Maurice Castells *in : L'art moderne primitif*, Paris : Les éditions Henri Jonquières, 1930.
18 - Nom de papiers.
19 - Le Corbusier, *Vers une architecture*, *op. cit.*

20 - Graphos et Rapidograph : marques de stylos à encre, à plume et à tube, utilisés pour le dessin d'architecture.
21 - Le Corbusier, *Le Modulor* et *Le Modulor II*, Paris : Ed. L'architecture d'Aujourd'hui, 1949 et 1955.
22 - Le Corbusier, *Entretien avec les étudiants des écoles d'architecture*, Paris : Editions de Minuit, 1957.

23 - Auguste Choisy, *Histoire de l'architecture*, Paris : Edouard Rouveyre, 1899.
24 - Cité par Fernand Pouillon *in : Mémoire d'architecte*, Paris : Ed. du Seuil, 1968.
25 - A. Choisy, *Histoire de l'architecture*, *op. cit.* note introductive.
26 - Le Corbusier, *Vers une architecture*, *op. cit.*

depuis longtemps utilisés dans le dessin technique, dans le dessin des rouages et des machines, dans le dessin de la coupe des pierres — la stéréotomie; on a recours à la perspective cavalière, à l'axonométrie, à l'isométrie. Depuis le début du siècle, les architectes ont pu se familiariser avec les vues axonométriques diffusées par Auguste Choisy dans son *Histoire de l'architecture*[23]. Cet ouvrage qui n'a cessé à ce jour d'être édité, fut le livre de chevet d'un Auguste Perret, d'un Le Corbusier[24]. Ce dernier ne manque pas de s'y référer pour illustrer son propre ouvrage, *Vers une architecture*. Ces croquis axonométriques de Choisy présentent l'édifice sous forme d'écorché, le plus souvent vu de dessous. «Dans ce système une seule image, mouvementée et animée comme l'édifice lui-même, tient lieu de la figuration abstraite, fractionnée par plan, coupe et élévation[25]». Le lecteur qui «a sous les yeux, à la fois, le plan, l'extérieur de l'édifice, sa coupe et ses dispositions intérieures» peut saisir d'emblée les éléments structuraux, contructifs et spatiaux de l'édifice. Les architectes du groupe De Stijl, du Bauhaus, les rationalistes italiens, les fonctionnalistes français..., ne manqueront pas d'utiliser ce procédé tant pour la représentation que pour l'élaboration du projet.

Etant donné que toute projection axonométrique entre en conflit avec le plan du tableau, il s'avère plus que jamais nécessaire de rendre formellement autonome cette image en la circonscrivant dans sa propre volumétrie. Aussi se réfère-t-on au «cube» qui, comme tout corps platonicien, se libère de son support en lui affectant la vocation d'un espace sidéral. Il est alors aisé, à l'aide d'adjonctions, d'ablations, d'altérer quelque peu la volumétrie du «cube». Ainsi le toit-terrasse, lieu privilégié de la vision plongeante, ne manquera pas de se doubler de souches de cheminées, de pergolas, d'auvents, afin de saturer sa surface.

Ce mode opératoire qui cherche à retraduire, dans un jeu de volumétrie, l'espace architectural, finit paradoxalement par l'enfermer dans l'opacité de ses multiples plans.

Quant à la lecture de la disposition interne, elle nécessite un certain temps de latence afin de décoder, afin de décrypter la complexité de l'image. Bien des architectes se complaisent dans ce genre d'exercice mental qui, loin de rendre l'espace tangible, le plonge aux confins de l'inintelligible. Aux espaces physiquement circonscrits, succèdent des espaces mythiques, symboliques, des espaces qui se diluent, s'articulent, se développent et s'interpénètrent. Il s'opère alors un glissement sémantique, qui touche en profondeur le vocabulaire de l'architecture. Au langage architectural succède un métalangage dont usent et abusent bon nombre d'architectes. Ainsi, pour Le Corbusier, le plan est-il à la fois plan directeur, plan de bataille, ligne de conduite. «Le plan est le générateur, sans plan il y a désordre, arbitraire [...] C'est un plan de bataille. La bataille suit et c'est le grand moment. La bataille est faite du choc des volumes dans l'espace et le moral de la troupe, c'est le faisceau d'idées préexistantes et l'intention motrice. Sans bon plan, rien n'existe, tout est fragile et ne dure pas, tout est pauvre même sous le fatras de l'opulence[26]». Abstraction du langage, abstraction de l'image, l'abstract, le diagramme, l'organigramme s'imposent comme systèmes opératoires, comme modes de représentation. Et le dessin se métamorphose en grille, en trame, en réseau.

Dans les années soixante, alors que la construction bat son plein, seuls subsistent les dessins contractuels, dessins de permis de construire, d'appel d'offre, d'exécution qui ne nécessitent aucun effet de rendu si ce n'est quelques «grouillots» et «tortillons».

Or depuis plus d'une décennie, l'architecture redécouvre le dessin. Mais il nous faut constater le divorce entre un dessin conventionnel propre à la production et un dessin qui se donne à voir, un dessin de *représentation*. Alors que le dessin d'architecture fait son entrée au sein du «musée imaginaire» nous pouvons nous interroger sur le changement de son statut. Faut-il y voir l'ultime étape d'une longue évolution où, après avoir été mis à plat, après s'être détaché de son support, le dessin se verrait, comme pur objet de délectation, investi d'un nouveau regard situé au-delà même de l'architecture? Faut-il y voir plutôt les prémisses de nouveaux modes de représentation?

J.H. LORIMER, peintre anglais,
Portrait de l'architecte Sir Robert Lorimer à sa table à dessin
huile sur toile, 25 × 37 cm, 1886
Collection du Royal Institute of British Architects, Londres.

DE L'ÉPURE BAROQUE A L'AXONOMÉTRIE

L'ÉVOLUTION DU DESSIN D'ARCHITECTURE EN ALLEMAGNE

VERS LA FIN DU XVIIIᵉ SIÈCLE, ON SE PLAINT DE PLUS EN PLUS DES ARCHITECTES INCAPABLES DE DESSINER LE MOINDRE TRACÉ OU RELEVÉ DE PLAN. C'EST POURQUOI LE MOUVEMENT DE RENOUVEAU CONTRE LE « DÉCLIN DE L'ART », NÉ DANS LES ACADÉMIES ET ÉCOLES D'ARCHITECTURE FONDÉES OU RÉFORMÉES AU TOURNANT DU SIÈCLE, PLAÇA L'ÉTUDE PRÉCISE DES DESSINS DE L'ANTIQUITÉ AU CENTRE DES PROGRAMMES DE FORMATION.

Au XVIIIᵉ siècle, on observe un développement progressif du dessin d'architecture qui devient de plus en plus autonome. Piranèse surtout l'enrichit à ce point d'éléments picturaux que, dans la seconde moitié du siècle, il se trouva réellement en concurrence avec la peinture[1]. Depuis de Wailly et Peyre l'Ancien, l'évolution vers la « peinture de projets »[2], réalisée en grisaille finement dégradée, aboutit à une première apogée dans une section spécialement réservée au dessin d'architecture, au Salon de 1795, ainsi que dans l'épigraphe donnée par Boullée à son traité sur l'architecture : *Ed io anche son pittore*. Mais, face à ce mouvement particulièrement évident en Italie et en France, on observe plutôt, en Allemagne un déclin du dessin d'architecture. Les dessins[3] sont souvent des plans grossiers avec quelques tracés au lavis de couleur pour désigner les matériaux à utiliser dans la construction. Vers la fin du siècle, on se plaint de plus en plus des architectes incapables de dessiner le moindre tracé ou relevé de plan.

C'est pourquoi le mouvement de renouveau contre le « déclin de l'art »[4], né dans les académies et écoles d'architecture fondées ou réformées au tournant du siècle, plaça l'étude précise des *dessins* de l'Antiquité au centre des programmes de formation. Ainsi le manuel d'architecture de Friedrich Weinbrenner, « l'école la plus complète pour un architecte, dans sa progression théorique et pratique »[5], présente-t-il dans la première partie un enseignement du dessin géométrique avec tout ce qui concerne la représentation de la lumière et de l'ombre; dans la seconde partie la perspective et l'enseignement de l'éclairage en perspective et, dans la troisième partie

seulement, des éléments de l'architecture à des degrés supérieurs tels que les proportions, la symétrie et les styles. De la même manière, la formation donnée à l'académie d'Architecture de Berlin sous la direction de Gilly ou à l'académie de Munich avec Carl von Fischer se concentrait sur les dessins géométriques de l'architecture antique[6], le modelage plastique de l'espace à l'aide de jeux d'ombres y prenant une importance particulière. La « masse architectonique » des croquis architecturaux de Gilly, Weinbrenner, Speeth ou Fischer résulte de cette concentration sur l'édifice, l'espace et la voûte ainsi que sur une idée directrice visant à donner un sens bien spécifique à chaque construction (tout cela emprunté aux modèles italiens et français[7]).

On peut déceler avec précision une phase nouvelle dans l'évolution du dessin d'architecture au moment où Carl von Fischer est confronté aux perspectives réalisées à l'aquarelle de couleurs d'un Léo von Klenze, lors du concours pour le projet de glyptothèque à Munich, en 1815. En tant que membre du jury, Fischer critiqua les projets de Klenze et estima qu'ils « devraient être laissés de côté, bien que ces perspectives aient toutefois quelque chose de séduisant »[8]. La nouveauté qui impressionnait Fischer malgré lui était l'insertion du projet dans un environnement qui, n'ayant plus rien de schématique, prenait la même importance, avec des accessoires presque anecdotiques et un coloris tout à fait nouveau, rappelant ce que donne une vue architecturale très réaliste d'une ville. Une telle présentation de projets architecturaux — jouant aussi bien avec la réalité qu'avec l'illusion, vues sous un éclairage

1 - Werner Oeschlin, « Von Piranesi zu Libeskind », *in : Daidalos*, nº 1, 1981, pp. 15-19.
2 - Georg German, « Der farbige Architektur-Entwurf », *in : Von Farbe und Farben* pour le 70ᵉ anniversaire d'Albert Knoepfli, Zurich, 1980, pp. 187-191; Werner Oeschlin, *Bildungsgut und Antikenrezeption des frühen Settecento in Rom*, Zurich, 1972.
3 - Erich Konter, « Architekten-Ausbildung » (im Deutschen Reich), *in :* E. Mai (édit.), *Kunstpolitik und Kunstförderung im Kaiserreich*, Berlin, 1982, pp. 285-308, en part. p. 286.

LYONEL FEININGER
peintre et dessinateur américain
(1871-1956)
Manifeste du Bauhaus, gravure sur bois,
1919.

4 - *Cf.* Charte de la constitution de l'académie de Munich, de Schelling, *in :* Eugen von Stieler, *Die königliche Akademie der bildenden Künste zu*

München, München, 1909, suppl.; Arthur Valdenaire, *Friedrich Weinbrenner*, Karlsruhe, 1919, pp. 280 *sq*.
5 - Valdenaire, *Weinbrenner, op. cit.* p. 298 *sq*.
6 - W. Nerdinger (édit.), *Carl von Fischer*, Munich, 1982, pp. 16-39.
7 - *Cf.* Alois Hirt, *Die Baukunst nach den Grundsätzen der Alten*, Berlin 1809, p. 21 *sq;* Friedrich Denk, *Das Kunstschöne und das Charakteristische von Winckelmann bis Friedrich Schlegel*, thèse, Munich, 1925.
8 - Nerdinger, *Carl von Fischer, op. cit.*, p. 162.

nouveau — introduite peu de temps auparavant en Allemagne par Schinkel[9] fut, dès les premières années du XIXe siècle, à l'origine d'une technique parfaite de la représentation qui rappelait presque celle des miniatures. Ces dessins composés de petites surfaces correspondaient à une architecture nouvelle davantage orientée vers la structuration des surfaces. D'une décennie à l'autre, on observe en Allemagne, un développement des dessins d'architecture : on y recherche de plus en plus les effets pittoresques propres à la peinture[10]. L'élément décisif dans cette métamorphose de la technique de la représentation, vers 1810-1818, fut la transformation de la conception même de l'architecture telle qu'elle s'était établie depuis Vitruve et la théorie du caractère : on allait désormais mettre l'accent sur l'histoire et la poésie dans la construction. Schinkel et Klenze, se détachant de leurs prédécesseurs, revendiquèrent un programme de réhabilitation poétique et historique de l'architecture. Selon Schinkel, concevoir un édifice à des fins purement triviales aboutissait à quelque chose de sec, de figé, « qui manquait de liberté et excluait complètement deux éléments essentiels, la dimension poétique et la dimension historique[11] ». De la même manière, Klenze s'opposa à « l'utilisation manufacturière des doctrines de Vitruve, voire de celles de Vignola, et à la "vulgarité" de ceux qui ne voulaient voir dans l'architecture qu'un moyen de se protéger de la manière la plus avantageuse contre l'humidité, la chaleur et le froid[12] ». L'architecture se voit ainsi dotée d'une sorte de « peau historique » à laquelle le dessin pittoresque à plans correspond de façon surprenante.

Outre cette conception nouvelle, d'autres facteurs ont été décisifs pour l'évolution du dessin d'architecture vers le sens du pictural : l'accroissement du nombre des concours publics[13] — favorisés d'abord à Vienne après 1848[14], puis introduits également en Allemagne en 1868[15] — encouragea la recherche de la virtuosité dans les techniques de représentation; cette virtuosité connut son apogée dans les « fascinantes » aquarelles d'architecture de Friedrich von Thiersch, qui lui valurent d'être considéré par ses contemporains comme le véritable arbitre des concours[16]. Par ailleurs, la recherche de plus en plus effrénée de motifs historiques suscita une accumulation de détails, la surcharge devant rendre plus crédible encore l'authenticité historique. L'invention du papier huilé transparent fut un élément important dans cette évolution car il permettait de décalquer n'importe quelle forme. On copia ainsi surtout les dessins de récits de voyages, que les étudiants en architecture collectionnèrent pour constituer un fonds très riche de formes à leur disposition. Dès 1834, Gottfried Semper vit là — ainsi que dans le schématisme géométrique du dessin à l'origine duquel se trouva Durand — les raisons du déclin de l'architecture : « Avec le sentiment d'être coupable et acculée par ses créanciers, l'architecture au bord de la faillite a recours au papier et en fait circuler deux sortes pour se refaire. La première espèce est constituée par les assignats de Durand que ce chancelier de l'Echiquier met en circulation pour pallier le manque d'idées. Ils consistent en feuilles blanches divisées sur le modèle des patrons pour tricoteuses ou des échiquiers en de nombreux carrés sur lesquels le plan d'un édifice s'organise mécaniquement. La deuxième catégorie de papier, non moins bien accueillie étant donné la pénurie générale d'idées, c'est le papier huilé transparent. Le disciple des arts parcourt le monde, remplit son herbier de calques bien collés de toutes

sortes et rentre tranquillement chez lui, attendant allègrement que lui parvienne la commande d'une Olympe façon Parthénon, d'une basilique style Monreale, d'un boudoir genre Pompéi [...][17]. » Bien des voix s'élevèrent contre la transformation du dessin d'architecture en « travail analogue à l'estampe » et contre la « tendance fatale à faire des images »[18], et réclamèrent une réforme des études d'architecture sur la base d'une solide analyse des détails. La méthode d'enseignement et d'élaboration de projets de Nicolaï à Dresden est un modèle de ce genre de revendication : grâce au dessin à main levée de plans et de façades, l'étudiant parvenait à élaborer une structure dont il affinait progressivement les détails jusqu'à ce qu'ils fussent tous dessinés en grandeur nature. En développant tous les motifs architecturaux à partir du projet même, le concepteur devait « découvrir la masse inépuisable des motifs », ce qui permettait d'aboutir à une construction où rien ne serait copié ou arrangé à partir « de motifs déjà rencontrés des centaines de fois »[19]. C'est surtout après 1870 qu'en Allemagne on insista constamment sur le simple dessin géométrique, en s'opposant au culte des façades pittoresques des projets scolaires des Beaux-Arts[20]. Il ne fallait pas rechercher les « effets pittoresques » ni tenter de faire des « dessins géniaux »[21]; le pittoresque fut même présenté comme « accessoire » et la perspective n'apparut plus nécessaire[22]. Mais il fut impossible de freiner le goût pour la représentation du pouvoir et du niveau social à l'aide d'une architecture « picturale » dans les années de ce que l'on a appelé Gründerzeit (après 1870). Mais au-delà, les architectes allemands se rattachaient de diverses manières à la tradition des Beaux-Arts en France, et ce en dépit de l'école de Schinkel en Prusse. C'est ainsi, par exemple, qu'Emil Lange avait étudié chez Questel et Christian Friedrich Leins, fondateur de l'école de Stuttgart jouissant d'une grande réputation, avait étudié chez Baltard. Chez Leins également, Friedrich von Thiersch apprit les techniques du dessin et de l'aquarelle[23] les développant avec une telle virtuosité qu'il gagna non seulement de nombreux concours mais attira aussi des élèves venus de toute l'Europe. Ses aquarelles de couleurs firent de lui le « maître de tout ce qui se faisait en dessin d'architecture[24] », comme le disait son élève Theodor Fischer, et Fritz Schumacher parlait dans ses mémoires de la vénération que lui manifestaient élèves et professeurs, qui voyaient en Thiersch un « favori des dieux[25] ». Thiersch excellait surtout par ses dessins de croquis colorés ensuite à l'aquarelle où le tracé, la coupe et la perspective se fondaient et cette maîtrise souveraine de tous les moyens artistiques et de tous les styles correspondait directement à son architecture.

C'est pourtant à l'apogée même de la représentation picturale d'architectures que se fit le revirement effectué par l'école même de Leins et Thiersch en faveur d'une technique entièrement nouvelle de la représentation, opposée à toute perfection picturale et technique : ce fut le prélude au rejet de l'historicisme du XIXe siècle. Ce mouvement naquit dans le bureau de Paul Wallot où s'élaboraient les plans du parlement de Berlin; un groupe de jeunes architectes comme Otto Reich, Theodor Fischer, Paul Pfann ou Wilhelm Rettig avaient trouvé là depuis le milieu des années quatre-vingt une forme nouvelle de représentation de l'architecture. Otto Rieth développa en particulier une technique du dessin

9 - Cf. Erik Forssman, *Karl Friedrich Schinkel*, Munich et Zurich, 1981, p. 89 *sq.*
10 - Depuis 1827, Wilhelm Stier enseignait à l'académie d'Architecture de Berlin le « principe du pittoresque dans l'ébauche », *cf.* Eva Börsch-Supan, *Berliner Baukunst nach Schinkel*, Munich, 1977, p. 111.
11 - Alfred Freiherr von Wolzogen, *Aus Schinkels Nachlass*, Vol. 3, Berlin, 1863, p. 374; en ce qui concerne la transformation du « caractéristique » chez Schinkel, *cf.* Forssman, *Schinkel, op. cit.*, p. 89 *sq.*
12 - Leo von Klenze, *Sammlung architektonischer Entwürfe*, 1er Cahier, Munich, 1847, préface.
13 - *Cf.* l'accroissement de la concurrence entre architectes dans les 22 dernières années, *in* :

Cenyralblatt der Bauverwaltung du 10 sept. 1890, pp. 381-383.
14 - Annuaire des réalisations et progrès dans le domaine de la construction pratique, 3e année, Leipzig, 1872 (désigné plus loin comme *Annuaire*).
15 - Annuaire allemand sur les réalisations et progrès dans le domaine de la théorie et de la pratique de la construction, 5e année. Leipzig 1874, p. 649 *sq* (désignation : *Annuaire allemand*).
16 - Theodor Fischer, « Friedrich Thiersch ». Discours commémoratif, *in* : *Süddeutsche Bauzeitung* du 22 fév. 1922, pp. 37-40.
17 - Gottfried Semper, *Vorläufige Bemerkungen über bemalte Architektur und Plastik bei den Alten*, Altona, 1834. Réimpression : G. Semper, *Wis-*

senschaft, Industrie und Kunst, Mainz und Berlin, 1866, citation p. 15 *sq.*
18 - Rudolf Redtenbacher, « Wie lernt und wie lehrt man die Baukunst ? » *in* : *Deutsche Bauzeitung*, 1879, pp. 197-199, pp. 207-210, pp. 217-219, citations p. 217 et 219.
19 - *Ibid*, p. 219.
20 - *Cf.* Arthur Drexler (édit.), *The Architecture of the Ecole des Beaux-Arts*, London, 1977; Robin Middleton (édit.), *The Beaux-Arts and Nineteen-Century French Architecture*, Cambridge/Mass., 1982.
21 - *Annuaire allemand*, 7e année. Leipzig, 1876, p. 691 *sq.*
22 - *Annuaire*, 1re année, Leipzig, 1870, p. 408 *sq.*

à main levée à la plume, qui accordait une importance primordiale au trait de plume souple, très expressif d'un point de vue individuel, tandis que les contours estompés et la couleur régressaient fortement. La construction à la perspective parfaite, les hachures précises et l'aquarelle aux couleurs raffinées cédèrent la place à une technique à main levée, naturelle et organique, qui redonnait au dessin le caractère de l'esquisse. Rieth diffusa cette technique nouvelle dans plusieurs publications d'esquisses et de fantaisies architecturales[26]; en s'en emparant très vite en Allemagne,.mais aussi en Autriche, Thiersch lui-même modifia le style de ses dessins. Les linéaments organiques dont se composent ces dessins, précurseurs directs des lignes qu'élaborera le Jugendstil, cernent l'architecture comme un paysage dans la nature et l'effet produit a quelque chose de parfaitement «naturel». Des architectes du Jugendstil comme Olbrich ou Endell adoptèrent aussitôt cette technique qui conféra à leurs dessins et aquarelles le caractère de «paysages»[27]: l'architecture «se développe au sein d'une végétation», les «lignes de force» reliant l'édifice avec le sol et le ciel. La technique du dessin d'Otto Rieth est de ce fait l'expression d'une métamorphose décisive dans la conception de l'architecture : la liberté nouvelle dans l'utilisation des formes historiques développée dans l'atelier de Wallot aboutit au grand mouvement de réforme des années quatre-vingt-dix d'où sortit l'architecture moderne allemande, autour de Fischer, Schumacher, Dülfer, Behrens ou Poelzig. Avec la disparition progressive du style historique, l'espace architectonique revint au premier plan; Schumacher avait déjà constaté cette démarche dans les dessins de Rieth : «Les accents architectoniques sont concentrés en vue d'un effet unique et, grâce au contraste avec la surface sereine obtenue avec finesse, ils produisent une forte impression; mais, en dépit de ce contraste fortement marqué, la dimension ornementale n'apparaît en réalité que comme une animation de la surface à certains endroits, elle semble naître de cette surface et, contrairement à tous les motifs ornementaux rajoutés dans un bas-relief qui semble sculpté dans le mur achevé, cette dimension ornementale imprègne toute la surface[28]».

Le rejet du dessin d'architecture conçu comme moyen de représentation picturale, ouvrit la voie au dessin précis. Cette évolution fut préparée surtout par le transfert de la formation des architectes vers des grandes écoles techniques (Stuttgart, 1856; Munich, 1868; Berlin, 1876) et par le perfectionnement de la technique de l'héliographie[29] qui aboutit au tournant du siècle à la production en masse de dessins au trait à l'encre de Chine sur papier transparent. On trouve certes encore jusqu'à la Première Guerre mondiale de nombreux projets d'architectes et surtout de décorateurs réalisés dans les couleurs décadentes du style fin de siècle ou du Jugendstil imitant la nature, mais le dessin à l'encre de Chine prédomina néanmoins; même un artiste du Jugendstil tel que Richard Riemerschmid ne dessinait plus qu'au crayon sur du papier millimétrique, puis il faisait décalquer le plan sur du papier transparent[30].

La naissance du dessin d'architecture expressionniste dans le contexte de la Première Guerre mondiale marque, il est vrai, une phase ultime et brève de la quête d'expressivité subjective, mais sur le plan formel on constate une grande affinité avec les modèles du Jugendstil. C'est ainsi, par exemple, que Bruno Taut put écrire que les «croquis merveilleusement dessinés» de Joseph M. Olbrich[31] étaient présents à son esprit lorsqu'il conçut son architecture alpine et Erich Mendelsohn, imitant Olbrich, s'inspirait de la musique pour ses libres fantaisies architecturales[32]. Il fut également très influencé par les dessins d'architecture futuristes tels que ceux de Sant'Elia, dont il accentuait encore les masses architecturales dynamisées en donnant des contours uniformes et en échelonnant les parties analogues le long d'un axe de vision diagonal[33]. Outre les fantaisies architecturales de couleurs imitant le gothique élaborées dans les cercles du *Arbeitsrat für Kunst* (sorte de conseil artistique), le dessin au fusain, expressif et dynamique fut utilisé par de nombreux architectes des origines les plus diverses, de Gropius et Poelzig à Höger et Bestelmeyer, après la Première Guerre mondiale. Dans la période qui précéda la stabilisation de l'économie, en 1923, les dessins au fusain apparurent, par leur transparence, comme l'expression d'une quête de renouveau qui devait cependant pour beaucoup s'inspirer du passé. Le caractère utopique et chimérique de nombreuses tentatives entraîna du même coup et à une époque, précisément, où de nombreux architectes manquaient de travail, des contacts avec l'architecture du cinéma. Le film muet, ce condensé des rêves collectifs, trouva son équivalent dans le «cri» du dessin expressionniste dans la mesure où ils exprimaient chacun les forces intérieures de la collectivité; la tentative de «transposition de situations psychiques dans les images expressives[34]» des constructions de décors filmiques correspondait aux efforts des architectes qui voulaient faire de leurs dessins le support d'idées nouvelles. Il est intéressant de noter qu'à côté des travaux de Poelzig pour le Golem de Wegener, on relève plusieurs projets de films de Taut, Krayl ou Hablik qui ne purent cependant jamais être réalisés, dans le monde du cinéma dont les tendances étaient rien moins qu'idéalistes.

Lorsque la situation économique s'améliora et que les commandes revinrent, les projets des architectes reprirent rapidement un caractère concret et, dans la mesure où ils conservaient isolément la technique du fusain et des éléments expressifs, ce n'était plus qu'à des fins décoratives[35]. Les dessins d'architecture des années vingt reflétèrent assez nettement la division en rationalistes modernistes qui cherchaient à rattacher la construction aux techniques de l'ère des machines, et en traditionalistes qui voulaient s'en tenir aux caractéristiques du métier, de la région, ou même de la «nation». La distinction que fit Paul Schmitthenners entre «bâtir et construire» *(gebaut nicht konstruiert)*[36] en rejetant le second terme, qu'il reprocha à Gropius lors d'un congrès sur la recherche, apparaît clairement lorsqu'on compare ses représentations à main levée fragmentées, dans le style Biedermeier — de même que celles d'un Tessenow ou d'un Schultze-Naumburg — avec les dessins de constructions de Gropius, Mies van der Rohe ou Haesseler, précis comme des mécaniques. Tandis que les premiers créaient des perspectives familières avec des constructions légèrement pointillées ou hachurées dans le décor naturel qu'aimaient les architectes respectueux de la tradition, Gropius surtout diffusa au Bauhaus l'isométrie comme technique de représentation conforme à l'esprit du temps : «L'enseignement du dessin de détails évite délibérément l'ancienne représentation picturale

23 - Hermann Thiersch, *Friedrich von Thiersch*, Munich, 1925, p. 76.
24 - *Cf.* W. Nerdinger, « Friedrich von Thiersch - Meister der Architekturzeichnung und Lehrer der modernen Architektengeneration », *in : H.-K. Marchall, Friedrich von Thiersch*, Munich, 1982.
25 - Fritz Schumacher, *Stufen des Lebens*, Stuttgart, 1949, p. 165.
26 - Otto Rieth, *Esquisses, études et projets architectoniques et décoratifs*, 4 séries, Leipzig, 1890-1899.
27 - Klaus Wolbert, « Wie ein Tempel im heiligen Haine », *in : Joseph M. Olbrich, 1867-1908*, Darmstadt, 1983, p. 76.
28 - Fritz Schumacher, « Otto Rieth's Schaffen »,

in : Kunst und Handwerk, 1899, pp. 106-116, citation p. 112.
29 - Franz M. Feldhaus, « *Geschichte des technischen Zeichnens* », Wilhelmshaven, 1967, p. 56.
30 - W. Nerdinger (édit.), Richard Riemerschmid, *Vom Jugendstil zum Werkbund*, Munich, 1982, surtout p. 23.
31 - Wolfgang Pehnt, *Die Architektur des Expressionismus*, Stuttgart, 1973, p. 55.
32 - *Olbrich, op. cit.*, p. 69.
33 - Pehnt, *op. cit.*, p. 119.
34 - Pehnt, *ibid*, p. 167.
35 - Cette technique fut conservée, par exemple, dans l'atelier de Bestelmeyer jusque dans les années 40.

36 - Réf. de J. Posener.
37 - Walter Gropius, « Idee und Aufbau des Staatlichen Bauhauses », *in : Staatliches Bauhaus Weimar 1919-1923*, Weimar et Munich, 1923, pp. 7-18, citation p. 15.
38 - *Annuaire*, 2e année, Leipzig, 1871, p. 574 *sq;* C.W.Q. Schmidt, *Die Werkzeichnung für Bauhausführungen auf der Grundlage des isometrischen Zeichnens*, Berlin, 1891.
39 - El Lissitzky, « K und die Pangeometrie », *in : Europa-Almanach*, Potsdam, 1925; ce texte résume tout ce qu'il a enseigné depuis 1918.
40 - Walter Gropius, *Bauhausbauten Dessau*, Munich, 1930.

académique de la perspective en point de fuite. Car celle-ci n'est qu'une déformation optique et gâche la pureté de la représentation. Outre le dessin géométrique, le Bauhaus développa une nouvelle représentation de l'espace qui réunit dans le même dessin l'effet pictural d'un espace et le dessin géométrique à l'échelle, évitant donc les inconvénients que présente celui-ci pour la perception sensible, sans pour autant sacrifier l'avantage qui consiste à pouvoir mesurer directement les dimensions[37] ». L'axonométrie était certes déjà enseignée au cours du XIXe siècle[38], mais on se contentait de l'appliquer essentiellement à la représentation des détails; Choisy fut le premier à en tirer d'autres possibilités. Mais ce qui fut d'une grande importance pour la nouvelle architecture, c'est le passage par le constructivisme. Dans son texte intitulé *K et la pangéométrie*, Lissitzky estima que toutes les formes de représentation géométriques et perspectivistes étaient démodées et proclama que l'axonométrie indépendante du point de vue du spectateur était le moyen d'expression de l'ère nouvelle

de la construction fondée sur la technique[39]. Par l'intermédiaire de Theo van Doesburg, ces idées parvinrent aussi à Weimar et y furent systématisées par Gropius. Son idéal d'une construction standardisée, organisée comme une mécanique qu'il présenta pour la première fois dans la cité Törten près de Dessau a été visualisé sur des planches; une représentation axonométrique montre les différentes étapes de la construction conçue comme un montage[40]. Toute écriture personnelle est évitée, les contours sont marqués avec précision à l'encre de Chine et les surfaces sont colorées uniformément grâce à la technique du pistolet. Dans la publication officielle consacrée à la cité Weissenhof à Stuttgart en 1927 et qui devait illustrer de façon exemplaire le spectre et l'esprit de l'architecture nouvelle, toutes les constructions, devenues les supports optiques de l'expression de la création nouvelle, furent représentées par axonométrie.

Traduit de l'allemand par Eliane Kaufholz.

VON NEUREUTHER
architecte allemand (1811-1887)
Autoportrait de l'architecte à sa table à dessin
34 × 26 cm, 1876
Cabinet des Dessins de la Technische Universität, Munich.

LA REPRÉSENTATION FUTURISTE
DE L'ARCHITECTURE

SI LE REGARD FUTURISTE SE PORTE ENFIN SUR L'ARCHITECTURE MONUMENTALE ITALIENNE, C'EST POUR LA FAIRE REVIVRE DANS L'IMAGINAIRE D'UNE VISUALISATION INÉDITE, CAPABLE DE REDÉFINIR LA FORME ARCHITECTURALE AU-DELÀ DE SA FIXITÉ ET DE SON OPACITÉ. POURSUIVANT UNE SORTE DE LÉVITATION DE LA MATIÈRE, CES CINÉTISATIONS TÉMOIGNENT DU MYSTICISME HÉRACLITÉEN QUI NOURRIT LA VISION FUTURISTE DU MONDE.

——— Giovanni Lista ———

Le futurisme est apparu au tournant des années 1910, en Italie, pour amener à un point de non-retour la fermentation d'idées nouvelles qui se préparait depuis longtemps en Europe. Se manifestant dans un pays qui était alors très en retard du point de vue de l'art et de la recherche esthétique, il s'est aussitôt constitué en mouvement d'avant-garde prônant, sous l'impulsion de Marinetti, une véritable révolution culturelle en fonction de la civilisation technologique. L'opportunité historique de son apparition en a fait la première avant-garde du siècle. Sa force de cristallisation et son éclat furent le

résultat le plus immédiat du radicalisme de ses positions esthétiques et de l'incisivité de son agitation culturelle. En Italie, tout en se voulant l'interprète privilégié d'une vision du monde propre au jeune capitalisme industriel, qui se développait alors dans le Nord de la péninsule, le mouvement futuriste revendiquait le rôle d'opposition critique face à la bourgeoisie naissante, qui n'avait pas encore conscience d'elle-même et des valeurs qui inspiraient son action. En développant une critique agressive de la société bourgeoise et de son éthique quiétiste et traditionaliste, en attaquant la rhétorique passéiste de sa culture inspirée par l'esthétisme de d'Annunzio, le futurisme a su se poser comme révolte extensive, incarnant une idéologie globale du renouvellement dont les modèles esthétiques et socio-culturels aspiraient à créer les formes inédites de la modernité dans tous les domaines : les arts plastiques, la littérature, le spectacle, la cuisine, la mode, la praxis comportementale, l'architecture, l'urbanisme, l'organisation de la vie quotidienne, les institutions politiques. Cette utopie

d'une alternative globale pour la société italienne prendra fin au lendemain de la guerre, avec la prise du pouvoir par le fascisme. Tout en réalisant certains aspects du programme politique de Marinetti, et en particulier ses options nationalistes, le fascisme ne marqua en fait que l'échec de l'action futuriste et la marginalisation de son romantisme anarchiste et révolutionnaire.

Dans l'Italie des vestiges archéologiques et de l'architecture monumentale, si chers aux disciples de d'Annunzio, les choix iconographiques des peintres futuristes vont d'emblée aux scènes de la croissance urbaine. Dès avant le futurisme, les immeubles collectifs en construction dans les banlieues ouvrières, vus en contre-plongée ou dans de vastes perspectives aériennes, apparaissent dans les tableaux de Balla et de Boccioni. Entourés d'échafaudages, disséminés dans des campagnes déjà dévastées par l'installation des usines, ils témoignent du dynamisme d'une réalité *in progress* : la ville moderne. Ce regard porté sur les grandes bâtisses populaires relève d'une volonté de connotation des signes de la modernité qui rejette le programme officiel de l'« architecture » italienne, encore dominée par l'éclectisme académique et la rhétorique décorative. C'est Boccioni qui développe le plus longuement ce thème jusqu'à sa formulation emblématique dans *La Ville monte*, véritable transfiguration lyrique d'un chantier urbain. Dans cette toile, les immeubles en construction se détachent sur la ligne d'horizon, sous un angle visuel qui s'élève abruptement, au sommet d'une vision tumultueuse du travail ouvrier, telles des condensations ascendantes de la matière résultant de l'énergie en acte. Un peu plus tard, ayant assimilé

VIRGILIO MARCHI
architecte futuriste italien (1895-1960)
Projet pour un *Palais des postes et télégraphes*
encre rouge sur papier, 32 × 24 cm, 1919
Galerie Fischer Fine Art, Londres.

la syntaxe analytique du cubisme, qu'il compose aussitôt avec les instances vitalistes de sa propre poétique, Boccioni en arrive à bouleverser l'ordre gravitationnel et l'intégrité même de la représentation architecturale.

La convention perspectiviste est l'objet d'une forte sollicitation dynamique dans *Visions simultanées* où l'environnement construit est appréhendé par un mouvement tourbillonnant qui abolit toute composante statique dans l'image. Dans *La Rue entre dans la maison*, une secousse tellurique semble déstabiliser les formes du décor urbain. Les façades des immeubles sont gagnées par un effet d'écroulement, censé actualiser les forces dynamiques qui traversent la matière, aboutissant à une désarticulation semblable à celle de *La Tour Eiffel* de Delaunay. Ce dernier thème est abordé à la même date par Severini, dans ses tableaux *La Tour Eiffel* et *Métro-Grande Roue-Tour Eiffel*, mais avec une plus grande capacité de déstructuration dynamique de l'image. Le refus de l'inertie apparente de la matière étant associé, chez les futuristes, au principe de la mémorisation affective, toute vision architecturale comporte dans leurs tableaux une mise en page de l'émotion inhérente au dynamisme de la scène représentée. Ainsi, dans *Révolte* de Russolo ou dans *Hennissement en pleine vitesse* de Depero, les maisons sont littéralement entraînées par l'élan d'une foule en émeute ou par la course d'un cheval. Dans *Drapeaux à l'autel de la patrie* de Balla, le monument à Victor-Emmanuel II de Rome est comme emporté par le flottement des drapeaux d'une manifestation patriotique. La sensation dynamique et son contenu émotionnel font basculer la perspective traditionnelle au profit d'une spatialité élastique qui anime le corps architectural, l'intégrant au spectacle vibrant de la vie en devenir. Cette fusion se réalise même lorsque le dionysisme des scènes mouvementées laisse la place aux visions obsédantes du paysage nocturne de la ville. Dans *Mouvements du clair de lune* de Carrà, dans *Souvenirs d'une nuit* et *Compénétrations de maisons + lumières + ciel* de Russolo, dans *Nocturne* et *Forces d'une rue* de Boccioni, les masses plastiques des immeubles se font spectrales et inquiétantes. Leur obliquité ne traduit pas l'excitation de la vitesse du monde moderne, mais plutôt la fixité hallucinatoire d'un regard porté sur la scène existentielle. La même dichotomie, alternant élan vitaliste et déformation expressionniste, investit l'espace clos et ses formes architecturales. Dans *En saluant*, Balla plonge audacieusement l'œil du spectateur dans la cage d'un escalier dont le rythme spiralé semble dissoudre l'image dans une troublante incorporéité onirique, tandis que les tableaux de Carrà, *La Galerie de Milan* et *La Gare de Milan* traduisent, dans une jubilante kaléidoscopie des formes, les verrières monumentales de ces deux hauts lieux de la modernité urbaine milanaise.

Le panvitalisme énergétique avec lequel la peinture futuriste a traité la représentation architecturale constitue, jusque dans ses tentations expressionnistes, l'une des tendances principales de l'architecture explicitement prônée par le futurisme. Cette tendance s'affirme surtout auprès des peintres du mouvement. Dès 1913, Balla visualise dans une direction purement imaginaire un *Projet du pont de la vitesse* qui prévoit une dynamique très excentrique des volumes, malgré le gigantisme de la construction. Les esquisses de Prampolini

proposent à la même époque une architecture aux formes aérodynamiques qui, au lieu de prendre en compte la machine, tireraient leurs modèles plastiques du déplacement des masses d'air engendré par la cinétique humaine. A l'expressionnisme visionnaire de ces œuvres, qui cherchent à formuler une version structurelle du dynamisme, s'oppose en revanche l'esthétique industrielle des architectes professionnels, tels Sant'Elia et Chiattone. Le premier a rêvé les corps architecturaux de la ville futuriste dans une série de dessins qui, par leur imposante connotation scénographique, font penser à un Piranèse de la modernité. Ses suites d'immeubles, aux volumes dépouillés et aux surfaces obliques, associent néanmoins dans un parfait équilibre figurativité et fonctionnalisme, sémantisation stylistique et rigueur rationaliste correspondant aux valeurs de la civilisation industrielle. Face à l'extrême dégradation de l'architecture italienne, les visions utopiques de Sant'Elia témoignent d'abord d'une rare faculté de réinvention tournée vers le futur. Mais aussi, pour le présent, d'une volonté de miser sur la force perturbatrice de l'image fantasmée. N'étant accompagnés d'aucune hypothèse de réalisation, ces projets se posent comme simples évocations imaginaires destinées à s'inscrire dans leur époque en tant que documents idéologiques de contestation et de rupture, selon la meilleure tradition de l'«architecture dessinée». Avec les projets architecturaux de Chiattone, apparemment proches de ceux de Sant'Elia, l'assimilation esthétique de la machine penche en revanche vers un nouveau monumentalisme : la poussée verticaliste s'accentue, les volumes assument une allure plus compacte qui rend vertigineuse leur nudité métaphysique, la vision futuriste investit la typologie de la grande construction isolée, plutôt que l'ensemble urbain, et la mégastructure apparaît conçue comme une véritable *imago templi* de la modernité. Ce qui renvoie à un effacement des différences chez Sant'Elia, devient connotation de la société de masse chez Chiattone dont les images dévoilent déjà les dimensions aliénantes de la ville industrielle.

Avec la deuxième génération futuriste, après la guerre, l'esthétique mécanique prévaut également auprès des peintres en disciplinant pour un temps leur romantisme de la modernité urbaine. La représentation architecturale donne alors lieu à des compositions dominées par l'ordonnance géométrique et la scansion plastique des volumes architecturaux. C'est la tendance vers une figuration constructive ou puriste dont témoignent des toiles comme *Rythmes mécaniques* de Paladini, qui a pour sujet l'énorme centrale électrique de São Paulo, ou *Logarythme du gratte-ciel* de Marasco. En architecture, le rationalisme trouve une nouvelle expression chez Diulgheroff, Prampolini, Crali, Poggi qui toutefois préconisent un «retour à Sant'Elia» et à sa poétique du dynamisme des lignes obliques et elliptiques, contre l'orthodoxie fonctionnaliste alors triomphante. En réalité, leurs œuvres témoignent souvent d'inflexions rhétoriques et monumentalistes qui limitent leur signification dans l'Italie de cette époque. L'image n'arrive pas à concrétiser l'imaginaire verbal d'une série de manifestes qui font alors appel, dans un langage fort lyrique, à la tradition futuriste de l'avant-garde. Lorsque le rationalisme provoque une adhésion inconditionnelle, comme chez Fiorini, Sartoris, Paladini, les recherches qui s'inspirent de sa poétique se déroulent en marge du futurisme le plus officiel. Le regard que

Sartoris porte sur De Stijl ne lui interdit cependant pas de retrouver, par d'autres biais, dans sa propre visualisation de l'architecture la pureté plastique et l'élégance formelle d'un Sant'Elia. La tendance vers un visionnarisme expressionniste s'affirme en revanche sans équivoque chez Marchi qui porte à sa dimension la plus emphatique le gigantisme de la ville moderne déjà annoncé par Chiattone. Ses projets préfigurent l'espace urbain à l'échelle démesurée de la métropole, saisissant cette dernière sous le double aspect du cauchemar collectiviste et du tourbillon dionysiaque de l'énergie en acte. Le corps architectural y apparaît comme l'engrenage proliférant d'une énorme machine en mouvement incontrôlé, qui sature l'espace et ne cesse de viser les sommets d'un verticalisme prométhéen. Même lorsqu'elles semblent soustendre une utopie totalitaire, les images de Marchi, de par leur dimension fantastique, correspondent aux nouvelles exaltations dionysiaques que la vision aérienne suscite chez les peintres futuristes à la même date. L'aéro-peinture, ou peinture de la perspective mobile et plongeante du vol, produit en effet de nombreuses toiles figurant les objets du panorama urbain. Dans des tableaux comme *Avions* de Tato, *Perspectives de vol* d'Azari, *En plongée sur la ville* de Crali, *Descendant en spirale sur les arènes de Vérone* de Di Bosso, *Vol au-dessus de la ville* de Pozzo, *Vitesse et départ* de Dottori, le décor architectural des villes italiennes est visualisé par des compositions dynamiques où des plans obliques, des diagonales asymétriques, des angles aigus, des rotations et des courbures de l'espace nient la statique des volumes et leur cohérence formelle . La normalité de la matière explose ainsi sous les violentes sollicitations perceptives du dynamisme aérien. Le flottement des corps architecturaux, et leur accumulation mémorisée afin d'intégrer le temps dans l'image, avaient été poursuivis de manière assez descriptive par Severini dans sa toile *Souvenirs de voyage*. Avec l'aéro-peinture les formes architecturales elles-mêmes deviennent au contraire partie intégrante d'une théâtralisation galvanisée du temps et de son devenir.

Les libertés visuelles de l'aéro-peinture suggèrent également les modalités scénographiques d'une vision extatique ou ludique de l'architecture chez Pozzo, dans son tableau *Cosmopolis*, ou chez Depero dans ses toiles sur les gratte-ciel new-yorkais. Mais l'expression la plus aboutie de la poétique aéro-picturale se trouve assurément dans les recherches photographiques futuristes du début des années 1930. Les « aéro-photographies » de Masoero sont conçues comme le simple enregistrement optique des mouvements du paysage sous l'avion qui plonge vers la ville : les formes urbaines sont emportées dans un flou aux allures tourbillonnantes, rotatoires, spiralées, obliques. Un véritable vent cosmique semble ainsi investir les masses plastiques de l'architecture pulvérisant la matière organique pour ne visualiser que l'immanence d'une expérience intensément vitale. De ces images, qui dissolvent dans l'abstraction les apparences objectives de la réalité, naissent ensuite les « surimpressions », les « cinétisations » et les « fluidifications » de Boccardi, Demanins, Nizzoli, Masoero. Réalisées avec les techniques de la chambre noire, ces compositions photographiques dématérialisent et animent le corps architectural pour y intégrer le contenu psychique latent de l'appréhension perceptive : obsessions crypto-phobiques, souffle spiritualiste, surgissement de l'analogie associative, sensations rythmiques, persistance ou évanescence du souvenir. Ainsi dans *Coupole de Saint-Pierre* de Masoero, ou dans *Le Cauchemar turinois* de Boccardi, le dynamisme détruit le solennel : l'église vaticane et la Mole Antonelliana sont décomposées ou dédoublées en mouvements rythmiques qui équivalent à une véritable transgression de leur sacralité de musée. Si le regard futuriste se porte enfin sur l'architecture monumentale italienne, c'est pour la faire revivre dans l'imaginaire d'une visualisation inédite, capable de redéfinir la forme architecturale au-delà de sa fixité et de son opacité. Poursuivant une sorte de lévitation de la matière, ces cinétisations explicitent les virtualités esthétiques les plus secrètes de l'architecture, tout en témoignant du mysticisme héraclitéen qui nourrit la vision futuriste du monde.

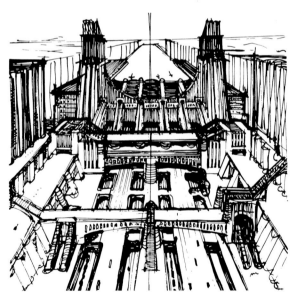

ANTONIO SANT'ELIA
architecte futuriste italien (1888-1916)
Projet d'un centre de communication pour la Cité futuriste, 1914
Museo Civico, Côme.

MORT DU DESSIN ET NAISSANCE D'UN CODE

D'UN COTÉ, EN TANT QUE DESSIN TECHNIQUE, LA PLACE DU DESSIN VA POUVOIR S'AMPLIFIER; DE NOUVEAUX MOYENS VONT VENIR RELIER LE TIRAGE HÉLIO OU LA PHOTOCOPIE; LES TABLES TRAÇANTES, LES IMPRIMANTES À AIGUILLES VONT ENVAHIR NOTRE ESPACE DE TRAVAIL ET NOUS SERONS SATURÉS : DE L'AUTRE, CE QUI SÉDUIT AUJOURD'HUI, LA QUALITÉ DU TRAIT, LA « PATTE », VA DISPARAÎTRE. DEVONS-NOUS EN CONCLURE QUE LA DISPARITION DE LA TABLE À DESSIN VA SIGNIFIER UNE ARCHITECTURE AUTOMATIQUE ?

— ALAIN SARFATI —

Trois types de dessins pour s'exprimer[1]

Le dessin d'architecture, celui que l'on utilise pour présenter un projet, est un peu comme un iceberg. Pour un dessin exposé, il a fallu en faire mille, de toutes natures, sur toutes sortes de supports. C'est dire le rôle important que tient cette activité dans la production architecturale. Il est vrai que bon nombre des dessins exposés ne servent pas directement à la fabrication d'un projet; ils jouent un rôle de modèle qui alimentera l'imaginaire collectif des architectes par le jeu des publications ou des expositions. Le dessin est un outil à multiples facettes et il est malaisé d'en parler de façon unitaire; mais ces multiples aspects ne doivent pas être un obstacle à la question que nous devons nous poser en tant qu'architecte à l'heure où l'informatique graphique se développe. Quel rôle le dessin va-t-il jouer dans l'espace de la conception architecturale ?

D'un côté, en tant que dessin technique, la place du dessin va pouvoir s'amplifier; de nouveaux moyens vont venir relier le tirage hélio ou la photocopie; les tables traçantes, les imprimantes à aiguilles vont envahir notre espace de travail et nous serons saturés; de l'autre, ce qui séduit aujourd'hui, qui parfois fait la différence perçue au niveau d'un dessin, d'un projet, la qualité du trait, la « patte », va disparaître. Devons-nous en conclure que la disparition de la table à dessin va signifier une architecture automatique ? Oui, si l'on ne prend pas garde d'accorder au dessin une véritable dimension heuristique. Oui, si l'on oublie que le dessin est avant tout un outil de formation du regard.

A trop valoriser le dessin pour le dessin, on risque d'oublier sa qualité essentielle : apprendre à regarder. On peut toutefois penser que l'informatique, en libérant l'architecte d'une tâche matérielle lourde, va permettre l'émergence d'une autre façon de penser l'architecture.

Aujourd'hui, la différence est dans la qualité du trait; demain, elle pourra être dans l'intention graphique que l'on veut inscrire concrètement sur le bâtiment; autrement dit, on peut imaginer un véritable transfert de la place du dessin, du papier vers la construction, vers le bâtiment. Nous sommes, d'une certaine façon, déjà en train de vivre cette transformation[2].

Le dessin est un mode d'expression qui ne peut rendre compte d'une réalité qui devient de plus en plus complexe... Regardez une rue de Las Vegas toute faite d'affiches, de néons, de jeux d'eau, de claustras, de lumières qui clignotent : impossible à dessiner. La place Djema el Fna à Marrakech, avec son monde, sa couleur et ses musiques... ou le cours Mirabeau à Aix-en-Provence, ses terrasses à l'ombre des platanes, ses fontaines, ses promeneurs, ses hôtels, ses atlantes... difficiles à dessiner; la place Stanislas à Nancy avec ses grilles, ses ors, ses façades ordonnancées, sa ligne de ciel, ses fontaines, ses arbres, les angles de rues qui pénètrent dans la place... impossible d'en rendre compte dans un dessin d'architecte qui doit être rigoureux et juste. Alors !...Serions-nous condamnés du fait du dessin à ne « penser » que des rues de Rivoli ?

En architecture, l'évolution de la doctrine est liée, freinée par l'évolution des moyens de représentation. Aujourd'hui de

JEAN AUBERT
architecte français (vit à Paris)
La fin des Halles, le renouveau des Halles
projet de concours pour l'aménagement du quartier des Halles
à Paris après leur destruction,
gouache (détail), 1980; Collection de l'auteur.

nombreuses techniques disponibles vont bousculer nos habitudes[3]. La photographie, le cinéma, la télévision modèlent notre façon de voir, et pourtant, le dessin reste le meilleur outil d'apprentissage du regard : c'est lui qui nous permet de fixer une image[4], de transformer la réalité, d'envisager d'autres interprétations de notre univers visuel; à travers lui s'élabore l'appareil conceptuel qui va nous permettre d'aborder l'avenir en possédant un projet, un regard, en travaillant sur les significations, la dimension symbolique. C'est le dessin qui va nous permettre d'aborder l'ordinateur; mais, en perdant sa dimension instrumentale, il pourra devenir une production artistique, sans souci de relation avec la réalité architecturale; il est à la fois autonome et intimement lié.

Dessin d'apprentissage d'un côté, dessin technique de l'autre, notre espace sera de plus en plus occupé par le dessin, mais celui-ci ne permettra plus de penser l'architecture, il n'en sera qu'un outil, il ne permettra pas de rendre compte d'une conception architecturale dans sa totalité.

Un des problèmes du dessin d'architecture tient dans le fait que l'on ne sait jamais très bien à qui il s'adresse, comment il se situe dans le processus; il est différent pour un commanditaire, un entrepreneur, un compagnon sur le chantier. Ces différences sont trop souvent masquées par un dessin d'architecture produit spécialement pour une publication. Le phénomène n'est pas nouveau. On connaît les dessins de Palladio entièrement réajustés après la réalisation et parfois trichés pour l'occasion. On connaît les dessins des œuvres de Brunelleschi modifiés pour cacher les «chameaux». On serait tenté de dire autant de moments dans le processus, autant de natures de dessins. Mais un intérêt domine très largement, celui pour la vue d'ensemble qui représente la totalité de l'œuvre, avec parfois même des visions en géométral qu'il sera impossible de voir en réalité, pratique qui écarte trop souvent un projet qui tente, dès le début, de faire apparaître «les échelles» comme concept opératoire; impossible d'indiquer des matériaux, des variations, seules la proportion et la qualité du trait peuvent être exprimées. Cette attitude répandue soumet l'architecture au seul espace du dessin, l'empêche de sortir du vieux système des Beaux-Arts et la fait régulièrement sombrer d'académisme en formalisme.

Ce sont de nouvelles procédures graphiques qui doivent être mises en place. On est passé brutalement d'une architecture verbale à une architecture de papier. Il nous reste à passer d'une architecture pensée à une architecture dessinée.

Le dessin est l'outil d'expression du code architectural

Dans l'architecture classique, le dessin d'architecture est fortement soumis à un code; les ordres, les règles d'ordonnancement sont régis par des principes et c'est à partir de ceux-ci que s'élabore une composition. La disparition du code architectural a entraîné la disparition du dessin dans un premier temps, puis le dessin en tant que tel va constituer le code, à la fois outil et instrument. Le rejet du code s'est accompagné, au moins en France, du rejet du dessin qui semblait trop compromis par l'académisme.

Le début des années soixante-dix a été marqué par un renouveau du dessin. Après une longue période de désaffection, un nouveau savoir-faire a tenté de s'exprimer à partir du dessin d'architecture. Très vite, ce mode d'expression, précédant ou suivant la réalisation, est apparu comme une

pratique autonome; le dessin d'architecture rentrait dans les galeries. On peut, avec quelque recul, s'interroger sur le rôle et l'avenir du dessin dans la production architecturale. Cette interrogation paraît d'autant plus pertinente que l'informatique graphique s'apprête à rentrer en force avec la CAO et la DAO[5]; que vont devenir les fusains, les crayons et les tables à dessin ? Comment va s'enseigner l'architecture et l'expérience du projet ?

On peut penser que le retour du dessin, en revendiquant nettement son autonomie et sa capacité à exprimer par lui-même un projet architectural, a été un des facteurs de la dématérialisation de l'architecture, telle que nous la vivons aujourd'hui, lisse, désespérément lisse, et il n'y a rien d'étonnant à cela si l'on considère la production des Beaux-Arts des années cinquante à soixante-dix. Deux décennies qui correspondent à la fracture. Dessiner était avant tout posséder un code, et justement, celui-ci a disparu. On dessinait bien encore quelques colonnes sans trop savoir pourquoi, sans imaginer l'usage d'un tel apprentissage. Le dessin demeurait un instrument de rendu, un moyen d'expression sans projet.

La crise du dessin est avant tout une crise de la doctrine. Que représenter ? Comment rompre avec un académisme pesant autrement qu'en rompant avec le dessin ? Le drame tient au fait que cette rupture du système d'expression s'est également accompagnée d'une rupture de l'apprentissage du dessin comme outil d'aide à la formation du regard. Il n'est donc pas étonnant de constater que le dessin d'une part et l'architecture d'autre part visent, dans cette période, à l'abstraction, et en cela, suivent avec quelque retard la peinture, la sculpture et la musique. Le dialogue est définitivement rompu; le code moderne est né, il tient en peu de mots, mais surtout en peu de traits. L'architecture a quitté son site, a oublié ses matériaux. A vouloir tout dessiner, on assiste à une véritable inflation du dessin; ce qui ne peut se dessiner facilement disparaît.

Le dessin se substitue au code

Les limites du dessin tiennent notamment au fait que toute représentation est non seulement en géométral (façade orthogonale, véritable vision fictive) mais, dans tous les cas, statique alors que la perception que l'on a d'un bâtiment, d'une rue, d'un quartier se fait en mouvement, dimension extrêmement importante à intégrer. Il en va de même de l'orientation de l'ensoleillement qui a une grande place en réalité et qui s'exprime rarement dans une construction (à ce titre, il est bon de faire remarquer les différences importantes de composition et de modénature, donc de dessin entre les façades nord et sud des bâtiments de Jacques-Ange Gabriel). Avec un code rigoureux, la différence d'expression apparaît comme une nécessité. Lorsque c'est le dessin qui tient lieu de code pour ne pas dire d'instrument de reconnaissance professionnelle, les choses deviennent plus difficiles. La volonté de livrer les dessins d'ensemble d'un bâtiment, vu sous tous ses angles, rend difficilement acceptable que des traitements de façades contrastés soient proposés suivant l'orientation, par exemple. Le dessin en ferait un projet trop «compliqué»; en sortant d'une période blanche, il faut s'attendre à quelques difficultés, et pourtant les exemples ne manquent pas qui nous indiquent que, de l'Antiquité à la période classique, l'architecture n'était convenable que dans sa complexité, ce qui ne nous empêche

---

1 - Nous distinguerons : le dessin comme outil d'apprentissage, le dessin comme outil et instrument de conception, le dessin comme outil technique de transmission.
2 - Voir la place Picasso de Manolo Nuñez, le gymnase des Régalles d'Alain Sarfati, le Palacio de Ricardo Bofill.
3 - Le plan des côteaux de Maubuée a été réalisé avec des autocollants et réduit par des techniques photographiques.
4 - «Ce que je n'ai pas dessiné, je ne l'ai pas vu » : Gœthe cité par Jean Clair dans *Critique de la modernité.*
5 - Conception assitée par ordinateur. Dessin assisté par ordinateur.

pas de vouloir rêver « d'une Acropole immaculée ».

On peut suggérer que, le code disparaissant, l'architecture moderne s'est appuyée sur le dessin pour le remplacer, pratique qui va soulever de graves obstacles. Le dessin est devenu à la fois outil de conception et instrument de contrôle, puisqu'il doit toujours tout contenir. Il ne peut donc que s'exprimer lui-même. Cette pratique s'est généralisée en France, où le souci de l'harmonie d'ensemble domine. Il faut noter que dans d'autres pays, elle n'épuise pas le projet qui se développe abondamment dans des cahiers de détails où sont exprimés tous les assemblages, les calepinages, les changements de matériaux. La pratique de l'évaluation d'une architecture, à partir de quelques dessins d'ensemble, reste une pratique « Beaux-Arts » et renvoie nécessairement à des académismes. On reste prisonnier de la qualité du dessin plus que de la chose construite.

D'une certaine façon, on pourrait se féliciter d'une pratique récente qui consiste à redessiner tous les projets d'une consultation avec un même graphisme. La table traçante annulant les différences graphiques, il reste à s'interroger sur les critères d'un choix.

Comment un projet peut-il exister en dehors du dessin ? La disparition du dessin de conception à partir de l'arrivée du dessin automatique devrait s'accompagner de l'émergence d'une nouvelle démarche et d'un code architectural fondé de manière plus problématique. Si le code architectural classique a volé en éclats sous les coups de boutoir des modernes qui n'ont à proposer, comme contenu plastique, que la beauté abstraite du dessin d'architecture, on peut imaginer comment le seul dessin deviendra insuffisant avec le développement des moyens techniques de reproduction. Après le tirage héliographique, la photocopie, la réduction ou l'agrandissement automatique, la photographie et la vidéo permettent toutes les manipulations graphiques. Ce qui nous apparaît comme un problème n'est plus la qualité du dessin, mais la constitution d'un nouvel outil conceptuel permettant de transmettre dans l'action, les informations nécessaires à la bonne marche d'une réalisation.

Notre époque permet un intérêt renouvelé pour l'histoire, la culture, le patrimoine, un champ culturel large (en musique, la reproduction par le disque a bouleversé notre univers quotidien). En architecture, les voyages, la photographie, le cinéma nous font découvrir des paysages, des esthétiques qui nous « parlent » parfois malgré nous !... Qu'en faisons-nous ?

C'est le dessin qui va permettre de penser un nouveau code architectural

Une table traçante, une table à digitaliser un écran... une salle avec des ordinateurs, la démonstration d'une véritable course de vitesse où les pointes de rapidographes courent sur le calque, où les perspectives apparaissent, se déplacent, changent d'angle, de point de vue. Tout semble possible ; la machine se substitue à l'homme ; qu'en est-il du projet, de l'architecture ? Que deviennent les architectes qui définissent leur spécificité à partir du dessin ? De quel dessin ? On peut sans crainte diagnostiquer la mort du dessin à brève échéance. Il est vrai que déjà dans les galeries, la photographie, la vidéo, le vidéographe ont fait depuis longtemps leur apparition, mais en architecture la pénétration se fait lentement, d'autant plus lentement que le dessin est trop souvent perçu comme un

produit, alors qu'il n'est qu'une étape, qu'une phase d'un processus plus vaste. C'est la valorisation de la démarche qui fera apparaître le dessin comme un outil et permettra d'ouvrir un champ considérable à la composition architecturale qui, aujourd'hui, est réduite. On ne peut concevoir que ce que l'on peut représenter. Une conception plus riche, plus ouverte, passe par une redéfinition des instruments de représentation.

L'espace du dessin est avant tout un espace d'échange, on va pouvoir corriger, modifier, intervenir, mais que peut-on représenter ? Autrement dit, le dessin en tant qu'outil permet-il de rendre compte de toute l'architecture ?... On peut très vite répondre, d'une part, que l'on a fait de l'architecture avant que le dessin soit devenu un outil, et c'est vrai des temples grecs comme des cathédrales, et d'autre part, que l'architecture est avant tout une opération mentale, ce qui en fait un véritable instrument automatique en redevenant un outil, d'où l'idée que l'on peut très bien concevoir un bâtiment et le réaliser sans dessin ou presque. Soumis au seul dessin, on ne peut envisager qu'une composition hiérarchique... Tout autre mode de conception est interdit, du fait même de la complexité des dessins qu'il faudrait produire...

Ce qui est en question n'est pas le dessin en soi, c'est l'idée de réduire la totalité d'un bâtiment à un dessin. C'est de réduire la composition à ce qui peut se dessiner. Ici, le dessin apparaît comme un outil fantastiquement réducteur.

L'architecture est limitée par la possibilité du dessin et notamment du géométral. C'est donc vers d'autres façons de penser qu'il va falloir s'orienter si l'on veut pouvoir inverser les choses et traduire non plus un dessin en réalité mais une « réalité artistique », véritable opération mentale en réalité dessinée.

L'architecture n'est pas un dessin, elle est d'abord pensée. Espace, reconstruction, superposition, déplacement, autant d'opérations qui rendent le dessin dérisoire comme instrument de création. Et pourtant, allons-nous quitter le territoire de la mine de plomb, du fusain ou de la pointe de rapidographe pour nous laisser mener par la machine ? L'ordinateur va-t-il nous imposer une façon de voir ou allons-nous nous poser la question de l'utilisation d'un tel outil, avec ce qu'il peut réellement nous apporter ? Aujourd'hui, on s'évertue à dessiner avec une machine, ce que l'on fait encore très bien à la main et il est déjà clair que l'on fait fausse route en essayant de reproduire les mêmes documents avec les mêmes types d'information, les mêmes symboles. On peut espérer que l'intrusion de l'informatique dans le monde du dessin va obliger les professionnels à raisonner différemment toutes les phases d'élaboration d'un projet depuis l'esquisse jusqu'aux plans d'exécution.

Aujourd'hui, on a tendance à donner un maximum d'informations sur un plan, que celui-ci concerne le gros œuvre, la charpente, le carrelage... Il serait possible, à partir des informations entrées en mémoire, de sélectionner les types de plans que l'on veut, en faisant apparaître les menuiseries et le carrelage, uniquement le béton ou saturer un document en introduisant l'ensemble des informations. Ici, c'est le changement d'échelle qui jouera normalement son rôle, le détail pourra être introduit à n'importe quel moment et intégré ou non dans le dessin d'ensemble. Ces opérations ne seront possibles qu'en définissant préalablement tous les catalogues de composants, en accumulant les cahiers de détails (qui seront codifiés), en définissant toutes les règles d'implantation des ouvrages, mais également les principes de calepinage... Pourront apparaître automatiquement les points susceptibles d'une attention particulière. Le code technique comportera les catalogues, les matériaux, mais il sera aussi riche d'une dimension culturelle partagée.

L'utilisation de matériaux différents ne posera plus aucun problème de représentation. Suivant l'échelle, un indice ou un graphisme pourra faire l'affaire. Ainsi, un intérêt déplacé pour le dessin va nous entraîner à travailler plus sur les problèmes de signification, sur des esthétiques contrôlables à partir d'outils sophistiqués permettant, en permanence, non seulement un contrôle esthétique, mais également un bilan technique et économique du projet, grâce à la possibilité de chaîner les logiciels. Au code classique, pourra se substituer une problématique, vaste outil de composition toujours renouvelé. Dans l'architecture conventionnelle, le code s'est réduit à quelques signes et une notion majeure de parti. Dans l'architecture du dessin informatique, c'est une véritable modernité qui va être envisagée — problématique (d'abord ouverte), thématique ensuite (orientée). Une autre manière de penser l'architecture est permise par la technique d'aujourd'hui.

Cette évolution va avoir un effet important face aux entreprises, à la formation des prix. Le dessin va prendre une dimension stratégique. On aura le choix du mode de représentation en fonction du type d'interlocuteur, alors qu'aujourd'hui, on peut presque dire qu'un projet coûte d'autant plus cher qu'il est bien dessiné.

La mort du dessin comme support majeur de l'activité architecturale aura un autre effet que celui de permettre le développement d'une démarche attentive et d'une esthétique toujours renouvelée. La mort du dessin traditionnel va nous obliger à penser un bâtiment en fonction d'une réalité graphique, en fonction de son espace, et si le dessin existe aujourd'hui d'abord sur le papier, il aura aussi sa place, son inscription réelle dans la réalisation.

Jeux de lumière, vibration des textures, des matériaux, des couleurs, invention de la modénature, tout indique cette double nécessité du dessin, trop souvent présente uniquement dans l'espace du papier.

EN PERMETTANT UNE PENSÉE PLUS COMPLEXE, EN GARANTISSANT LE CONTRÔLE TECHNIQUE DU PROJET, LE DESSIN AUTOMATIQUE VA OUVRIR LA POSSIBILITÉ DE CONSTITUER L'ARCHITECTURE EN INSTRUMENT DE PENSÉE.

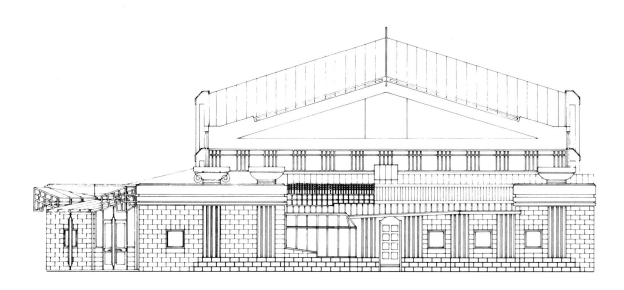

ALAIN SARFATI
architecte français (vit à Paris)
Élévation d'une façade de la salle polyvalente des Régalles à Savigny-le-Temple
dans la ville nouvelle de Melun-Sénart au sud de Paris
encre sur calque, 1981
Collection de l'auteur.

L'ÉCHELLE DU SCHÈME

MÊME SI CERTAINES FIGURES ONT PLUTÔT FONCTION DE COMMUNIQUER — DE REPRÉSENTER — TANDIS QUE D'AUTRES SONT PLUTÔT LE SUPPORT D'UN TRAVAIL, PLUS LABORIEUX DANS L'ÉCRITURE ET PLUS ÉCONOMIQUE DANS L'EXPRESSION, LA QUESTION DE LA RÉFÉRENCE SE POSE BIEN AUX SECONDES, SINON À L'ADRESSE D'UN DESTINATAIRE EXTÉRIEUR, AU MOINS À L'ARCHITECTE S'ADRESSANT À LUI-MÊME.

—— Philippe Boudon ——

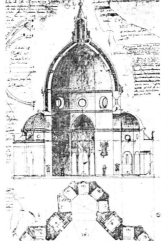

Grand débat de jadis avec Marcel Schwob devant le Descartes de Hals. Il le trouvait ressemblant — A qui? lui disais-je. Valéry (Tel Quel).

Expériences de Brunelleschi

Si quelqu'un énonçait que la lanterne de Sainte-Marie-des-Fleurs, construite par Brunelleschi en 1436 à Florence[1], dépassait, en hauteur, la moitié de celle de la coupole elle-même, assurément on ne le croirait pas. Il devrait alors montrer le dessin de la coupe à son interlocuteur pour l'en persuader et celui-ci ne se laisserait d'ailleurs convaincre qu'après une hésitation du regard (comme si deux états du regard se succédaient là).

Une telle *expérience* peut déjà donner une idée de la complexité du regard porté sur le dessin architectural lorsqu'il s'agit seulement de rapporter celui-ci à un référent connu, savoir l'objet architectural qu'il représente (Brunelleschi n'eut-il pas affaire à ce type de problème lorsqu'il s'est agi de rendre compte, par la perspective, d'un espace *donné,* Baptistère ou Palazzo Vecchio?). Mais cette complexité s'accentue encore dans le cas de la figuration graphique de l'architecte au travail[2], celui-ci ne disposant pas, par définition, d'un référent existant, puisqu'il est justement chargé d'en faire le projet. Ainsi le dessin de l'architecte au travail représente quelque chose et en cela il se distingue d'une représentation abstraite qui ne représente rien, mais il représente quelque chose qui par principe n'existe pas encore, en quoi il se sépare de la représentation dite d'après nature. Il se distingue enfin de représentations imaginaires dès lors que le référent, une fois réalisé — et c'est sa destination — existe autrement qu'en imagination. Et si, pour parler de façon trop générale sans doute, le champ de la figuration a été tracassé depuis le début de ce siècle, dans le domaine des arts plastiques et de la peinture notamment, par l'opposition entre le figuratif et l'abstrait — l'un représenterait quelque chose et l'autre rien — la figuration graphique en architecture ajoute au problème philosophique qui s'ensuit un troisième cas de figure : elle est figure de quelque chose qui n'existe pas, du moins pas encore. Ni figure d'objet, ni figure pour soi, mais figure de projet.

Il faut donc bien voir que dans le cas de figure proposé plus haut, il ne s'agit pas d'une expérience qui s'inscrit dans l'ordre de la figuration architecturale considérée en ce qu'elle a de spécifique puisque cette expérience s'effectue a posteriori relativement à son ordre : l'objet existe et l'on peut certes s'interroger sur ce que le regard porté sur le dessin comporte d'adéquation avec l'objet architectural lui-même, et s'il en prend, à travers la médiation du dessin, correctement la mesure. Mais pour ce qui est de la figuration du travail de l'architecte, savoir l'expérience de Brunelleschi (telle que Brunelleschi lui-même a pu en avoir l'expérience), il ne s'agissait pas de prendre correctement la mesure d'un objet existant à travers le dessin, il s'agissait de donner la mesure à un objet à concevoir et dont la conception justement passe par la détermination de mesures. Et si la première expérience est ici proposée au lecteur pour qu'il se fasse en direct une idée du problème qui se pose de l'adéquation entre l'objet et sa représentation (et ici apparaît un des grands problèmes de la

---

FILIPPO BRUNELLESCHI
architecte et sculpteur italien (1377-1446)
Coupe à travers la grande coupole du dôme de Florence.

---

1 - *Cf.* G.C. Argan, *Brunelleschi,* 1952 (Paris, Macula, 1981).
2 - I.e. du point de vue d'une architecturologie, qui se donne le projet de l'architecte pour objet de connaissance. Rares sont les études qui prennent pour sujet le dessin d'architecte autrement que comme cas particulier de la figuration en général, telle qu'elle intéresse l'histoire de l'art, souvent plus portée sur la peinture (exception faite du dernier numéro de la *Revue de l'art,* qui porte précisément sur le sujet). On peut cependant trouver chez J. C. Lebahar, dans son ouvrage *Le dessin d'architecte* (paru en 1983 aux éditions Parenthèses) une approche ergonomique.
3 - *Cf.* cat. de l'exposition *Brunelleschi,* Paris : l'Equerre, 1977 qui cite L. H. Heydenreich.
4 - *Cf.* Jacques Guillerme, « Le théâtre de la figuration », *in* : Ph. Boudon, J. Guillerme, R. Tabouret, *La figuration graphique en architecture,* Paris : AREA, 1976, (fasc. 1 : R. Tabouret, « Projet et figuration »; fasc. 2 : J. Guillerme, « Le théâtre de la figuration »; fasc. 3a : Ph. Boudon, « Sémiologie des figures et syntaxe des formes »; fasc. 3b : Ph. Boudon, O. Decq, « Architecturologie des sigles ».
5 - *Cf.* Jacques Bertin, *Sémiologie graphique,* Pairs : Gauthier-Villars, 1967.
6 - Exception faite du cas où, le projet architectural étant défini, la figuration entre dans une phase d'expression de cet objet par la production de documents qui en permettent la lisibilité. Dès lors la « graphique » de J. Bertin peut être méthodiquement appliquée comme je l'ai fait lors du rendu du

figuration graphique architecturale qui est tout simplement celui de la compréhension des dessins qui représentent les bâtiments projetés) l'expérience de Brunelleschi lui-même telle qu'elle est ici supposée, pose le problème d'avoir à rendre adéquates les mesures graphiques par lesquelles l'architecte détermine et fixe celles de l'objet architectural à concevoir : c'est sans référence à un objet existant que Brunelleschi décide du rapport de hauteur entre la coupole et la lanterne, «le type de lanterne créé par Brunelleschi [n'ayant pas] suivant Heydenreich, de prototype en architecture[3]. »

Communication, conception

La distinction des deux expériences, celle du lecteur, celle de Brunelleschi, engage à bien séparer, en matière de dessin d'architecture ce qui est de l'ordre de la présentation — au maître d'ouvrage, aux collaborateurs de la mise en œuvre, etc. — et ce qui est de l'ordre de la conception et du travail graphique qui l'accompagne. Parler *en général* du dessin d'architecture pris au singulier n'a donc pas de sens si l'on ne spécifie pas d'abord dans quel cas de figure on situe son discours, figure de conception ou figure de communication. Certes, comme l'a écrit Jacques Guillerme[4] : «Figurer et communiquer c'est tout un car toute communication opère sur les signes d'une absence à l'aide d'un objet substitutif». Cette vue sur la figuration rejoint avec justesse celles que développe Jacques Bertin dans ses travaux de sémiologie graphique. Mais il n'en reste pas moins que l'analyse de «la graphique» à laquelle procède Jacques Bertin[5] avec raison ne saurait avoir prise, en fonction de la distinction posée, sur la figuration graphique architecturale, soucieuse qu'elle est d'une *communication* idoine — par le graphisme — d'informations existant *déjà* par elles-mêmes de façon non graphique *avant* d'être objets de communication. L'objet architectural, lui, n'a pas cette existence préalable, il n'existe virtuellement qu'au moment où il est question de le figurer et dès lors il ne saurait être question de mesurer l'adéquation de la figure à son objet, au contraire de ce que vise, dans le fond, la «graphique» de Jacques Bertin (quel qu'en soit d'ailleurs l'intérêt dans d'autres domaines ou bien même, s'agissant d'architecture, dans le domaine particulier des relevés[6]). Tout ceci rend d'autant plus mystérieux ce dont il s'agit dans ce que j'appelle ici par facilité «l'expérience de Brunelleschi»[7]. Mystère que l'on peut poser en ces termes : comment penser le rapport d'adéquation entre un objet A et un objet B sachant que B est assujetti à n'être que ce que A représente.

Telle proposition met en évidence un paradigme qui la nie, celui de la figuration graphique architecturale comme communication, paradigme partagé par Jacques Bertin et Jacques Guillerme (dans les limites des citations rapportées ici même) et encore par Maurice Culot naguère[8], lorsqu'à propos des dessins de Frank Lloyd Wright il écrivait du grand architecte américain qu'il était «à ce point scrupuleux dans le choix des points de fuite, des techniques de coloration, de l'expression graphique des matériaux, du rendu de la nature, qu'il est impossible de déceler les dessins réalisés avant la construction des dessins exécutés a posteriori, d'après l'œuvre réalisée».

Vérité, mensonge

Wright s'inscrivait en effet dans la tradition des grands perspectivistes du XIXe siècle[9] pour qui seul le dessin perspectif était susceptible de rendre un «climat juste», pour reprendre l'expression de Maurice Culot. Et certes, à valeur symbolique architecturale égale, pourrait-on dire, Le Corbusier donne des dessins de Ronchamp qui, a contrario, sont loin d'évoquer la réalité, utilisant le système de représentation géométral qui, en l'occurrence, n'est guère adapté à l'expression de la volumétrie à la fois grasse et gracieuse de la chapelle. Et si on peut trouver des cas de perspectives chez Le Corbusier on y découvrira par exemple un cas patent d'écart à la réalité — sinon de mensonge — à l'endroit de la perspective intérieure de la Maison des artisans puisque toute «réaliste» qu'elle soit, elle s'effectue d'un point de vue situé dans l'espace réel en un lieu d'où l'on ne pourrait rien voir, attendu qu'extérieur au cube de béton le mur s'interposerait et empêcherait le regard. Reste à savoir toutefois s'il faut parler dans un tel cas de «mensonge» chez Le Corbusier, là où Culot parle d'«honnêteté» s'agissant de Frank Lloyd Wright. Car si l'on peut aisément admettre que «rarement dessins d'architecte ont restitué la réalité des espaces et des textures avec une telle correspondance», on ne peut le faire qu'à privilégier dans le dessin architectural une fonction de communication ou d'évocation («rendre un climat juste») au détriment d'une fonction heuristique de la figuration graphique dans le champ de l'architecture. Nul doute que cette fonction de communication ait quelque importance, mais quelle que soit celle qu'on lui donne, elle ne saurait être, sur un plan *théorique*, qu'une fonction seconde eu égard à un travail architectural dont la finalité ne peut se penser comme celle de «restituer» des espaces. Et nul ne songerait à taxer un dessin d'étude de Louis Kahn ou d'Alvar Aalto de malhonnêteté sous prétexte qu'il n'est pas évocateur pour celui qui le regarde, ou encore — pour dire les choses dans les termes de C.S. Peirce — qu'il a valeur d'indice du travail de l'architecte plus que d'icône (d'image) de l'objet architectural pour le spectateur.

Vraisemblance, ressemblance

Ceci ne veut certainement pas dire qu'il faille opposer des figures architecturales dans lesquelles la relation au référent serait première en vue d'assurer la fonction de communication d'une «réalité» architecturale, et une figuration architecturale en quelque sorte clôturée sur elle-même n'ayant pas à se soumettre à un référent absent. Même si certaines figures ont *plutôt* fonction de communiquer — de représenter — tandis que d'autres sont *plutôt* le support d'un travail, plus laborieux dans l'écriture et plus économique dans l'expression, la question de la *référence* se pose bien aux secondes, sinon à l'adresse d'un destinataire extérieur, au moins à l'architecte s'adressant à lui-même. On ne peut même pas considérer que les premières soient à écarter comme moment seulement possible des secondes. La correspondance entre la réalité des espaces et les dessins que Maurice Culot observe chez Wright ne saurait être évacuée des problèmes généraux de la figuration graphique en architecture et la question du «réalisme» peut se poser en ce domaine comme dans d'autres, la littérature[10] ou la peinture par exemple. Toutefois, on ne peut dire que cette question se ramène — quel que soit l'intérêt qu'on y porte — à *celle* du rapport du dessin d'architecture à l'objet architectural non dans la fonction qu'il *peut* avoir d'en rendre la réalité par un «rendu» pouvant produire un «effet de réel», mais dans celle qu'il a de médiatiser un travail de projet aboutissant à un dessin «réalisable». Entre le dessin comme effet de réel et le

concours du Val-Maubuée à Marne-la-Vallée par l'AREA (*cf.* Ph. Boudon, *op. cit.* fasc. 3a, p. 24 : les variables graphiques furent utilisées pour rendre au mieux les intentions des architectes et leurs choix).

7 - Par facilité mais aussi par intention d'évoquer les deux expériences de Brunelleschi qui furent au départ de la perspective, mode de représentation dont il importe de considérer qu'elle est construction, et construction d'architecte. *Cf.* Hubert Damisch, *La théorie du nuage*, p. 235 : «Dans le champ artistique, Brunelleschi apparaît bien comme l'homme de la coupure, et cela eu égard non seulement aux expériences de perspective dont ce texte fait état, mais encore à la prouesse architectonique qui a fait son

autorité : la construction de la coupole de Sainte-Marie-des-Fleurs. Brunelleschi aura substitué à l'empirisme médiéval une méthode rationnelle, fondée sur la géométrisation de l'espace, sur l'assimilation de l'espace architectural à l'espace euclidien». H. Damisch insistera par la suite sur ce que «la construction perspective, dans son moment d'origine, n'a pas tant affaire à l'espace, considéré comme le réceptacle des corps et à l'espace homogène, continu et infini [...] qu'aux objets eux-mêmes» (*cf.* «La fissure» *in* : catalogue de l'exposition *Brunelleschi, op. cit.*). Entre l'idée d'espace au sens cartésien du terme et celle d'objet construit, l'espace architectural, dans sa spécificité, demande à être pensé. L'échelle est un des lieux nodaux de questionnement de cette

pensée, (*cf.* Ph. Boudon, *Sur l'espace architectural*, Paris : Dunod, 1971) tandis que l'espace cartésien demeure homogène la manière, peut-être, de ne pas le penser, (*cf.* P. Francastel, *Peinture et société*, Paris : Gallimard, 1965), pp. 13-16 : «La coupole de Sainte-Marie-des-Fleurs est le centre d'un vaste système de relations imaginaires, dont la géométrie est la clef », phrase quelque peu mystérieuse mais exaltante, à la métaphore de laquelle notre question posée en début d'article n'a la prétention que d'apporter un voussoir !) Pour les véritables expériences de Brunelleschi sur la perspective, *cf.* P. Francastel *op. cit.* p. 14 et surtout H. Damisch, «L'origine de la perspective», revue *Macula*, n° 5/6.

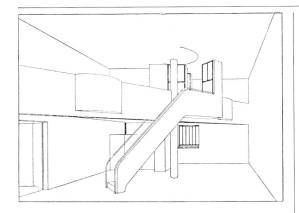

CHARLES ÉDOUARD JEANNERET dit LE CORBUSIER
architecte et peintre suisse naturalisé français (1887-1965)
Perspective intérieure d'une Maison pour artisan, 1924
Fondation Le Corbusier, Paris.

l'effet de réel, ne suffit pas à rendre compte de ce qui se joue spécifiquement dans le cas de l'architecture en ce que celle-ci doit être réalisée. Le « réalisme » du dessin d'architecture est donc à la fois teinté de la « réalisation » entendue comme prise de conscience de l'esprit devant un dessin qui fonctionne ainsi comme renvoi à une représentation et une « réalisation » entendue comme actualisation concrète, réalisation à laquelle se doit également de renvoyer le dessin en ce qu'il constitue une médiation de la production du bâtiment.

Représentation, schème

Pensé ainsi, le dessin d'architecture dans son principe ne renvoie pas seulement à un référent comme une sémiologie rapide le donnerait à penser, mais il renvoie d'une part à ce qu'on est tenté d'appeler une représentation, d'autre part à un référent : ainsi *l'échelle* du dessin d'architecture, renvoie bien, comme l'échelle du cartographe, à une réalité physique en ce qu'elle établit une relation entre le dessin et la réalité[12], mais elle renvoie aussi à quelque chose comme une représentation mentale. Faut-il en ce cas considérer l'éventualité de séparer deux fonctions d'échelle comme devant entraîner la distinction de deux échelles ? Pour la clarté de l'analyse du dessin d'architecture il semble préférable de distinguer de *l'échelle cartographique* une *échelle de représentation graphique*. Toutefois il ne faudrait pas en conclure qu'il y a une franche séparation entre les deux notions. Pour ne prendre que le cas de l'échelle du cartographe qu'on pourrait imaginer a priori d'une transparence totale (quel mystère y aurait-il à représenter un kilomètre par un centimètre ?) elle s'accompagne d'un choix qui prélude et préside à la réduction et qui en détermine la pertinence[13]. Ainsi, la carte du géographe manquant elle-même d'*objectivité*, le dessin de l'architecte en manque encore plus, attendu qu'il n'est contraint par aucun donné physique préexistant, mais plutôt par l'objet anticipé par lui-même. A moins qu'en raison de cet objet on puisse poser au contraire que le dessin d'architecte est à tout moment d'une objectivité totale, l'objet étant, à la limite, plutôt *re*-présentation du dessin que le dessin représentation de l'objet[14]. Il ne s'agirait plus alors de représentation mais de présentation, sous forme de schème[15]. Et celui-ci doit bien, d'une manière ou d'une autre, par une échelle différente de l'échelle cartographique, s'embrayer sur l'espace réel dans lequel il doit venir s'installer.

dessin comme effecteur de réel se situe la différence ténue que j'essaye ici de faire sentir au lecteur au moyen des deux expériences. Dans l'une se pose l'ensemble des problèmes qui ont trait à la correspondance du dessin avec son référent, qu'il soit représenté ou imaginaire, dans l'autre est suggérée la question théorique centrale du dessin d'architecture d'avoir à se rapporter à un référent à la fois irréel encore, et non pour autant imaginaire en ce qu'il se doit d'être réalisable. La question valéryenne de la *vraisemblance* que son auteur distingue justement de la *ressemblance* est certes importante au point que Quatremère en fait une question majeure, à savoir celle de « l'imitation dont on ne peut montrer le modèle[11] ». « Le poète, dit Plaute, lorsqu'il se met à composer, cherche ce qui n'est nulle part, et cependant il le trouve. » « Qu'est-ce que Plaute entend par chercher, dit Quatremère, et par trouver ce qui n'est nulle part ? ». La vraisemblance de Valéry peut être la réponse à la question de Quatremère et constituer l'objet de la recherche de l'architecte comme celui du poète. Il n'en reste pas moins qu'au-delà de cette recherche qui peut concentrer il est vrai une bonne partie de l'activité artistique mais ne se limite pas à tel ou tel des arts, la fonction de vraisemblance, ou

FRANK LLOYD WRIGHT
architecte américain (1869-1959)
Perspective de la maison de T.H. Gale
à Oak Park (Illinois), États-Unis, 1909.

8 - *Cf.* in : catalogue de l'exposition *Architecture, art du dessin ?/Architectuur Tekenkunst ?*, Bruxelles : STAB, 1972; Maurice Culot, « Dessin ou écriture » *ibid.*
9 - *Cf.* G. Stamp, *The Great Perspectivists*, Londres : RIBA, 1982.
10 - *Cf.* R. Barthes, L. Bersani, Ph. Hamon, M. Riffaterre, I. Watt, *Littérature et réalité*, sous la direction de G. Genette et T. Todorov, Paris : Seuil, 1982.
11 - *Cf.* Quatremère de Quincy, *De l'imitation*, 1823, réédité par M. Culot, AAM (Archives de l'Architecture Moderne). Bruxelles, 1980.
12 - *Cf.* Ph. Boudon, « Sur l'espace cartographique » in : *Espace et représentation*, ouvrage collec-

tif rassemblant les actes du colloque de sémiotique de l'architecture, Albi, 1982.
13 - Par réduction il faut entendre soit la réduction cartographique telle qu'en rend compte l'échelle de réduction, soit la réduction conceptuelle qui accompagne de façon pertinente la précédente. *Cf.* Ph. Boudon, *La figuration graphique en architecture*, *op. cit.* Planche IV et « Richelieu, ville nouvelle », appendice p. 138 : « L'échelle comme concept », qui insiste sur

l'échelle à entendre comme pertinence de cette réduction.
14 - *Cf.* Ph. Boudon *Sur l'espace architectural*, *op. cit.*
15 - Le terme de « schème » est à prendre ici à la fois en un sens kantien et proche du sens précis que lui donne J. Piaget dont la donnée de base de la théorie consiste à dire, comme le rappelle P. Mounoud, que pour connaître les objets le sujet doit agir sur eux. Ce qui marque la proximité d'une architecturologie avec le paradigme piagetien dans ce qui les rapproche encore par ailleurs des sciences de la conception (*cf.* les travaux de H. Simon) comme le souligne l'épistémologue J.-L. Lemoigne.

DE COUPABLES DESSINS?

C'EST UNE CONSTANTE DE L'HISTOIRE DE L'ARCHITECTURE QUE CES MOMENTS DE CRISE, LORSQUE LES CHANTIERS DEVIENNENT RARES, LORSQUE LES MODES S'ESSOUFFLENT ET QUE LES IDÉES DEVIENNENT MOINS CERTAINES, SONT AUSSI LES MOMENTS OÙ RENAÎT LE DESSIN, SOIT QU'IL SE FASSE LE REFUGE RÊVEUR ET ROMANTIQUE DE LA CRÉATIVITÉ, SOIT QUE, FAUTE DE PLUS EXALTANTES MISSIONS, LES ARCHITECTES Y TROUVENT À ASSOUVIR UNE COMPÉTENCE INEMPLOYÉE ET QU'ILS Y RONGENT LEUR FREIN.

—— FRANÇOIS CHASLIN ——

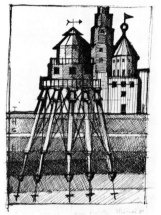

Cachez donc ces dessins que nous ne saurions voir! Les architectes avaient remisé plumes et pinceaux de martre et laissé s'empoussiérer leurs encres fragiles, leurs pastels et leurs lavis savants. De la très sainte trinité instrumentale qui avait, de toute éternité, présidé aux destinées de leur corporation ne restaient désormais en usage que le té et l'équerre; le bien utile compas avait été délaissé car on craignait ses folies. On ne l'employait plus et la sinistre grille à ronds suffisait au tracé des rampes de parking. Le perroquet, outil baroque plein de panache, était suspect d'immoralité avec ses courbes et contre-courbes aux caprices malsains.

Barres et tours, joies amères du nudisme stylistique, architecture normalisée : il fallait faire vite, l'argent coulait à flots, on ne pouvait le laisser perdre. Il s'agissait de ne plus nourrir de coupables dessins et qu'une orthogonalité du trait réponde à celle des esprits. La main tenait serrés entre majeur et index les agents inflexibles de la modernité : le normographe et le rapidographe ou, plus vite dit et si vous le permettez, rapido.

Or, dans le monde entier, les architectes se sont remis à dessiner, ce qui ne leur était pas arrivé depuis l'avant-guerre. Ou du moins, s'ils le faisaient, gardaient-ils pour eux leurs esquisses et leurs croquis de voyage, comme un petit secret intime et passablement désuet.

Et voici qu'aujourd'hui ils publient leurs dessins, qu'ils les exposent dans les galeries du nouveau monde et de l'ancien, qu'ils les tirent en lithogravures, les numérotent de un à cent, les signent et parfois tentent de les vendre. Beaucoup d'entre eux ne font même plus que cela : dessiner. On les appelle joliment les architectes «de papier». Ils sont ainsi un petit groupe de talent d'ailleurs très inégal, dont les œuvres encadrées de moulures de chêne circulent de la Triennale de Milan au Festival d'automne, de la Biennale de Venise à celle de Paris, de l'Ecole des beaux-arts à l'Institut français d'architecture, de la galerie Nina Dausset du faubourg Saint-Germain à la gallery Max Protetch de New York.

On en vit même un l'autre automne, dans cette exposition de la Salpêtrière où personne n'était supposé vendre, avoir la coquetterie de frapper certaines de ses précieuses gouaches de la petite pastille rouge traditionnelle des marchands de tableaux et écrire sous l'une d'entre elles, soigneusement calligraphiée à la mine de crayon, la mention «vendu».

Si ce mouvement de retour au dessin est quasiment général, du moins chez les nouvelles générations, il prend des formes et répond à des motivations fort diverses. L'un, peu soucieux de construire et de se «compromettre» avec une réalité qu'il juge désespérée, se réfugie dans l'art pour l'art, l'architecture en soi, et invente des caprices, des allégories, des mondes utopiques ou poétiques, souvent d'ailleurs plus marqués aujourd'hui de nostalgies que de rêves futuristes. Il prend alors un soin extrême à ne pas paraître futile et ancre solidement ses divagations graphiques à une théorie de béton : il semble à chaque fois y aller de l'avenir de la chrétienté!

Un autre, qui construit ou qui s'efforce de le faire, trouve dans le dessin, même sophistiqué, un instrument d'élaboration de ses formes, de leurs matières, du détail de leur assemblage.

ALDO ROSSI
architecte italien (né en 1931, vit à Milan)
Costruzione Azzure, gravure, 50 × 35 cm, 1981
Deutsches Architekturmuseum, Francfort-sur-le-Main.

Son architecture s'en ressent, plus plastique, plus travaillée, témoignant quelquefois d'une esthétique originale, d'une facture personnelle, approfondie. Ainsi commencent à s'épanouir des tempéraments d'architectes qui se rapprochent de sensibilités plus purement artistiques.

Mais les trouvailles des plus créateurs font vite mode. Elles sont reprises, fragment par fragment, déchiquetées, meurtries, appauvries et réduites à de plats clichés pour se répandre, de projet en projet, tristement vides de sens, chez leurs confrères de moindre invention. Clins d'œil à usage d'un micropublic, références, citations formelles coupées de tout contexte : il existe maintenant tout un répertoire de tics, un stock de lieux communs qui circulent de l'un à l'autre, se démodent l'espace d'une saison après avoir jeté quelque scintillement.

Car l'un des effets de cet engouement est que ce qui était exceptionnel, et qui était beau d'être justement exceptionnel et précieux, devient monnaie courante. Monnaie courante et monnaie de singe : à côté de talents incontestables mais peu nombreux se multiplient les faussaires, les copieurs et les enjoliveurs. Les concours d'architecture sont devenus souvent l'occasion d'un déguisement du projet réel et construisible sous tout un fatras chatoyant d'oripeaux de théâtre destiné à séduire les jurys : on n'y compte plus les nymphées, les obélisques et les fontaines, les tonnelles et les temples d'amour insérés dans des projets pour un quartier de logements sociaux, quartier dont on sait parfaitement qu'il est voué au bitume, aux pelouses râpées, aux bacs à sable crottés et au tournoiement des papiers gras.

Or tout ce mouvement, avec ses beautés certaines et son cortège de ridicules, est relativement nouveau. Naguère, les revues d'architecture ne publiaient que des photographies de bâtiments effectivement construits, accompagnées des stricts plans, coupes et élévations qui permettent de lire correctement un projet et d'en comprendre l'organisation. Parfois, à la rigueur, pour rendre compte d'un espace que l'on pensait plus particulièrement intéressant ou pour donner à voir une construction encore à l'état de projet, on en fournissait une vue plus illustrée, généralement en perspective, animée de personnages courts sur pattes et comiques chargés de donner l'échelle. En jargon de métier, on les appelait les grouillots; avec leur gueule de mollusque vaguement anthropomorphe et quatre pseudopodes en guise de bras et jambes, ils témoignent d'une époque à la va vite qui a disparu.

Le plus souvent, faute de temps à perdre, on envoyait le nègre chez le fournisseur du coin acheter quelques planches de zipaton, ces décalcomanies pour bureaux d'études. On y trouvait des figures stéréotypées, vite démodées, dessinées par des mains anonymes, allemandes peut-être ou américaines, et diffusées partout tout au long des années soixante. Elles offraient des personnages tout faits, en abondance : messieurs pressés à chapeau mou et nœud papillon, pipe au bec et sacoche à la main, dames cambrées tirant un chien dans d'étranges contorsions, ribambelles d'enfants, cyclistes ou porteurs de valise, arbres fil de fer, pâquerettes en pots, et toutes les voitures du moment, Dauphine et Dyna Panhard de face et de dos, de profil et en plan.

C'était certes bien commode mais cela n'entretenait pas chez les professionnels le goût du beau dessin; le temps était loin où le grand Boullée, quoique «dessinant très bien non seulement tout ce qui tient à l'architecture mais aussi à la figure», préférait néanmoins confier toutes celles dont il «embellissait» ses dessins à «la composition et la main de Moreau le Jeune, son ami intime».

Si par négligence on venait à manquer de zipaton ou si l'on répugnait à faire usage d'un matériau si laid, on se contentait alors d'un gribouillage ombré pour exprimer les silhouettes, et d'un écheveau de courbes emmêlées, frisottées, dites «choucroute», pour marquer les arbres et les espaces verts. Pas plus que les autres arts, le paysagisme ne battait alors son plein parmi les gens du bâtiment. De manière générale, on s'appliquait surtout à ce que le «rendu» ne soit pas trop léché, pas trop abouti, ce qui eut paru formaliste, ni trop figuratif, ce qui était méprisable et bon pour les dessins attrape-mouches des publicités immobilières.

Il convenait que le dessin d'architecte tînt soit du croquis, qui est le propre de l'observateur et de l'analyste, soit de l'esquisse, qui est le propre du créateur et le distingue du vulgaire, plus appliqué à séduire et tellement plus laborieux. Le dessin d'architecte devait être impétueux, décidé, montrer l'essentiel d'emblée, car la profession se voulait virile.

Pas de dégradé ni d'estompage, donc; pas de demi-teinte modelant les volumes (d'ailleurs plutôt rectilignes); pas d'encres écolines colorées (l'architecture était plutôt blanche, même si les gens la voyaient grise). La ligne devait être sèche, la perspective bâtie à grands traits, volontaire, abusant des fuyantes et de l'angulosité. Il fallait que cela sente sa main levée, l'improvisation ferme et rapide, jaillissante, inspirée.

Sur le tard vint la signalétique; le dessin n'ayant cessé de s'appauvrir, on éprouvait le besoin de le rehausser, rehaussant du même coup une architecture trop minimale. Il fallait créer une ambiance urbaine, simuler une animation qui avait tendance à déserter les nouveaux quartiers. De grandes flèches sobres dans tous les sens, des lettres et des numéros géants plaqués sur certains murs, des caractères «Univers romain demi-gras» conféraient à ces scènes architecturales une allure dynamique et moderne. Enrique Ciriani, jeune Péruvien récemment arrivé à Paris, stupéfia son monde en 1967 par la rigueur enjouée et la vivacité des perspectives qu'il dessinait pour la ville nouvelle d'Echirolles. «Bon gratteur», pensait-on dans les agences où l'on ignorait encore qu'un bon dessinateur pouvait être aussi un grand architecte, ce que la carrière du gratteur Ciriani devait par la suite confirmer magistralement.

Mais pourquoi ce retour au dessin au début de la décennie passée ? La réponse est en partie dans l'atmosphère de crise que connut l'architecture. Crise de la commande : on construisait moins, le marché du travail était engorgé de jeunes diplômés. Crise des valeurs : on découvrait dans les sciences sociales, dans l'histoire, dans les arts, un champ immense de préoccupations dont on s'était jusqu'alors peu soucié. Crise doctrinale : le vieux consensus moderniste se lézardait et se voyait assailli par d'innombrables tendances. Le bateau faisait eau de toutes parts.

C'est une constante de l'histoire de l'architecture que ces moments de crise, lorsque les chantiers deviennent rares, lorsque les modes s'essoufflent et que les idées deviennent moins certaines, sont aussi les moments où renaît le dessin, soit qu'il se fasse le refuge rêveur et romantique de la créativité, soit que, faute de plus exaltantes missions, les architectes y trouvent à assouvir une compétence inemployée et qu'ils y rongent leur frein.

Quatremère de Quincy le remarquait déjà pour son temps, notant en 1819 qu'« à mesure que s'est fait sentir la disette d'occasions propres à exercer le talent des architectes par de grandes constructions, on dirait que le génie des vastes entreprises aurait pris un singulier accroissement sur le papier : à peine reste-t-il des plus célèbres architectes dans les xve, xvie et xviie siècles quelques légers dessins de leur conception; et ces dessins sont loin d'avoir l'étendue, le fini d'exécution et l'importance qu'on voit mettre aujourd'hui, dans les écoles, aux études des moindres élèves. Ainsi, poursuivait le maître sévère, toujours et dans tous les arts, il y a un mécanisme de travail qui semble s'accroître et se perfectionner à mesure que l'art et son génie décroissent ».

Ce jugement, beaucoup le reprennent aujourd'hui presque inchangé : dessineraient, à les en croire, ceux qui seraient incapables de construire. Cette affirmation, qui fait l'unanimité chez les « vrais pros » de l'ancienne génération, ne correspond pas tout à fait à la réalité. S'il y a une part d'afféterie et de préciosité mondaine horripilante chez certains architectes, dont chacun souhaite qu'ils veuillent bien surtout ne jamais rester que « de papier », s'il y a aussi toute une partie du milieu architectural qui, délibérément, refuse de construire et n'aspire qu'à dessiner, parfois magnifiquement, il est faux de prétendre que le dessin couperait nécessairement de la pratique. Il l'a, bien au contraire, totalement renouvelée en quelques années.

Les architectes étaient un peu dans la situation de cette assassine de Shakespeare hantée par les taches de sang dont elle croit sans cesse voir réapparaître la trace sur ses mains cent fois lavées. Il y avait beau temps qu'ils s'étaient débarrassés de toutes les influences formalistes et académiques de l'enseignement de l'Ecole des beaux-arts qu'ils semblaient pourtant encore, pendant des années, s'en méfier comme d'une tare originelle, susceptible de resurgir en eux sans crier gare et à leur corps défendant.

Ils avaient mis une telle application à se vouloir constructeurs, techniciens, urbanistes, à refouler leur goût ancien pour le dessin jusqu'à le mépriser (comme d'ailleurs la plupart des disciplines suspectées d'intellectualisme et de frivolité), que la crise de 1968 fut pour eux, souvent, un ouragan désastreux, les laissant nus et ruinés.

Une fois abattues les frêles palissades de ses certitudes professionnelles, ce milieu trop longtemps fermé sur lui-même découvrit des horizons infinis, un univers mental dont il ne soupçonnait pas la vastitude. Les jeunes s'y précipitèrent, un peu maladroits, courant aux quatre coins des théories nouvelles et en revenant vaguement ivres de mots. Néophytes, trop acharnés à prendre au pied de la lettre tous ces beaux concepts ronflants qui mûrissaient alors çà et là dans les universités, on les vit sémiologues, aspirant à décortiquer l'architecture en la travaillant au joint de sa « double articulation », on les vit lacaniens, s'appliquant à trouver quelque « fantasme des origines » à leurs balbutiements, on les vit historiens, sautillant dans les greniers immenses et fichant des obélisques au centre des places de villes nouvelles, croyant y accrocher la mémoire perdue et réparer ainsi l'outrage fait au temps par leurs pères.

Le spectacle était comique pour qui savait ne pas s'en agacer; il devient émouvant avec le recul des ans. De cette Babel bruissante de précieux ridicules et péroreurs est sortie la nouvelle architecture. Elle est due à certains, qui ont eu le sentiment que leur discipline était à rebâtir non pas *ex nihilo*, mais à partir de l'énorme bagage culturel qui s'était sédimenté dans nos civilisations.

A une architecture pauvre, pauvre physiquement, pauvre sémantiquement, pauvre culturellement, ils ont tenté (avec parfois bon nombre d'illusions) de substituer une architecture riche, épaisse, savante, moins oublieuse de l'histoire. Le dessin a été l'un des outils de cet enrichissement. Parce qu'il avait une dimension de retrouvaille; parce qu'il permettait une expérimentation libre de contraintes, des éclats merveilleux, des moments de fascination que la réalité construite autorise rarement; parce qu'aussi, dans une période dépressive, il a favorisé un brassage international stimulant, avec tout ce que le vedettariat peut avoir parfois de fructueux.

L'architecture s'est enrichie de significations nouvelles, élargissant son registre de poésie quotidienne, d'étrangetés plus rares, de mystères et d'ambiguïtés, découvrant certaines ressources du vécu simple et ordinaire, ressuscitant des codes oubliés, tissant des relations plus subtiles entre les divers éléments du construit. Elle s'est enrichie de compositions plus sophistiquées, plus complexes qu'autrefois, pourvoyeuses d'effets inattendus, de tensions et d'équilibres, de géométries raffinées comme celles de l'excellent Gruppo romano architetti urbanisti, le GRAU. Elle s'est enrichie jusque dans sa matière, son épiderme, dans l'usage qu'elle fait des matériaux et des surfaces.

Aussi la phase du « rendu », autrefois étape ultime du travail, est-elle devenue essentielle. Il ne s'agit plus de maquiller un projet, de le poudrer pour qu'il séduise, mais d'évoquer par le dessin, le plus précisément possible, l'apparence future du bâtiment afin d'être à même de le travailler dans son épaisseur et dans sa texture dès la feuille de calque ou de canson.

Car une part de la recherche de l'architecture contemporaine tend aujourd'hui vers le plein, le compact, le grain et la matité, qualités opposées à ce caractère lisse et plat qui fut longtemps la quête essentielle de l'époque moderne. On réduit maintenant la taille des fenêtres et des surfaces vitrées que jadis on cherchait au contraire à accroître quand on aspirait à plus de transparence et de légèreté. Les constructions doivent avoir du poids et du toucher; on les aimerait blocs massifs; érodés même si cela se pouvait.

Les dessins de Ciriani, qui comptent parmi les plus beaux de ces dernières années, traduisent ce désir; qu'ils soient à l'encre noire, aux pastels ou aux crayons de couleurs, ils sont grattés, griffés, rayés; on sent la lumière y vibrer sur une chair chaude et lourde. Le bâtiment devient opaque, solide; les fenêtres se font petites et carrées et paraissent des trous percés dans une masse minérale aux volumes puissants. On trouve un graphisme assez proche dans les productions d'Anselmi et du GRAU, eux aussi remarquables. Ce sont là encore des traits menus, hachés, souvent au crayon, une accumulation de saccades brèves et régulières chargées de suggérer des murs qui seraient presque de roche; l'architecture y est pourtant très différente, faite de savantes décompositions de figures, d'une sorte de duel élégant avec la géométrie, les ellipses, les courbes tendues, les formes étoilées.

Des dessins au crayon aussi, frottis sombres, légèrement estompés, se retrouvent chez Henri Gaudin dont les beaux logements sociaux de Saint-Quentin-en-Yvelines furent un des événements des dernières années, avec leurs courbes généreuses, revêtues d'une peau douce de carreaux de grès blanc.

Mais nous sommes dans une période où l'on sent que la production dessinée de beaucoup est encore incertaine, souvent belle mais instable, se cherchant. Celle de Christian de Portzamparc, par exemple, reflète la sensibilité tourmentée de ce jeune architecte expressif dont l'œuvre (qu'il s'efforce de rendre sereine et calme) brûle d'une flamme froide. Ses constructions un peu raides, crispées, au rythme cadencé, mêlent étrangement harmonies et dissonances, parfaitement calculées, dans un langage qui associe des découpes aiguës et insolites à des réminiscences néo-classiques, arcs et frontons réinterprétés.

Ses dessins sont divers, il paraît hésiter encore. Parfois un grand fusain hâtif, tremblé d'on ne sait quelle angoisse, étalé du plat du pouce; parfois un lavis délicat, éthéré, aux teintes tendres et précises; parfois une peinture à la gouache ou à l'huile, nappée d'un blanc lunaire sur un ciel d'un bleu cru, avec deux arbres tatoués qui s'entrechoquent auprès d'un trottoir jaune. Parfois encore, pour d'autres projets, une manière plus sèche, nerveuse, objective et puritaine, où les valeurs sont rendues en noir et blanc par des trames régulières de traits minces et parallèles, à peine rayées, en certains cas, à la plume fine, ou piquetées de pointillés pour suggérer ici ou là une ombre ou une matière; et jusqu'au ciel qui n'est qu'une surface homogène de trame grise, grattée de surfaces blanches en guise de nuages.

Les dessins de Carlo Scarpa, qui connurent durant quelques temps une grande faveur, se situent à l'opposé de cette rigueur souvent impressionnante. Ce prince vénitien, raffiné jusqu'au maniérisme, admirable assembleur de matériaux précieux ou frustes, aimait à publier des sortes de brouillons qu'il arrachait de ses carnets à reliure spirale. Derrière l'encombrement de gribouillis, parmi les notations infimes, les esquisses de détails, entre les figures de femmes nues qu'il semait comme des graffiti, apparaissait sa démarche artisanale, hésitante, appliquée à résoudre les plus infimes problèmes puis forçant le trait quand l'idée se faisait plus sûre, le crayonnant enfin à la couleur. Débauche d'ébauches.

Cette « recherche patiente » dont parlait Le Corbusier, cette lente approximation des formes, leur visualisation progressive à la pointe du crayon, font toute la saveur des dessins du grand architecte portugais Alvaro Siza, saveur qui n'apparaîtra pas aux non initiés. Avec leurs ratures, leurs approximations, leurs surcharges, elles ressemblent à un manuscrit. L'idée y jaillit, fluide, intuitive, provisoire, couchée à la hâte sur un bord de nappe en papier; puis on la voit se structurer, se modifier peu à peu dans un jeu dialectique et obscur qui est celui de la création.

Plus définitifs car faits a posteriori, une fois l'idée bien mûrie dans l'esprit, aussi sobres et dépouillés, les dessins de travail de Roland Simounet, architecte âpre et exigeant, ne sont pas sans rappeler ceux du Mouvement moderne d'autrefois. Economes de leurs moyens, ils donnent l'essentiel en quelques traits, sans rechercher l'effet inutile. Ils touchent au croquis et leur retenue étonne dans une époque prête à toutes les emphases.

Identique sûreté de trait dans les carnets d'esquisses de Borja Huidobro, même à l'occasion de projets aussi complexes que celui du futur ministère des Finances de la barrière de Bercy. Comme chez Simounet, le mot « brouillon » paraît ici impropre car c'est sans rature ni surcharge qu'au fil des jours,

de page en page, s'affirme puissamment l'image définitive du bâtiment, dans une sorte de synthèse dense du travail de recherche de toute une équipe. Au centre d'un dispositif intellectuel complexe, tapi sourdement comme l'épeire au cœur de sa toile, l'architecte rumine, réfléchit sa forme puis la jette sur le papier d'un geste ferme. En revanche Mario Botta, capable pourtant de croquer si joliment d'une plume preste, sur un coin de table ou un paquet de cigarettes, l'essentiel de ses maisons du Tessin, pourrait sembler infiniment empêtré dans ses ébauches. Le trait y est mou, hésitant, gribouillé. Il remue la forme comme on touille la béchamelle au fond d'un poêlon. C'est cependant de ce bourbier hésitant et maladroit que naissent ces édifices, si admirablement réglés, si forts et précis à la fois... A chacun son alchimie.

Le Taller de Arquitectura de Ricardo Bofill fut longtemps le maître incontesté de l'excès et de la théâtralité; les nuages de ses cieux étaient secoués de noires tempêtes, la lumière s'y déversait, rayonnant comme pour illuminer la Sainte Face; l'architecture y était à peine esquissée, souvent noyée sous un lavis ruisselant d'encre rouge au sein duquel se tordaient des muses inquiétantes venues de Giorgio de Chirico. Bofill, qui affecte maintenant la veine classique, a récemment assagi son graphisme. Il donnait à l'automne 1981, dans la chapelle des Petits-Augustins de l'Ecole des beaux-arts, ses « projets français » : ordonnancements, longue litanie de colonnes, frontons, frises, bandeaux et moulures au dessin efficace, noir et blanc, fin de trait, distingué et « classique », entrecroisé de tracés régulateurs; le tout sous verre et encadré de blanches maries-louises à l'ancienne.

Manolo Nuñez, qui vole de ses propres ailes après avoir longtemps été l'associé de Bofill, continue pour sa part à privilégier une manière de génie lyrique et inspiré. Il exposait récemment une immense fresque de quatre mètres de long sur deux de haut, bouillonnante, orageuse, emplie d'un tumulte coloré; il s'agissait de présenter un projet d'institut psycho-pédagogique pour une ville de Belgique, sujet triste pourtant. A l'outrance du projet, chargé de colonnes géantes et de fausses perspectives inspirées du Théâtre olympique de Vicence, répondait un invraisemblable collage de bouts de plans, fragments de coupes techniques, traits de cotes, faux croquis de voyage, détails baroques et tempiettos, démons cornus : une spontanéité méditée, barbouillée au pinceau dans une gestuelle furieuse.

D'autres sont plus socialistes-réalistes, comme Sefik Birkiye, jeune Turc de Bruxelles qui, au sein de l'Atelier d'art urbain, a dessiné plusieurs projets du mouvement de la « résistance anti-industrielle » qu'anime Maurice Culot. S'il sait rendre à la perfection des ambiances assez douces, suavement colorées, il ne résiste pas au plaisir d'y introduire des personnages désuets, souvenirs de la Belle Epoque dont il a la nostalgie : les messieurs y ont volontiers canne, redingote et chapeau melon et consultent un oignon à leur gousset; ils sont peu nombreux, calmes, amicaux, lisant leurs journaux à la terrasse des cafés; dans la rue passent des cyclistes, des camions aux formes rondes et pacifiques et des torpédos qui mènent des dames démodées dont la longue écharpe flotte au vent; sur beaucoup de dessins, des ouvriers, venus du bon temps où le peuple était le peuple, des accordéoneux, des marchands ambulants à grande blouse, des cantonniers, des scieurs de long travaillant en pleine rue, des tailleurs de pierre cassant la croûte à même le trottoir, tout un monde du bâtiment fraternel et mythique.

Refaire la ville et la société. Robert Krier y rêve, avec ses tissus urbains pleins d'une massivité superbe, son univers des formes pleines et ces métaphores qu'il nous offre : arbres qui brandissent des ramures lourdes comme des blocs de granit, hommes assis, méditant, avec une tête cubique comme une pierre de taille, ou bien debout avec une jambe-pilier, englués de minéralité, avec des troncs sans bras, mal dégrossis, à la façon de ces statues de Michel-Ange qui paraissent émerger de la roche brute.

Son frère aussi y rêve : Léon Krier, le maître luxembourgeois de la « reconstruction de la ville européenne », un des meilleurs et des plus métaphysiques dessinateurs de « caprices architecturaux » porteur de la flamme néo-classique qui considère que « l'engagement dans la construction doit être considéré comme une des formes de collaboration les plus corrompues », refuse donc de bâtir, et proclame bien haut : « Je ne peux faire de l'architecture que parce que je ne construis pas. Je ne construis pas parce que je suis un architecte ! »

Et l'on en revient à l'architecture de papier, soit militante comme celle de Léon Krier, violemment engagée dans un refus philosophique de la modernité, soit plus légère, onirique et poétique comme celle des collaborateurs de l'excellente revue L'ivre de pierres : Stinco, Aubert, Jungmann et d'autres producteurs d'images à rêver.

Car le refus de construire de Krier n'est pas isolé. Renouant avec la démarche d'un Piranèse qui écrivait autrefois : « Je ne vois pas de parti autre qui me reste, ni à aucun autre architecte moderne qui soit, que d'exposer mes idées par des dessins », renouant avec Bruno Taut qui déclarait en 1919, à l'aube des temps modernes de l'architecture : « La pratique m'écœure... soyons volontairement des architectes imaginatifs », il y a aujourd'hui, parallèlement à un renouveau de l'architecture réelle, un regain de la stricte spéculation dessinée.

Le plus pur représentant de cette tendance est peut-être l'architecte italien Aldo Rossi, qui affirma lui aussi que « de nos jours, l'architecte ne peut pas construire », et se contente donc depuis, entre de rares réalisations, de produire des gravures, des dessins à la plume, des collages et un petit « Teatro scientifico » au format d'un guignol.

Ses dessins décrivent le deuil de l'architecture contemporaine, l'écart définitif entre le passé et le présent, la mémoire et le réel ; ils racontent la ville fragmentaire, éclatée, désarticulée, impossible désormais à réordonner ; ils offrent des images obsédantes, répétitives « comme une liturgie » où persistent les mêmes thèmes, où réapparaissent les mêmes angoisses. Le trait est violent, rageur ; les grandes surfaces de couleurs y éclatent comme des cris stridents bien qu'y règne une qualité de silence terrible, hors du temps comme dans les toiles de Giorgio de Chirico, cet autre Milanais. C'est un message énigmatique et pourtant transparent, tragique.

Des objets, des architectures, des monuments vides sont assemblés, passifs, s'ignorant mutuellement, forts d'une présence terrible et désenchantée : des successions de toits pointus, identiques, monotones et carcéraux ; de grandes cours closes où les fenêtres sont des successions de carrés pareils et muets ou bien, parfois, de grands trous noirs, ronds et béants comme l'œil unique du Cyclope ; et il y a des cafetières géantes, des désordres de cabines de plage en pyjama rayé, des silos et des cheminées d'usine en brique, télescopiques et ressemblant à d'étroites ziggourats ; et il y a les monuments de l'Italie, les baptistères octogonaux, les campaniles qui parfois ressemblent ici à des miradors ; et il y a des grues et de hautes tours de métal croisillonné coiffées de petits drapeaux triangulaires, raides comme des girouettes de tôle.

Message pessimiste, essentiel pour qui veut pénétrer une part de l'âme secrète des architectes d'aujourd'hui : leur art paraît désenchanté et le dessin est pour beaucoup d'entre eux une retraite moins amère.

Avec l'aimable autorisation de *Feuilles*.

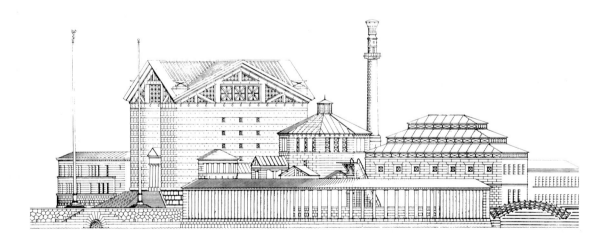

LÉON KRIER
architecte luxembourgeois (né en 1946, vit à Londres)
Élévation des thermes proposés pour le quartier Tegel à Berlin-Ouest
encre sur calque,1983
Collection de l'auteur.

BÂTIMENTS D'ENCRE

IL N'EST PAS DE PÉRIODE QUI NE SE SOIT POSÉ LA QUESTION DE LA LOCALISATION DE L'ARCHITECTURE : HABITE-T-ELLE L'ÉCRIT ? LE MONDE DU DESSIN ? CELUI DU CHANTIER ET DU VÉCU QUOTIDIEN ? L'ARCHITECTE EST MARQUÉ DE CETTE INCERTITUDE : HOMME DE FAÇADE, PLANS ET PERSPECTIVES, D'ENCYCLOPÉDIE AUSSI MAIS NE DEVANT PAS S'Y CANTONNER AU RISQUE DE PASSER POUR FAISEUR DE MOTS, LITTÉRATEUR INCAPABLE DE PASSER À L'ACTE DE BÂTIR. ÉCRIRE ET CONSTRUIRE ONT TOUJOURS ÉTÉ DES TERMES INSÉPARABLES.

———— ALAIN GUIHEUX ————

L*es maisons sont faites pour y vivre, et non pour qu'on les regarde : il faut donc faire passer la commodité avant la symétrie, si l'on ne peut avoir les deux. Laissez les édifices faits pour la seule beauté aux palais des poètes qui les construisent à peu de frais. Bacon, Essais, « Des bâtiments ».*

Paul : étudiant en architecture
M.D. : enseignant
Ph.L. : historien

Paul : Pourquoi dites-vous que les briques servent à faire des plans, et le rapido et le Letraset à construire les projets ?

M.D. : Revenez en arrière. Comme le veut la tradition, l'architecture ne prendra en compte la beauté qu'après avoir résolu les problèmes de construction et d'usage. Mais parce que dans cette tripartition la beauté est ce qui distingue l'architecture et la définit, poussant Bacon, je dirai qu'il ne devrait y avoir d'architecture qu'écrite : la beauté seule n'a pas sa place dans l'habitation des hommes.

Paul : Et pourtant l'architecture n'est-elle pas le bâtiment réel ? Le dessin est un moment qui doit prendre fin : on ne peut dessiner un édifice, fût-il des plus grands, toute sa vie, il faut en arrêter le plan et le construire.

M.D. : C'est une longue histoire. Il n'est pas de période qui ne se soit posé la question de la localisation de l'architecture : habite-t-elle l'écrit ? Le monde du dessin ? Celui du chantier et du vécu quotidien ? L'architecte de toujours est marqué de cette incertitude : homme de façades, plans et perspectives, d'encyclopédie aussi mais ne devant pas s'y cantonner au risque de passer pour faiseur de mots, littérateur incapable de passer à l'acte de bâtir. Tu vois, écrire et construire ont toujours été des termes inséparables.

Paul : Vous nous dites que la beauté ne doit que s'écrire ?

M.D. : Ce n'est pas moi qui le dit. Les hommes l'ont voulu ainsi. Quand bien même le dessin peut être technique, c'est dans le « réel » que se mesure la compétence, tandis que la beauté élira domicile dans le graphique. Relis Bacon : si l'architecte ne s'intéresse qu'à la beauté, alors le mieux est qu'il écrive, dessine et surtout en reste là.

Paul : Si je vous entends bien, l'architecte est toujours malheureux : quand il veut faire de beaux bâtiments, on lui dit de les faire d'abord solides, et s'il se met à les écrire, on lui dit encore qu'il ne sait pas construire.

M.D. : Ce n'est pas tout à fait juste. Très tôt les architectes ont pu tirer gloire de leur encre, et si Hippodamos est connu pour son damier et son excentricité vestimentaire, de Vitruve il ne nous reste qu'un texte, de Dinocrates un projet fabuleux qui traverse l'histoire de l'architecture. D'Alberti retenons-nous des écrits ou le palais Rucellai ? Par la force des destructions, de Philibert de l'Orme il n'y a guère plus qu'un traité. La gloire de Perrault fut faite de deux livres, même si le choix de l'architecte et, plus tard, l'attribution de la façade du Louvre mobilisèrent les esprits (ce n'était d'ailleurs que palabre). Mais, vois-tu, la question est plus générale : le Louvre lui-même, voilà bien une architecture dont on ne connaît pas la place. Ne serait-il pas plus « juste » en dessin, ou dans « l'ordonnance de cinq espèces de colonnes » ? Ce n'est pas simple.

MARIA ELENA VIEIRA DA SILVA
peintre française d'origine portugaise, (née en 1908, vit à Paris)
Souvenir d'architecture, 1947
Cabinet des Dessins du musée national d'Art moderne
Centre Georges Pompidou, Paris.

Paul : Vous vous demandez où se situe l'architecture ? Quel est son site ou son support ? Quelle est sa matière ? Mais la question a-t-elle toujours eu autant d'actualité ?

M.D. : Il me semble qu'avec l'époque des Lumières, puis au XIXᵉ siècle, par exemple à travers les produits graphiques de Horeau, Daly, Viollet-le-Duc et autres, les choses se sont définitivement brouillées : texte, dessin, bâtiment réel, lequel des trois faut-il appeler architecture ?

Paul : Ne doit-on pas plutôt voir l'origine de la situation dans l'importance qu'ont eue textes et dessins dans l'éthique architecturale et dans l'institutionnalisation de la profession commencée à la Renaissance et assurée à l'époque classique ? Pour la Renaissance le dessin était essentiel, là résidait l'intellect, et il y avait deux temps bien marqués, celui de la pensée (le dessin) et celui de la réalisation (la matière).

Ph.L. : Ne donnez pas dans le cliché. En fait, en dessin on pensait matière, réalisation des voûtes et des murs, on disposait en dessin les os, les muscles et les nerfs du bâtiment; le dessin n'était pas que dessin, il était bien l'anticipation d'un bâtiment réel. Au fond, le dessin était la représentation d'un bâtiment déjà là. Faire un projet, dessiner, c'était représenter un bâtiment réel, même s'il n'était que dans la tête : dans la tête oui, mais avec tous ses moellons, avec sa charpente et ses escaliers. Devant les yeux, à portée de la main qui frôlait les imperfections des marbres et des pierres vermiculées et smillées. Je crois que la Renaissance n'y est pas pour grand-chose, et qu'il s'agit là d'une filière de très longue durée, et que bien avant Vitruve, dans le fin fond de la culture indo-européenne, l'architecte était déjà homme de texte et de dessin : philosophe et géomètre. Tout serait déjà inscrit dans l'opposition entre homme de chantier et encyclopédiste, laquelle n'a d'ailleurs pas disparu.

Paul : Je vous en prie, venez au but.

M.D. : Nous avons toujours hésité à dire si le dessin était la représentation d'un bâtiment à venir ou si le bâtiment « réel » était la stricte représentation du dessin. Heureusement, mes idées sont aujourd'hui plus claires et j'ai nettement conscience que nous sommes en train de terminer la boucle de l'inversion de la représentation.

Paul : Moi qui dessine, je ne les ai pas !

M.D. : Vois-tu, il est difficile de comprendre pourquoi l'architecture est sous la tutelle du ministère du Logement : le logement n'a depuis longtemps plus rien à faire avec l'architecture. Il faut bien dire que l'architecture c'est du discours. C'est pour cela qu'elle se réduit de plus en plus à des dessins (réduite, c'est-à-dire diminuée de taille, passant de la grandeur nature au dessin). Les architectes veulent faire de l'architecture ! Eh bien qu'ils en fassent ! Et de leur côté, ceux qui habitent (nous tous) nous faisons à notre façon.

Paul : Et de là est né *l'habitier*. L'équivalent du tailleur (de vêtements) pour le logement. Tel un artisan, il vous fait la maison de votre choix, vous conseille sur la commodité et veille à la bonne technique; il est fier de son travail, dans les règles de l'art, lui ne se paie pas de mots. Laissons l'architecture pour les monuments.

M.D. : Je vois tes références. Mais par architecte, on entend quelque chose de soutenu par le Ministère qui aide là une catégorie d'artistes dont on ne sait trop que faire. Comme ils sont dépositaires d'une tradition, qu'il faut conserver les traditions, quelques éco-musées de l'architecture ont été

ouverts, sous la direction des Monuments historiques.

Paul : C'est pour cela qu'on a lancé le concours dont vous nous avez promis de parler.

M.D. : Lis-nous cet article que je vous ai amené.

Paul (lit) : « Dans un ancien hangar de montage des Airbus qu'il avait fallu surélever, l'équipe de conception vit les derniers instants de la charrette du concours pour le prolongement vers l'ouest de l'axe Concorde-Arc de triomphe-La Défense-Nanterre, que le lauréat construira dans le hall d'exposition des Quatre Temps »... (inquiétude). Il n'y aura pas la place !

Ph.L. : Continue !

Paul : « Les grues démontées quittent les lieux, les échafaudages sont brutalement déboulonnés. Le projet est pratiquement nettoyé. Il manque bien quelques carrelages, les plinthes ne sont pas toutes posées, les ventilations éternuent et le chauffage vous fait changer d'hémisphère, les ascenseurs sont indécis, mais l'heure n'est plus à la perfection, et l'épuisement est général...

Le jury, dont on a veillé à l'indépendance par rapport aux industries du papier, de l'encre et des équerres, se réunira incessamment pour éliminer les concurrents dont les dossiers ne sont pas conformes aux règles de présentation : le « rendu » ne doit pas dépasser 110 m sur 100 (format A 110), la hauteur étant elle-même restreinte à 70 m. Autrement dit, le projet est conçu grandeur nature. La couleur, laissée au choix des maçons, doit cependant être unique. Pour l'aider dans sa sélection (en fait pour limiter ses déplacements à travers le monde) le jury a demandé des maquettes cinquante fois plus petites que les documents de présentation et collant d'aussi près que possible aux matériaux définitifs : le trait d'encre et la trame Letraset, la plupart des autres produits étant fabriqués par l'entreprise générale Mécanorma elle-même.

Le projet (la construction) sera ensuite relevé pour être pour la première fois dessiné, et excellemment. On pense qu'il sera difficile d'arriver à un dessin exact : à l'inverse de l'habituel « ça ne se construit pas », qui indique que le dessin n'est pas pensé en fonction de la réalisation, on risque un « ça ne se dessine pas » résultant d'une construction qui s'adapte mal à l'équerre et à la règle parallèle. Le temps de la construction venu, les architectes monteront des traits de rapido, poseront des lettres, chiffres et baignoires, escaliers préfabriqués, ascenseurs tout le jour durant. Les plus compétents s'occuperont des finitions à l'aquarelle, au photomontage ou à la perspective.

Les projets ne seront pas perdus puisqu'ils sont d'ores et déjà habitables. On peut dire que l'on habitera un jeu de plans !... » *Le Soir*, 12 septembre.

M.D. : Imagine que l'ensemble de la population logée en HLM et autres habite des « rendus », oui, des plans, c'est-à-dire des édifices.

Paul : Ce serait très confortable l'hiver. Nous habiterions dans l'esquisse et dans l'agence : double isolation, espaces extérieurs couverts, facilité d'entretien et confort pour les ouvriers du bâtiment...

M.D. : Vois-tu qu'à l'inversion de la chronologie du projet (on construit d'abord, on dessine ensuite) correspond aussi l'inversion des rôles des intervenants : les chefs de chantier deviennent pour l'occasion chefs d'agence. Vois-tu aussi que cela met fin à la formidable idée d'un architecte qui aurait prévu le monde dans ses moindres détails ? Que c'est la fin de l'anticipation ?

Paul : Je ne vois rien de tout cela. Qu'est-ce donc que cette histoire et pourquoi en sommes-nous arrivés là ?

M.D. : Il est un peu normal que le dessin qui constitue le support le plus proche du concept et de la pratique architecturale (il définit l'œuvre et est aussi le plus investi par l'architecte; la construction n'est qu'une suite secondaire, dont il aime voir le résultat, mais que cela ennuie profondément de suivre) en soit aussi l'aboutissement. Les décideurs ayant compris la chose mènent à bien l'expérience unique dont tu viens de nous lire le compte rendu.

Paul : Rappelez-nous quelques antécédents, les signes annonciateurs de cette inversion.

M.D. : Il y a tout d'abord le cas des maisons répétitives où le dessin apparaît finalement comme second par rapport à la réalisation. Les plans n'ont qu'une valeur contractuelle, ils sont une communication réglée entre la direction de l'Equipement qui donne le permis de construire et le constructeur, entre les banques et le constructeur ou le client. Mais ce que ce dernier achète c'est une maison, celle qu'il a vue dans une foire-exposition. Le marchand de maisons vend de vraies maisons, chez lui l'objet est prêt. A l'inverse, l'architecte à la production singularisée ne peut s'exprimer qu'en dessin, qu'il se doit de faire à merveille, quand le marchand de maisons se contente d'un torchon de photocopie. Chez le marchand de maisons tout le travail du sens réside dans l'objet réel, et la représentation plane tend vers zéro, elle n'existe pour ainsi dire pas. Même son catalogue ne joue pas le même rôle que le plan d'architecte : une photo de maison ou une perspective à l'air très habité est une photo d'un déjà là, déjà construit, quand le plan indique un devenir incertain.

Retiens seulement de cette exemple la place « postérieure » du dessin. C'est l'inverse de la démarche de l'architecte, sauf à admettre que c'est la même chose puisque dans l'un et l'autre cas le plan vient en bout de course : le contrat pour le marchand de maisons, la finalité, le couronnement pour l'architecte, et aussi bien la signature du contrat avec son client.

Paul : C'est pour cela que nous y passons tant de nuits. Une fois, dans une agence, j'ai fait des dessins uniquement pour une publication dans une revue.

Ph.L. : Oui. Une chose particulièrement évidente est la place qu'ont prise les revues d'architecture. Un architecte est celui qui, publié, est ainsi reconnu par ses confrères. Ainsi l'architecture a pour but de terminer sur le papier ou la gélatine.

Paul : Pourtant certaines revues se sont révoltées contre la pratique qui consiste à ne présenter que des dessins de projets jamais exécutés.

M.D. : Mais cela ne fait que confirmer la localisation de l'architecture : le papier. Même si on la construit, l'important est qu'on l'expose. Des photographes de talent réussissent à retrouver le dessin et les intentions d'origine par des maquillages et angles de vues savamment étudiés. L'architecture photographiée retrouve alors une vérité que la réalisation aurait pu enfouir. Consulte donc les livres de Julius Schulman, véritable re-créateur de l'architecture moderne californienne.

Paul : Alors, finalement, seuls les dessins sont nécessaires et pour des photos, des décors de cinéma suffisent. Pour un

étudiant, le projet se termine à la présentation de maquettes et de plans. Desgodets s'est rendu célèbre par ses relevés de bâtiments antiques.

M.D. : La primeur du dessin va jusqu'à ce que certains confondent rendu de concours et dessin d'exécution : ils mettent du « jus » dans ce dernier alors que seuls les renseignements techniques sont utiles.

Paul : Est-ce bien ou mal ?

M.D. : La question n'est pas là. C'est aussi la division du travail qui veut cela, et puis le fonctionnement de la commande. Assurément, le dessin est en train de perdre tout rapport avec le construit. On ne dessine plus un bâtiment que l'on aurait conçu dans sa tête, nos cerveaux sont pleins de bâtiments mais ce sont des bandes dessinées ou des choses dessinées, pas des constructions. De plus en plus, le rapport sera à sens unique entre le dessin et la construction. Comme il n'existe plus aujourd'hui de véritable « raison constructive » (on peut à peu près tout construire, et il est bien difficile de déterminer la solution la moins coûteuse), la réalisation devra respecter l'image du dessin. Tout le travail de dessin d'exécution est de faire correspondre la réalité à ce que le dessin a défini; la réalité ne guide pas le dessin, qui lui ne comporte plus un rapport au faisable. Ou pour mieux dire la formule que tu me reprochais au début de notre entretien : on ne dessine plus des briques, ce sont les briques qui doivent suivre le dessin.

Paul : Alors si le dessin prend une telle autonomie, pourquoi les jeunes architectes, et donc les moins expérimentés, connaissent-ils les matériaux et les enduits bien mieux que votre génération ?

M.D. : Rien à voir ici avec l'amour du travail bien fait. Il faut chercher ailleurs. Par sa netteté, le matériau retrouve les nuées, c'est-à-dire le dessin. Je veux dire par là que dans sa perfection de mise en œuvre le bâtiment ne semble jamais avoir été construit. Aucun maçon n'a pu réaliser cet édifice, manier les matériaux qui le forment. La fabrication, parce qu'elle est parfaite, n'est pas celle des hommes. On veut signifier que le bâtiment est descendu du ciel, seulement totalement conçu dans ses moindres détails. La perfection du travail démontre la domination de l'idée, c'est-à-dire du dessin, d'un infini conceptuel, et désigne également la volonté d'une profession de retrouver place parmi le monde intellectuel.

Paul : Il est vrai que dans son extrême réalité, le joint des matières, des parpaings, ressemble à un dessin. Le dessin n'est plus la représentation d'un joint, c'est le joint qui est définitivement la représentation du dessin, du trait d'encre. Autrefois le dessin, comme vous l'avez dit, était bâtiment réel anticipé. Aujourd'hui le bâtiment n'est plus réalité, il est dessin, et le dessin ne préfigure plus l'édifice, il est l'édifice. L'architecte ne dessine plus un bâtiment qui sera réalisé, son dessin n'en est plus la préfiguration.

Ph.L. : N'y mets pas trop de chronologie. Les problèmes sont de toujours, ils ne font que reprendre de l'actualité.
As-tu remarqué qu'il n'y a plus guère de personnages dans les dessins d'architectes ?

Paul : Il n'y en avait pas non plus dans la *Ville idéale*, tableau qui se trouve à Urbino.

Ph.L. : Il pourrait y avoir un rapport. L'absence de personnages désigne le fait qu'il s'agit d'une construction abstraite, mentale, dans les deux cas nous avons à faire à la mise en évidence de l'esprit. Si l'une veut exposer la façon dont la perspective fait de l'architecture, l'autre dit que l'architecture est une production dégagée des contraintes de la vie quotidienne, qu'il ne faut pas y voir un bâtiment qui sera un jour occupé par des êtres bien vivants. L'absence de personnages dit que la finalité du dessin est le dessin et non la vie.

Paul : Les modes changent vite. Quand j'ai commencé l'école on mettait des personnages partout, on les décalquait dans des B.D. Un jour j'ai décalqué Mourousi et la mère Denis. Des choses plus écolo aussi, « conviviales ». Après on a mis des statues antiques. Du coup, le client croyait qu'on allait vraiment mettre la statue dans le projet !

Ph.L. : Pour revenir au dessin, et même sans être libéré de l'habitabilité, tu peux dessiner des bâtiments inclinés, des mondes inconstructibles. La recherche sur les procédés de représentation est immense, leur rhétorique complexe. Une fois, j'ai vu un architecte qui au lieu de dessiner un poteau ne faisait figurer que son ombre.

Paul : Mais il construisait quand même le poteau !

M.D. : Ce n'est pas toujours le cas. Par exemple, tu peux faire un projet, puis une perspective. Au lieu de construire le projet, construis la perspective ! Voilà ce que j'entends par inversion de la représentation : là, c'est bien le seul dessin que l'on construit !

Paul : J'ai peur de dire des bêtises, mais j'ai vu que l'on vend des maquettes de maisons. Il s'agit de façades éclatées que l'on découpe selon le pointillé et puis que l'on colle.

M.D. : C'est un bon exemple. L'inversion de la représentation sera totale lorsque au lieu de se contenter de faire ceci pour ces maquettes on le fera à échelle 1. Alors le bâtiment construira reproduira les hésitations du trait, les pointillés et les trames, les ombres et les matières du crayon, les incertitudes du débit de l'encre. On devra reconnaître dans le bâtiment réel la marque du compas et de la gomme utilisés.

Paul : J'irai aussi de ma fable : « Une autre fois il se permit d'encadrer trois briques de Vaugirard et de dire que c'était le rendu du projet. La grâce le toucha quand, au lieu de rendre des dessins, il porta au jury un fragment de mur sur le plateau d'un camion ».

M.D. : Ne ris pas. On n'en est pas encore là, mais j'ai déjà vu une maquette de projet qui se présentait comme un dessin et s'accrochait au mur...

Paul : Faisant suite à l'augmentation fulgurante du nombre des expositions de tableaux, les dessins d'architectes prennent place dans les galeries et se vendent.

M.D. : Oui, mais non pas comme un maître d'ouvrage peut acheter des plans pour construire, mais pour eux-mêmes, comme architecture. Le dessin a sa fin en lui-même. Il est architecture.

Paul : L'idée n'est pas nouvelle. Dans l'ancienne école, la place d'un bâtiment était souvent dictée par l'effet qu'il donnait dans la composition. Lorsque l'élévation n'était pas belle on changeait de place le morceau défaillant. Déjà le dessin dictait l'architecture.

Ph.L. : C'est toujours le cas. C'est toujours un dessin qui contrôle l'édifice. Mais remarque encore les décalages actuels entre dessin et réalisation. Comme la réalisation ne fait que coller au dessin, elle n'en peut être que pire !

Paul : C'est vrai. L'architecture a beaucoup de mal à franchir le cap de la réalisation. Elle n'est pas faite pour cela.

Lorsque je regarde les dessins de Kahn, de Le Corbusier, de Palladio, je trouve que le dessin est finalement assez faible quand l'architecture est, elle, impressionnante. Actuellement c'est l'inverse. Des beaux dessins mais des architectures qui ne leur arrivent pas à la cheville.

Ph.L. : Ne juge pas. Demande-toi plutôt si cela n'est pas là quelque chose comme la perte du réel. La matière n'existe plus pour un architecte, il ne reste que de la signification, du message. Comme tout le monde, il vit de l'air du temps. Le sens est dans le dessin comme il l'est dans un décor de théâtre, peu importe alors le support.

Paul : Vous parlez beaucoup du dessin, mais peu de l'écrit.

M.D. : L'architecture a élu domicile dans l'encre qui est son vrai matériau. On a créé un grand prix d'architecture et des médailles diverses; mais les consciences sont tellement troublées que l'on n'a pas pu s'empêcher de décerner à côté un prix du film d'architecture, un prix de la critique. Chassez le graphique, il revient au galop. Les premières années, le grand prix fonctionna tant bien que mal. On couronna les architectes qui avaient beaucoup construit. Hélas, il en vint à manquer, il fallut bien se rendre à l'évidence : on allait devoir éterniser des architectes qui n'avaient pas ou peu construit. Alors, un grand prix permettra au lauréat de construire son premier bâtiment, on couronnera le dessin...

Paul : C'est aussi le cas pour beaucoup de grands concours. C'est bien ainsi puisque cela permet aux jeunes de construire, à ceux qui ont du talent !

Ph.L. : Si tu veux. Mais c'est surtout un choix que fait la société : elle dit ainsi que l'architecture réside plus chez Dinocrates que chez Vitruve. Ceci aurait été impensable il y a quelques temps. C'est aussi un peu une défaite du corporatisme qui fermait la porte aux jeunes sous prétexte d'inexpérience.

Paul : Le seul architecte actuel serait écrivain : « Un événement parmi d'autres a beaucoup révolté : par un geste d'avant-garde un architecte a décidé que son projet réel serait un texte. Il a trouvé que puisqu'un bâtiment se réduit à un ensemble de lettres plaquées sur un hangar (Euromarché, Shell), autant limiter la taille. Les gestionnaires furent un instant ravis : quelle économie. »

M.D. : Au lieu de jouer, regarde bien quelle est la fonction du texte d'architecte aujourd'hui. Plus de description rationaliste, ni de discours incantatoire à la mode de Le Corbusier. L'architecte s'est aperçu qu'il n'est pas nécessaire que le texte suive le dessin, et qu'au contraire il peut donner un esprit général, une poésie, les nuages de l'imagination qui ne rempliraient pas assez le ciel. Il parle dans son coin pour donner une ambiance, en tout cas quelque chose qui démontre une capacité à rêver littérairement. Le texte, comme le dessin tendent vers leur présentation, l'un et l'autre ne nous parlent que d'eux-mêmes. Du coup, il n'y a plus d'analyse de contenu possible. Pas de renvoi du texte au dessin, pas de traduction ou de transmutation de l'un dans l'autre. Tout juste une complémentarité, et encore. Deux œuvres marchant ensemble, ou l'une à côté de l'autre,... ou sans l'autre.

Paul : Savez-vous que des équipes d'architectes ont engagé des philosophes ? Un atelier espagnol avait eu son poète, un autre s'est attaché les services d'un homme qui leur parle de la multitude. Un paysagiste s'éveille à la parole doxique à l'aide d'un enseignant.

M.D. : C'est une solution stratégique. Si les architectes se mettent à écrire, alors que vont devenir les spécialistes de l'écriture ? Autant travailler avec eux. Le risque est moindre. En fait, il semble qu'il y ait bien des hiérarchies dans l'accès à l'écriture. C'est en construisant que l'on obtient le droit de plume. Et puis les critiques aiment malgré tout disposer de quelques textes d'architectes; une fonction rassurante sans doute. Enfin, il y a des gens qui veulent séparer la parole de la science (la théorie) de celle des architectes qui, sans construire, remplissent les revues de choses intermédiaires que je nommerai sans polémique pseudo-recherches.

Ph.L. : Un combat d'arrière-garde est mené par la critique : mais bon sang, que les architectes construisent, qu'ils laissent l'écriture à ceux qui savent ce que c'est !

M.D. : Si encore elle disait cela. Mais non. Elle-même n'arrive pas à parler de l'architecture, des œuvres elles-mêmes. Seulement un discours mondain, incapable de nommer un sens de l'œuvre avec un tant soi peu de précision. Un critique de cinéma ferait mieux.

Ph.L. : La prévision hugolienne s'est donc parfaitement réalisée : le texte a assurément tué l'architecture, non pas parce que les édifices sont devenus insignifiants, mais seulement parce que, conscients qu'ils sont discours, ils ont pris la forme d'un texte.

Paul : Encore Victor Hugo !

M.D. : Au début du XXᵉ siècle de nombreux mouvements artistiques se sont fait connaître par l'écrit. Déjà le commentaire de la critique était sinon l'œuvre du moins sa condition. De là vient que les architectes se sont dit qu'il était préférable de faire soi-même sa propre publicité et puis, tout compte fait, de signer un texte plus qu'un projet.

Ph.L. : C'est toujours dans les périodes de crise que les architectes écrivent. Ils ont le temps.

M.D. : Vous avez raison. Je trouve que les architectes écrivent d'ailleurs assez bien. Ils savent ce que c'est qu'une œuvre.

Ph.L. : Des études ont montré que la carrière professionnelle était bien plus rapide, à relations égales, si l'architecte savait écrire, et faire parler de lui.

M.D. : Oui. Mais le noyau dur de la profession est toujours réfractaire à la démarche, reprenant les vieilles formules injurieuses du type « ces gens qui ne savent même pas monter trois briques l'une sur l'autre ».

Ph.L. : Bizarre quand même que le texte ait permis l'accès au marché réel de la construction. Vous voyez bien à nouveau le trouble : où est l'architecture ? Dans le texte, le dessin ou le bâtiment réel ? Si le texte sert de qualification professionnelle et de carte de visite, alors c'est bien ce qui définit l'architecte et l'architecture.

M.D. : Je reviendrai une dernière fois sur les tentatives de révolte : déjà Viollet-le-Duc reprochait leur ignorance à ceux qui dessinaient sans savoir quels matériaux allaient être utilisés. C'était sans raison : la pierre calcaire se modelait très bien à tous les dessins. Signe avant-coureur du désastre. Plus tard F.L. Wright puis Kandinsky voulurent repartir de la nature des matériaux et, à la limite, en supprimant le dessin : palper la matière pour en exprimer l'être, court-circuiter le dessin. La belle affaire ! J'espère que vous avez compris : si le dessin est aujourd'hui l'architecture, alors l'architecture est le dessin, et, faire un projet, c'est construire un bâtiment réel; construire un bâtiment, c'est le dessiner.

Propos recueillis par Alain Guiheux.

WIJDEVELD architecte hollandais
Perspective frontale du projet de théâtre dans le Vondelpark à Amsterdam
47 × 80 cm, 1919 Nederlands Documentatiecentrum voor de Bouwkunst,
Stichting Architectuur Museum, Amsterdam.

LA FILLE PRODIGUE

LE DESSIN D'ARCHITECTURE COMME INSTRUMENT DES LUTTES URBAINES

À BRUXELLES, L'ATELIER DE RECHERCHE ET D'ACTION URBAINES (ARAU) A JOUÉ DEPUIS UNE DIZAINE D'ANNÉES UN RÔLE EXEMPLAIRE DANS LA RENAISSANCE DU DESSIN D'ARCHITECTURE ET A MIS AU POINT UNE VÉRITABLE STRATÉGIE DE L'IMAGE ET DE SON USAGE DANS LE CADRE DES LUTTES URBAINES.

——MAURICE CULOT——

O*n s'occupe depuis deux ans des embellissements de Bruxelles. L'intention est louable; voyons comment elle a été exécutée jusqu'à présent! En ce genre tout bourgeois éclairé a le droit d'énoncer son jugement, ses idées, d'applaudir à des projets sensés, et de donner à réfléchir sur ceux que la saine raison condamnerait. Quelquefois même il peut le croire au rang de ses devoirs. Des changements ne sont pas toujours des embellissements, et souvent des embellissements sont loin d'atteindre leur but.* Sur les embellissements de Bruxelles. Mémoire inutile sur des objets importants, en janvier 1821 par le Sieur Van***, bourgeois de la ville[1]. Le sous-titre donné par l'auteur (presque) anonyme de ce pamphlet indique à souhait le peu d'illusions qu'il nourrit, sur l'accueil que les pouvoirs publics réserveront à sa pertinence critique. Il s'inquiète du fait que la plus grande partie des embellissements promis à sa ville «n'existeront jamais que dans la stérile abondance de l'imagination vague et erronnée de ceux qui en ont conçu et adopté les projets»; ce bourgeois de Bruxelles pourrait figurer, sans aucun doute, dans la galerie des portraits rassemblant Quatremère de Quincy, dictateur dans la république des Arts; Jean Chesneaux, exorciste de l'inéluctable; Aurelio Mercuri et la Coopérative de Lamezia Terme; Immanuel Velikovsky et ses théories cosmiques; Quinlan Terry, maître du classicisme; les paysans du Larzac; Manzano Monis, patient reconstructeur de Fontarrabie; le mouvement anti-nucléaire; William Morris et ses écrits politiques; Georges Bernanos contre la France des robots; Jean Clair considérant l'état des Beaux-Arts; Léon Krier, commandeur de la ville européenne; Hannah Arendt et

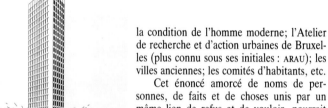

la condition de l'homme moderne; l'Atelier de recherche et d'action urbaines de Bruxelles (plus connu sous ses initiales : ARAU); les villes anciennes; les comités d'habitants, etc.

Cet énoncé amorcé de noms de personnes, de faits et de choses unis par un même lien de refus et de vouloir, pourrait constituer en lui-même un manifeste contre la domination de la modernité et le programme d'une résistance enracinée dans toute l'histoire des hommes et pas seulement dans une génération; il pourrait encore être le symbole de la force du rejet d'un déterminisme, dont on ne prend même plus la peine de déguiser la tragique finalité; ou, enfin, le code et le signe de ralliement contre «une modernité qui s'est muée en merdonité[2]» et a «basculé de la quête culturelle au quadrillage social omniprésent [...], qui est passée de l'éphémère à l'inerte, du scintillement à la norme, de l'attrait à la contrainte, du non-conformisme au conformisme[3]», ou, plus précisément, du non-conformisme individuel au non-conformisme de masse. De ceci, il ne faudrait pas déduire hâtivement que l'enjeu peut se régler dans une joute intellectuelle de haut niveau — la valeur de l'exemple n'est heureusement plus cotée en bourse — mais bien que se pose avec une insistance lancinante le problème de la résistance, et partant, celui du projet.

Seconde nature de l'homme, la ville traditionnelle, tout historique en mouvement, est par excellence le projet fédérateur de la civilisation européenne. Elle est pourtant devenue aujourd'hui un objet de ressentiment, la mauvaise conscience d'une déchéance qu'en désespoir de cause certains appellent de tous leurs vœux, comme pour être débarrassés du

IRONIMUS
pseudonyme de l'architecte autrichien Gustav Peichl
pour sa production satirique, *« Brutalisme » ou l'irruption*
de la tour de bureaux de « Style international » dans un quartier traditionnel, 1976.

poids d'un crime affreux. Dans cette attente inquiète se perpétue le rituel d'un sacrifice devenu quotidien et banal, placé sous les auspices de doctrines figées par une morale de la culpabilité (copier c'est voler, imiter c'est s'abaisser, retourner en arrière c'est fasciste, etc.) à côté desquelles la bonne vieille morale petite-bourgeoise fait figure de libéralisme éclairé.

La destruction des cités millénaires ne fut cependant pas évidente sur le coup, car pour la première fois dans sa tumultueuse histoire, l'homme avait affaire à un ennemi qu'il ne connaissait pas, avec qui il n'avait jamais été confronté, un expert en stratégie de la fragmentation, de l'éclatement, de l'isolement. Dès lors, il fallut souvent l'irréparable pour que la réaction naisse, que les citoyens s'organisent et découvrent — oh! stupeur — le *deus ex machina,* qui, à la surprise et l'embarras de plus d'un, se révéla n'être ni capitaliste ni communiste, mais une étrange créature à tête ogivale, au corps fait d'un entrelacs d'objets industriels futiles, fragiles, coûteux et qu'on appelait tantôt Evolution, Progrès, Modernité...

Les affrontements qui opposent dans la plupart des villes d'Europe ces citoyens au pouvoir de l'argent, à la bureaucratie, à l'inculture sont révélateurs de la détermination de l'assaillant. La crise économique n'est qu'une étape dans le redéploiement des forces pour mieux concentrer les feux sur les bastions d'une résistance devenue intolérable. Il peut, dans cette entreprise, compter sur l'appui de son dévoué Golem : la modernité. Hier, le pire des tyrans cachait ses sombres desseins à l'abri d'une façade classique à l'enseigne de la perfection et de la grande culture; aujourd'hui le dictateur, rendu prudent, joue le séducteur, le jeu cruel de la jeunesse toujours changeante, de la mode. Cette empoignade urbaine, toute inégale qu'elle soit, suppose un minimum de partenaires. A ma gauche, les comités d'habitants; à ma droite, le monde de la finance, les promoteurs privés et publiques, leurs architectes et ingénieurs, les hommes politiques. Selon l'heure et le lieu, on y ajoutera différents ingrédients : l'attention de la presse, l'attitude des syndicats, un intérêt culturel plus ou moins développé, etc. Mais, si l'on évoque le projet et son double — le contre-projet — alors il faut bien inviter l'architecte, l'auteur de projet, à se présenter sous les feux de la rampe. Monsieur X, architecte de son état, fait partie d'une majorité silencieuse et agissante, il prétend inscrire son travail dans l'Esprit de son temps, il se veut résolument moderne et est convaincu de la fatalité globalement satisfaisante du Progrès. Celui-là, le prédateur de la ville traditionnelle, sera notre homme. Le langage courant désigne par «architecture moderne» une réalité en rupture avec le monde commun, familier. Et dans cette faille, dans la mise en ordre que cette autre réalité parallèle sous-tend, l'idéologie totalitaire trouve une occasion de poser un jalon de sa dramatique dualité : d'un côté l'individualité toute puissante celle qu'exprime le concept de *créativité*[4] et son contraire, la foi dans la technique, le rationalisme industriel comme projet de société, la construction comme objectif, etc.

Adolf Hitler, le dernier des grands romantiques, individualiste forcené, voyait dans ses phantasmes l'image, la fiction d'une société intégrée tenue par la propagande et la terreur et à laquelle chacun se conformerait. Son architecte, Albert Speer, y donnait forme dans une architecture monumentale parfaitement classique et, en même temps, il dessinait les machines géantes destinées à l'industrialisation de l'habitat portée à l'échelle d'une Europe soumise à la technique; autrement dit,

l'individualité (la chancellerie, le plan de Berlin, ...) et son reflet (les usines Hermann Goering, les camps de concentration, ...). Couple machiavélique qui cherche l'asservissement de la masse par l'industrie et la norme triomphante, par une idéologie et une sociologie qui valorisent la totalité sociale et lui subordonne totalement l'homme.

La sirène dualiste a toujours été une diva dans le théâtre de l'architecture, on sait désormais qu'elle est mortelle lorsque la relation (et non l'asservissement) de l'homme à la nature — peu importe la définition que l'époque lui confère — est niée, bafouée, car alors l'architecte perd son statut d'homme du centre. Quand Mies van der Rohe propose aux nazis de poursuivre l'expérience du Bauhaus sous sa direction, cela ne signifie évidemment pas que le célèbre architecte est devenu lui-même un adepte de l'Ordre Nouveau, mais bien que l'«architecture moderne», en faisant serment d'allégeance à l'industrie et en répudiant nature et dimension de l'homme, ne tenait plus le milieu du village et entamait une douloureuse errance. L'architecte piégé ne pouvait plus se contenter de vagues préférences politiques utiles à l'exercice de son art, sans pour autant le rendre dépendant; il dut désormais choisir son camp haut et clair, pour ensuite veiller à ce qu'idéologie et architecture coïncident ou fassent semblant. Le portrait de l'artiste en homme politique est un genre dangereux : que de sottises ont été proférées par des prix Nobel au nom de la science couronnée; dans ce rôle, l'architecte résolument moderne ne fait guère meilleure figure et la caricature l'épingle sous la légende : la Voix de son Maître; même si, de nos jours, ce maître est rarement un tyran sanguinaire et, le plus souvent, un Zeitgeist débonnaire et paternel.

Au milieu d'un cercle d'architectes, il n'est pas rare d'entendre que la charte d'Athènes aurait été trahie, la pensée de Le Corbusier, son génial auteur, déformée. Bien appliquée elle aurait, à les écouter, donné des résultats probants. Entendez que si l'on avait donné carte blanche aux architectes, que si la politique et les gros sous ne s'en étaient pas mêlés, tout eût été pour le mieux. Impudente impudence de l'artiste en col blanc. La charte d'Athènes est un monstre indivisible. Dire que tout n'y est pas condamnable appartient au syllogisme, puisque les auteurs l'ont conçu comme un ensemble cohérent. Il consigne la pensée d'une poignée d'architectes qui souhaitaient et pensaient, à juste titre, refléter les espoirs de leur époque. Ils étaient convaincus du caractère inéluctable de l'industrialisation et des progrès linéaires *ad libitum* qu'une telle société engendre; l'adhésion à la charte constituait la carte de visite de l'architecte collaborateur, de celui qui s'offrait sans résistance au nouvel ordre industriel. Aux habitudes (de habiter), à la nature humaine, l'*homme moderne* oppose l'ordre comptable (le piéton séparé de la voiture dans la ville nouvelle), revendique le droit à la poésie (ah! les architectes poètes!), mais impose le port de la prothèse : à chacun d'assumer sa part de transport privé et public; deux jambes bien constituées et la marche à pied sont devenus l'apanage de l'handicapé, du laissé-pour-compte.

Les résultats n'ont pas toujours été purs et radieux, les démiurges auraient été abusés; c'est oublier que de toute manière, politique ou pas, carte blanche ou pas, les résultats n'auraient jamais trouvé, ne trouveront jamais grâce à leurs yeux, car le propre du concept industriel et de son soutien logistique culturel, l'avant-garde moderniste, est justement de

1 - Paru à Bruxelles en 1821, chez Adolphe Stapleaux, Imprimeur-Libraire du Roi et de SAR le prince d'Orange.
2 - Michel Leiris, « Modernité/Merdonité » *in : Nouvelle Revue Française,* octobre 1981 (cité par J. Chesneaux).
3 - Jean Chesneaux, *De la modernité,* Paris : Maspero, 1983.
4 - *Creativity ;* le mot fut inventé aux USA dans les années 1950. Il répondait à un objectif précis : mettre en compétition les créateurs, architectes, ingénieurs, designers mais aussi les vendeurs, représentants d'une firme en vue de sélectionner les meilleurs et éliminer les moins performants.

détruire et de dénigrer l'objet adoré de la veille. Consommation oblige et l'objectif de cette société nouvelle n'est pas l'harmonie du monde, mais son opposé : en faire un chantier permanent et ce, par tous les moyens y compris la guerre; l'idée de perfection devenant haïssable.

Lorsqu'en 1968, à Bruxelles, en pleine dévastation urbanistique, l'Atelier de recherche et d'action urbaines[5] se créait, ses fondateurs et moi-même estimions, en toute bonne foi, que l'architecture moderne avait été jusqu'alors mal utilisée, déviée de ses buts par quelque esprit malin, mais qu'il devait y avoir moyen de l'infléchir. Il nous fallut peu de temps pour comprendre ce que cette proposition avait d'hérétique, et qu'architecture et urbanisme modernes n'étaient jamais innocents, mais conçus dans leur essence comme des outils de domination des populations. Ils impliquent l'homme doté de béquilles pour le peu qu'il lui reste d'éternité. L'automobile, objet de plaisir par excellence, fut convertie en supplice quotidien pour la majorité et après avoir appelé — entre deux guerres industrielles — l'avènement de la machine libératrice, on propose aujourd'hui, ultime raffinement de l'ère de la fragmentation, le travail à domicile (de préférence dans une ville nouvelle) devant un banc électronique personnalisé (revival sophistiqué de la machine à coudre à la maison).

Le champ d'application des élucubrations futuristes avait, faut-il le dire, été soigneusement balisé par l'idéologie de la *zone*, de la séparation des fonctions qui en découle, des déplacements obligatoires, de la consommation de véhicules et d'énergie aussi bien que de vastes territoires urbains et ruraux. L'*architecture moderne* de son côté, procédait des mêmes gaspillages : utilisation insensée de matériaux énergétiquement coûteux à produire, entretien aléatoire des édifices (les grands vitrages ouvrant sur la tristesse d'autres grands vitrages...). L'affirmation péremptoire, le « je suis moderne » suppléant à la confusion d'un discours contradictoire et changeant où l'on propose, par exemple, un châssis aluminium « pour l'éternité », le même étant placé dans des constructions bâclées dont la seule véritable innovation est de se transformer rapidement en taudis modernes irrécupérables. La liste des errements techniques et des discours fourchus est inépuisable, pourtant; c'est le point de vue éthique qui condamne irrémédiablement l'architecture moderne à sa fatalité tyrannique.

En optant pour l'abstraction, c'est-à-dire en refusant le secours de tous les codes établissant un consensus entre l'homme et la Nature dans son insaisissabilité, les architectes savaient qu'ils pouvaient se soustraire à la critique et ramener tout jugement à une affaire de goût personnel (le « j'aime/j'aime pas » érigé en formule suprême). Versailles peut désormais être présenté comme un monument répressif, alors que son architecture se donne à lire au plus simple des paysans et s'offre à l'étude du plus érudit des amateurs. Tandis que l'architecture moderne, derrière ses lunettes fumées de colonel putschiste fait régner l'ordre dans les prisons paysagères, organise le savant chaos des villes nouvelles, jette l'énergie par les fenêtres, pratique l'art de la domination et se voit auréolée des vertus de la spontanéité, de la fraîcheur, de la joie de vivre... bref de l'*Imagination*.

L'abstraction n'est donc pas innocente, elle a pour mission de semer la confusion émotionnelle. En rejetant l'acquis des traditions, leur universalité, tant en matière de construction des villes que d'architecture, en mettant dans le même sac de

dédain et d'indifférence les erreurs et les réussites qui émaillent deux mille ans d'histoire, la modernité détruit sciemment tout un système de références universellement compréhensibles ou pour le moins familières à tous. L'artiste « moderne » y a gagné de ne plus être jugé par ses pairs ou par l'amateur éclairé par les arts; mais du même coup — amère victoire — il s'expose à l'arbitraire de maîtres ignorants, brutaux et bien plus exigeants que ceux d'hier, à des « clients » dont la médiocrité n'est plus tenue à distance par le respect dû à toute culture transmise avec intelligence de génération en génération. L'alliance entre la société productiviste (militaro-industrielle est plus correct) et l'abstraction met en cause l'idée de Nature et toute idée de lien transcendantal entre l'homme et la ville. Banlieues désarticulées, centres éventrés, rivages lotis,... disent pourtant à suffisance que le concept de Nature est moins que jamais inscrit dans une attitude de régression anthropologique. Résistance et projet. Il est aujourd'hui des hommes fiers, libres, responsables qui ne mendient pas les prothèses, affirment que la condition humaine doit continuer à se dépasser dans la pierre et la ville, plutôt que dans l'art raffiné de la bureautique et la beauté métaphysique des fusées nucléaires.

En mai 1968, les écoles d'architecture votaient à l'unanimité la mort d'une cantinière : Madame Image. Elle leur avait pourtant rendu de fiers services, en mettant en valeur, sans jamais rechigner, des projets pas toujours à la hauteur de leurs ambitions; elle n'avait pas lésiné sur les perspectives, les rendus enlevés, les effets de manches graphiques accrocheurs. Rien n'y fit, en ce mois d'illumination spirituelle, les techniques de représentation traditionnelle de l'architecture étaient au banc des accusés et jugées comme autant d'ennemis du petit peuple en lutte contre les mandarins et les vilains capitalistes. Image, la femme fatale, l'enjôleuse et ses compagnons de fortune (la copie, l'imitation, le classicisme, le pastiche,...) furent traqués comme autant de prostituées et de voyous, chassés du jour au lendemain du Temple des Vrais Amis du Peuple. Fièvre quarte et flambées pavloviennes avaient, dans ce mois du blanc muguet, poussé leurs miasmes dans les lieux traditionnellement voués à l'étude studieuse des proportions, des ordres, des modénatures, du génie des grands maîtres. A la compagnie des Muses dont la perversité venait d'être percée à jour, on préféra la tranche de vécu (y a-t-il un ouvrier dans la salle ?) la sacro-sainte indépendance d'esprit fut sacrifiée au profit d'une communion collective, d'une messe destinée à faire apparaître l'ectoplasme, à porter la déesse bien-aimée au pouvoir : l'Imagination, Alleluia !

« Dialoguons » disait un joyeux luron en bonnet phrygien à la foule incrédule. « L'architecture vous concerne » hurlait un autre devant le silence consterné de quelques âmes bien nées qui n'y voyaient qu'une profession, toute honte bue, faire le trottoir pour ramasser les miettes de la commande et assassiner au passage quelque méchant vieillard. Tout était désormais dans tout et réciproquement rien dans rien, pour cette malheureuse Mère de tous les Arts en proie à son Mers el-Kébir.

C'est la faute à l'image si tu vis dans une cage
C'est la faute au dessin si ta ville vaut plus rien

L'informatique, la sémiologie, la sociologie, la « participationite » aiguë se poussèrent au portillon pour succéder à la belle défenestrée. Il est vrai, à décharge des régicides, que la Dame était aussi à l'époque en curieuse compagnie. Mannequin à l'agence de Fred Creativity, reine des années folles (les

5 - L'Atelier de recherche et d'action urbaines, plus connu du public bruxellois sous ses initiales, l'ARAU, a été créé en 1968 par un petit groupe d'habitants inquiets devant le phénomène accentué de dégradation physique et sociale des quartiers. L'ARAU, mène depuis 15 ans une réflexion approfondie sur la ville et aborde chaque année au sein d'une session publique des thèmes d'actualité : problèmes de la fusion des communes, des immigrés, des transports publics, etc. L'ARAU apporte régulièrement un soutien logistique (fabrication de contre-projets, stratégies de la négociation, etc.) aux comités d'habitants de la capitale belge. Un ouvrage a été publié en 1984, retraçant l'histoire et les lignes d'action de l'association (secrétariat : rue Gatti-de-Gamond 204, Bruxelles 1180).

vraies, celles des années soixante), on la verra offrir aimablement ses appâts quadrichromiques sur papier glacé à qui lui en fait gentiment la demande; travailler pour les plus grands, fréquenter la Défense à Paris, un certain Mériadec à Bordeaux, valser au Manhattan de Bruxelles... Délaissée par les rejetons ingrats de ceux qui avaient été ses prétendants les plus assidus, elle se fit entretenir, servit des fins roturières, se commit dans des prospects obscènes, fit le tapin aux Halles, joua dans des superproductions pornographiques. Dans cette déchéance, des amis, des amants ne désespéraient pourtant pas d'elle. Ceux-ci, à sa grande surprise, l'installèrent sur les barricades, lui donnèrent un fusil. Derechef elle retroussa sa jupe, dénuda un sein (elle connaît ses classiques), brandit l'oriflamme et entonna :

Ah! Ca ira, ça ira, ça ira
Les modernistes à la lanterne
Les modernistes on les pendra.

On ne en lui demandait pas tant, mais elle avait tant de choses à se faire pardonner... J'eus à cette époque la chance de faire sa connaissance, nous nous liâmes d'amitié, elle initia mes étudiants (j'étais professeur), prodigua ses conseils et finit par reprendre du service dans les luttes urbaines.

Bruxelles, mars 1968, la firme ITT propose de construire une tour de 30 étages au-dessus du site de l'abbaye de la Cambre. Juin 1968, le ministre de la Justice se propose d'exproprier le quatier des Marolles pour étendre ses bureaux. C'est l'âme du vieux Bruxelles qui est menacée. Un symbole. Juillet 1968, le promoteur qui vient de raser les 50 hectares du quartier Nord (10 000 personnes déplacées) pour construire 60 tours de 100 mètres de haut, s'attaque au cœur de la ville et propose de construire un parking et une galerie commerciale à 100 mètres de la Grand'Place. Août 1968, le ministère des Travaux publics propose un réseau de routes express tracé à travers les quartiers,... Même pour une petite capitale de province avide de suivre la mode made in USA, c'en était trop. Près d'une centaine de comités d'action verront le jour en l'espace de quelques mois pour faire échec à ces projets. Inquiets devant la destruction physique et sociale de leur ville, attentifs aux risques de réactions égocentriques, quelques amis (sociologue, syndicaliste, avocat,...) se rassemblaient de leur côté au sein de l'Atelier de recherche et d'action urbaines, afin de mener simultanément une réflexion en profondeur sur le sens de la ville et apporter un soutien logistique aux habitants en lutte. Condensée à l'extrême, leur thèse est que la ville doit être habitée, que la ville donne du pouvoir aux habitants.

Bien qu'ayant présenté, de 1968 à 1984, près d'une centaine de contre-projets, souvent très élaborés, l'ARAU s'est toujours défendu de prendre position directement en matière d'esthétique et d'art; pourtant, en s'attachant à définir un concept du *retour en arrière*, l'ARAU a joué un rôle exemplaire dans la renaissance du dessin d'architecture et a mis au point une véritable stratégie de l'image et de son usage. L'association composée essentiellement de non-professionnels a entretenu, dès son origine, des rapports continus avec d'autres groupes et personnes poursuivant des objectifs similaires à l'étranger. Léon Krier fut ainsi un des interlocuteurs privilégiés et vint à plusieurs reprises faire état de ses théories et projets sur la reconstruction de la ville européenne sur la base pérenne du *quartier complexe*.

L'aspect de plus en plus *familier* des contre-projets présentés par l'ARAU (ils sont réalisés sous son contrôle par des amis architectes, des étudiants, des stagiaires étrangers) trouve une première explication dans le pragmatisme même d'un programme conçu au sein de l'expérience urbaine vécue, analysée, confrontée, théorisée (préférence pour la rue, les gabarits traditionnels, les alignements continus, le mélange des activités); et dans le refus absolu du gaspillage énergétique, puisque celui-ci implique le renforcement des politiques nucléaires et aggrave les risques de répression (autrement dit, plutôt la fenêtre verticale que le grand vitrage horizontal, plutôt les matériaux éprouvés par le temps et l'usage que le béton, l'aluminium, les plastiques, etc.). Mais les contre-projets sous-tendent aussi sciemment une volonté affirmée de maintien, de reconstruction d'un cadre bâti réaliste, puisque l'expérience des luttes a démontré que les structures urbaines traditionnelles, celles de tous les jours, sont plus efficaces pour la mobilisation des populations et leur organisation que la ville éclatée en zones où l'habitant confronté à un univers fragmenté, perd rapidement l'occasion de saisir l'ensemble; se provincialise, devient la victime désignée des *experts* et s'isole dans les transports.

Les dessins les plus récents produits par l'ARAU montrent une évolution non seulement vers un mimétisme archaïque mais aussi vers une forme classique (à ne pas confondre avec le style du même nom), dans le sens où les projets tendent à exprimer l'universel à travers un particulier lucidement connu et analysé. L'époque néo-classique considérait que la perfection appartenait au passé, à l'histoire, mais c'était là une attitude acquise dans l'interrogation artistique, scientifique, philosophique et non dans un bras de fer monumental avec les forces de l'oubli. A nouveau aujourd'hui et en opposition radicale avec la manière de l'avant-garde, les luttes urbaines dégagent lentement mais sûrement une revendication vers un idéal de perfection dont le modèle est dans la connaissance du passé et qui trouve sa détermination, dans le refus quotidien du fatalisme. Le moyen de viser à cette perfection est moins dans l'art que dans la politique. Mais celle-ci, c'est le fait nouveau, passe par le vecteur de l'image. La boucle est ainsi bouclée, le retour en arrière n'est pas seulement un acte de refus, un acte de foi dans la force de la nostalgie; c'est un projet de reconstruction du monde, de la ville, de l'architecture à l'identique. Et comme dans tout projet de *reconstruction à l'identique*, le résultat est à la fois familier et différent. Ainsi furent toujours reconstruites les villes artisanales, ainsi furent-elles chaque fois nouvelles et anciennes. Mais ce résultat extraordinaire, transcendant, ne fut jamais un objectif en soi. Ne pas trahir la nature de la ville était la règle, que l'on reconstruise en damier (Lisbonne, Rennes) ou selon des tracés existants (Bruxelles, Luxembourg).

Cela étant dit, traiter du problème de la ville, de l'architecture supposera, certes plus que jamais, d'évoquer en vrac des difficultés économiques, des changements éthiques, des modes de vie en évolution, des fatalités qu'entraînent la concentration des populations pauvres, les nécessités du trafic ou encore l'absence de structures juridiques et financières adéquates. Mais les citoyens conscients et responsables, impliqués dans cette matière savent maintenant, puisqu'ils sont amenés à développer des approches intégrées, que la situation actuelle porte en filigrane la perspective d'une crise à venir, dont l'ampleur est déjà prévisible à moins de changements d'orientation importants. En effet, pour la première fois dans l'histoire des hommes, le monde de la construction connaît désormais une limite physique dans le temps et l'espace. L'ère des grands programmes d'équipement, des vastes opérations immobilières, des lotissements à perte de vue, de l'accaparement des campagnes et des côtes arrive à terme prochainement, et elle ne pourra recevoir un nouveau mandat au risque de voir des équilibres fondamentaux définitivement rompus. Qu'il faille à présent prévoir un redéploiement de l'appareil productif est chose acquise dans les esprits; encore faut-il qu'un tel bouleversement s'inscrive dans un projet susceptible d'être compris et porté par une volonté politique. Dans un cas comme dans l'autre, tous ceux qui sont impliqués dans la résistance à la fatalité du Progrès vont avoir des responsabilités et un rôle de plus en plus important à jouer. Et s'ils le désirent vraiment, rien ni personne ne pourra les en empêcher. Soit, au pire, qu'il s'agisse de tempérer des pressions de plus en plus fortes générées par les processus de régionalisation; soit, au mieux, qu'il s'agisse d'investir et de participer à la définition d'un projet alternatif dans lequel le passé ne serait pas considéré seulement comme un héritage mais comme le moteur d'une méthode et d'un travail théorique en vue de récupérer à notre profit les acquis de la culture artisanale. Car de toute manière, admettre que la société industrielle à outrance a atteint des limites à ne pas franchir (elle peut certes résoudre rapidement des problèmes simples — un TGV, une centrale, l'installation de fusées —, mais ne peut recréer des situations complexes telles que la ville les engendre); c'est aussi accepter que son *alter ego*, la société artisanale, doit être questionnée à nouveau. En se remémorant que toute décriée qu'elle soit, elle n'en a pas moins, pendant des siècles, reconstruit correctement et rapidement des milliers de villes détruites ou endommagées. Qu'on ne s'y trompe pas, il ne s'agit pas d'entamer le compte à rebours, mais bien de reprendre en main un outil et une science abandonnés trop hâtivement.

Ce long préambule commande une chute brève qui nous amène à élire le dessin de l'année : celui qui sert le mieux la résistance à la modernité et au projet de ville. Prenons un cas de figure : le dessin comme illustration d'un contre-projet présenté à l'occasion d'une conférence de presse. Il doit exprimer au premier coup d'œil sa vocation de conservatoire vivant de la culture artisanale et annoncer sa renaissance. Dessin parlant, il s'exprime par la convention; la fenêtre verticale avec batée et châssis ouvrant en bois, la corniche saillante, la descente d'eau, la toiture à versants, les matériaux traditionnels épèlent : é c o n o m i e, i n t e m p é r i e s, o m b r e   e t   s o l e i l. Il signifie que l'entretien, le peintre et sa chanson, le plombier et son chalumeau, le couvreur et son échelle, le menuisier et son rabot seront toujours les bienvenus longtemps, longtemps après que les premiers habitants se seront installés. On sentira même la présence de la machine dans la raideur des premières réalisations, dans un soubassement en pierres trop parfait, une toiture trop rigide... car la résistance ne vise pas à la suppression des mauvais maîtres mais à leur éducation. L'invention (et pourquoi pas?) verra son domaine cantonné au détail iconographique : le profil d'une corniche, d'une moulure, le dessin d'une gargouille, la division d'un châssis. La spécificité, le génie du lieu, la couleur locale si vous préférez pourront aussi faire leur miel en puisant dans les habitudes les plus sympathiques : volets à persiennes ou

projetées à l'italienne, balcons ou bretèches des pays du Nord, tuiles ou ardoises, coloris, verticalité des descentes d'eau, horizontalité des cordons, etc.

Le processus de reconstruction des arts étant à ses débuts, on n'exigera pas que peinture et sculpture retrouvent immédiatement leur place sous l'aile tutélaire de l'architecture; par contre, s'étant donné la perfection dans les buts à atteindre, on acceptera tout naturellement qu'elle ait déjà été acquise dans le domaine de la forme et de l'espace par les générations qui nous ont précédés. On jugera donc sur le caractère judicieux et approprié des choix. L'automobile doit être représentée au moment de ses plus belles heures, rappelant de la sorte que sa vocation est d'être objet de luxe et de plaisir et non une corvée quotidienne. Les ustensiles de la rue eux-mêmes, bancs, lampadaires, grilles, bornes, fontaines, sont recherchés dans le meilleur de la production du XVIIIe et du XIXe, voire première moitié du XXe siècle, moment de leur apogée où ils étaient encore, bien que produits en série, conçus dans une relation dialectique avec la ville et son architecture. Qu'ils écrasent donc de leur supériorité le design italien et ses *boules* lubriques, les bacs à plantes en asbeste ciment ou béton «architectonique», les piétonniers aux sols incongrument chamarés, les bacs à papiers personnalisés, les «sanisettes» européennes, etc.

Quant à sa présentation, sa participation à la résistance exige la sobriété évocatrice : la rigueur du trait noir (surtout pas de demi-teinte) destiné à être figé dans le cliché au trait des quotidiens. Adieu les envolées lyriques, les esquisses au fusain, l'estompe, le rendu fougueux. La démonstration exige la précision sans manière, et la mise à l'encre donne toujours lieu à des débats passionnés sur les qualités respectives des plumes et autres outils au nom barbare : rapidographe, hachurateur,... Letarouilly, Schinkel, Percier et Fontaine sont les maîtres chez qui l'on se précipite en cas de doute et soyez assurés que le cadet, Léon Krier, ne refuse jamais un coup de pouce. La manière de représenter trouve aussi ses préférences, l'axonométrie entière ou éclatée plutôt que les perspectives et les élévations, puisque cette technique permet de faire comprendre un projet en un seul dessin (et comme l'on sait que les hommes politiques ont peu de temps à perdre...). Enfin, pour l'édification, pour le coup de Jarnac, on aura recours à la méthode des parallèles qui consiste à présenter à même échelle et dans un même graphisme un produit de la société industrielle avancée en opposition avec un autre de la culture artisanale. Ici David peut faire des miracles, et on se souvient encore dans le Landerneau d'un parallèle fameux où Léon Krier présentait côte à côte la silhouette en forme de robinet géant du nouvel édifice projeté pour le Parlement européen et la fine silhouette de la ville de Luxembourg.

Le dessin n'est donc un mauvais maître que pour les ignorants; des années d'application, sans but, passées dans les Ecoles des beaux-arts avaient dégoûté une ou deux générations du dessin; quelques mois de résistance à l'empire militaro-industriel suffisent pour révéler des vocations, lever des commandos. Mais la victoire n'est pas à portée de main, à portée de notre génération même si «ce qui s'énonce bien se conçoit clairement» (Lacan) et, si le néant était quand même à la clé, nous n'aurions pas tout perdu car notre consolation est immense et personne ne pourra nous lancer en guise d'oraison funèbre : «Que la terre ne leur soit point légère puisque de leur vivant, ils l'ont si inhumainement chargée[6]».

6 - Citation reprise dans l'éditorial de *L'Art moderne* du dimanche 12 novembre 1882 (réimpression, Bruxelles : Lebeer-Hosmann, 1981).

VASARI, BURLINGTON, MARIGNY ET SOANE

QUATRE COLLECTIONS ANCIENNES DE DESSINS D'ARCHITECTURE

DEVENANT OBJET DE COLLECTION, ÉMANCIPÉE DU PROJET QUI L'A CRÉÉ L'IMAGE D'ARCHITECTURE SE RECOUVRE D'UN NOUVEAU SENS. SES COLLECTIONNEURS PRÉSERVENT-ILS CES IMAGES POUR CE QUI PEUT SE LIRE À TRAVERS ELLES ? POUR LES FORMES ARCHITECTURALES QU'ELLES CONTIENNENT ? POUR LA QUALITÉ DE LEURS REPRÉSENTATIONS ? L'ÉTUDE DE CES COLLECTIONS DE DESSINS FAIT APPARAÎTRE LA TRANSFORMATION DE SENS QUE PREND L'IMAGE HORS DU PROJET QUI L'A CONSTITUÉE. CES NOUVEAUX SENS NE LUI DONNENT-ELLES PAS UN NOUVEAU RÔLE CRITIQUE DANS L'ARCHITECTURE ?

—— VICTORIA PIGNOT ——

C'est une maison caractérisée par un haut socle et un ordre dorique à l'étage. Construite pour le général Wade, Lord Burlington en est l'architecte. Selon Scipione Maffei, écrivain historien de l'époque, « cette maison connut un grand succès et fut universellement admirée ». Elle est l'exacte réplique d'un projet non exécuté de Palladio. Burlington, collectionneur, en avait acquis le dessin. Un siècle, sans doute, sépare la naissance de l'image de la construction du bâtiment. Burlington entrevoit dans le dessin de Palladio un avenir mort-né. Il dresse un *projet* passé dont il n'est pas l'auteur. « Il construit un dessin ». Cette situation critique charge de sens l'image d'architecture. Le lieu du projet de Palladio était Venise, Burlington le réalise à Londres. Il reprend les formes architecturales contenues dans le dessin de Palladio et les projette dans de nouvelles circonstances historiques, géographiques et culturelles. La forme architecturale est-elle autonome par rapport aux événements qui l'ont produite et, plus précisément, du dessein qui l'a générée ? L'image d'architecture n'exprime-t-elle qu'un projet de formes architecturales ?

Ce qui constitue la particularité de l'image d'architecture c'est qu'elle est faite par un architecte. L'architecte dresse des plans en vue de la construction d'un édifice. Représentation tangible du projet qu'il a conçu dans son esprit, le dessin permet de l'exposer au commanditaire et de le faire exécuter par les bâtisseurs. L'acte de *projeter* s'inscrit dans une durée; au cours de cette « longue recherche patiente », le dessin revêt diverses formes : de l'esquisse au dessin d'exécution, elle est la trace laissée par les divers états du projet. L'accumulation de ces différentes images en dessine la coupe archéologique.

Si elle prend des formes diverses au cours de l'élaboration du projet, ses codes de représentation sont fixes : vues en plan, en élévation, en coupe, en perspective, en axonométrie. Ces représentations, à part la perspective, exigent une lecture inhabituelle du bâtiment. Le sens que prend l'image dans le projet apparaît clairement : l'image en est sa représentation. Au-delà de cet événement qui la constitue, quel sens prend l'image ? Peut-on oublier sa spécificité et n'y voir qu'un projet de formes architecturales autonomes ? Peut-on ne s'attacher qu'à sa représentation, n'y voir qu'un « beau dessin » et, par là, la confondre avec l'activité picturale ? Si les collections se font le miroir de ces interrogations, peut-être sont-elles aussi à l'origine de ces regards successifs sur l'image d'architecture. Devenant objet de collection, émancipée du projet qui l'a créée. l'image d'architecture se recouvre d'un nouveau sens. Le collectionneur d'images d'architecture est rare. Vasari, Burlington, Marigny et Soane : voici quatre collectionneurs qui représentent des époques et des pays différents. Trois d'entre eux sont architectes. La particularité de l'image obligerait-elle qu'on y soit initié pour s'y intéresser ? Ces collectionneurs préservent-ils ces images pour ce qui peut se lire à travers elles ? Pour les formes architecturales qu'elles contiennent ? Pour la qualité de leurs représentations ? L'étude de ces collections de dessins fait apparaître la transformation du sens que prend l'image hors du projet qui l'a constituée. Ces nouveaux sens ne lui donnent-elle pas un nouveau rôle critique dans l'architecture ?

Dessin de GIULIANO DA SAN GALLO
Projet d'élévation pour Santo Spirito.

La collection Vasari (1511-1574)

Au cours d'un souper chez le cardinal Farnèse, Paolo Giovio révèle le grand projet que lui a suggéré sa collection de portraits d'hommes illustres : composer un traité sur les artistes les plus célèbres depuis Cimabue. Devant cette lourde tâche, Vasari est mis à contribution, mais bien vite il poursuit seul cette entreprise. En 1555 sortent des presses *Les Vies des plus excellents peintres, sculpteurs et architectes*. Un siècle auparavant, un érudit florentin découvre au monastère de San Gall le manuscrit du *De Architectura* de Vitruve. Ce traité, seul ouvrage de l'Antiquité consacré à l'architecture, provoque la re-naissance de l'architecte. Il affirme : « L'architecture est une science qui doit être accompagnée d'une grande diversité d'études et de connaissances ». L'architecte se distingue du bâtisseur parce qu'il conçoit l'édifice dans son esprit. L'architecture est, avant l'art de bâtir, l'art du projet, de l'intention. Cette idée a une expression tangible, le dessin : inscription du projet, du dessein conçu par l'esprit sur la feuille. Du dessin on peut remonter au principe premier dont il est issu : le projet. En italien, un même terme les confond : *disegno*. Pour écrire et retracer la vie de chaque *virtuoso*, tout est recueilli, mais le dessin est la marque la plus précieuse puisqu'il thésaurise l'idée. L'image est collectionnée pour ce qui va pouvoir se dire à travers elle.

Parallèlement à l'élaboration des *Vies*, Vasari forme la première grande collection de dessins : le *Libro dei disegni*, le livre des dessins. Il se divise en recueils, environ dix, dont un est entièrement consacré aux dessins d'architecture. Les pages en sont couvertes recto verso, le nom et, souvent, le portrait de l'auteur se trouvent en bas de page. Tous les grands artistes de la Renaissance y figurent : Brunelleschi, Francesco di Giorgio, Bramante, les frères San Gallo, Peruzzi, Fra Giacondo, Scamozzi. Autour du portrait de l'artiste sont rassemblés les dessins dans le but de fonder le commentaire : les *Vies*. Le *Libro dei disegni* et les biographies forment une seule et même œuvre que l'édition du seul texte va séparer : le *Libro* n'est pas reproductible. A la mort de Vasari, il se défait et se vend. Les images perdent ce sens dont l'écrit les avait recouvertes. Elles deviennent objet d'échange et de commerce.

La collection Burlington (1694-1753)

Burlington demande à Campbell de l'aider à restaurer sa maison de Picadilly à Londres. Cette même année 1717, Campbell publie son *Vitruvius Britannicus* dont les deux figures de proue, Palladio et Inigo Jones, font éclater la réaction contre la manière baroque, et instaurent les débuts du néo-palladianisme anglais. Campbell fait partager sa passion à Burlington qui, conquis, part séjourner à Vicence en 1719. Lors de ce voyage, il découvre à la villa Maser les dessins des thermes romains exécutés par Palladio. L'année suivante, de retour en Angleterre, il acquiert des dessins d'Inigo Jones, de Webb, son associé, et d'autres dessins de Palladio receuillis par Jones au cours d'un voyage en Italie en 1615. On nomme la plupart du temps cette collection, la Collection palladienne. De Jones à Burlington, ils se réunissent tous sous un seul nom : celui de Palladio. L'image est collectionnée pour les formes architecturales qu'elle contient : celles de Palladio et des néo-palladiens. Tous les projets que Burlington va construire se nourriront de ces images. Les plus influentes seront celles des thermes romains dessinés par Palladio, dont on retrouvera les pièces rondes ou ovales dans presque toutes ses constructions. Au-delà de sa collection, Burlington exporte des formes architecturales et les diffuse en reproduisant une partie des dessins qu'il a réunis : il publie des dessins de Jones dès qu'ils sont en sa possession; quant à ceux des thermes romains de Palladio, ils attendront 1730 pour être publiés dans une édition très limitée. Au-delà du contenu originel de l'image, Burlington ne retient que la forme architecturale, il en assure la diffusion et même la construction.

La collection Marigny (1727-1781)

Le marquis de Marigny, frère de Madame de Pompadour, n'est pas architecte. Sa sœur le fait nommer directeur des Bâtiments de France, fonction qui le plongera dans le milieu de l'architecture. Comme beaucoup d'hommes de son époque, c'est un « curieux ». Sa collection réunit des choses aussi hétéroclites que des coquillages, des bijoux, des tableaux, des instruments de physique et de mécanique. Les dessins d'architecture font partie de cet étalage de curiosités. Les auteurs des images collectionnées sont tous des architectes contemporains de Marigny. L'image est recueillie pour être exposée dans le « cabinet de curieux », elle n'a qu'une valeur d'exposition. Ces cabinets suscitent un tel intérêt dans toute l'Europe que des guides les signalent. Ils sont ouverts au public, parfois l'entrée en est payante. Dans ce petit espace où se concentrent objets d'art et produits de la nature, la « vue » joue un rôle bâtisseur. Les choses se présentent les unes à côté des autres de façon à être offertes au regard du visiteur. Foucault parlera du « tableau des choses ». La structure de l'armoire-vitrine permet au collectionneur d'embrasser d'un regard tous ses objets. Entre ces lignes on peut lire le projet encyclopédique qui s'y est glissé. L'architecture en fait partie, elle vient occuper la case qui lui est destinée. Elle côtoie tout ce qui ne la concerne pas, elle ne s'affiche pas comme une catégorie à part. Elle fait partie du « tableau des choses », elle n'est là que pour s'exposer au regard de tous les publics, elle y perd sa spécificité.

La collection Soane (1753-1837)

On présente la collection Soane comme le premier musée d'architecture. On le nomme le Soane's Museum. Soane voulait qu'il soit « l'union des trois arts : architecture, sculpture, peinture ». Il a non seulement collectionné mais construit un espace en vue d'exposer sa collection, qui n'est autre que sa maison, au 12 de Lincoln's Inn Fields à Londres. Les dessins d'architecture ne forment qu'une partie de l'ensemble qui réunit beaucoup de tableaux de vedutistes, des plâtres, et ce qui fait l'originalité du musée : des fragments d'architecture qu'il assemble. Il montre le même goût que Piranèse pour les vases, les urnes funéraires, les morceaux de frises, de colonnes, de chapiteaux; certains de ces fragments ont d'ailleurs appartenu à Piranèse. Soane n'a fait l'acquisition de sa riche collection de dessins d'architecture que vers la fin de sa vie. Y figurent beaucoup de dessins de la Renaissance italienne, le célèbre *Codex coner* : relevés des monuments romains de l'Antiquité, d'autres dessins des XVIe, XVIIe, XVIIIe siècles italiens; ceux de son maître Dance, des frères Adam, de Chambers et Wren. Tous ces dessins se trouvent au dernier étage, dans les pièces nommées « north and south drawing rooms ». C'est là que Soane travaillait. Le meuble qui enferme les œuvres de Dance se trouve au centre de la pièce. Soane expose les dessins de ses propres projets dans la «picture room». Sa grande particularité vient de ce que trois de ses murs ont des panneaux amovibles qui s'ouvrent commes des portes successives. Soane en fait l'éloge : «Avec cette disposition, ce petit espace de 4 mètres de long sur 3,70 m de large et 5,80 m de haut peut contenir autant de tableaux qu'une galerie de la même hauteur, mais de 6 mètres de large sur 13,50 m de long. Un autre avantage est que les tableaux peuvent être vus sous des angles différents». Soane impose une lecture labyrinthique des images. On déambule. L'espace affolé du labyrinthe semble être constitutif de cette maison-musée. Les images collectionnées ne servent aucun «projet», Soane se contente de les envelopper dans un écrin, il leur porte une valeur d'amour.

Vasari, Burlington, Marigny et Soane ont collectionné les images d'architecture. Ils les ont chargées d'un sens nouveau. L'image d'architecture, hors du projet, n'aurait-elle de valeur que dans le regard particulier qu'on lui porte : celui de l'historien, celui de l'architecte, celui du curieux et celui de l'amoureux? L'analyse de ces collections renvoie chaque fois à celui qui l'a formée, au désir qu'il a eu de rassembler. On se sent violeur d'un secret, d'une intimité. Sa collection le trahit. Devant l'énumération des choses qu'il a collectionnées, on a l'impression de le cerner, de le posséder, de le comprendre. Presque tous architectes, leurs collections offrent une nouvelle manière d'approcher leurs propres travaux, d'en percer le mystère. Comme si cette activité en marge dévoilait mieux le secret de leur architecture qu'une description réaliste. Au lieu de décrire une réalité qui ne renvoie qu'à elle-même, la collection renvoie au processus du «faire de l'architecture», de la création même. L'architecte se révèle en train de se constituer au cœur de sa galerie d'images. Il se met à nu, s'avoue égaré dans ce labyrinthe. La création architecturale a ses mystères. Ce qui répond le mieux de l'état définitif d'un projet, ce sont toutes ces bifurcations sans issu qu'il a empruntées. Gravées dans les images d'architecture, ces traces sont précieuses, elles montrent l'architecte en état de désir, de déséquilibre : il perd le fil de son projet. Un musée de l'architecture, à venir, devrait recueillir tous ces états; il serait «l'antre» qui permettrait au désir de l'architecte de se loger, d'habiter.

LES CHARMES DE L'INCLASSABLE

L'INTÉRÊT SI VIF QUE L'ON PORTE AUJOURD'HUI À RECUEILLIR, CATALOGUER ET EXHIBER DES FIGURATIONS DE PROJETS D'ARCHITECTURE, DES RENDUS AUSSI BIEN QUE DES RELEVÉS PEUT S'ANALYSER DE DIVERS POINTS DE VUE. LES RAISONS DU PLAISIR À REGARDER DE « L'ARCHITECTURE DE PAPIER » SONT, DE FAIT, NOMBREUSES ET PARFOIS CONTRADICTOIRES. LE PLAISIR DE L'AMATEUR NAÎTRAIT DE L'APPRÉHENSION D'UN ENSEMBLE D'INTENTIONS CONDENSÉES DANS L'IMAGE. CE RESSORT PARAÎT PUISSANT. LE COMMENTER C'EST EXPLICITER LES RAPPORTS ENTRE COMPÉTENCE TECHNIQUE ET JOUISSANCE ESTHÉTIQUE.

——Jacques Guillerme——

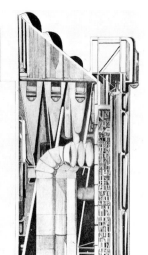

Comme toute autre, l'histoire des arts est en manque de causalités; ce qui explique la fureur d'hypothèses qui enfièvre le bon ton descripteur des inventaires. Le plaisir de l'historien surgit avec la corrélation. Autrefois, les épisodes du génie s'écrivaient par rencontres de planètes ou mixtes de tempéraments, aidés de la faveur des princes et de la fantaisie des riches. En se privant de ces moyens d'explication, l'histoire moderne se vouait à errer entre dogmes et perplexités; aussi nulle corrélation n'est aujourd'hui énonçable qui ne paraisse trop évidente ou trop fragile. Même, la neutre simultanéité prête à doute, si l'on prend peine de scruter les termes du constat. Soit une conjoncture peu contestable : l'engouement actuel pour le dessin d'architecture et sa percée dans le marché de l'art paraissent contemporains de la mutation technique du projet architectural sous l'emprise des procédures de CAO. Rapprocher ces deux séries factuelles, c'est anticiper sur une curiosité probable des historiens à venir que la corrélation tentera. La question appelle cependant des scrupules : la poser, c'est presque y répondre par l'affirmative. L'un des moyens de se défendre de cette glose, et d'en prendre le contre-pied, consiste à invoquer le destin aporétique de toute tentative de classement des figurations d'architecture; non que classer ne soit désirable, ni réalisable en de certaines limites; mais l'aporie résulte de la nature même de la représentation de l'architecture qui comporte de l'inclassable et suppose une économie du malentendu. Telle est du moins la thèse que je tenterai d'exposer alors que nous sommes inquiets des rapports que soutiendra la mémoire des pratiques manuelles du graphisme avec les fonctions des automates de projetage.

L'intérêt si vif que l'on porte aujourd'hui à recueillir, cataloguer et exhiber des figurations de projets, des rendus aussi bien que des relevés peut s'analyser de divers points de vue; aucun n'est suffisant, alors que leur ensemble se déforme dialectiquement comme il arrive en matière de goût. Les raisons du plaisir de regarder de « l'architecture de papier » sont, de fait, nombreuses et parfois contradictoires. Récemment, Babs Shapiro soutenait que ce plaisir « dérive de l'ensemble et de la complexité de son *intent* », c'est-à-dire des problèmes formels qu'elle implique, eu égard « aux besoins humains, aux symbolismes, à l'historicisme, au contexte, et parfois au coût, au programme, à l'édification »; ainsi, le plaisir de l'amateur naîtrait de l'appréhension d'un ensemble d'intentions condensées dans l'image. Ce ressort paraît puissant. Le commenter c'est expliciter les rapports entre compétence technique et jouissance esthétique; autrement dit les raisons et les modes de la documentation architecturale.

L'idée court de longue date que certaines virtuosités du dessin d'architecture sont une manière de réponse à l'incompétence des commanditaires, inaptes, par exemple, à comprendre exactement la figure d'une coupe. D'où la recherche de beaux aspects et le leurre de l'objectivation mimétique rameutés pour presser une décision. La commande, en effet, peut passer pour la solution d'un conflit de présentations où s'échange du *malentendu*. L'idée ne peut prétendre à l'originalité; la décision par le dessin n'est qu'un cas particulier de la fonction du

MALIK SAAL
artisan sénégalais (né en 1960, vit à Paris)
Vue du Centre Georges Pompidou
crayon sur papier, 1982.

malentendu où Lukàcs a vu le principe de tout art. Il a soutenu cette hypothèse stimulante dans un texte écrit entre 1912 et 1914, assez peu lisible au demeurant, qu'il eut la sagesse de ne pas publier. Le malentendu se profilerait nécessairement entre la communauté des artistes et leur public, sur plusieurs registres, et principalement au sujet du sens présumé objectif de l'œuvre. La thèse a cheminé; c'est ainsi qu'on la voit perfectionnée par Lacan et reprise par J. A. Miller qui assure que le malentendu ne se réduit pas à gouverner l'échange artistique, qu'il est même très généralement la condition de toute communication entre sujets humains.

Si l'on suit cette abrupte doctrine, on ne peut éviter de rechercher ici, dans le champ de son application, la place et le jeu des termes qui motivent le malentendu, c'est-à-dire l'armature référentielle de concepts sur laquelle se profilent les distorsions révélatrices dans la communication. L'indistinction des concepts d'architecture et de figuration est la plus simple des hypothèses qui nourrirait de malentendus le milieu phénoménotechnique de l'architecture et lui assurerait, à tout coup, le ton d'esthétique pointé par Lukàcs. Et sans doute, pourrait-on hasarder que la difficulté à déterminer des conditions de malentendu dans les deux domaines de l'architectural et du figural plaiderait en faveur de l'indistinction. On voit assez ce que le recours au malentendu a d'excitant et quelles conséquences on risque, faute d'un emploi scrupuleux de la notion. Crainte de nous égarer dans le verbalisme, il nous faut délibérement simplifier, et distinguer dans le champ de la documentation architecturale, ce qui est de l'ordre primordialement discursif et ce qui procède d'autres modes de communication. Autrement dit, nous séparerons, dans cette appréciation générale, le domaine verbal des doctrines d'architecture, et le domaine iconique de la documentation.

En matière de doctrine, le malentendu semble voisiner avec l'idée de *mensonge* architectural. Si l'on se réfère à l'apparition du mot, c'est une idée tardive. J'ai relevé le terme en 1860 dans un obscur pamphlétaire; il cheminera un siècle durant jusqu'à ce que les virulences de Pevsner lui confèrent une grande dignité théorique. On conviendra que cette idée de mensonge architectural est troublante; elle suppose des valeurs de vérité de sorte que la menterie se détacherait sur ce fond de vérité architecturale qui fut invoquée par les doctrinaires du classicisme, c'est-à-dire par les illustrateurs d'une doctrine connue sous ce nom bien après qu'elle a cessé de produire les œuvres dont elle est présumée responsable.

L'idée de mensonge architectural se détruit d'elle-même; car la référence à la vérité est ici interlope, nulle théorie architecturale ne pouvant s'identifier au discours d'une science qui serait normée par ses rectifications successives. Les théories d'architecture sont plutôt assimilables à des technologies, au sens le plus large, c'est-à-dire des disciplines qui unissent à un répertoire de termes techniques un ensemble codifié de pratiques relatives à la construction comme à la production d'effets. A quoi l'on peut ajouter que l'art de l'architecte consiste à varier les effets par un jeu réglé de dimensionnements et d'échelles. En introduisant ce dernier terme, polysémique depuis les recherches de Boudon, on laisse cours à toutes sortes de questionnements sur le « sens » de l'œuvre architecturale, qu'il est hors de propos de discuter ici. Une remarque toutefois, qui ne paraît pas sans conséquence : peut-on aujourd'hui se flatter de bien connaître les rapports liant les éléments de la figuration au jeu de dimensionnements et d'échelles qui définit l'art de l'architecte? Il est clair à quiconque connaît tant soit peu la graphologie des projets que ces rapports échappent à une connaissance précise si l'on se donne un ample échantillonnage dont on observe diverses phases d'esquisse. Les choses changeront assurément lorsque les édifices et les artifices de notre environnement proviendront en totalité du travail d'automates concepteurs. Nous n'en sommes pas encore à ce stade; mais l'attention scrupuleuse portée au dessin d'architecture, de nos jours, donne accès à la poïétique architecturale, dans son stade de pratique figurative du projet. Il est clair qu'en guise de projetage, l'art du concepteur est sollicité et instrumenté par l'indétermination momentanée de l'esquisse, c'est-à-dire par une suite de malentendus à l'égard du programme et du devenir du projet. Or je ne m'efforcerais pas ici de commenter la fonction du malentendu si, précisément, je ne trouvais dans d'innombrables spécimens de figuration d'architecture, l'occasion d'une méconnaissance de la fonction figurative : jusqu'à présent, nul n'a pu désigner un trait intrinsèquement pertinent qui permît de distinguer à coup sûr un dessin de *relevé* d'un dessin de *projet*. Certes, on n'a ordinairement que peu de raisons de se tromper; le connaisseur tranche avec une bonne approximation, s'aidant de toutes sortes de données contextuelles, sans que jamais il ne se puisse référer à un indice sémiotique propre à différencier les deux régimes de figuration. Le défaut d'un critère intrinsèque a de quoi troubler; il est clair que l'attitude et l'intention perceptives sont radicalement distinctes dans l'expression graphique des registres du relevé et du projet. Il faut bien supposer une manière de codification des lointains, qui s'affranchit de la condition de réalité, sans que ne soit, en outre, perturbé le jeu de la main corrélée avec l'œil et ses moyens d'accommodation, de part et d'autre de la sphère d'accessibilité de nos membres. Cela peut s'entendre si l'on a présent à l'esprit que ce ne sont pas les mêmes régimes visuels qui fonctionnent dans la proximité de notre toucher et au loin, dans un espace sans profondeur tactile et dont seule l'activité du réalisme intellectuel est en mesure d'ordonner des échelonnements. On voudra bien admettre que cette condition perceptive est l'un des facteurs de l'indétermination entre figures de relevé et de projet. Toutefois, ce motif de l'indiscernabilité des lointains ne suffit pas, il faut y joindre les conditions de l'efficacité figurative. On commencera par cette simple remarque : les représentations qui apparaissent comme les plus « naturelles », celles dont la compréhension semble aller de soi et comporter le moins de difficultés, sont ordinairement les plus artificielles. Leur composition résulte d'une codification historiquement arbitraire, dont les modalités répondent néanmoins à cette condition fondamentale que la représentation doit pouvoir fonctionner comme *substitut*. Autrement dit, la fiction graphique, de relevé comme de projet, fonctionne dans un univers du différé où elle trouve sa raison aussi bien pratique qu'esthétique. On notera qu'à insister sur cette fonction de substitution, on ne laisse aucune nécessité à la ressemblance. La représentation peut certes l'accueillir; mais, jusqu'à un certain degré, le caractère de ressemblance n'est pas essentiel à la transmission et au modelage de l'information, ces deux dernières fonctions relevant très généralement d'un transcodage. En tout état de cause, dans telle aire culturelle donnée, l'économie des signes de la figuration repose sur un ensemble de conventions restrictives, elle suppose des fragmentations. On ne peut représenter qu'à *perte*; mais cette perte, si l'on ose dire, n'est jamais tout à fait perdue, puisque la conscience de la perte est à la fois moyen d'efficacité et source du plaisir esthétique. Si bien que l'on peut distinguer deux modalités connexes dans le corps figurateur; l'une agrège le réseau neuro-musculaire qui, de l'œil à la main, instrumente la figuration sans épaisseur d'un lointain intouchable; l'autre se retrouve et se reconnaît dans la figure mince, maniée et contemplée dans un espace hétérogène qui supporte les jeux de la ressemblance et de la substitution. On pressent ici la concurrence de plusieurs régimes dans l'usage des images concrètes ou dans les anticipations imaginaires, qui intéresse toute recherche sur les fonctions heuristiques de la figuration.

Il est concevable de rapporter à la diversité de ces régimes la disparité des modes de tracé à l'intérieur de domaines de conventions figuratives qui autorisent la communication au sein d'un groupe déterminé. Mais il n'est pas inconcevable de supposer, simultanément, l'usage individuel de manières d'idiolectes graphiques, éphémères, dont les règles d'emploi peuvent échapper à leurs auteurs mêmes. Cela pour ramener sur scène le rôle énigmatique du malentendu. Si sa fonction s'entend mal, de même que se mesure difficilement la perte dont il était question précédemment, on peut s'assurer toutefois de l'une comme de l'autre, en éprouvant les limites de la classification de l'univers figuratif de l'architecture, en affrontant, pour tout dire, l'inclassable.

Les points de vue ne manquent pas pour analyser la formation des collections; le psychologue, l'historien, l'économiste ont leur mot à dire. Ici, on voudrait examiner comment peut s'introduire de la rationalité dans la manipulation de stocks d'images dont les aspects et les usages ne sont pas univoquement définis. On tentera de repérer des variations dans les procédures de classement qui laissent espérer le dépassement de l'empirisme dont pâtit tout projet d'iconistique. En ces matières, les mérites et les fatigues de diverses entreprises d'inventaire ne peuvent être ignorés; mais, faute de place, on se tiendra de parti pris à évoquer de récents débats sur le sujet de la conservation et du classement des documents d'architecture. Ainsi rappellera-t-on volontiers le colloque de Parme, en octobre 1980, bouillonnant d'idées disparates. Il fut précédé, en février et mai 1979, de réunions d'experts, à Washington et à New York, qui donnent des indications très précieuses sur les objectifs de recherche prévisibles. L'idée directrice, ambitieuse, qui s'est d'abord fait jour visait à déterminer la structure de l'indexage numérique de toutes les représentations de l'architecture. Ce programme prétendait se justifier de la prospérité de la classe classificatrice des imprimés de la Librairie du Congrès. Le but était de formuler un système d'indexation qui pût fonctionner à l'égal de celui des textes catalogués. Des réunions mirent en présence bibliothécaires, historiens, ingénieurs, plasticiens, sémiologues, logiciens, informaticiens, etc. Ils se sont vite aperçus que les choses ne sont pas simples, que leur complication même effraie, que la première mesure, préalable, à adopter devait consister à publier un *thesaurus* de termes, au sens reconnu et précisé, dont la réunion permette, en toute occurrence, de savoir de quoi l'on parle. Il en est résulté un projet de lexique qui a pris pour base la 9ᵉ édition du fichier-matières de la Librairie, un énorme répertoire dont on attendait qu'il fournisse et hiérarchise les termes idoines à la description des dessins d'architecture. L'affaire a commencé rondement, menée par trois experts pour autant de tâches : a) choisir et hiérarchiser les termes; b) mettre en listing; c) publier, vérifier et diffuser le thesaurus. Les promoteurs de cette terminologie espéraient l'achever en 1983 avec l'espoir de s'appliquer, ensuite, à une tâche autrement compliquée sur quoi s'échina Bisogni à Sienne : former un code descripteur des sujets figurés qui permettrait de donner accès à un fichier de corrélations des images et de leurs commentaires.

Toutes les tentatives de classement automatisé paraissent simples dans leur objectif; elles se heurtent, en fait, à d'innombrables obstacles de définition dont on peut supposer qu'ils résultent, pour une bonne part, de l'indécision où l'on est sur les visées des producteurs d'images et sur les modes de réception des destinataires contemporains, dont les besoins et les désirs diffèrent souvent des nôtres. Il est de la première importance de distinguer, à cet égard, les traits pertinents de la caractérologie des concepteurs. Leur connaissance indiquerait la diversité des points de vue à adopter dans toute enquête sur la production des images, partant sur la composition des collections et sur le choix des descripteurs acheminant à une indexation numérique. Cette caractérologie de la production est également décisive dans la phase initiale de l'archivage, lorsque, par aventure, l'institution collectrice se trouve en présence d'une certaine abondance de documents. Quoi négliger? quoi sauvegarder? La question de la poubelle est primordiale dans tout prélude à un catalogage rationalisé.

Indépendamment des prédilections des archivistes qui pèsent sur les regroupements, il faut compter avec la diversité des routines des dessinateurs. Veut-on des exemples? Des gens comme Saarinen ou Olbrich dessinaient tout eux-mêmes et conservaient tout, maniaquement : une mine pour les historiens... Aalto et Le Corbusier étaient de ceux qui enfouissaient narcissiquement leurs notations; mais ils n'allaient pas jusqu'à faire du dessin d'exécution et s'en remettaient pour cela à leurs valets. Inversement, un Mario Ridolfi s'appliquait à ne jamais laisser paraître que du dessin d'exécution entièrement fini; même un Carlo Scarpa qui dessinait beaucoup, et d'abord dans le flou, n'aurait, dit-on, jamais laissé les derniers détails à exécuter sans un contrôle graphique de sa main. Sa manière s'oppose ainsi radicalement aux pratiques traditionnelles d'atelier où intervenaient successivement quantité de mains. La division du travail graphique instituée dans les agences dès le XVIIᵉ siècle, s'est perfectionnée dans l'Angleterre victorienne, lorsque fleurit la profession du *rendering* qui sera largement imitée jusque dans l'Amérique actuelle. Mais cela se fit également en Italie, avec Libera qui confiait le fini de ses dessins à Sironi, peintre de décor de son état, et l'on pourrait citer, de nos jours, un Gregotti dont la main de Purini acheva les projets. Ainsi retrouvons-nous dans cette guise d'artifice présentatif d'un artifice en projet, le grain de malentendu dont nous étions partis qui marque la part méditée de séduction dans la conflictualité inévitable du marché.

Reste que d'autres distinctions sont à faire dans l'interprétation des figurations d'architecture, qui ont trait à leur finalité. L'écart majeur serait à situer entre icônes de l'explication imaginaire, figuratives de portions de mondes imaginaires et les explicitations figuratives destinées expressément à modeler l'environnement. La distinction paraît radicale, mais l'on doute si elle n'est pas de quelque manière factice. Les images d'un Sant'Elia qui annoncent les figures du modernisme conquérant se sont-elles, à proprement parler, vérifiées ? Sont-elles pour l'œil plus décisives que ne le sont les architectures « allusives » d'un Pâsqualini ? Et que dire des minutieuses déconstructions d'un Massimo Scolari qui nous présentent si insolement la parodie de l'agencement architectonique ? Autrement dit, quel statut accorder dans une collection d'images à des figures dont le référent supposé n'est aucunement plausible, mais qui, sautant aux yeux de par leur singularité, ne peuvent que suggérer des inventions possibles et transformer la position imaginaire du corps dans leur méditation. C'est sans doute par métaphore, dira-t-on, que la parodie éclaire le système de la norme; mais dans le système de descripteurs pertinent à une collection, voudra-t-on alors adjoindre une variable indiquant la propriété d'appartenance au type parodique ? On touche ici à une limite de la classification : faute d'une telle variable supplétive, la figure demeure inclassable et elle disqualifie, de quelque manière, le système de descripteurs supposé pertinent. Ici, l'exemple des figures paradoxales d'Escher s'impose; quelle structure de code imaginer qui en ferait nécessairement surgir le caractère d'*étrangeté*, sans avoir à le souligner

distinctement, c'est-à-dire sans ponctuer l'aveu du malentendu délibéré ? Il est vrai que nous touchons là à des formes pathologiques de la figuration : les conventions, qui suscitent ordinairement l'idéalisation de l'objet architectural dans ses diverses présentations, se trouvent détournées vers un manège d'oscillations hallucinatoires entre des états simultanés et incompatibles d'un référent imaginaire...

Commençant, nous invoquions le destin aporétique de tout projet de classer des figurations d'architecture et annoncions que cette inconvenance devait tenir à une dose nécessaire de malentendus; chemin faisant, nous laissions entrevoir l'hypothèse d'une indistinction possible entre architecture et figuration. Sans avaliser cette idée, nous savons cependant que certains jeux figuratifs sont capables de pervertir l'usage conventionnel et limpide de la figuration architecturale, en visant précisément à présenter des architectures étranges dont l'étrangeté résulte de l'absorption de l'architectural dans le figural. Il est concevable qu'une telle liaison démontre certaines figures d'invention. Cette supposition n'est pas pour déconsidérer le travail du classificateur qui doit sans cesse tendre à réduire l'inclassable, sans neutraliser la verve des questionnements imprévus. La rationalité survit ainsi à des impatiences et fera peut-être un jour son affaire du malentendu.

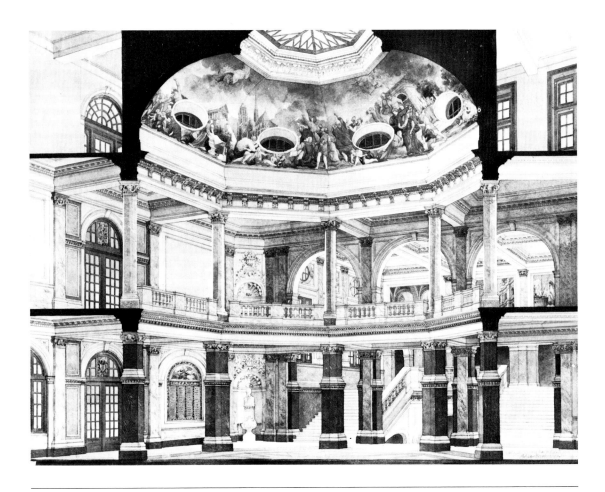

M.A.V. NIEUKERKEN, architecte hollandais
Coupe en perspective du hall central d'un Musée colonial à Amsterdam
projet non réalisé, aquarelle sur papier Canson, 59 × 77 cm, 1918
Nederlands Documentatiecentrum voor de Bouwkunst,
Stichting Architectuur Museum, Amsterdam.

LE DESSIN D'ARCHITECTURE :
UNE NOUVELLE MARCHANDISE CULTURELLE

ON DISCUTE BEAUCOUP LE PROBLÈME MORAL QUE POSENT LES DESSINS D'ARCHITECTURE EXÉCUTÉS DANS LE SEUL BUT DE FAIRE DES DESSINS. CE QUI NOUS SEMBLERAIT PARFAITEMENT IMMORAL SERAIT L'HABITUDE PRISE PAR LES ARCHITECTES DE REFAIRE LEURS DESSINS POUR EN TIRER UN PROFIT COMMERCIAL. IL S'AGIT D'UNE ACTIVITÉ PUREMENT CONTEMPORAINE. QUAND JOHN YENN EXPOSA SES ADMIRABLES PERSPECTIVES À L'ACADÉMIE ROYALE, C'ÉTAIT POUR ESSAYER D'OBTENIR DES COMMANDES, PAS POUR VENDRE SES DESSINS.

JOHN HARRIS

On a très peu de renseignements sur les collectionneurs de dessins d'architecture de la Renaissance. De toute évidence, les architectes conservaient leurs dessins ainsi que des fragments épars provenant de quelques assistants ou amis. Giorgio Vasari fait figure d'exception, avec sa collection de ce que nous appellerions aujourd'hui des dessins de « maîtres », parmi lesquels se trouvaient de nombreux dessins d'architecture et de décoration. Tout porte à croire que Vasari considérait sa collection de dessins comme un corollaire de sa collection d'éléments biographiques. Des portraits gravés sont parvenus jusqu'à nous encadrés, sur les indications de Vasari, de bordures dorées plus couramment utilisées par les relieurs. Ce style d'encadrement fut adopté par William et John Talman qui détenaient une bonne partie de la collection de dessins de Vasari.

C'est très probablement Vincenzo Scamozzi qui posséda la première collection strictement limitée aux dessins d'architecture, mais il n'était pas à proprement parler un « collectionneur ». Quand Andrea Palladio mourut, en 1580, ses dessins échurent à son assistant et ami. Avec les propres dessins de Scamozzi, cela fit une masse considérable. On suppose que le comte d'Arundel et Inigo Jones rencontrèrent Scamozzi, alors âgé, malade et presque aveugle, à Venise en 1614, qu'ils achetèrent les collections et se les partagèrent, le comte d'Arundel conservant les dessins de Scamozzi. Hélas, les deux malles de ces dessins, dont l'inventaire du comte donne une description si alléchante, ont été perdues ou détruites.

Le comte d'Arundel fut l'un des premiers collectionneurs anglais dans l'esprit de la Renaissance qui créa des « cabinets » de dessins, gravures, peintures, sculptures, livres et autres œuvres d'art. Jones fut un de ses pairs, à une échelle plus modeste, et l'on sait qu'il accumula les gravures des Carrache et de l'école de Parme. Or, le « Scamozzi » de Jones était John Webb, qui reçut tous les dessins et tous les livres de son maître à la mort de ce dernier, en 1652. Quand Webb mourut, vingt ans plus tard, ses « estampes, illustrations et dessins d'architecture », ajoutés à la superbe bibliothèque architecturale de Jones, composaient une collection enviable. Pourtant, celle-ci n'était pas vraiment le fait d'un collectionneur, puisque l'acquisition d'un ensemble d'œuvres de Palladio n'avait pas été autre chose qu'un acte de dévotion de la part de Jones. La situation à la mort de Webb devait donc être la même qu'à la mort de Sir Christopher Wren, en 1723. Une grande quantité de dessins finirent par être vendus à la mort de son petit-fils, en 1747, et la plupart devinrent la propriété du All Souls' College d'Oxford, où ils sont encore conservés et constituent un instrument de travail précieux pour les recherches sur le baroque anglais. Toutefois, ce n'était devenu une collection que grâce à l'incorporation des dessins de Wren, de Hawksmoor et d'autres membres du « bureau » ou atelier de Wren.

Un certain mystère entoure la dispersion du legs de John Webb. Sa famille ne respecta pas sa volonté de laisser la collection intacte et, vers 1690, les trois quarts des dessins de Palladio, Jones et Webb appartenaient à William et John Talman, en qui l'on peut saluer les premiers véritables

HENRY WILSON
architecte britannique (1864-1934)
Vue intérieure d'une église, fusain sur papier, vers 1898
Cabinet des Dessins
du Royal Institute of British Architects, Londres.

collectionneurs de dessins d'architecture. Ils s'adonnèrent à cette entreprise avec un fanatisme non dénué d'ambitions muséologiques, et allèrent jusqu'à inventer un système de classification utilisant des repères codés. Ils réunirent une volumineuse collection et aujourd'hui des milliers de dessins de la collection Talman, dont beaucoup sont estampillés de trois « T » entrelacés, sont disséminés de par le monde, dans les cabinets d'estampes et de dessins. Ils étaient éclectiques dans leurs goûts, et toujours à l'affût. A n'en pas douter, presque tous les dessins d'architecture et de décorations ainsi que de nombreux projets de décors de théâtre qui se trouvent aujourd'hui dans les collections du Devonshire, à Chatsworth, proviennent des différentes ventes de la collection Talman organisées après la mort de William, en 1719, puis de John, en 1726. Et l'on est comme poursuivi par le souvenir lancinant de la description fort évocatrice que fit William Stukeley en 1725, après avoir vu la collection conservée par John dans sa maison du Hertfordshire : « Sa collection excellente et somptueuse [...] env. 200 volumes [...] Les forts volumes [...] mesurent quatre pieds de haut et il faut deux hommes pour les ouvrir et les fermer. » Lesquels volumes s'ajoutaient à plusieurs milliers de dessins d'architecture.

Deux autres personnes, à nouveau un père et son fils, collectionnaient les dessins d'architecture, en Suède cette fois. Depuis, les dessins de Nicodemus Tessin l'Ancien (mort en 1681) et le Jeune (mort en 1728) sont venus enrichir le superbe Cabinet des estampes du Musée national de Stockholm. Leur collection n'était pas aussi éclectique que celle des Talman, mais beaucoup plus axée sur l'architecture et les plans de jardins de leur époque.

En 1719, la mort de William Talman, qui était un collectionneur tout à fait remarquable mais quelque peu exclusif, permit à son fils John de vendre certains dessins en 1720 et 1721, et notamment ceux de Palladio, Jones et Webb. L'acquéreur fut Richard Boyle, troisième comte de Burlington, éminent jardiniste devenu par la suite le « comte architecte ». Il avait une véritable obsession de la référence et du précédent historique.

La collection de Lord Burlington, qui est toujours à Chatsworth, contient les dessins d'Inigo Jones pour ses célèbres « masques » (des divertissements associant le ballet, le théâtre et la mascarade), un carnet de croquis de Filippo Juvarra, un ensemble exceptionnel d'études scénographiques, des dessins de l'architecte-jardiniste-peintre William Kent, ainsi que la bibliothèque et les cartons de gravures de Lord Burlington. Ce qui restait des dessins de Palladio, Jones et Webb quand ce lot fut transféré au Royal Institute of British Architects en 1894, fait de Chatsworth une mine de renseignements sur Palladio, au même titre que le collège Worcester d'Oxford, auquel l'architecte amateur George Clarke légua ses très beaux livres et dessins d'architecture en 1736. Clarke avait acheté un lot de dessins, pour la plupart de Jones et de Webb mais, à la différence de Lord Burlington, il n'était pas un collectionneur.

Comme il n'existe aucune étude sur les collections de dessins d'architecture au XVIIIe siècle, il serait peu judicieux d'accorder une importance démesurée à l'Angleterre, où l'on trouve d'utiles informations dans les catalogues des salles de ventes. Les commissaires-priseurs londoniens avaient organisé leur profession bien avant leurs collègues étrangers. Par

conséquent, leurs catalogues tendent à donner une idée fausse de la situation à l'échelle européenne et ce, d'autant plus que Londres a été la plaque tournante des ventes d'art durant les deux cent cinquante dernières années. Cependant rien, dans les catalogues de ventes du XVIIIe siècle, n'indique qu'il y ait eu d'autres collectionneurs de dessins d'architecture que les Talman et Lord Burlington. De temps en temps, en épluchant les catalogues, on tombe sur un petit lot de dessins d'architecture, mais aucun ne ressemble à une collection de dessins d'architecture.

La collection des Talman doit être qualifiée de professionnelle, car le zèle déployé par William et John dans l'accumulation des dessins d'architecture était bien davantage qu'une simple marotte d'amateur. La variété de cette collection la rend très différente de celle des Tessin, plus étroitement délimitée. Et puis il faut également mentionner les anciennes académies. Aujourd'hui, l'Académie de Saint-Luc, à Rome, possède une incomparable série de morceaux de réception qui couvre toute la période comprise entre la fin du XVIIe siècle et 1940, et qui a fait l'objet d'une publication aussi admirable qu'utile dans *I Disegni di architettura dell'archivio storico dell'Accademia di San Lucia* de P. Marconi, A. Cipriani et E. Valeriani (2 vol., 1974). Mais, aussi riche soit-elle, cette collection n'existe qu'en vertu de la règle du dépôt, et non par suite d'un effort assidu poursuivi en professionnel, même si elle constitue un merveilleux baromètre du goût officiel italien. On pourrait en dire autant des dessins d'architecture soumis à l'Académie de France à Rome ou des morceaux de réception offerts à l'Académie royale de Londres. Le rôle joué par les académies, en tant que dépositaires et rassembleuses de dessins d'architecture, n'a pas été étudié. Certaines possèdent beaucoup de dessins, d'autres très peu. Des lots de dessins remarquables sont conservés à l'Académie royale de Suède, à Stockholm, mais il ne s'agit pas d'une collection de dessins d'architecture. Quant à la collection de dessins de l'Académie royale des beaux-arts du Danemark, fondée en 1754 à Copenhague, elle bénéficie d'une organisation admirable, avec ses quelque cent mille dessins identifiés et ses catalogues.

Une collection de dessins d'architecture doit être entreprise avec le sérieux d'un professionnel et l'intention de passer en revue un large éventail de réalisations architecturales. On peut acheter des dessins parce que ce sont de beaux spécimens de cet art ou parce qu'ils sont dus à de grands architectes. Un dessin de F.J. Bélanger procure une émotion esthétique. Un dessin de John Yenn aussi. William Talman et Lord Burlington étaient de médiocres dessinateurs et cependant les dessins de ce dernier n'en sont pas moins chargés de sens. Il s'agit chaque fois de créations qui ont valeur d'exemples; cette notion d'exemple sous-tend les deux collections professionnelles de dessins d'architecture les plus anciennes au monde : le Sir John Soane's Museum, créé en 1833, et l'Institue of British Architects, fondé un an plus tard.

Sir John Soane (il fut élevé à la dignité de « chevalier » en 1832) s'intéressait vivement à l'enseignement de l'architecture. Cela se manifeste avec éclat dans les leçons qu'il donna à l'Académie royale où il fut professeur d'architecture de 1809 à sa mort, en 1837. Il est d'ailleurs considéré comme le père de cette profession et, si les règlements de l'Académie royale l'avaient permis, il serait devenu le premier président de l'Institute of British Architects dès sa fondation, en 1834.

Sur sa demande, un décret du Parlement avalisa en 1833 la création du Sir John Soane's Museum pour l'«étude de l'architecture et des arts connexes». Ce qui était tout à fait passionnant dans ce projet de musée, c'est qu'il avait pour objectif avoué de démontrer l'unité de tous les arts. Et tous les autres musées dits d'architecture sont nés de celui-là. Soane avait acheté l'énorme collection des dessins de Robert Adam à la famille de l'artiste, et ceux de son maître George Dance le Jeune à la mort de celui-ci, en 1825. Un lot important fut acquis lors de la vente aux enchères des dessins de Sir William Chamber chez Christies, le 6 juin 1811, et Soane y ajouta ses propres dessins classés dans des cartons ainsi que bon nombre de pièces uniques provenant de son butin personnel. Il fut sans aucun doute le premier collectionneur à acquérir des œuvres contemporaines. Le RIBA (l'Institute of British Architects, devenu «Royal» en 1866), par exemple, ne commença à rassembler systématiquement les dessins modernes que dans les années 1870, pour «rendre compte de l'activité profession-nelle des architectes».

L'IBA joua un rôle sans équivalent dans toute l'Europe, car selon ses statuts de fondation, l'architecture était reconnue comme discipline professionnelle, en ce sens qu'elle se dotait d'une charte et que ses praticiens acceptaient de se plier à des règles rigoureuses régissant leur conduite professionnelle. Toutes les autres organisations nationales d'architectes ont leur origine dans ces dispositions statutaires. L'IBA n'était pas un musée au sens strict du terme, pas plus que ne le sont les «musées» d'architecture actuels. Il n'existe pas de musée national d'architecture, comme il en existe pour la peinture, l'histoire naturelle, l'art moderne, les sciences et techniques ou l'aéronautique. Les membres de cet institut se dévouaient à ses idéaux, tels qu'ils étaient énoncés dans sa charte. Ils le soutenaient, l'entretenaient et voyaient dans sa vitalité une source de bienfaits pour la profession. Rien d'étonnant à ce qu'ils l'aient enrichi par des dons de dessins, de livres, de manuscrits, de maquettes et autres objets. Et la vitalité de cet organisme centralisé se traduisit par un enrichissement continuel jusqu'au début du XXᵉ siècle et au-delà, c'est-à-dire jusqu'à l'apparition du Mouvement moderne, dont les protago-nistes ne jugeaient pas utile d'offrir en exemple leurs dessins d'architecture. Il va de soi que bon nombre d'entre eux déniaient au dessin la qualité d'art à part entière. Ce qui fait également l'originalité du RIBA par rapport aux autres institutions professionnelles, c'est précisément ce rôle de conservateur de l'iconographie de la profession. C'est peut-être parce que les autres organisations n'ont jamais exercé une domination aussi absolue. Par exemple, l'American Institute of Architects possède une bibliothèque et une petite collection de dessins, mais bien qu'il soit devenu propriétaire de la remarquable collection de Richard Morris Hunt (mort en 1898), il est beaucoup moins bien fourni en dessins d'architec-ture que la bibliothèque Avery fondée en 1890 à New York, pour encourager et faciliter la recherche universitaire en architecture. Cette bibliothèque d'architecture est l'une des plus représentatives au monde.

Il n'est pas possible de repérer précisément l'émergence du musée d'architecture de type moderne. Ses racines plongent profondément dans le XVIIIᵉ siècle, puisent des forces dans des institutions, tant publiques que privées, des écoles, des académies et des collections amassées par des architectes. Le premier établissement qui ait porté ce nom pourrait bien être l'Architectural Museum fondé à Londres en 1851, et conçu comme un musée national d'art architectural. Il avait de vagues liens avec l'IBA, mais il était surtout rattaché au South Kensington Museum (l'actuel Victoria and Albert Museum). Il disparut dans les entrailles de ce musée quand il fut transféré dans ses locaux. Tout comme le RIBA avait tout d'un musée sauf le nom, d'autres institutions pourraient arguer de leurs possessions pour se considérer de facto comme des musées. La bibliothèque d'architecture Burnham, à l'Art Institute de Chicago, fut créée en 1912 grâce au généreux legs de l'architecte et urbaniste Daniel Burnham. Il y a aussi l'exception que constitue, par sa dénomination seulement, le Cooper Hewitt Museum, devenu le Musée national du design (géré par la Smithsonian Institution). Il fut fondé en 1896 et recueillit aussitôt l'incomparable collection de dessins d'archi-tecture et d'ornement achetée à Giovanni Piancastelli, lequel avait dû la rassembler en Italie après 1870. La collection Piancastelli est là pour nous rappeler à quel point les collections privées ont enrichi plus tard les musées. La collection de dessins scénographiques de Sir John Drummond-Stewart fut offerte à l'IBA en 1836. Le Cooper Hewitt Museum acquit d'importants lots de dessins aux ventes mémorables de l'atelier de l'architecte français Hippolyte Destailleur. Chaque fois que des architectes connus mouraient, de nombreux dessins apparaissaient sur le marché, comme ce fut le cas pour la bibliothèque de Leo von Klenze en 1864.

Un recensement rapide des musées d'architecture révèle que le musée moderne est un phénomène postérieur à la Deuxième Guerre mondiale. Le projet du musée d'Architec-ture Chtchoussev, émanation de l'Académie d'architecture de Moscou, prit forme en 1934, mais la fondation du musée date seulement de 1945. Le musée d'Architecture finnoise à Helsinki vit le jour en 1949. Ce n'était à l'origine qu'un dépôt d'archives photographiques concernant l'architecture, et il fut transformé en véritable musée en 1956. Le Centre hollandais de documentation pour l'architecture fut fondé en 1955, le musée suédois d'Architecture en 1962, le musée d'Architecture de Wroclaw (Pologne) en 1965, le musée d'Architecture hongroise en 1968, les Archives d'architecture moderne danoise en 1969, le musée d'Architecture de Ljubljana (Yougoslavie) en 1972, le musée norvégien d'Architecture en 1975. Puis il y eut le National Building Museum de Washington, le Deutsches Architekturmuseum et le Centre canadien d'architecture.

Pour la défense de leurs intérêts professionnels, ces institutions et beaucoup d'autres, auxquelles il ne manque que le nom de musée, sont représentées par la Confédération internationale des musées d'architecture fondée à Helsinki en 1979, qui est maintenant affiliée au Conseil international des musées. Quelle que soit leur dénomination, musée, bibliothè-que, archives…, elles conservent toutes des dessins d'architec-ture. Le musée finnois a des dessins finnois, le musée suédois des dessins suédois, car en général ces établissements nationaux détiennent — ou aspirent à détenir — les dessins de leur pays. Ce sont les collections plus anciennes, dont beaucoup proviennent des académies d'antan, qui renferment des dessins d'autres pays. Toutefois, ces musées peuvent également recueillir des dessins d'origine étrangère par le jeu des dépôts et des dons des architectes-collectionneurs. Ainsi, l'achat par Daniel Burnham d'une partie de la bibliothèque de Percier et Fontaine a donné à sa collection une dimension extra-américaine.

Dans ce recensement des dépositaires de dessins d'architecture, on ne peut passer sous silence les musées d'art nationaux. Le Louvre, le musée des Arts décoratifs, le Metropolitan Museum of Art, le British Museum, le Victoria and Albert Museum possèdent tous un fonds substantiel. On peut aussi présumer que si l'administration du port de Londres détient des masses de dessins de bassins et équipements portuaires, si le British Rail a accumulé des centaines de milliers de dessins d'équipements ferroviaires, il doit en être de même pour toutes les archives de ce genre dans les autres pays.

Les archives des grandes villes commencent à peine à être prises en considération et, pour ce qui concerne la Grande-Bretagne et les Etats-Unis, il n'est besoin que d'en citer trois où les dessins se comptent par centaines de milliers : le Conseil du Grand Londres, les Archives officielles de Washington et les Archives municipales de New York. En matière d'archives, la Grande-Bretagne est un pays où règne une organisation exemplaire et l'on peut prendre la mesure des profondeurs insondées de la documentation architecturale grâce à l'ouvrage de Ruth H. Kamen, publié à Londres en 1981 par Architectural Press : *British and Irish Architectural History : a bibliography and guide to sources of information.*

Un musée de création récente tel que le Centre canadien d'architecture doit faire face à l'obligation de constituer une collection de dessins d'architecture qui soit représentative non seulement pour le Canada, mais aussi dans tous les domaines de l'activité architecturale qui influencent l'architecture canadienne. Il en va de même pour le Deutsches Architekturmuseum de Francfort, qui effectue un échantillonnage complet des meilleurs plans d'architecture contemporains. Autrement dit, les dessins d'architecture sont très recherchés et les prix montent. C'est assez fascinant. On en trouve l'illustration dans le registre des acquisitions de la Collection de dessins du RIBA. Le premier achat inscrit dans ce registre eut lieu en 1937, lorsque deux très beaux dessins en perspective de James Wyatt pour le collège Downing de Cambridge, datés de 1784, furent payés cinq livres (ce qui est à peu près l'équivalent de cent vingt-cinq livres actuelles). Aujourd'hui, ces deux dessins atteindraient au bas mot cinq mille livres en salle de ventes. En 1938, un ensemble de dessins de Sir Charles Barry pour le palais de Westminster coûtait trente livres. A présent, il est inestimable. Ces deux exemples reflètent simplement le fait que les dessins d'architecture n'avaient pas particulièrement de valeur avant 1945. Il existe d'autres indicateurs de tendances, comme les catalogues des libraires. L'ancienne maison Batsford proposait de merveilleux dessins à des prix dérisoires par rapport au cours actuel. Bien sûr, dans toute situation, il faut un catalyseur pour déclencher un mouvement qui aboutira à la reconnaissance d'un domaine spécialisé et à sa valorisation commerciale. Le mérite en revient à Ben Weinreb, dont le premier catalogue fut publié en 1961.

Son nom apparaît dans le registre des acquisitions du RIBA à partir de 1955, date à laquelle il vendit trente-six dessins, dont plusieurs exécutés par Barry pour le palais de Westminster, pour la somme de sept livres et dix shillings. Après quoi, il fut pendant quelques années le principal fournisseur du RIBA. En 1957, les dessins de Nicholas Hawksmoor pour une gentilhom-

mière destinée à la famille Evelyn, coûtaient deux livres et dix shillings, et quinze superbes dessins parisiens de Pierre Rousseau valaient dix-huit livres. On est stupéfait de constater qu'en 1961 il était encore possible de trouver dans le catalogue de Weinreb un projet de Sir William Chambers pour une villa au prix de quarante livres, et un album de quatre cent neuf dessins de David Hamilton pour trois cent quatre-vingt-cinq livres. Le deuxième catalogue proposait les projets de Pierre Le Muet pour le château de Pont-sur-Seine au prix de deux cent dix livres, et cinq dessins de James Gibbs pour le Lowther Castle à cent soixante livres. Même dans le dixième catalogue, paru en 1965, il y avait quelques affaires : les dessins de Sir William Chambers pour le temple de la Paix, dans les jardins de Kew, valaient quatre-vingt-cinq livres, mais les dessins de David Hamilton étaient proposés (et furent vendus) au prix de mille deux cent cinquante livres. On pourrait retrouver la même évolution dans le registre des acquisitions du RIBA, encore que les prix qui y sont inscrits reflètent souvent la perspicacité des conservateurs, ou la bêtise des vendeurs ! En 1966, le RIBA acheta, en même temps que d'autres dessins, les fameux plans de Chambers pour la pagode de Kew, et les paya moins de cent livres.

On observe un changement dans les catalogues des ventes, mais la réévaluation des dessins d'architecture prit un tournant décisif à une date étonnamment tardive : en 1980, où Sotheby vendit les dessins de Benjamin Dean Wyatt pour un palais de Waterloo. Les grandes perspectives avaient vraiment de l'allure, et une section particulièrement spectaculaire atteignit mille cinq cents livres. Le dessin d'architecture était arrivé ! Un marchand comme Fischer Fine Arts sut flairer l'aubaine, qui présenta dans son catalogue de février-mars 1981 le résultat de ses achats à la vente Wellington et à d'autres ventes des années précédentes. D'autres marchands lui emboîtèrent le pas et notamment, en décembre 1981, la galerie Clarendon qui, comme beaucoup d'autres, avait fait des achats à une vente importante organisée par Sotheby le 25 juin 1981. Cette vente démontra que les conservateurs pouvaient être plus astucieux que les marchands s'ils achetaient en prévision de l'avenir, par référence à l'histoire de l'architecture. On a du mal à croire que le RIBA ait pu se procurer l'album des dessins essentiels de S.S. Teulon pour deux mille deux cents livres, que le seul dessin subsistant de John Nash pour une portion de Regent Street se soit vendu seulement neuf cent livres, et un magnifique dessin de Chambers pour un pont dans le goût chinois au château de Sans-Souci, mille huit cents livres. En revanche, les marchands se ruèrent sur les dessins de l'atelier de William Butterfield, dont beaucoup n'étaient pas de la main de Butterfield. Un ensemble de dix-huit dessins de lutrins se vendit mille cinq cents livres et un lot d'études pour le collège de Rugby atteignit neuf mille livres.

Par la suite, les ventes commencèrent à refléter une attitude plus rationnelle au niveau des prix. Le 10 juin 1982, Sotheby mit en vente une attachante collection de dessins d'Albert Barnekow, un architecte suédois mort en 1899, pour six cent cinquante livres. L'entrée de l'hôtel de ville d'Exeter, par J.-P. Gandy, fut adjugée au RIBA pour quatre cent quatre-vingts livres, et un superbe projet de temple classique dû à Wilhelm Melhop devînt la propriété d'un architecte britannique célèbre pour mille livres. Comme il arrive souvent dans le marché de l'art, les prix obtenus pour les belles pièces sont justifiés par leur qualité, et personne ne s'étonna lorsque la perspective de l'escalier de William Burges pour le château de Cardiff, exécutée par Axel Haig, atteignit huit mille livres.

Deux catalogues de Christies reflètent une autre tendance récente. Le 14 décembre 1982, le catalogue proposait de nombreux dessins en perspective de projets de Sir Edwin Lutyens, provenant de la vente de son atelier en 1944. Pour les deux perspectives du Castle Drogo, exécutées en 1923 et 1924 par Cyril Farey, le National Trust dut payer deux mille quatre cents livres, et une perspective de l'ambassade britannique à Washington, dessinée aussi par Farey, fut vendue mille trois cents livres. Puis, le 14 juin 1983, treize lots de dessins de Lutyens, tous caractéristiques de ses études esquissées sur de petits morceaux de papier, atteignirent treize mille quatre cent cinquante livres. En d'autres termes, les dessins d'architecture de la période moderne faisaient leur apparition dans les salles de ventes, qui harmonisaient leur action avec celle des galeries et marchands spécialisés, en faveur de la commercialisation des dessins d'architectes contemporains. Les collectionneurs et les marchands américains ont toujours été sensibles au charme des dessins d'architecture. En ont amplement témoigné Hyett Mayor et John McKendry au Metropolitan Museum of Art, Dick Wumber au Cooper Hewitt, et bien sûr Phyllis Lambert avant de fonder le Centre canadien d'architecture. Toutefois, la tendance actuelle est due à d'autres facteurs, et en particulier à un respect tout nouveau pour l'art du dessin d'architecture. A présent, on considère le dessin comme une fin en soi. Les dessins figurent en bonne place dans les agencements conçus par les décorateurs à la mode.

Assurément, cette évolution ne peut être dissociée d'un regain d'intérêt pour le dessin dans les écoles d'architecture et d'une résurgence des valeurs consacrées dans des mouvements tels que le post-modernisme, dont pratiquement tous les protagonistes sont de bons dessinateurs. Soudain, l'attrait esthétique provoque une montée générale des cours. Les dessins de Michael Graves sont des objets parfaitement élaborés, des œuvres d'art qui se suffisent à elles-mêmes. Les marchands commencent à en mettre sur le marché mais, à vrai dire, la commercialisation des dessins se limite encore à une petite élite d'architectes, qui pourrait comprendre Peter Cook, Ron Herron, James Stirling, Leon Krier et Graves. Et il semble bien que certains marchands, qui ont pris le train en marche, n'aient pas tenu la distance ! De plus, il faut reconnaître que, si les prix payés pour les dessins d'architecture contemporains sont parfois à la mesure du talent de l'architecte, ce n'est pas toujours le cas.

On discute beaucoup le problème moral que posent les dessins d'architecture exécutés dans le seul but de faire des dessins. Ce qui nous semblerait parfaitement immoral serait l'habitude prise par les architectes de refaire leurs dessins pour en tirer un profit commercial. Il s'agit là d'une activité purement contemporaine, qui ne se fonde sur aucun précédent historique pour ce qui concerne les dessins. Quand John Yenn exposa ses admirables perspectives à l'Académie royale, c'était pour essayer d'obtenir des commandes, pas pour vendre ses dessins. Aujourd'hui, un dessin serait plutôt présenté comme un produit fini, et non une étape préliminaire à une construction. Et l'on pourrait faire des copies, à l'instar des peintres qui faisaient exécuter des copies d'atelier de leurs tableaux. Les profanes et les marchands s'y perdent. Il n'existe pas d'experts à qui l'on puisse demander un avis autorisé. Un marchand ne peut pas faire la différence entre une étude, un dessin de commande et un projet, témoin les dessins d'atelier présentés comme des projets originaux de William Butterfield. Nous sommes toujours dans une situation où les profanes sont tout à fait capables de reconnaître un dessin de Turner, mais pas un dessin d'un de ses non moins illustres contemporains, Sir John Soane et C.B. Cockerell.

Traduit de l'anglais par Jeanne Bouniort.

WALLET
Projet d'un musée d'Architecture à Paris
Vue générale de la galerie des chefs-d'œuvre de l'architecture des différents peuples
début du XIXe siècle
Collection de l'Académie d'architecture, Paris.

LE TABLEAU D'ARCHITECTURE

DE LA FIN DU MOYEN ÂGE AU DÉBUT DU XIXᵉ SIÈCLE

EN FAISANT DE LA PEINTURE ET DE L'ARCHITECTURE DEUX SŒURS, FILLES DU DESSIN, LES THÉORICIENS DE LA RENAISSANCE POSAIENT LES CONDITIONS DE RELATIONS AMBIVALENTS ET RÉVERSIBLES. EN MAÎTRISANT LE JEU PERSPECTIF, EN CHARGEANT DE NOUVELLES VALEURS ÉMOTIVES L'ARCHITECTURE ET EN SACHANT PASSER AVEC LIBERTÉ DES REPRÉSENTATIONS TYPIQUES ET IDÉALES AUX VUES « TOPOGRAPHI- QUES », LES PEINTRES DE LA RENAISSANCE RENOUVELLENT LE RÔLE QUE L'ARCHITECTURE PEUT JOUER DANS LA PEINTURE; ILS ÉLABORENT AUSSI LES CONDITIONS DE LA NAISSANCE D'UN NOUVEAU GENRE, LA PEINTURE D'ARCHITECTURE.

CLAUDE MIGNOT

L'architecture : *femme d'âge mûr, les bras nus, vêtue d'une robe aux couleurs changeantes; elle tient d'une main un fil à plomb, un compas et une équerre, et de l'autre une feuille où est dessiné le plan d'un palais entouré de chiffres...* Telle est la manière dont Cesare Ripa propose en 1593, dans son *Iconologia*, de représenter l'architecture[1]. Privilège et paradoxe de la rhétorique pictu- rale et du jeu spéculaire de la représentation, les « images » de l'architecture, plans et esquisses, deviennent les attributs, comme la règle et le compas, de l'architecture personni- fiée, comme ils accompagnent tout naturelle- ment les portraits d'architecte. Cette figure de l'architecture « en personne », qui peuple, depuis le milieu du XVIᵉ siècle, les frontispices des traités d'architecture, trouve sans doute sa première expression monumentale sur les parois de la maison de Vasari[2]. Trop souvent conventionnelles — et le succès de Ripa n'y est pas étranger —, ces allégories véhiculent dans quelques cas exceptionnels toute une théorie de l'architecture, comme celle que peignit Bon Boulogne pour le cabinet de Charles Perrault[3]. Une enquête systématique sur cette image, comme sur les portraits d'architectes, analogue à celle que l'on a proposée naguère sur « la peinture dans la peinture », reste à faire[4]. Elle nous apprendrait sans doute beaucoup sur la place de l'architecture dans le système des beaux-arts, le rapport entre théorie et pratique, l'émulation entre modèles antiques et modernes.

Mais la représentation de l'architecture a pris évidemment bien d'autres formes dans la peinture européenne que le mode allégorique. Dans tous les genres de peinture, de la peinture d'histoire au portrait et au paysage, l'archi- tecture peut être appelée à jouer un rôle plus ou moins important, mais toujours significa- tif. Véritable protagoniste du tableau ou accessoire de la représentation, instrument plastique ou rhétorique, elle encadre ou scande la narration, donne le ton de la scène ou se charge de significations symboliques, explicites ou implicites. Mieux, « perspec- tives » et « tableaux d'architecture » se sont affirmés à la fin du XVIᵉ siècle comme genre autonome à côté du paysage et de la nature morte et, des petits panneaux de Brunelleschi aux grandes *quadrature* du père Pozzo, des énigmatiques catastrophes architecturales de Monsu Desiderio aux *vedute* réalistes de Viviano Codazzi, des silencieux intérieurs d'églises de Saenredam aux caprices enlevés d'Hubert Robert, des petits tableaux de cabinet de Lemaire aux grandes toiles de Pannini, ils ont trouvé les expressions les plus variées.

En faisant de la peinture et de l'architecture deux sœurs, filles du dessin, les théoriciens de la Renaissance posaient les conditions de relations ambivalentes et réversibles. La définition de la peinture comme coupe sur la pyramide visuelle, et inversement celle de l'architecture comme paysage de rythmes et de formes plastiques, le parti d'encadrer et de scander la narration picturale d'éléments architecturaux, et inversement celui de concevoir la façade comme un tableau marquent un champ commun. Dans les dessins de Michel- Ange, « membres architecturaux » et figures se côtoient, et l'accent mis sur le *disegno* permet de voir dans les esquisses de Mansart, comme dans celles de Poussin, les traces frémissantes

PIETER JANSZ SAENREDAM
peintre hollandais (1597-1665)
Le chœur et le déambulatoire sud de l'église Saint-Bavon à Haarlem
huile sur bois, 49 × 36 cm
Collection de la fondation Custodia
Institut néerlandais, Paris.

de *l'invenzione*. Peintres et architectes partagent la même fascination pour les proportions du corps humain, la même sensibilité aux ruines antiques, le même goût pour les formes parlantes. De la peinture au compas de Brunelleschi à « l'architecture au pinceau » de Legeay[5], les interférences sont trop nombreuses et trop subtiles pour qu'on puisse proposer ici autre chose que quelques perspectives, en espérant que ces raccourcis, pour trompeurs qu'ils soient, fassent vrai.

L'architecture, outil plastique et rhétorique

De Pline l'Ancien et Vitruve à Alberti ou Ridolfi, l'architecture — *edificia, castra et civitates, portus et villae* — figure dans les plus primitives descriptions de peinture, par énumération d'objets représentés. Dès lors que la peinture se fixe comme tâche de représenter le monde visible, « le bon peintre » doit être apte à représenter de « belles architectures », comme les figures et les draperies, les animaux et les plantes.

Des constructions fabuleuses (Bruegel, *Tour de Babel*, Vienne) à l'actualité technologique (Hubert Robert, *Décentrement d'une des arches du pont de Neuilly en 1772*, Louvre), des fondations d'abbayes (Eustache Lesueur, *Saint Bruno fondant la Grande Chartreuse*, Louvre) à l'évocation de la félicité d'un après-midi dans une villa romaine (Joseph Vernet, *Villa Ludovisi* et *Villa Pamphili*), nombreux sont les thèmes où un édifice est le protagoniste nécessaire de l'histoire.

La représentation soigneuse d'édifices civiques ou religieux donne aux chroniques urbaines ou aux scènes de genre leur authenticité documentaire (Gentile Bellini, *Procession de la place Saint-Marc*, Philip Vinckboons, *La Bourse d'Amsterdam*). Dans les portraits, des monuments ou leurs représentations (maquette, plan, dessin, voire médaille commémorative) sont les attributs attendus de l'architecte ou du commanditaire (Philippe de Champaigne, *Portrait de Jacques Lemercier*, *Portrait de Richelieu devant la Sorbonne*), ou peuvent traduire goûts artistiques et aspirations morales, comme dans le *Portrait du Syndic de Francfort* que Mathias Merian le Jeune campe devant un buste de Sénèque et une vue de la place du Capitole (Francfort, Historisches Museum).

A côté de ces sujets qui impliquent par destination une représentation d'architectures imaginaires, fabuleuses ou réelles, beaucoup plus nombreux sont ceux qui n'appellent qu'implicitement un cadre architectural, crèche, temple ou palais. Par convention, style ou goût, certains peintres se refusent à le représenter, pour mettre l'accent sur la figure comme Pontormo, ou sur la lumière comme les caravagesques; d'autres se contentent de quelques fragments d'architecture, simples accessoires selon l'expression de Lanzi (Simon Vouet, *Présentation au temple*, Louvre); mais d'autres encore, par analogie avec les dispositifs scéniques[6] et parfois avec l'organisation des portails de cathédrales[7], développent tout un jeu d'édicules et de plates-formes, de dais et d'arcades[8], de *frons scaenae* et de coulisses, du *Parement de Narbonne* (Louvre) à la *Calomnie d'Apelle* (Offices), de la *Présentation au temple* d'Ambrogio Lorenzetti (Offices) à *Saint Luc peignant la Vierge* de Jan Gossaert (Prague).

Représentée par quelques pictogrammes dans les miniatures médiévales, ou construite avec la même rigueur et les mêmes conventions qu'un projet d'architecte — au point qu'on peut être tenté de construire l'édifice, ce qu'on a fait naguère pour la *Trinité* de Masaccio[9] — l'architecture joue le même rôle à la Renaissance qu'au Moyen Age, elle encadre et scande la scène narrative, mais la construction perspective donne à ces dispositifs scénographiques une puissance fascinatoire qui en change le sens et qui prend vite une valeur rhétorique dont les peintres modernes apprennent à tirer parti. Leurs contemporains en sont bien avertis, comme en témoigne le commentaire que fait Roger de Piles de *L'Ecole d'Athènes* de Raphaël : « La scène du tableau est un édifice d'une magnifique architecture, composée d'arcades et de pilastres, et disposée de manière à rendre sa perspective fuyante, son enfoncement avantageux, et à donner une grande idée du sujet[10] ». Cette valeur qualitative de l'architecture est aussi présente dans bien des portraits où, sous la forme d'un portique, d'une colonne, l'architecture n'est plus qu'un outil rhétorique, comme dans les paysages, dans lesquels les fabriques définissent, ou plutôt confirment, la tonalité héroïque ou pastorale de la composition.

Les représentations architecturales de la Renaissance se caractérisent aussi par la capacité nouvelle des peintres à représenter non seulement des édifices typiques, châteaux, temples, mais aussi des monuments particuliers, qu'ils se plaisent à introduire dans les fonds de scènes religieuses ou historiques, comme ils introduisent sur les devants les portraits de leurs contemporains : la silhouette du château de Gaillon, bien articulée, se détache au-dessus de la cabane de la *Nativité* de la chapelle du château de Gaglianico en Milanais[11], comme dans le salon de la villa Lante à Rome, on aperçoit au fond de la *Découverte des livres sibyllins* la façade de la villa elle-même. Mieux, en jouant sur les lumières et les textures, on arrive inversement à donner aux édifices imaginaires ou génériques une si grande réalité qu'il n'est plus toujours possible de distinguer *vedute* réalistes et idéales.

En maîtrisant le jeu perspectif, en chargeant de nouvelles valeurs émotives l'architecture et en sachant passer avec liberté des représentations typiques et idéales aux vues « topographiques », les peintres de la Renaissance renouvellent le rôle que l'architecture peut jouer dans la peinture; ils jettent aussi les conditions de la naissance d'un nouveau genre, la peinture d'architecture.

Le tableau d'architecture

Comme le paysage, le tableau de genre et la nature morte, le tableau d'architecture se constitue comme genre autonome, pratiqué par des artistes spécialisés, à la fin du XVIe siècle, coïncidence qui n'a évidemment rien de fortuite. Si Félibien ne nomme pas les « perspectives » dans sa page célèbre sur la hiérarchie des genres, l'Académie de peinture les reconnaît implicitement en agréant, à côté de peintres « dans le talent » du portrait, du paysage, des fleurs ou des fruits, des peintres « sur le talent d'architecture » comme Jacques Rousseau en 1662 ou Nicolas Codazzi en 1682. Un siècle plus tard, signe de l'épanouissement considérable que connaît ce type de peinture au XVIIIe siècle, Watelet réserve une place de choix, dans l'article de l'*Encyclopédie méthodique des beaux-arts* « au genre de l'architecture tel que l'ont exécuté avec succès Pannini, Servandoni et ceux qui marchent sur leurs traces[12] ».

La peinture d'architecture connaît simultanément des expressions très différentes, d'une part la peinture d'architectures fictives, la *quadratura*, d'autre part la vue d'architecture, tableau de cabinet peint pour la délectation solitaire. Bien que tout semble les séparer, la littérature d'art les désigne au XVIIIe

1 - Cesare Ripa, *Iconologia*, Padoue, 1618, I, 33 (1re éd. 1593). L'image de l'architecture n'est pas retenue dans la traduction française de 1644.

2 - Exposition *Giorgio Vasari*, Casa Vasari, Arezzo, Florence : Edam, 1981.

3 - Charles Perrault, *Le cabinet des beaux-arts*, Paris : 1690.

4 - *La peinture dans la peinture* par Pierre Georgel et Anne-Marie Lecoq (exposition), Dijon : Musée des beaux-arts 1982-83.

5 - *Cf.* le catalogue de l'exposition *Piranèse et les piranésiens français*, Rome : Edizione del Elephante, 1976, et Gilbert Erouard, *L'architecture au pinceau. Jean-Laurent Legeay*, Paris : Electa/Moniteur, 1982.

6 - Gr. Kernolde, *From Art to Theater*, Chicago, 1944; Cecil Gould, « Sebastiano Serlio and Venetian painting » *in : Journal of the Warburg and Courtauld Institute*, 1962, p. 56-64.

7 - Karl M. Birkmeyer, « The arch motif in Netherlandish painting of the 15th century », *in : Art Bulletin*, 1961, p. 1-20; 99-110.

8 - Kathrin Simon, « The dais and the arcade : architecture and pictorial narrative in Quattrocento painting », *in : Apollo*, no 81, 1965, p. 270-278.

9 - La maquette a été présentée à la chapelle de la Sorbonne, dans le cadre de l'exposition *Brunelleschi*; cf. « Brunelleschi, œuvres et hy-

siècle du même nom de *perspectives*. « On donna ce nom, lit-on encore dans l'*Encyclopédie méthodique*, à des peintures que l'on place au fond d'une allée ou d'une galerie pour en prolonger la longueur apparente ou pour la terminer par des vues qui paraissent éloignées. Ces sortes de peintures font quelquefois une illusion passagère. On appelle encore perspective des tableaux ou des estampes qui représentent des places, des rues, des temples qui offrent une grande profondeur. On appelle quelquefois Hendrick van Steenwyck, Pieter Neefs des peintres de perspectives[13] ».

Souvent, d'ailleurs, les mêmes artistes ont su pratiquer l'un et l'autre, ce qui suppose la même connaissance de la perspective et des ordres antiques. Jean Lemaire, qui peint de grandes perspectives aux châteaux de Rueil et de Bagnolet, aux hôtels Sublet des Noyers et du Petit Luxembourg et au plafond du théâtre du palais Cardinal, et qui passait, au dire d'Henri Sauval, « pour le premier et le plus expert qui ait jamais été en ces formes d'enchantement et d'illusion », a laissé aussi de petits tableaux d'architecture (Louvre, Prado, Ermitage). De manière significative, Niccolo Codazzi, qui venait de s'illustrer en peignant les *quadrature* de l'escalier de la Reine à Versailles, est reçu en octobre 1682 à l'Académie royale de peinture avec un petit tableau, « un morceau de perspective qui représente le dedans d'un bâtiment peu éclairé ». Au xviiie siècle, de même, Pannini, de Machy et bien d'autres pratiqueront aussi ces deux espèces de « perspectives »[14].

Cependant la spécialisation des peintres flamands et hollandais dans le petit tableau d'architecture, et inversement de la plupart des bolonais dans la grande *quadratura*, est symptomatique des connexions différenciées des deux genres, le premier apparenté à la peinture de paysage et à la gravure topographique, le second à la grande peinture décorative et à la scénographie. Si l'on écarte ici la *quadratura*, qui a son propre développement, de la salle *delle prospettive* de Peruzzi à la Farnesine aux compositions du Dentone et de Colonna, du père Pozzo et des Bibbiena, on peut distinguer trois familles principales de « tableaux d'architecture » : les vues de fabriques modernes (*vedute* architecturales), les tableaux de ruines et les intérieurs d'églises, où topographie et archéologie, scénographie et perspective, paysage et détail pittoresque peuvent jouer des rôles différenciés.

Les vues peintes par Filippo Brunelleschi vers 1420, « un panneau d'environ une demie brasse carrée, où il peignit l'extérieur de l'église San Giovanni de Florence », c'est-à-dire le Baptistère, et « une peinture en perspective de la place de la Seigneurie à Florence avec tout ce qui se trouve dessus et autour » sont sans doute les deux premiers tableaux d'architecture de la peinture occidentale[15].

Si le premier panneau s'organise autour de la masse régulière du Baptistère, paradigme de ces édifices de plan central qui viennent si souvent occuper le fond des tableaux, Brunelleschi l'entoure de constructions trop pittoresques « les boutiques de marchands de beignets », pour qu'on puisse n'y voir qu'une expérience pratique de perspective. « Il était peint, précise Antonio Manetti, avec tant de soin et d'artifice, et tant de soin dans les couleurs qu'aucun miniaturiste n'aurait fait mieux. » L'idée de peindre le « ciel » du premier panneau d'argent bruni, pour que les nuages et les couleurs de l'air s'y réfléchissent, et l'idée, plus ingénieuse encore, de découper le long de la ligne des toits le second panneau pour le regarder sur

fond de ciel réel, témoignent du rêve d'une image picturale, double parfait de l'image oculaire, dont l'architecture urbaine serait l'objet privilégié. Cependant le côté « expérience amusante » était trop dominant pour que puisse jouer la pure délectation esthétique. Un peu comme « la sortie des usines Lumière » est *trop* la première expérience du cinématographe pour être une séquence populiste, ces panneaux ne peuvent guère apparaître comme les prototypes des tableaux d'architecture du xviie siècle. Pour que naisse le genre, il fallut le détour du théâtre et du paysage, de l'archéologie et de la topographie. L'expérience de Brunelleschi est récupérée (comme l'a bien montré André Chastel) par les arts appliqués, notamment la marqueterie, et les célèbres panneaux d'Urbino, Berlin et Baltimore sont des devants de coffre[16].

De même que pour le paysage, la « naissance » du tableau d'architecture apparaît comme le résultat d'une dissociation entre les scènes religieuses et leurs fonds d'architecture, ou le produit d'une inversion du principal et de l'accessoire; on croit même saisir, en quelque sorte *in vitro*, ce déplacement de la dominante en suivant la fortune des compositions perspectives gravées par Jacques Androuet du Cerceau (1550) ou Hans Vredeman de Vries (1560). L'une des petites perspectives rondes de du Cerceau pourrait bien être le modèle de l'architecture fantastique si insistante de la *Nativité* attribuée à Rémy de Gourmont (Louvre), comme les *Variae formae architecturae* de de Vries, compositions scénographiques à l'usage des peintres et des décorateurs, préfigurent les différents thèmes des *architekturbilds* de la peinture nordique : intérieurs d'églises (pl. 18); portiques de villas (pl. 21), paysages urbains (pl. 30-34), etc.

Les *Architectures de palais* de Vredeman de Vries (trois tableaux datés de 1596, Vienne, Kunsthistorisches Museum) et les intérieurs d'églises de Steenwyck le Vieux (mort en 1603) ou d'Hendrick Arts témoignent de la cristallisation du genre, qui s'épanouit dans les premières décennies du xviie siècle[17]. Pieter Neefs, Steenwyck le Jeune (*Intérieurs d'églises*, Brunswick; Louvre), Jan van Vucht et son élève Anthonie de Lorme (*Phantasie kirche*, Hambourg, Kunsthalle, 1641; Rennes, 1652), Bartholomeus van Bassen (*Intérieur d'église gothique*, La Haye, Mauritshuis) ou Dirk van Delen (*Architecture de fantaisie*, Lille, 1638; *Architecture de palais*, Bruxelles, 1642) multiplient intérieurs d'églises et portiques de palais ouvrant sur un jardin, où les détails pittoresques, formes architecturales gothiques ou maniéristes, figures et jours servent de contrepoint à une insistante scénographie perspective, d'une facture souvent un peu sèche.

Vers 1630, Saenredam renouvelle le genre en substituant aux intérieurs d'églises de fantaisie des représentations d'une précision quasi archéologique[18]. Précédés de croquis et dessins exécutés sur le motif, ses tableaux, plus d'une cinquantaine connus, s'inscrivent dans une perspective très consciente d'archéologie nationale. Lié à l'architecte Jacob van Campen, mais aussi à l'historien Samuel Ampsich, dont il illustre l'histoire du vieil Haarlem, il fait le portrait du patrimoine monumental hollandais. Ainsi le tableau de *Saint-Odulphe d'Assendelft* (Rijksmuseum, Amsterdam), réalisé d'après une esquisse faite le 31 juillet 1634, est-il soigneusement légendé : « Ceci est l'église d'Assendelft, un village de Hollande; ceci fut peint par Pieter Saenredam en l'année 1649, le 2 octobre. » Le succès de cette nouvelle manière est tel que vers 1650

pothèses », supplément aux *Cahiers de la recherche architecturale*, n° 3, Paris.

10 - Roger de Piles, *Cours de peinture par principes*, Paris, 1767, p. 61 (1re éd. 1708).

11 - André Chastel « Un portrait de Gaillon à Gaglianico » in :*Fables, formes, figures*, Paris : Flammarion, 1978, t. II, p. 505.

12 - *Encyclopédie méthodique des beaux-arts*,

Paris, 1788, t. I, p. 333-334.

13 - *Ibid.* t. II, p. 655.

14 - Antoine Schnapper, « Colonna et la *quadratura* en France à l'époque de Louis XIV », in : *Bulletin de la Société de l'histoire de l'art français*, 1966, p. 65-97.

15 - *Brunelleschi, œuvres et hypothèses*, *cf.* note 9.

16 - André Chastel, « Marqueterie et perspec-

tive », « Vues urbaines peintes et théâtre », *in : Fables, formes, figures*, Paris : Flammarion, 1978, t. I, p. 317-332 et 497-504.

17 - Hans Jantzen, *Das Niederlandische Architekturbild*, Braunschweig : Klinckhardt und Viermann, 1979 (1re éd. 1910).

18 - Exposition *Pieter Janz Saenredam*, Utrecht : Centraal Museum, 1961.

Anthonie de Lorme ou Daniel de Blieck abandonnent le thème des églises de fantaisie pour cette nouvelle manière réaliste, genre dans lequel s'illustre la nouvelle génération : Gerritt Houckgeest, Hendrick van der Vliet, Emmanuel de Witte, Pieter II Neefs, etc. Signe du succès commercial, la multiplication des variantes : Isaac van Nickelen peint presque uniquement Saint-Bavon d'Haarlem et Anthonie de Lorme « ne fait que l'église de Rotterdam en diverses vues », selon le témoignage d'un voyageur français, en 1663, Monconys, « mais il les fait bien. »

Saenredam, en effet, non seulement a inventé la vue d'architecture réaliste, mais encore a abandonné la vue axiale trop simple au profit de vues de biais multiples, et déplacé l'accent du jeu perspectif au travail sur les modulations lumineuses, l'échelle, le rôle plus ou moins insistant des petites scènes pittoresques qui animent ces intérieurs.

Dans l'*Encyclopédie méthodique*, Watelet souligne les caractères spécifiques de la peinture architecturale des « intérieurs » : « La régularité, la symétrie la difficulté d'y trouver des variétés et des oppositions rendent ce genre plus froid et moins pratiqué. La plupart de ceux qui l'ont exercé avec succès ont choisi pour objet de leurs représentations exactes des églises le plus souvent gothiques, dont les élévations, les jours mystérieux et les points de vue pittoresques les ont aidés à lutter contre la difficulté d'intéresser les spectateurs. En effet les regards ne sont arrêtés quelques moments sur les tableaux de Steenwyck et de Pieter Neefs que par l'illusion de la perspective, par une grande vérité de couleur ou de lumières dégradées et enfin à l'aide de quelques détails de cérémonies que comporte l'usage de ces édifices[19]. »

Bien que ce genre connaisse certains rebondissements au XVIIIᵉ siècle, avec le goût préromantique pour les intérieurs ombreux, Watelet témoigne de sa préférence pour les deux autres genres du tableau d'architecture, les *vedute* architecturales et les ruines qui, plus que jamais, retiennent les peintres d'architecture : « Leur sentiment et leur affection les portent à regarder comme objet principal de leurs tableaux, la magnificence des fabriques et les effets que leurs ornements donnent lieu de produire par le choix des lumières et du clair-obscur; ou bien ils se plaisent à représenter le pittoresque des monuments altérés par le temps, leurs accidents et leurs majestueuses ruines. Ils joignent à ces objets principaux de leurs compositions ce que les plantes et les eaux peuvent y ajouter de beautés; ils ne se refusent pas d'y associer quelques arbres qui, nés dans les décombres et parvenus à leurs termes, font penser aux effets du temps et portent l'esprit du spectateur à l'époque reculée de ses destructions. Mais, en se permettant des accessoires heureux et choisis, le peintre d'architecture fait toujours en sorte qu'ils soient subordonnés et qu'ils ne détournent point trop de l'objet principal, auquel il consacre principalement ses soins[19]. »

Si les petits panneaux de Brunelleschi, *vedute realistice* avant la lettre, n'ont qu'une postérité marginale, le XVIᵉ siècle voit le développement de vues topographiques, souvent à fresque, qui viennent orner les galeries et les salons des villas italiennes et des châteaux français. Le cycle des villas médicéennes, réalisé par Giusto Utens pour la villa d'Artimino en 1590, n'est que l'un des plus spectaculaires exemples d'une pratique courante, la *veduta in situ*. La *veduta* moderne, tableau de cabinet de dimensions restreintes, dont la taille va

croître au cours du XVIIᵉ siècle, paraît liée plutôt au développement des gravures topographiques. Favorisé par le développement d'un tourisme architectural précoce, ce genre prend son essor d'abord à Rome, avec Viviano Codazzi, puis Van Wittel. Introduit à Venise par Luca Carlevaris, le vedutisme topographique connaît au XVIIIᵉ siècle la fortune la plus brillante avec Bellotto, Canaletto, Guardi, etc.[20].

L'idée brillante de Pannini d'utiliser le thème du « cabinet de tableaux » pour présenter une anthologie des vues de Rome antique et de vues de Rome moderne (pendants peints en 1756 pour le duc de Choiseul, Boston et Edimbourg; et pendants peints en 1759 pour l'abbé de Canillac, Louvre) témoignent de l'extraordinaire essor du genre, comme de la prégnance du contraste édifices antiques/édifices modernes, que plus tard Hubert Robert saura aussi exploiter.

Dès le XVᵉ siècle, la peinture témoigne d'une fascination pour les ruines antiques — Mantegna, Botticelli et bien d'autres utilisent chapiteaux et colonnes brisés, portiques et arcs de triomphe comme fonds ou comme accessoires de leurs tableaux religieux —, mais les premiers véritables paysages de ruines apparaissent, à notre connaissance, dans le *Songe de Poliphile* en 1499, où la gravure illustrant le « polyandrion » se présente déjà comme un assemblage de formes et de fragments architecturaux qui envahissent tout l'espace, tandis que la figure du héros, Poliphile, ne joue plus que le rôle de témoin et d'indicateur d'échelle. Au XVIᵉ siècle, parallèlement au travail de relevés et de restitutions des architectes (Peruzzi, Serlio, Palladio, etc.), se multiplient les recueils dessinés ou gravés : Hieronymus Cock, *Praecipua aliquot Romanae antiquitatis ruinarum monumenta*; Giovanni Antonio Dosio, *Urbis Romae aedificiorum… reliquiae*, 1569; Etienne Duperac, *I Vestigi dell'antiquita di Roma*, 1575. Comme pour les perspectives d'église et les *vedute* topographiques, le passage de l'estampe au tableau se fait au début du XVIIᵉ siècle. Avec ses *Vues de Rome* (musée d'Augsbourg, 1600; Brunswick; Dresde), Paul Bril crée le paysage romain, voie dans laquelle s'engage bientôt Agostino Tassi (*Il Colosseo, Tomba de Cecilia Metella*, galerie Pallavicini, Rome; *Ruines*, Florence, collection Guildi).

Ruines idéales ou portraits de ruines, animés d'une scène à l'antique ou d'une scène religieuse, d'élégants promeneurs ou de scènes populaires à la manière de bambochades, les tableaux de ruines touchent d'un côté au paysage et aux vues topographiques, de l'autre aux scènes de genre et aux chroniques urbaines. L'imbrication si frappante à Rome des ruines et de la nature, des monuments antiques et modernes, des scènes de la vie populaire et aristocratique expliquent sans doute ces chevauchements, qui donnent à la peinture d'architecture une agréable variété. Chez Claude Lorrain et Swanevelt, la limite est souvent indécise entre paysage avec ruines et ruines dans un paysage, alors que chez Lemaire le paysage de ruines est d'abord scène urbaine et perspective. Viviano Codazzi pratique alternativement *rovine ideate* (*La promenade*, Rome, palais Rospigliosi), *vedute realistice* (*L'arc de Titus* et *Les jardins Farnese*, Graz), et même bambochades (*Architecture avec figures*, Florence, palais Pitti)[21].

Dans la seconde moitié du XVIIIᵉ siècle, le succès de la *veduta* architecturale est tel que les peintres peuvent jouer sur les conventions du genre, bien connues du public, pour tirer un parti poétique, fantastique ou ironique de chevauchements et d'hybridations délibérés. C'est l'âge d'or du caprice architectu-

19 - *Encyclopédie méthodique*, t. I, p. 333.
20 - Giuliano Briganti, *Gaspar van Wittel e l'origine della veduta settecentesca*, Rome : Ugo Bozzi 1966; Giuliano Briganti, *Les peintres de*

« vedute », Paris : Electa France, 1971.
21 - Roberto Longhi, « Codazzi e l'invenzione della veduta realistica » *in : Paragone*, 1955; Estella Brunetti, « Situazione di Viviano Codazzi »

in : Paragone, 1956, p. 48-64. I.G. Kennedy, « Claude and architecture » *in : Journal of the Warburg and Courtauld Institute*, 1972, p. 260-283.
22 - Diderot, *Salons de 1759, 1761, 1763*, Paris : Flammarion, 1967, p. 166.

ral, où les quais de la Seine ou le chantier devant le Louvre sont traités avec l'amplification et les caractères pittoresques du paysage architectural romain. Mais, comme le perçoit bien Diderot, il s'agit là d'un jeu d'esprit, et ce qui importe c'est le paysage « pictural », c'est-à-dire ce jeu de lumières et de vapeurs, de passages et de glacis, qui est le propre de la peinture.

« Ce que je priserai dans le morceau de l'*Eglise de la Madeleine*, écrivait Diderot à propos d'un tableau de Machy exposé au Salon de 1763, ce n'est pas l'architecture : l'éloge, si elle en mérite, appartient à M. Contant; ce n'est pas la perspective, c'est l'affaire d'Euclide. Qu'est-ce donc ? C'est l'effet de la lumière, c'est l'art de rendre l'air pour ainsi dire sensible. Cette vapeur légère qui règne dans les grands édifices est telle qu'on la remarque dans ce morceau de Machy[22]. »

En isolant, pour leur réserver son appréciation, les effets proprement picturaux (lumière et perspective atmosphérique), Diderot pointe bien les déplacements qu'implique la représentation picturale de l'architecture. Dessins d'architectes et tableaux d'architecture n'ont pas la même finalité, n'appellent pas le même regard, ne suscitent pas le même plaisir : les premiers sont d'abord un instrument, appelés d'ailleurs à figurer à ce titre avec la règle et le compas parmi les attributs des allégories de l'architecture et les portraits d'architectes et, même s'ils sont particulièrement soignés, mis en couleurs et agrémentés de figures pour mieux séduire le commanditaire, leur finalité pratique trouble le plaisir d'une libre contemplation; les seconds visent un plaisir subjectif « sans fin » et, même s'ils empruntent au dessin architectural sa rigueur, pâte picturale et connotations poétiques retiennent autant, sinon plus, que l'objet.

Cependant, pour peu que leurs fonctions originelles soient oubliées, la dominante peut se déplacer. Le tableau d'architecture peut devenir document, relevé : Varsovie rebâtie d'après les *vedute* de Bellotto ! Inversement, le dessin architectural peut connaître, comme l'affiche publicitaire, un regain esthétique : projets encadrés, accrochés au mur, comme des tableaux.

PIERO DELLA FRANCESCA
peintre italien (c. 1416-1492)
Architectures d'une cité idéale, fresque
du Palais ducal d'Urbino.

LE COMBAT EN TROIS DIMENSIONS

LES PEINTRES DEVANT L'ARCHITECTURE AUX XIXᵉ ET XXᵉ SIÈCLES

ALORS QUE D'UNE CERTAINE MANIÈRE IL Y EUT AU XIXᵉ SIÈCLE SÉPARATION ENTRE LES MODERNITÉS (ARCHITECTURALE ET PICTURALE) TROP EXIGEANTES ET DISSEMBLABLES, LE XXᵉ SIÈCLE DRESSE LES FAISCEAUX, FAIT UNITÉ AUTOUR DU LANGAGE PLASTIQUE, RESSERRE LES RANGS. L'ARCHITECTURE ET LA PEINTURE, À NOUVEAU RENDUES À LEURS FONCTIONS PRIMAIRES, PEUVENT FAIRE ALLIANCE.

——— BRUNO FOUCART ———

On range les tableaux paysages en trois classes : les vues, ou représentations exactes, espèces de portraits de sites donnés; le paysage mixte, copié aussi de quelque site ou paysage naturel, mais auquel l'artiste a ajouté, retranché ou changé ce qu'il a jugé nécessaire pour l'effet pittoresque de son tableau, et enfin le paysage idéal tout de la composition du peintre qui a cherché dans sa mémoire ou son imagination les plus belles lignes, les plus belles fabriques, le site et le ciel les plus propres à produire sur le spectateur l'impression dont il a eu le dessein de le frapper[1] ». Les vieux pots restant les meilleurs, les catégories de paysages telles qu'on les trouvait en place au début du XIXᵉ siècle, formulées ici d'après le dictionnaire de Boutard, spécifient bien le jeu du peintre : il peut sur ses deux dimensions reproduire aussi exactement que possible ce qu'il voit, ce que l'on est censé voir; il peut intervenir et reconstruire le réel pour lui conférer ce plus de vérité, ce plus de nécessité qui affirmera l'autonomie du tableau devant le motif, des deux dimensions face à la troisième.

Qu'il peigne un coucher de soleil ou des architectures, la question de l'intervention du peintre est posée de la même manière. L'échelle des valeurs variera au cours des années, mais la nature et le nombre des barreaux restent les mêmes. Au début du XIXᵉ siècle on dépréciait le paysage-portrait au nom du paysage historique, et de Barbizon aux impressionnistes toute l'évolution semble conduire à la débâcle du second et à l'hypertrophie du premier. Mais Cézanne et les cubistes restaurent, en fait, la grande ambition de l'idéal et revivifient un paysage historique où se raconte désormais non plus des

épisodes mythologiques, mais l'histoire de la peinture autonome, sujet dont la fortune, au XXᵉ siècle, vaut bien celle qu'ont connue les dieux et les déesses antiques dans les siècles précédents. D'une certaine manière la classification de Boutard et sa hiérarchie perdureront : Braque ou Vieira da Silva lui donneraient raison.

Du point de vue du peintre, le sujet, il faut bien l'admettre, est d'abord un motif. Ce qui est vrai du plus noble, du plus difficile des sujets — le vivant, la figuration humaine — l'est d'autant plus quand il s'agit de citrouilles, de guitares et, bien sûr, d'un tas de briques, de pierres et de poutres assemblées en un certain ordre qu'on appelle maison. Face à une architecture, il ne faut pas attendre du peintre les préoccupations du constructeur. Faire comprendre un édifice, permettre à l'œil de le pénétrer n'est qu'accessoirement son problème, que se réserve, du reste, une catégorie particulière de la corporation : les védutistes, les peintres d'architecture. Or ceux-ci disparaîtront peu à peu au XIXᵉ siècle : les Canaletto, les Bellotto n'ont pas eu vraiment de successeurs. Le genre de la peinture d'architecture et la passion de la troisième dimension vacillent et s'éteignent ensemble tout au long du siècle dernier. Signe des temps, la meilleure solution pour les architectes sera encore de se mettre à peindre, ce que faisait par exemple Viollet-le-Duc dont les dessins de Pierrefonds dépassent le propos d'un relevé et disent en couleurs et valeurs tout ce que Paul Huet ne pensait pas, n'aurait pas su mettre dans ses vues de la ruine. Quand Klenze peint en 1848 ses Propylées de la Königsplatz à Munich, il y ajoute le caractère que son architecture seule n'était pas

ALBERT CAREL WILLINK
peintre hollandais (1900-1983)
Paysage architectural avec Musée océanique (détail)
huile sur toile, 1946
Collection privée, Amsterdam.

forcément en mesure de révéler : cette jubilation hellénique qui transparaît du ciel insolemment bleu et de la pierre dorée par la grâce clémente de la palette. Sant'Elia et Tony Garnier feront de même, qui cherchent et arrivent à une transposition plastique d'une architecture en devenir. Comme Schinkel en avait donné l'exemple, l'image peinte est, chez quelques architectes doués, fondatrice du passage à l'acte architectural.

Le mépris des peintres professionnels pour ce genre, à leurs yeux trop particulier et limité, qu'est la reproduction d'un édifice, avait été clairement affirmé. «Quant aux vues tout à fait exactes, elles n'ont pour motif que de conserver l'image de certains lieux ou bien ne sont qu'un sujet d'étude; rarement, elles méritent le titre de tableaux», peut-on lire chez le même Boutard[2]. De ce point de vue, les meilleurs tableaux d'architecture du XIXe siècle restent, pour l'historien de la peinture, des œuvres, certes intéressantes, d'artistes pratiquement inconnus ou destinés à rester secondaires. Léon Vinit (1806-1862), cet architecte-peintre, qui eut pour maîtres les architectes Debret, Percier et le paysagiste historique Rémond, est ainsi l'exceptionnel auteur d'une *Vue de la seconde cour de l'Ecole des beaux-arts* présentée au Salon de 1850, qui, autant qu'un hommage à la création du néo-grec Duban, apparaît comme le salut à l'institution de celui qui allait en devenir, en 1853, le secrétaire perpétuel. On doit à Vinit une copie d'après Pannini de l'intérieur de Saint-Pierre de Rome, signalée comme appartenant au musée de Nîmes, étrangeté qui confirme les passions vedutoperspectivistes de ce rare architecte-peintre-administrateur. Louis Béroud, auteur d'un intérieur souvent reproduit et souvent emprunté du *Dôme central de l'Exposition universelle de 1889*, est un peintre dont la plus grande chance de gloire reste encore la confusion avec Béraud, le peintre de la vie parisienne qui nous a lui-même bien renseigné sur la pâtisserie Glopp, 6 avenue des Champs-Elysées ou le chalet du cycle au bois de Boulogne[3] et ses charmantes cyclistes à culottes bouffantes. Mais tout cela ne fait pas des Hubert Robert et encore moins des Piranèse.

Si l'on préfère, comme ici, se restreindre à la seule description de l'architecture contemporaine, si l'on privilégie face à la ville l'édifice, le champ se réduit au dernier carré de Waterloo. La modernité des impressionnistes s'accompagne-t-elle par exemple d'une connivence avec l'architecture moderne ? Rien n'est moins sûr. Quand Sisley peint, en 1872, *Le pont suspendu de Villeneuve-la-Garenne*, il s'intéresse tout autant aux petites maisons qui bordent le fleuve. Plus qu'à une opposition entre la nouveauté du tablier métallique et le charme passéiste du vernaculaire, le peintre est sensible au naturel de ces juxtapositions que la lumière naturalise. L'image de l'architecture moderne reste, chez les peintres du XIXe siècle (et du XXe siècle), l'exception.

Quant à l'imaginaire, c'est avec le spectacle de la ville éventrée comme dans le Paris haussmannien, fumante d'activités, de sombres énergies et de terribles espérances, comme dans le Londres de Doré, que se vérifie sans doute l'orientation profonde du siècle. Le premier grand peintre d'architecture du XIXe siècle sera pour nous, plus que John Martin et ses désastres urbains trop savamment recomposés à partir de planches de manuels, tout simplement Pierre Prévost, le peintre de panoramas, celui qui montrait en 1803 Paris vu des Tuileries[5]. Au XIXe siècle la passion de voir et lire l'architecture, c'est-à-dire l'expression volumétrique de ce programme toujours

recommencé qui est la vie des hommes, passe par une vision globale, celle de l'immeuble, du quartier, de la ville. Zola l'avait bien compris lorsque dans l'*Œuvre,* il nous montre Claude humant Paris, pénétrant du regard la ville depuis le poste stratégique et panoptique où il s'est installé, le pont des Saints-Pères. Son tableau impossible, celui devant lequel il se pendra, est cette perception générale d'un Paris qui rassemblerait, autour de la Cité et de Notre-Dame, «les larges avenues, les monuments des deux rives, et la vie de la rivière, les lavoirs, les bains, les péniches», dont on aurait su peindre les «files de maisons irrégulières, si nettes que l'œil en distinguait les moindres détails, les boutiques, les enseignes, jusqu'aux rideaux des fenêtres [...] des nappes d'ardoises, coupées d'une colossale affiche bleue peinte sur un mur, dont les lettres géantes, vues de tout Paris, étaient comme l'efflorescence de la fièvre moderne au front de la ville[6]». La fièvre de la ville, voilà la véritable ambition de peintre d'architecture dans les temps modernes. On n'est plus aux époques dorées où, comme dans le *Mariage de la Vierge* de la Brera, 1504, Raphaël inventait, en construisant le groupe de Joseph et de la Vierge devant le Tempietto du fond, «un des plus beaux rapports jamais trouvés entre la forme humaine et la forme construite par l'homme[7]». Le XIXe siècle ne peut plus, ne sait plus représenter l'accord de l'homme et de l'architecture, la sérénité d'un espace exactement occupé. La ville ne s'organise plus comme une perspective dominée, mais apparaît dans ses percements, ses tranchées, ses masses d'ombre grouillantes comme un lieu de forces en gestation qui n'ont pas encore trouvé leur expression architecturale.

Ainsi l'image de l'architecture ne bénéficiera-t-elle pas d'un traitement très heureux. Ou bien le peintre la domestique, affirmant les droits supérieurs du tableau : les invariants plastiques phagocytent les propositions de l'architecte et les assimilent sans complexe. Les plus ambitieuses constructions sont ravalées en tant que motif. Ou bien le peintre est sensible à son imaginaire, mais l'architecture s'y dissout, emportée comme un fétu dans ce qui sera la reconstruction du monde selon l'ordre d'une écriture et surtout d'une sensibilité. Les grands peintres, comme aurait pu l'être le Claude de Zola, comme le fut Manet, n'ont qu'un intérêt secondaire pour ces enveloppes de bois, de pierre ou de métal quand leur ambition est de peindre la vie moderne, ses espérances et ses désespoirs. C'est moins le pont de Londres que la population qui s'y réfugie la nuit qui passionne Doré[8]. Ecartelée entre la soumission aux lois du tableau et l'expression personnelle de l'artiste, toutes deux dominantes au XIXe comme au XXe siècle, l'image de l'architecture n'est pas à son propre service. C'est ce à quoi il ne faut cesser de penser, pour ne pas demander à ces représentations ce qu'elles ne savent et ne veulent pas donner.

Avant que la peinture ne s'absorbe dans ses problèmes formels, il semble qu'il y eut dans les premières décennies du XIXe siècle, un moment où il lui revint de *voir* pour les architectes. Lorsque Fleury Richard, élève lyonnais de David, visite en 1800 Saint-Irénée de Lyon, en dessine les cryptes qu'il utilisera dans ses tableaux troubadour, le peintre précède et révèle en quelque sorte la nouvelle sensibilité architecturale[9]. Il fallait les émois de ceux qui frissonnaient dans la salle du XIIIe siècle, en faux gothique et bon Alexandre Lenoir, installée dans le vrai XVIIe siècle du musée des Monuments français, pour que fût un jour possible l'analyse lucide selon Viollet-le-Duc et

1 - Boutard, *Dictionnaire des arts du dessin*, Paris : chez le Normand Père et Ch. Gosselin, 1826, article «paysage», p. 499.
2 - id., *ibid.*, p. 500.
3 - Sur Jean Béraud, *cf. Un témoin de la Belle Epoque, Jean Béraud (1849-1935)*, Musée Carnavalet, 1979.

the Metropolitan Museum, New York, 1967, III, p. 119-120.
5 - *Cf.* le Doctorat de IIIe cycle de François Robichon, sur les panoramas, Paris X Nanterre, 1982, inédit.
6 - Zola, *L'œuvre*, 1886, Paris : Garnier-Flammarion, 1974, pp. 270-271.
7 - J.-P. Cuzin, *Raphaël*, Paris : Bibliothèque des arts, 1983, p. 50.

8 - *Cf.* exposition *Gustave Doré*, Strasbourg, 1983, n° 105, p. 129.
9 - *Cf.* Marie-Claude Chaudonneret, *La peinture troubadour. Deux artistes lyonnais, Fleury Richard et Pierre Revoil*, Paris : Arthena, 1980, p. 62.

que soit en tout cas bousculée la hiérarchie des références classiques. Granet dans l'atelier de David, cette école supérieure du néo-classicisme, affirme son orginalité en peignant les cloîtres qu'il ose visiter, révélant le pouvoir de ces architectures alors oubliées et méprisées. Certes, le XVIIIᵉ siècle avait aimé et pratiqué le modèle pittoresque comme dans les fabriques des parcs construites avec la liberté et l'invention qui sont le privilège du peintre. Mais avec le nouveau siècle, ce qui n'était qu'une récréation et parenthèse devient la norme. Il revient aux peintres voyageurs d'imposer des présences architecturales, bientôt intégrées dans le musée imaginaire des architectes et qui donnaient réalité aux froides épures du grand Durand. Des églises médiévales dessinées, gravées, peintes par les équipiers de Taylor et Nodier (et, par exemple, Dauzats, Isabey) aux mosquées de l'Orient (telles que les Marilhat et Laurens les rapportent), c'est le peintre qui a l'initiative. De ce point de vue le destin de Daguerre est exemplaire. Des décors de théâtre, des panoramas et dioramas à la photographie via les illustrations demandées par Taylor, le parcours du vedustiste moderne est parfait. Les évocations de ruines médiévales écossaises, peintes en grand avec une précision de miniaturiste, ont pour elles toutes les modernités, sujet et facture. Il est symbolique que la photographie ait trouvé en lui l'un de ses inventeurs.

Entre les fabriques et fermes à l'italienne de la petite ville de Clisson commandées par le sculpteur Lemot et ses amis et les tableaux de Thiénon, le lien est direct[10]. Qui précède qui ? La transposition occidentale du site et des bâtisses de Tivoli répond à une véritable obsession picturale. Cette petite et rustique architecture des campagnes italiennes, l'étagement cubiste des constructions au flanc des monts romains ont d'abord flatté l'œil des peintres et leur bonheur s'est imposé par les toiles. Jean-Victor Bertin, Etienne Bouhot au début du siècle, Corot plus tard ont, sous la lumière de l'Italie de Poussin, naturalisé et picturalisé l'architecture vernaculaire. Ce sera la plus continue et peut-être la plus forte des contributions des deux dimensions à la troisième. Les pavillons du bois de Saint-Cloud selon Bertin, ou les forges de Montbard selon Bouhot, peuvent désormais, ayant reçu la promotion de « fabrique », figurer dans les plus nobles paysages. Decamps, Diaz, Millet feront de même pour les fermes et cahutes bellifontaines. Le goût pour l'architecture rustique, pour la maison modeste accompagne, truelle et pinceau tendrement croisés, la vision réaliste du XIXᵉ siècle. Une ferme de Leleux, une rue de Bonvin, un presbytère de Couture, comme à la fin du siècle une maison de pêcheur breton d'Henri Rivière irradient ce charme, cette douceur d'habiter qui sont difficilement intégrables dans les projections simplement géométriques.

La passion réaliste s'est en somme moins intéressée à faire comprendre la nouveauté, la spécificité d'un édifice qu'à traduire une présence devenue familière, un bonheur ou un frisson de peau. L'extraordinaire attention de Meissonier aux pierres effondrées des Tuileries exprime la fixité horrifiée d'un regard catastrophé. Inversement, la dilution des charpentes métalliques de la gare Saint-Lazare selon Monet ou des triomphales ascensions néo-gothiques du Parlement londonien, ne doit pas être uniquement comprise comme indifférence aux structures constructives et primat de l'analyse des phénomènes lumineux. Monet est un trop grand peintre pour qu'une meule vaille pour lui une cathédrale, comme on l'a trop répété. En

fait, Monet peint la meule avec le même respect, la même compréhension que la cathédrale. Entre Frith peignant la comédie des gares et Monet leur « poésie » selon l'expression de Zola — un œil postmoderne atténuerait les incompatibilités, tant on est sensible à l'adéquation du peintre au milieu architectural, au paysage ambiant et à l'atmosphère.

Les toiles londoniennes de Monet, comme l'avait bien vu Octave Mirbeau, peignent autant la ville que la lumière sur la ville, « les formes des masses architecturales, des perspectives, toute une ville sourde et grondante, dans le brouillard, brouillard elle-même[12] ». Le fantastique, l'imaginaire architectural affleurent d'un long regard, sur les choses travaillées de l'intérieur et l'extérieur par la lumière. Hugo lui-même, comme l'a bien montré Pierre Georgel[13], composait, inventait à partir de souvenirs réels, d'éléments disparates (comme cette gravure de Beeverell où il trouve son phare d'Eddystone) qu'il plonge et transmue dans l'océan de ses encres. Hugo comme Moreau restent néanmoins aberrants, dans ce siècle où le simple spectacle des choses absorbe et passionne, où le vrai fantastique est celui de la rue Ravignan la nuit, pointillée par Maximilien Luce en 1893. Le Sidaner peignant sa maison de Gerberoy, Hawkins analysant au fond d'un jardin les assises d'un mur d'une maison où brille à travers la fenêtre une lampe (Le foyer, musée de Nantes) représentent assez bien ce moment où, de la description attentive des surfaces, sourd l'émotion. Le peintre qui ne se sent plus limité par la transcription perspectiviste, s'attache à faire surgir l'âme des maisons, leur vie cachée. A la limite, la peinture d'architecture préfère se transporter à l'intérieur. Comme Gustave Boulanger peignait l'atrium de la maison pompéienne de l'avenue Montaigne, Vuillard illumine les salons capitonnés de la rue de Courcelles. L'impressionnisme avait cherché à représenter le réel dans le bain vivifiant de la lumière. Il fallait aussi transcrire l'intime, ce qui se passe derrière les murs quand l'espace est imbibé de la vie des choses et des êtres.

Avec le XXᵉ siècle et l'affirmation décisive de l'autonomie des deux dimensions, le hiatus semble encore s'élargir. Le tableau se concentre sur lui-même, ses besoins, sa propre nature, dans une superbe indifférence aux préoccupations de toujours. Les deux dimensions abolissent la troisième. Si le cubisme est « la tentative la plus radicale qu'ait entreprise la peinture occidentale pour réduire le volume à la surface[14] », il semble bien qu'architecture et peinture suivent désormais des parallèles dont la nature est de ne pas se rejoindre. Et pourtant, jamais peinture et architecture n'auront été si proches, n'auront autant pensé l'une à l'autre, en participant ensemble à la construction d'un nouvel espace et d'une nouvelle modernité. Même réduite à la surface, la peinture n'aura de cesse de s'évader du cadre et de passer à l'extérieur. L'autonomie affirmée suscite aussitôt le besoin d'une libération. La peinture n'a plus à donner l'illusion de la troisième dimension, mais elle brûle aussitôt de vivre la quatrième. Peinture et architecture cherchent la fusion.

L'autonomie, il est vrai, n'avait pas été vécue comme l'indifférence au réel, au contraire. Voyant les Meules de Monet en 1895, Kandinsky raconte comment il prit immédiatement conscience que « l'objet faisait défaut au tableau[15] », même si la peinture allait y gagner « une force et un éclat fabuleux ». Le sujet pourtant ne se laissera jamais mourir et devait même trouver dans la solidité du monde bâti un

10 - Cf. J.M. Pérouse de Montclos, « De la villa rustique d'Italie au pavillon de banlieue », Revue de l'Art, n° 32, 1976, pp. 23-36.

Cleveland Museum of art, Indiana University Press, 1980.
12 - Cf. catalogue de l'exposition Hommage à Monet, Paris : Grand-Palais, 1980, p. 315.
13 - P. Georgel, « Les sources de quelques dessins de Victor Hugo », Bulletin de la Société de

l'histoire de l'art français, 1971, p. 282-294.
14 - M. Besset, Qui était Le Corbusier, Genève : Skira, 1968, p. 40.
15 - Kandinsky, Regard sur le passé. Édition P. Bouillon, Hermann, Paris : 1974, p. 96.

complice résistant. « Tout s'organise, les arbres, les champs, les maisons. Je vois[16] » confirmait Cézanne à Gasquet. Si l'architecture du tableau, les rapports lumineux et colorés qu'il entretient conquièrent une existence supérieure à celle des motifs, il reste, et c'est la grande leçon de Cézanne, que l'autonomie du tableau s'assure avec la réalité du motif. Le plus important fut bien la restauration des valeurs de stabilité, de volume après la dissolution des objets dans la lumière. L'architecture retrouvait son poids de réel. Le XXᵉ siècle, avec le séjour de Picasso à Horta de Ebro en 1909, avec les peintures de Braque à la Roche-Guyon, renoue avec la tradition classique. Une organisation commune, du tableau et de la nature, des hommes et des choses, redevient possible.

Alors que d'une certaine manière il y eut au XIXᵉ siècle séparation entre les modernités (architecturale et picturale) trop exigeantes et dissemblables, le XXᵉ siècle dresse les faisceaux, fait unité autour du langage plastique, resserre les rangs. L'architecture et la peinture, à nouveau rendues à leurs fonctions primaires, peuvent faire alliance, et s'entendre sur le plus petit dénominateur commun, que constitue le jeu des invariants plastiques et constructifs. Confirmant les intuitions du cubisme, l'architecture se sentait encore plus autorisée à rompre avec l'unité du point de vue, à concevoir les volumes à partir de l'espace intérieur, à introduire le mouvement, la transparence. A l'analyse cubiste du motif répond une architecture qui ne se vérifie qu'en marche, dans un parcours intérieur. Le Corbusier pouvait, certes, appeler un « après le cubisme » qui montrerait plus de netteté et de volonté, moins de facilité dans la conscience des exigences contradictoires, il reste que le cubisme, en libérant le tableau de l'obsession de la troisième dimension, offrait à l'architecture la révélation d'une quatrième dimension, lui ouvrait une nouvelle conscience de l'espace[17].

« Ne mettez au mur que peu de tableaux et seulement des tableaux de qualité », conseillait Le Corbusier[18]. C'est que l'architecture « faite pour émouvoir », est la plus juste et solidaire réponse au besoin de la beauté, à l'exigence « d'un ordre qui se sent en accord avec celui du monde ». Le Corbusier appelle la peinture à une tâche plus ample, lui demande, en quelque sorte, de descendre du mur. Dans la mesure où elle avait précédé les autres arts, « atteint une unité de diapason avec l'époque » en sachant se renfermer « dans un cadre, nourrie de faits, éloignée de la figuration qui distrait[19] », l'architecture qui a dans son giron l'universel, demande à la peinture de venir la rejoindre et la renforcer. Et les peintres vacillent. Dans ses dialogues publiés dans De Stijl en 1919-1920, Mondrian faisait dire à son peintre abstrait-réaliste que si la peinture était en avance dans la quête d'une nouvelle vision plastique, il revenait à l'architecture de construire le véritable lieu de cette « nouvelle plastique » devenue « nouvelle société », même si « aussi longtemps qu'il n'existe pas une nouvelle architecture, c'est la peinture qui doit réaliser ce en quoi l'architecture est en retard, c'est-à-dire... donner un être à la réalité abstraite en art[20] ». La peinture s'incline devant l'architecture et se reconnaît dans la situation de remplaçant-temporaire.

Le tableau, d'abord réduit dans les limites de son cadre, est donc appelé à prendre possession de la chambre, en attendant celle de la ville. « Le tableau abstrait-réaliste pourra disparaître aussitôt que nous pourrons reporter sa beauté plastique autour

de nous par la division en couleurs de la chambre[21] », affirmait Mondrian. Léger, si réticent devant l'ascèse puriste, avait adhéré à ce nouveau champ de la peinture. « Nous sommes revenus à la peinture murale du Moyen Age, avec cette différence que notre peinture n'est plus descriptive mais une création d'un espace nouveau[22] ». L'alliance avec les architectes devient le fait d'habitude. Le peintre se libère en occupant le mur, comme le mur blanc se libère sous la couleur de la fixité et devient élastique. Il n'est plus une « prison rectangulaire » mais un espace lumineux qui aurait les vertus de la transparence.

L'appel de l'extérieur allait être plus fort que ne le prévoyait Mondrian. La chambre ne suffisait pas à remplacer le tableau. Il y fallait la ville, ce qu'avait bien compris Léger, il y fallait le dynamisme de toutes les énergies, le faisceau électrique effaçant en quelque sorte le pinceau. L'œuvre d'art total rendait plus que jamais obsolète le tableau enfermé dans son cadre, fût-il en avant-garde. Léger a décrit dans les Cahiers d'art en 1931 l'arrivée à New York par paquebot, avec la découverte progressive de la ville, le surgissement de l'architecture verticale, la naissance de cette « beauté faite, le soir, de ces innombrables points lumineux et du jeu infini de la publicité mobile[23] ». New York apparaît bien comme l'œuvre d'art vivant de tous les flux, de toutes les forces de modernité. Comment ne pas penser à la révolution que Mondrian n'eut pas le temps de vivre jusqu'au bout, quand New York le faisait passer du côté de « l'équilibre dynamique » et laisser « la balance statique », quand il abandonne la ligne noire et le trait uni dans Broadway et l'inachevé Victory Boogie-Woogie (1943-1944). New York aura décidément eu plus de pouvoir que la basilique de Montmartre, le seul édifice à peu près moderne qui ait arrêté un moment l'œil noir de Picasso...

Les véritables édifices fondateurs d'une nouvelle peinture qui se confondrait avec un nouvel espace, n'ont pas été conçus par les héros du Bauhaus, de de Stijl ou de l'Esprit nouveau. La Galerie de Milan de Mengoni avec sa coupole rivale de celles du Dôme voisin, la tour Eiffel ont trouvé en Carlo Carra et Robert Delaunay leurs vrais spectateurs. C'est de telles architectures qui confirment les peintres dans leur intuition d'un espace pénétré de force, d'un espace fluide où le temps peut se déployer, où forces, couleurs et lumière dansent la même ronde. Dans les décors de 1929 du Triomphe de Paris[24], ce ballet qui aurait dû être joué à New York, Robert Delaunay intégrait une basilique de Montmartre qui superpose aux traductions de Braque et de Picasso la nouvelle vision. Paris et la tour Eiffel ont, dès ce moment, donné tout ce que l'on n'allait cesser de demander à New York. Mais là encore la tour Eiffel, telle que la peignait Delaunay, proposerait une fiction moins forte que la réalité. Toutes les illuminations de la Tour (qui au long des Expositions universelles constituent la vraie nouvelle peinture de la Tour) équivalent dans leur ordre aux recherches d'un Moholy-Nagy, dont le fascinant Licht Raum Modulator (1922-1930) installe l'œuvre d'art dans le nœud des énergies.

La nouvelle société qui selon les vœux de Mondrian devait vivre et faire vivre la nouvelle plastique, aura connu le destin d'Icare. La modernité, malgré son rêve est restée frappée de temporalité. La peinture, après avoir osé quitter son cadre pour explorer avec sœur architecture un nouvel âge d'or, vient de revenir comme le fils prodigue dans la maison du père. On

16 - Conversations avec Cézanne, Paris : Macula, 1978, p. 113.
17 - Cf. les excellentes analyses de Maurice Besset, op. cit. p. 35-61.
18 - Le Corbusier, Vers une architecture nouvelle, réédition, Paris : Vincent Fréal, 1958, p. 96.

19 - ibid., p. 9-10.
20 - M. Seuphor, Piet Mondrian, sa vie, son œuvre, nouvelle édition, Paris : Flammarion, 1970, p 325.
21 - ibid.
22 - F. Léger, « Peinture murale et peinture

de chevalet » (1950) in : Fonctions de la peinture, Paris : Denoël-Gonthier, 1965, p. 31.
23 - ibid., p. 187.
24 - Cf. Exposition Robert Delaunay, Paris : Orangerie, 1976, n° 98.

sera d'autant plus compréhensif pour ceux qui rappelaient que l'imaginaire de la nouvelle architecture portait en soi l'impuissance. Ainsi la mélancolie d'un de Chirico qui sentait que l'ambition des nouveaux constructeurs était frappée de cette vacuité qui habitait les arcades désertées de Turin, avait la vraie force constructive. La peinture fait savoir ici à l'architecture que les dieux d'hier ne sont peut-être qu'endormis. Paul Delvaux installe ses femmes le long des rails d'un tramway qui circule entre des temples et des mines, dans la lumière des becs de gaz. Le «peintre des gazomètres et du Parthénon» est celui d'un silence qui n'est que temporaire, en attendant que l'harmonie de l'homme, de l'histoire, passée et présente, redevienne possible. La peinture en somme imaginait pour une architecture qui se croyait échappée au temps un lendemain possible, celui que nous sommes peut-être en train de connaître. Dans ces mêmes années glorieuses de la modernité, la gloire de quelques peintres aura été de dire le secret des architectures suffisantes, qu'on se heurte comme Feininger aux emboîtements cruels des volumes purs, que l'on ressent comme Sheeler l'inhumanité ou même comme Boutet de Monvel l'élégance des froides fonctions. Il était naturel que les lectures les plus féroces aient eu cours dans les hauts lieux de l'architecture moderne, comme si Mondrian appelait Willink et Gropius Radziwill.

Les regards naïfs qui furent, d'Utrillo à Dufy, ceux des raconteurs de façades, les propositions, de Klee à Dubuffet, d'architectures spontanées auront, dans ces périodes de rigueur conforme, soufflé un air de liberté. Aujourd'hui l'ère postmoderne, comme au beau temps de la réaction anti-néo-classique, fait surgir des curiosités tous azimuts. Retrouvant le rôle d'un Granet, d'un Daguerre, d'un Bouhot qui au début du XIXᵉ siècle montraient des édifices que l'on oubliait de voir et révélaient ainsi à l'architecture son nouvel imaginaire, un Theimer, un Cantafora et même les Luigi-Vinardell et autres Poumeyrol rendent à nouveau possible la compréhension historique, qu'ils aident à retrouver les rêves visionnaires du pré-romantisme, les joliesses art-déco ou les résidus des banlieues non rénovées. En effet, les peintres restituent à l'architecture ce qu'elle avait cru avoir définitivement abandonné. Les places désertes de de Chirico revivent et l'acanthe repousse à la corbeille des chapiteaux. La perspective retrouve sous le pastel de Szafran ses pouvoirs. A la description glacée de Monory plongeant dans le même bain au bleu révélateur l'homme du XXᵉ siècle et son béton, s'opposent tous ces plaisirs de voir, de retrouver, de décrire, d'expérimenter qui sont le bonheur actuel dans l'effervescence de la jeunesse du postmodernisme. La peinture, réconciliée avec elle-même, danse avec l'architecture la même sarabande. Elle l'entraîne. La peinture parle pour l'architecture et l'image de l'architecture n'est jamais aussi parlante que lorsque les peintres disent ce que les architectes ne savent pas encore, lorsque les deux dimensions indiquent la voie à la troisième.

EDUARD GAERTNER
peintre d'architecture allemand
Die Bauakademie (l'Académie d'architecture), huile sur bois, 1868
National Galerie, Berlin.

HISTOIRE ET ACTUALITÉ
DU TROMPE-L'ŒIL ARCHITECTURAL

APPARAISSANT DANS LES INTÉRIEURS LES PLUS DIVERS, LE TROMPE-L'ŒIL D'AUJOURD'HUI CORRESPOND AU BESOIN DE RÉINTRODUIRE DANS L'UNIVERS ARCHITECTURAL UN ÉLÉMENT PICTURAL ET PLASTIQUE, MAIS AUSSI À LA MATÉRIALISATION D'UNE CONTESTATION, D'UN PHÉNOMÈNE DE REJET. COMME SOUVENT DANS LE PASSÉ, IL VEUT ABOLIR DES STRUCTURES EXISTANTES ET PERMETTRE L'ÉVASION DU REGARD VERS UN MONDE QUI A MAINTENANT LA VRAISEMBLANCE DU RÊVE.

—— MIRIAM MILMAN ——

*L*a main touchait une surface plane et *l'œil toujours séduit voyait un relief* » disait Diderot. En effet, le trompe-l'œil, œuvre d'art à deux dimensions, essaie — et c'est sa raison d'être — de se substituer à une réalité qui en a trois. Ce n'est pas l'illusion de la réalité qu'il veut représenter, mais sa certitude. La peinture murale a souvent utilisé la représentation d'architectures en trompe-l'œil pour imposer sa monumentalité. L'imitation parfaite des matériaux de construction, l'utilisation de perspectives savantes a donné au trompe-l'œil mural une apparente objectivité qui interagit pourtant d'une manière complexe avec la paroi qu'il décore. Tout en subissant l'emprise de l'ensemble architectural, il peut à son tour influencer la perception de l'espace défini par les murs qui le portent. D'autre part, lorsqu'il encadre des scènes figuratives ou des paysages, il peut déterminer le degré de réalité que le spectateur accorde au sujet représenté. Souvent éliminé du musée imaginaire créé par les reproductions, il reflète pourtant avec subtilité les tendances artistiques de l'environnement qui l'ont produit, et le parcours de son histoire pourra mettre en évidence la diversité de son message.

Les artistes de l'Antiquité ont laissé les premiers témoignages d'une volonté de changer la nature de l'architecture par une intervention picturale. Dans certaines peintures murales de Pompéi ou Herculanum (fresques du deuxième et du quatrième style) la paroi semble abolie pour créer l'impression d'une évasion vers un espace infini. Cet effet est obtenu par des percées sur des extérieurs imaginaires, mais aussi par un essaim de constructions d'une extrême finesse conduisant le regard

d'un espace à l'autre, grâce à des perspectives vertigineuses et incohérentes, suggérant en même temps la profondeur et le mouvement. Peinture illusionniste ou trompe-l'œil ? Il est difficile de juger aujourd'hui en regardant les ruines d'un passé aussi lointain, car chaque culture a sa propre perception de la réalité et de sa représentation. Il semble, en fait, que déjà lors de leur création, ces fausses architectures s'adressaient en même temps à l'œil et à l'intellect; elles étaient censées établir un jeu avec le spectateur complice qui devait se placer à un point bien déterminé, marqué sur le sol, pour pleinement apprécier le subterfuge[1]. Ces peintures murales furent aussi l'expression prémonitoire des aspirations de l'architecture romaine des premiers siècles de notre ère. Elles annoncent la recherche de la lumière par un allégement des murs et l'ouverture des surfaces, permettant ainsi l'interpénétration de l'intérieur et de l'extérieur[2]. Elles préconisent aussi un autre type d'urbanisme, dans lequel les maisons ne se replient plus sur elles-mêmes mais s'ouvrent vers le monde environnant. Lorsque, dans l'Antiquité post-classique, ces tendances de l'architecture devinrent des réalités tangibles, le trompe-l'œil n'eut, apparemment, plus de raison d'être.

L'avènement du christianisme apporta un changement considérable dans l'essence même de la représentation picturale. Dans le cadre de cet art spiritualisé, avec son système d'idéogrammes à puissante teneur symbolique, les architectures peintes ont un tout autre rôle à jouer. Même lorsqu'elles semblent ne pas faire partie du décor des scènes représentées et qu'elles paraissent se détacher des murs pour en souligner les

ANDREA PALLADIO
Paolo Véronèse *Villa Barbaro*, Maser vers 1560

articulations, elles restent des indications purement abstraites, les mosaïques du Baptistère des Orthodoxes à Ravenne datées du ve siècle, ainsi que la décoration du Baptistère de Florence, du xiiie siècle, en sont des exemples. Pourtant, à travers les siècles, le langage de l'illusion créé par des architectures peintes, n'a pas pour autant été perdu. Toute la partie basse des murs de la Capella Scrovegni à Padoue, peinte par Giotto en 1305, représente en grisaille une architecture peinte imitant des parois couvertes de marbre alternant avec des niches contenant des statues. Giotto a ainsi créé — au début du xive siècle — un ensemble architectural en trompe-l'œil qui s'oppose avec force, visuellement et conceptuellement, aux scènes historiées qui le surplombent, en rehaussant ainsi leur caractère narratif et pictural.

Dans les châteaux du xve siècle on retrouve souvent une décoration en trompe-l'œil issue d'un évident désir de dissoudre le mur épais redevenu opaque et de l'ouvrir vers des paysages verdoyants. La Salle des Barons du Château d'Issogne situé dans la vallée d'Aoste, est ornée d'une fresque du xve, un trompe-l'œil représentant des colonnes en cristal de roche ou porphyre alternant avec de somptueux brocards pour simuler un luxe peut-être convoité et séparer l'espace du spectateur de celui, lointain, d'un paysage imaginaire. Par contre, à la même époque dans la Loggia de la Casa dei Cavalieri di Rodi à Rome, ce sont des pilastres, peints qui scandent les murs sur lesquels se déploie la fresque d'un paysage continu. Ces pilastres[3] qui, par leur nature même, sont censés être *attachés* au mur, le définissent comme une paroi, et le paysage comme un *quadro riportato*[4], une peinture ou un tapis. Une *colonne* en trompe-l'œil peut ainsi conférer à la fresque une réalité objective qu'un *pilastre* lui enlève. Une architecture en trompe-l'œil modifie donc radicalement la perception qu'un spectateur peut avoir d'une peinture murale.

Avec la Salle des Perspectives à la Villa Farnesina à Rome, peinte par Baltassare Peruzzi vers 1515, le but et l'importance de l'architecture en trompe-l'œil semblent avoir radicalement changé. Elle n'a plus la fonction secondaire d'agrémenter un espace existant, de repousser un mur ou de mettre en valeur une fresque figurative. Car, si on n'est pas certain du rôle exact joué par Peruzzi architecte dans la reconstruction de la Villa Farnesina, on peut cependant affirmer[5] qu'il a notablement agrandi la salle pour lui donner les proportions harmonieuses qu'exigeaient ses constructions perspectives. L'architecture en trompe-l'œil assujettit ainsi à ses exigences l'architecture vraie. Le résultat se fait sentir dès le premier coup d'œil. On se trouve soudain dans une fausse loggia s'ouvrant des quatre côtés sur une vue panoramique de Rome. C'est en articulant avec virtuosité la fausse architecture aux parois existantes que Peruzzi — en scénographe averti[6] — a réalisé une spectaculaire unité spatiale. Il a ainsi mis en image son postulat de la « *villa idéale* », habitat et abri, permettant toutefois la fuite circulaire du regard vers un paysage extérieur. Le trompe-l'œil architectural prend ici la dimension d'un manifeste et est le moment de grâce où il trouve sa plus noble raison d'être. On en est très conscient dans la Villa Barbaro, en Vénétie, construite vers 1560, résultat d'une collaboration unique d'un commanditaire, Barbaro, humaniste éclairé, d'un architecte, Palladio, théoricien et innovateur, et d'un peintre, Véronèse, en pleine possession de son style de maturité. Dans ses écrits, Barbaro relie la maxime aristotélicienne de « l'expérience créatrice

d'art » au postulat platonicien de « l'harmonie et de la vertu » comme bases de l'architecture. Imprégné de cette doctrine, Palladio créa des volumes simples et proportionnés qui trouvent leur continuation logique et visuelle[7] dans les fresques en trompe-l'œil de Véronèse. Toute la villa est ainsi rattachée au passé par la sobriété classique de la vraie architecture palladienne et de la fausse architecture de Véronèse au passé culturel et aux racines des habitants des lieux.

Contrairement à ces réalisations où l'architecture peinte tente de reproduire la logique et la consistance d'une architecture réelle, on rencontre, dans le cercle et la lignée de Raphaël (Guilio Romano, Perrino del Vaga, Francesco Salviatti par exemple), des œuvres qui correspondent à un jeu d'esprit subordonné à une finalité ornementale. Sous l'influence de l'Ecole de Fontainebleau, les réalisations du maniérisme, envoûtantes et déconcertantes restent ambiguës, mêlant les architectures en trompe-l'œil aux scènes historiées, les vrais stucs aux grisailles, créant finalement un univers essentiellement imaginaire.

La Contre-Réforme a fait pleinement usage du pouvoir évocateur des architectures peintes aussi envahissantes et menaçantes que les hordes célestes des scènes religieuses auxquelles elles servaient de support. Avec leur vertigineuse envolée verticale, ces trompe-l'œil contribuèrent — dans les églises jésuites[8] — à donner une réalité agressive à la transcendance de la Doctrine.

S'il est difficile de situer le Baroque dans le temps, on peut se hasarder à en contourner l'esprit. Le goût du mouvement, les effets de bravoure, les artifices audacieux et imprévus créèrent un art déroutant qui n'a cessé d'étonner. Ce fut un climat dans lequel tromper le spectateur et lui donner l'illusion d'une réalité fictive, ou la lui enlever un peu plus loin, était un jeu essentiel et savoureux. D'innombrables églises et palais dans toute l'Europe en firent usage et abus. De l'Italie, l'engouement pour cette conception baroque du décor s'étendit à travers les pays germaniques jusqu'en Bohême et à travers la France jusqu'en Angleterre. Tiepolo et son *quadraturista*[9], Mengozzi-Colonna furent les derniers à lui donner l'emphase rhétorique de la « grande manière » et nous assistons à Vicence, dans la Villa Valmarana (1757) au passage abrupt de la tradition classique de Giambattista à celle, déjà rococo, de son fils. En effet, dans une nouvelle aile du palais, Mengozzi-Colonna fait un décor en trompe-l'œil « néo-gothique » pour les chinoiseries peintes par Giandomenico. L'impossible peut devenir sujet du trompe-l'œil et la personnification de la Prudence[10] escaladant précairement la balustrade haut perchée d'une mirobolante architecture peinte, semble bien montrer jusqu'où « on peut ne pas aller trop loin ».

La rigueur d'esprit des années succédant à la Révolution française réagit violemment contre l'orgie visuelle de l'Ancien Régime et bannit le trompe-l'œil architectural de son répertoire artistique. Pourtant, dès 1754, Brunetti[11], peintre connu pour d'aimables trompe-l'œil destinés aux aristocratiques hôtels parisiens, réalisa une œuvre d'un néo-classicisme rigoureux que l'on peut aujourd'hui qualifier d'avant-garde. En effet, une modeste Chapelle des Ames qui fut ajoutée, en 1764, à l'église Sainte-Marguerite par l'architecte Victor Louis, devient un décor grandiose et glacial grâce aux colonnes ioniques, aux statues et bas-reliefs en camaïeu se détachant avec acuité du fond sombre et insondable. Décor de théâtre

1 - *Cf.* A. Blunt, « Illusionist Decorations in Central Italian Painting of the Renaissance » *in : Journal of the Royal Society of Art*, 1959, p. 321.
2 - *Cf.* S. Giedon, *Architecture and the Phenomenon of Transition*, Cambridge, Mass., 1971, p. 160.
3 - Le « pilastre » se définit comme un pilier engagé dans un mur, formant une saillie légère.
4 - Un *quadro riportato* est l'équivalent en peinture murale d'une peinture de chevalet reportée sur la paroi.
5 - *Cf.* C.L. Frommel, *Die Farnesina und Peruzzi architektonisches Frühwerk*, Berlin, 1961.
6 - Cette œuvre a pourtant la faiblesse inhérente à tout ensemble perspectif complexe. L'illusion n'est totale qu'à partir d'un seul point de vue, situé

ici près de l'entrée. Dans cette Salle d'apparat, rarement utilisée, c'était probablement l'endroit où se tenait le maître de maison. Par contre, devant le décor théâtral, le spectateur est immobilisé, donc privilégié. La plupart des maîtres du trompe-l'œil architectural furent d'ailleurs des scénographes renommés. Pour une discussion plus complète du problème, voir aussi M. Milman, *Le trompe-l'œil*, Genève, 1983.
7 - Certains auteurs relèvent pourtant des dissonances ponctuelles; *cf.* K. Oberhuber « Gli affreschi di Paolo Veronese nella Villa Barbaro » *in : Bolletino del Centro Internazionale di Studi di Architettura Andrea Palladio*, n° X, 1968, p. 188.
8 - Dans toute l'Europe, les églises Jésuites adoptèrent la décoration en trompe-l'œil. Les

étourdissantes voûtes peintes par le padre Pozzo (Saint-Ignace, Rome, 1620) et Gaulli (Chiesa di Gesu, Rome, 1672) furent les modèles prestigieux.
9 - Le *quadraturista* était un peintre spécialisé en perspectives. Tiepolo et Mengozzi-Colonna eurent une curieuse relation « symbiotique » dans laquelle le premier peignait les petites figurines dans les tableaux d'architecture du second et celui-ci faisait l'encadrement architectural des fresques monumentales du premier. *Cf.* A. Morazzi, « Giambattista Tiepolo - Painter of *machiette* » *in : Burlington Magazine*, 1959, p. 227.
10 - Palais des ducs d'Este, Sassuolo (vers 1750). En effet, le personnage porte dans ses mains les attributs de la Prudence (le miroir et le serpent).
11 - Paulo Antonio Brunetti, fils et collaborateur

Résidence privée, *Paris, peinture acrylique*

enveloppant un spectateur devenu acteur, le trompe-l'œil simule souvent une opulence inaccessible; il peut aussi parfois créer un climat d'une rare intensité.

Avec l'avènement de la révolution industrielle, le XIXᵉ siècle marque le déclin du trompe-l'œil. Il ne trouvait plus sa place dans un monde avide de respectabilité et d'ordre, où le goût pour le subterfuge élégant et spirituel était remplacé par l'ostentation et la surabondance du détail éclectique. Ce n'est pas un hasard que — si subterfuge il y eut — les façades des usines et des gares se soient transformées en châteaux ou en églises et que le papier peint dispensé au mètre — imitant les tissus et les architectures — ait pris dans les milieux bourgeois, la place des vrais marbres, stucs et dorures, étouffant les décors d'apparat. L'hybridation et la variation des styles du XIXᵉ siècle, ainsi que les différents *revivals*, ne créent pas de conceptions nouvelles et les pastiches qui en surgirent n'ont jamais eu la franchise d'un trompe-l'œil.

La pression des conditions sociales, l'évolution des techniques et des matériaux, les nouvelles esthétiques en révolte contre l'art figuratif traditionnel, et surtout la réaction contre l'éclectisme pesant du siècle précédent, contribuèrent à la création de ce que l'on appelle *l'architecture moderne*. En effet, notre siècle vit un changement profond dans la définition même de l'espace architectural. Devenu un espace libre, le volume s'y substitue à la masse, la mobilité à la rigidité statique, la transparence à l'asphyxie décorative. Dans sa

conception fonctionnelle et rationnelle, l'espace concentré — de Le Corbusier — ou fluide — de Mies van der Rohe — tend à rendre indiscernables les limites entre l'intérieur et l'extérieur. Les structures portantes sont réduites à leur minimum et les séparations mobiles correspondent à de minces cloisons dont la forme sculpturale ou l'emplacement constitue la seule valeur ornementale. Dans cet espace objectif, le mur doit être nu et capteur de lumière; il ne supporte aucune décoration et la présence d'une architecture peinte en trompe-l'œil aurait été un non-sens. Evidemment bannie des gratte-ciel vitrés, elle est aussi impensable dans le cadre du néo-plasticisme avec son monde bidimensionnel de plans et de surfaces monochromes. Mais l'introduction des techniques légères, des parties préfabriquées et des matériaux synthétiques, les conditions économiques et sociales ont contribué — sous prétexte de garder leur esprit fonctionnel et rationnel — à dénaturer la pureté de ces architectures. Banalisées, commercialisées et répétées à l'infini, elles devinrent «monotones, inexpressives et unidimensionnelles[12]».

Apparaissant dans les intérieurs les plus divers, le trompe-l'œil d'aujourd'hui correspond au besoin de réintroduire dans l'univers architectural un élément pictural et plastique, mais aussi à la matérialisation d'une contestation, d'un phénomène de rejet. Comme souvent dans le passé, il veut abolir des structures existantes et permettre l'évasion du regard vers un monde qui a maintenant la vraisemblance du rêve. Fortement

de Gaetano Brunetti dont Dezaillier d'Argenville écrivit dans son *Voyage pittoresque de Paris* (1765, 4ᵉ éd., p. 235) qu'il « avait du talent pour peindre de l'architecture… si artistiquement qu'elle paraissait en relief et trompe les yeux ».

12 - B. Zévi « Contro il neo-accademismo » *in* : *Casabella*, 1981, p. 471.

13 - *Cf. L'Art public*, ouvrage collectif, éd. Damaze, 1981.
14 - *Cf.* G. Perec et Cuchi White, *L'œil ébloui*, Paris, 1981.
15 - En effet, jusqu'à nos jours, certains impôts sont calculés en Italie selon le nombre de fenêtres sur rue. Pour « faire riche » à moindre frais, elles furent souvent remplacées par des fenêtres peintes.
16 - R. Haas, *An Architecture of Illusion*, New York, 1981, p. 84.

17 - Dans l'œuvre de Granvelle, l'interaction des plans de référence et la réflexion spéculaire rendent encore plus subtile la relation entre le réel et le virtuel suggérant la possibilité de son intégration *ab initio* dans une architecture créée dans le même esprit.

imprégné de l'expérience du surréalisme, il questionne l'ambiguïté de la réalité tout en exacerbant son détail. Delvaux a peint dans une résidence bruxelloise une fresque « surréaliste » dans laquelle l'intérieur se mélange à l'extérieur et l'Antiquité au monde contemporain dans une impossible architecture palatiale. Le trompe-l'œil représente parfois les architectures grandioses de l'Antiquité mais aussi les ruines romantiques d'un temps plus proche. Les paysages évoqués sont rarement l'image de la ville extérieure mais évocatifs de pays lointains perpétuellement ensoleillés. Nostalgique, ironique, parfois pittoresque ou narquois, le trompe-l'œil contemporain risque de devenir un élément décoratif de surface dont on se lasse vite comme d'un rideau défraîchi. Pourtant, au-delà de l'anecdote, le trompe-l'œil architectonique d'aujourd'hui signifie surtout un désir de vivre dans un environnement différent. Manifestations plus spectaculaires de ce désir, les façades peintes sont devenues un phénomène complexe, tant sur le plan artistique et urbanistique que sur celui de leur signification sociale[13].

Tout au long de l'histoire, on a peint les façades. Polychromies non figuratives dans l'Antiquité, elles prirent au Moyen Age l'aspect du trompe-l'œil architectural. Le but évident de ces façades peintes était d'embellir le bâtiment pour lui donner la splendeur et la richesse à laquelle il ne pouvait accéder. Ainsi, la cour intérieure rébarbative d'un château médiéval autrichien d'Ambras, construit par Heinrich Teufel, en 1567, arbore le trompe-l'œil d'un appareil de bossage, en pointe de diamant, des éléments de sculpture et des fenêtres peintes afin d'acquérir la splendeur lumineuse de la Renaissance florentine. Les intempéries et le temps ont le plus souvent effacé ce discours pathétique[14]. Pourtant, en Italie, les lois fiscales ont sauvé de nombreuses fenêtres peintes[15] et dans

les pays germaniques le goût du pittoresque et la fierté du patrimoine ont entretenu jusqu'à ce jour la tradition de la « belle » façade.

Si les peintres du passé acceptent la façade et l'anoblissement, les artistes du XXe siècle veulent surtout annuler le pignon décrépi, vestige d'une construction disparue, d'un projet abandonné. Ils deviennent ainsi les porte-parole des habitants du quartier, du passant anonyme et en leur nom, ils proclament la nostalgie d'une architecture passée. Devant s'intégrer dans l'architecture environnante (tout en se détachant d'elle) les façades peintes en trompe-l'œil architectural sont rarement des œuvres anonymes et doivent donc aussi trouver le consensus des autorités locales, d'un éventuel commanditaire et la sympathie du passant; conjoncture évidemment complexe et difficile à réaliser. Dans le port de Marseille, Rieti a ainsi capté comme dans un miroir les silhouettes imposantes du Fort Saint-Jean et du Phare Sainte-Marie. Haas, par contre, a transformé à Munich un mur aveugle en une élégante façade qui amalgame avec une heureuse ambiguïté l'architecture locale du siècle passé avec l'évocation d'une cour intérieure de style Renaissance. Car, même dans une façade peinte, « il faut [...] que le spectateur puisse ajouter à l'œuvre ses propres fantaisies et illusions[16] ».

En fin de parcours, on peut se demander si le trompe-l'œil architectural d'aujourd'hui doit nécessairement rester en opposition avec le mur existant, creusant ce qui a été conçu pour être plat, et ouvrant ce qui a été conçu pour être fermé. Image imaginaire d'une réalité désirée, fuite du regard vers des horizons lointains[17] il pourrait d'emblée prendre sa place dans la création d'une architecture organique libérée des formules et des schémas pétrifiés, dont la dynamique puisse jouer avec un espace ambigu. Peut-être un nouveau Baroque...

SASSUOLO
Palais des ducs d'Este, vers 1750.

LA PHOTOGRAPHIE D'ARCHITECTURE
AUX XIXe ET XXe SIÈCLES

LA CRÉATION PHOTOGRAPHIQUE CONTEMPORAINE TROUVE APPAREMMENT DANS L'OBJET D'ARCHITECTURE UN MATÉRIAU PARTICULIÈREMENT SOUPLE, BIEN ADAPTÉ À UNE RECHERCHE VISUELLE DE PLUS EN PLUS INDIFFÉRENTE AUX GRANDS MESSAGES ET À TOUT PROPOS DE STRICTE DOCUMENTATION. L'ARCHITECTURE SEMBLE AVOIR EXPLOSÉ EN FORMES ET MATIÈRES LUMINEUSES; ELLE SE MÉTAMORPHOSE EN SE RÉDUISANT AUX DÉTAILS D'UNE CONSTRUCTION GRAPHIQUE, COMME SI ELLE N'AVAIT PLUS ASSEZ D'AUTORITÉ POUR S'IMPOSER DANS SON INTÉGRITÉ.

——— PHILIPPE NÉAGU ———
JEAN-FRANÇOIS CHEVRIER

La définition de la période historique et de l'ère géographique couvertes par cette exposition interdit un historique complet de la photographie d'architecture. Par contre la formulation du propos de cette exposition *Images et Imaginaires d'architecture* laisse une grande liberté d'interprétation à l'historien de la photographie puisqu'elle ne réduit pas celle-ci à un strict rôle de documentation. La notion même d'«imaginaire» est extrêmement accueillante et riche de toutes ses ambiguïtés. La féérie de Rimbaud dans un célèbre poème des *Illuminations,* «Les ponts», sans doute inspiré au poète par ses fréquents voyages à Londres dans les années 1870, participe de cet imaginaire en soulignant la part d'utopie qu'il peut y avoir dans les fantaisies architecturales d'un écrivain, d'un peintre, d'un artiste en général. On ne trouvera pas d'équivalent dans la production photographique de cette époque, et il faut sans doute attendre le XXe siècle, et même les dernières décennies, pour trouver une telle liberté d'imagination dans des œuvres plastiques réalisées avec les moyens de la photographie. Mais il est non moins évident que dès l'origine même de la photographie, des images produites à des fins documentaires témoignent fortement d'un «imaginaire» : celui de l'architecte bien sûr, mais aussi celui du photographe, ou même encore celui de la société, sans parler des grands schémas mentaux qui sont attachés aux formes et fonctions architecturales.

Photographie et architecture forment un de ces nombreux dialogues qui constituent l'histoire de la photographie, surtout avant que celle-ci n'ait trouvé son autonomie. Et il ne faut jamais oublier que cette histoire est élaborée par des historiens — parfois eux-mêmes photographes — qui, à partir du moment où ils dépassent le simple inventaire des progrès techniques, vont récupérer des images qui appartenaient initialement, par leur fonction, à d'autres histoires, telle, précisément, celle de l'architecture. D'ailleurs, l'examen de la photographie d'architecture du XIXe siècle, quand il a porté sur l'évolution esthétique du genre, permet deux constatations. La première est que, jusqu'aux années 1860, les photographes s'appliquèrent surtout à la reproduction des grands monuments archéologiques, notamment gothiques, sans porter beaucoup d'intérêt à la production architecturale contemporaine mais, pour autant, ils n'en participaient pas moins — du moins en France — à l'histoire de l'architecture et même à la création architecturale, puisqu'ils fournissaient des arguments et des modèles à des courants très contemporains de «revival» ou de réinterprétation de styles anciens. On constate aussi que, après 1860, les meilleurs photographes, à de rares exceptions près, furent précisément ceux qui montrèrent l'architecture contemporaine. Tout ceci permettrait d'envisager une histoire de l'architecture moderne à travers la photographie qui serait, malgré un manque de représentation de l'Art nouveau, une véritable histoire de la photographie d'architecture.

Toutefois, il faut dire que la photographie n'a pas toujours été bien admise ni comprise par les architectes et que cette réticence tenait en partie, à l'origine, aux limites techniques de l'enregistrement mais aussi à l'autorité du dessin dans l'enseignement académique de l'architecture. On fit à la

ALBERT RENGER-PATZSCH
photographe allemand (1897-1966)
Usine, 1927
Musée national d'Art moderne, Centre Georges Pompidou, Paris.

photographie d'architecture les mêmes reproches — platitude, sécheresse, dureté — qu'on faisait, dans les milieux d'artistes et de gens de lettres, à la photographie en général. Rodin, par exemple, écrivait dan son essai sur les cathédrales de France publié en 1914 : «Les photographies des monuments sont muettes pour moi ; elles ne m'émeuvent pas, elles ne me laissent rien voir. Ne reproduisant pas convenablement les plans, les photographies sont toujours pour mes yeux, sécheresses et duretés insupportables. L'objectif voit bas-relief, comme l'œil. Mais devant les pierres, je les sens ! Je les touche partout du regard en me déplaçant, je les vois plafonner en tous sens sous le ciel, et de tous les côtés je cherche leur secret.»

On peut distinguer schématiquement quatre grandes périodes dans l'histoire de la photographie européenne, qui correspondent à la création ou à des renouvellements profonds du langage photographique : l'ère du calotype (de 1845, approximativement, à 1855-1860) qui suit en France d'une dizaine d'années l'apparition officielle de la photographie (1839) ; la Sécession et le pictorialisme de la fin du XIXᵉ et du début du XXᵉ siècle, mouvement esthétisant en rupture avec les pratiques documentaires et commerciales de l'époque ; les années 1920, avec la «nouvelle objectivité» et toutes les formes d'expérimentation, grâce auxquelles la photographie s'intègre enfin pleinement au mouvement de l'art moderne ; et enfin, la période contemporaine marquée par un grand dynamisme aussi bien dans l'invention de nouvelles formules de création que dans l'exploitation des modèles historiques. Ce découpage est, bien sûr, très grossier, et il ne rend pas compte du développement continu de genres spécifiques au nouveau médium comme le reportage ou l'instantané — qui s'est peu à peu dégagé des conventions de la scène de genre picturale pour fonder une esthétique propre à la photographie.

La photographie d'architecture est née avec la photographie elle-même, au point qu'on peut se demander s'il est légitime d'en faire une histoire autonome. La seule image d'après nature de Nicéphore Niepce, dont on conserve l'original dans un hall d'accueil aseptisé de l'université d'Austin au Texas, est une vue des toits du bâtiment jouxtant la maison de l'inventeur de la photographie, à Saint-Loup-de-Varennes. Elle a été datée de 1826 par Helmut Gernsheim. C'est une image expérimentale dont l'originalité de vision ne répond en rien aux critères de sujet ou de composition en cours au XIXᵉ siècle, mais elle illustre, à l'avance, la méthode prêtée par Baudelaire en 1859 aux paysagistes contemporains, dont le poète dénonçait le réalisme : «Ainsi ils ouvrent une fenêtre, et tout l'espace compris dans le carré de la fenêtre, arbres, ciel et maison prend pour eux la valeur d'un poème tout fait». Niepce n'avait certainement pas l'intention de réaliser une œuvre d'art. Ni un document. Cette vue qu'il a prise simplement de sa fenêtre, sans calcul de composition particulier, ne peut être considérée comme une photographie d'architecture à proprement parler. Cependant, elle montre bien une architecture et nous engage donc à élargir notre définition de la photographie d'architecture, surtout dans la perspective très ouverte de cette exposition. D'autre part, cette image *princeps* peut être interprétée sans difficulté comme un paysage, puisque Niepce parlait lui-même de «points de vue d'après nature», et ceci établit déjà une certaine ambiguïté entre paysage et architec-

ture. Cette ambiguïté se retrouve à l'étape suivante, avec les vues urbaines de Daguerre. Celui-ci mit au point, à partir des travaux de Niepce, le procédé qui porte son nom. Dans les années 1820 il fut un peintre et un dessinateur d'un très grand talent ; il excellait dans les représentations de l'architecture gothique, tant réelle qu'imaginaire, et ses décors de théâtre, comme ses grandes fresques du Diorama, faisaient une large place à cette architecture alors très en vogue. Les quelques daguerréotypes subsistant comme d'indéniables œuvres de l'inventeur du procédé, ont été réalisés à partir de 1839 ; ils ne montrent pas l'architecture gothique dont le peintre s'était fait une spécialité mais l'urbanisme contemporain de Paris, et ce sont plus des paysages urbains que de strictes vues d'architecture. Une de ces images, datée du début de l'année 1839, représente l'alignement des immeubles d'habitation sur le faubourg Saint-Martin, à hauteur du logement du photographe, au nº 17 de la rue. Elle a été prise depuis une fenêtre de l'appartement du photographe, comme le paysage de Saint-Loup-de-Varennes de Niepce.

Avec le daguerréotype commence, à partir de 1840, la formidable épopée des photographes-voyageurs qui sillonnent l'Italie, la Grèce, l'Orient, et des contrées plus éloignées encore, rapportant des milliers d'images de monuments connus jusqu'alors uniquement par le dessin. Ces premiers photographes s'intéressent au passé et peu à l'architecture contemporaine, dont ils ne laissent que de rares témoignages. La vue de la gare de Strasbourg à Paris (actuelle gare de l'Est), du baron Gros, constitue une exception dans la production de cet artiste, plus connu pour ses admirables vues de monuments d'Athènes et pour ses pittoresques documents sur Bogotá.

Mais, alors que le daguerréotype connaissait un succès extraordinaire en France — et encore plus grand et plus durable aux Etats-Unis — en Angleterre, William Henry Fox Talbot mit au point, dans les années 1840-1844, le procédé du calotype (négatif papier-positif papier). Talbot n'ignore rien des possibilités expressives ou pittoresques, du procédé qu'il invente. Chacune de ses images peut être considérée comme le témoignage d'une expérimentation technique mais aussi esthétique. Il sait voir les événements de la vie quotidienne et le décor familier qui l'entoure, ce qui lui permet de s'intéresser aux constructions de son temps. Sa production est extrêmement diversifiée mais elle comporte de nombreuses vues d'architecture et d'urbanisme, parmi lesquelles plusieurs représentent des bâtiments contemporains, tel le Royal Pavilion de Brighton (1846) qui est une fantaisie inspirée d'un palais de maharadjah. La même liberté dans le choix du sujet caractérise l'œuvre du français Hippolyte Bayard, plus systématique dans la représentation de l'architecture. Bayard sait donner les premières visions photographiques du décor pittoresque du Paris du XIXᵉ siècle, et, en ceci, il préfigure la démarche d'Atget.

Dans les années 1850, qu'on a pu appeler «l'ère du calotype», la photographie d'architecture tient une place essentielle. Les photographes voyagent plus nombreux encore que dans la décennie précédente, mais ils se passionnent surtout, comme leurs prédécesseurs, pour l'architecture du passé. Le calotype permettant la reproduction de l'image, de somptueuses publications sont éditées, conçues dans l'esprit des albums topographiques de la période romantique, illustrés de lithographies, tels les *Voyages pittoresques et romantiques de l'ancienne France* de Taylor et Nodier parus depuis les années 1820 jusqu'aux années 1860. Mais cette décennie connaît une innovation : les photographes ne se contentent plus de visiter des territoires lointains, ils explorent aussi leurs propres pays. En matière d'architecture, ils s'intéressent surtout à l'art gothique, en France peut-être dans une moindre mesure qu'en Angleterre ou en Allemagne. En Angleterre, les premières constructions néo-gothiques sont apparues dès la fin du XVIIIe siècle et leur représentation photographique est donc contemporaine de l'invention de la photographie. En France, le mouvement néo-gothique est beaucoup plus tardif et, dans les années 1850, il est encore peu représenté par la photographie. Toutefois, on sait qu'un architecte comme Viollet-le-Duc, si important pour le renouveau du gothique, possédait un fonds personnel de vues de cathédrales par Le Secq. En considérant l'influence qu'eut cet architecte, notamment dans ses travaux théoriques, sur les premières manifestations du fonctionnalisme à l'extrême fin du XIXe siècle, on conçoit qu'une étude ou un examen attentif du passé ait pu servir au développement de l'art moderne.

A cet intérêt dominant pour le passé, on trouve dans la photographie d'architecture des années 1850 quelques exceptions. Et celles-ci sont remarquables car elles annoncent les plus belles réussites photographiques des trois décennies suivantes. On peut considérer en effet les œuvres de Peter Henry Delamotte (1820-1889) et Edouard Denis Baldus (1813-1882) comme les premières déclarations modernistes de l'histoire de la photographie. En 1851 se tenait à Londres la première Exposition universelle, consacrée notamment aux derniers produits de l'art et de l'industrie. L'architecte de serres, Paxton, construisit pour accueillir cette manifestation le célèbre Crystal Palace. Ce bâtiment frappa tellement l'opinion par son usage novateur du métal et du verre — et la nouvelle conception de l'espace que permettait l'usage de ces nouveaux matériaux — qu'il fut conservé et transplanté deux ans plus tard à Sydenham, avec tout ce qu'il contenait. Le photographe anglais d'origine française, Delamotte, fut alors chargé de réaliser une série de clichés sur cette opération. Ses images montrent l'ampleur de l'édifice et surtout la légèreté et la luminosité de l'espace intérieur. Tandis que les descriptions d'ensemble de la nef traduisent la féerie d'une architecture délivrée de la pesanteur, les vues de détails préfigurent les recherches abstraites de la photographie des années 1930. Pour la première fois, grâce à la luminosité de l'édifice due à l'emploi du verre, la photographie rendait compte d'un espace intérieur. Le Crystal Palace eut un énorme succès tout au long du XIXe siècle et on éleva des constructions du même esprit dans plusieurs villes d'Europe, comme à Munich le bâtiment photographié par Albert en 1855. Notons que les peintures du Crystal Palace n'ont rien des qualités des vues de Delamotte. La vision des peintres est anecdotique : ils ont montré un événement mondain et non, comme Delamotte, un événement architectural. On ne retrouve la qualité descriptive des photographies que dans certains dessins et gravures contemporains.

En 1855, la seconde Exposition universelle se tint à Paris dans le palais de l'Industrie construit par Max Berthelin, mais ce n'est pas dans les images réalisées à cette occasion qu'il faut chercher l'équivalent des images de Delamotte. En France, le véritable contemporain de ce dernier est Baldus, chargé, à l'occasion de la visite de l'Exposition par la reine Victoria, de

réaliser un « album de chemins de fer » montrant les principales étapes de la ligne nouvellement créée entre Paris et Boulogne et que la reine venait d'emprunter. Cet album présentait des paysages, des vues de ville, des vues d'architecture ancienne, des ponts, des viaducs et des gares. Il est le premier du genre. C'est à partir de Baldus qu'on parlera d'« albums de chemins de fer »; les Américains Carleton E. Watkins et William Henry Rau s'en firent, bien plus tard, une spécialité. L'originalité de Baldus est d'avoir apporté à la représentation de l'architecture industrielle la même rigueur qu'à ses vues de paysages ou d'édifices anciens. Plus encore, il a su adapter l'objectivité de l'enregistrement photographique à cette nouvelle architecture monumentale et statique. Par la suite, de nombreux photographes reproduisirent, en France, comme en Angleterre et en Allemagne, des ponts et des gares, en montrant la vie complexe des chantiers et le résultat souvent spectaculaire des ouvrages achevés. Il faut remarquer que les peintres portèrent un œil tout à fait différent sur les motifs de la nouvelle technologie. Turner, le premier, dans le célèbre tableau de 1844, *Pluie, vapeur et vitesse*, s'éloigne de toute description pour ne donner que le sentiment de la vitesse d'un train en mouvement, et tout détail d'architecture est perdu dans un violent effet atmosphérique. En France, trente ans plus tard, les peintres impressionnistes, Monet, Pissarro montrent des gares et des ponts parce qu'ils font partie de la vie moderne, mais ils s'attachent plus, eux aussi, comme Turner, à traduire le sentiment de l'atmosphère qu'à représenter l'architecture elle-même. L'avant-gardisme des peintres impressionnistes leur interdit toute intention documentaire, tandis que les photographes, travaillant sur commande, développent un style descriptif qui leur permet de traduire les valeurs plastiques de la nouvelle architecture. Bien que de formation classique, les photographes vont alors aussi loin qu'il leur était possible, dans un mouvement qui aboutit aux audaces formelles du modernisme des années 1920-1930. Tandis que les peintres modernes, de Turner à l'impressionnisme, découvrent l'abstraction par la couleur, les photographes contemporains, dans la lignée de Baldus et Delamotte, enregistrent les premières possibilités d'une abstraction géométrique. Seul Caillebotte, dans une étude pour *Le pont de l'Europe*, s'attache à représenter les structures métalliques, quasiment abstraites, de la construction (encore n'est-ce qu'une étude : le tableau lui-même est moins audacieux).

Ce modernisme reste toutefois limité dans les années 1850; il s'oppose aux tendances pastorales alors dominantes de la photographie dans laquelle on compte plus de vues pittoresques du paysage et de l'architecture traditionnels que de descriptions de la nouvelle technologie. Mais il se retrouve dans le traitement de sujets qui ne semblaient pas devoir le favoriser, telle l'architecture académique et éclectique des débuts du Second Empire. En 1855, l'année même de l'Exposition universelle de Paris — et de l'album Paris-Boulogne — Baldus est chargé de reproduire les travaux de construction du nouveau Louvre entrepris par l'architecte Lefuel à la demande de Napoléon III. Hector Lefuel est le représentant type de la tradition des Beaux-Arts. La commande précise que Baldus doit montrer « pierre par pierre » les sculptures et les éléments décoratifs recouvrant le bâtiment. Cette orientation met l'accent sur la part la plus novatrice du travail de Lefuel et le reportage de Baldus en bénéficie : tandis que les vues d'ensemble des différents pavillons du Louvre sont d'un classicisme un peu conventionnel, les vues de détails transfigurent les motifs décoratifs pour en faire des objets imaginaires assimilables à des constructions mécaniques. La réussite de ce genre de compositions est rare; elle montre, dans ce cas particulier, que l'architecture académique pouvait comporter des éléments de modernisme, comme le classicisme des photographes pouvait s'adapter à une vision nouvelle.

L'architecture du Second Empire, issue de la tradition néoclassique ou d'un retour au XVIIIe siècle, inspire également quelques intéressantes photographies à des auteurs comme Richebourg ou Aguado, surtout connus pour leurs vues d'intérieurs. Elle permet, mieux qu'aucun autre style, des recherches graphiques auxquelles la création du XXe siècle nous a rendus particulièrement sensibles, accentuant l'alignement des colonnes, la clarté des perspectives. Bayard, dans sa vue de l'église de la Madeleine vers 1847, exploite exemplairement ces effets. Malgré un large traitement de l'espace, le bâtiment reste le plus souvent isolé. Mais il est parfois intégré à son environnement, comme dans l'image des bains de Bagnères-de-Bigorre par Paul Mailand, vers 1859, ou dans la vue de la place des Propylées et de la Glyptothèque de Munich par un anonyme, vers 1860-1870. C'est d'ailleurs quand la photographie montre comment un bâtiment nouveau s'intègre — ou ne s'intègre pas — à son contexte urbain, qu'elle révèle le mieux son pouvoir d'interpétation critique.

La volonté impériale fut en France à l'origine de la construction de l'opéra de Paris, bâtiment qui résume parfaitement les goûts, les aspirations et les contradictions de la société de cette période, et que l'on a surnommé « la cathédrale du Second Empire ». L'entreprise était particulièrement prestigieuse; on chargea deux photographes, Delmaet et Durandelle, de suivre la progression des travaux et de répertorier l'extraordinaire floraison de sculptures décoratives que suscita cette création. La parenté avec Baldus est évidente. Mais Delmaet et Durandelle ont bénéficié de conditions encore plus favorables : le caractère novateur des structures métalliques de l'édifice de Charles Garnier, qu'ils ont pu décrire avant qu'elles fussent recouvertes par un revêtement plus traditionnel. Jamais peut-être ne fut poussée aussi loin, au XIXe siècle, la spéculation visuelle sur les constructions géométriques de la nouvelle architecture. Ceci aboutit même parfois à des effets d'étrangeté et d'irréalisme surprenants, qui accentuent encore ce que pouvait contenir d'inattendu l'inspiration composite de Garnier. La photographie confirmait ainsi sa vocation à révéler les dimensions cachées (les structures) ou marginales (les détails décoratifs) de l'architecture. La série des masques décoratifs, regroupés dans l'atelier des sculpteurs ornemanistes avant leur installation sur l'édifice, est un des grands moments de surréalisme involontaire de la photographie du XIXe siècle. Mais on peut aussi supposer que Delmaet et Durandelle ont été conscients des effets qu'ils produisaient en montrant ces étranges alignements de figures grotesques, qui se rattachent d'ailleurs à toute une tradition de la nature morte photographique, elle-même héritière des trompe-l'œil et autres jeux visuels et symboliques auxquels s'adonnèrent les artistes dans les siècles passés.

En Allemagne, au même moment, le photographe Joseph Albert (1825-1886), qui montre l'architecture fantastique des châteaux de Louis II de Bavière, n'aboutit pas à des résultats aussi surprenants : ses images restent en-deçà de la réalité. Ses meilleurs réussites sont les vues du jardin d'hiver que le roi se fit construire à la Residenz de Munich, extraordinaire mélange d'architecture de serre avec des éléments de fantaisie de toute nature : décors en trompe-l'œil, fabriques indiennes, mauresques et autres. Il faut reconnaître que si les exemples de représentation photographique de l'architecture post-romantique sont rares et décevants, c'est dans le domaine de l'architecture classique et industrielle que la photographie a donné le meilleur d'elle-même au XIXe siècle.

La construction de la tour Eiffel, pour l'Exposition universelle de 1889, est un des principaux épisodes de l'alliance entre ingénieurs et photographes. Pendant deux ans, du 8 avril 1887 au 31 mars 1889, Durandelle suivit l'évolution du chantier, depuis l'aménagement des soubassements jusqu'à la fin des travaux. Il voulait faire comprendre le gigantisme de la construction et il s'attacha plus à en montrer l'ampleur qu'à représenter des détails de la structure métallique comme le firent les photographes des années 1920-1930. Mais nous sommes déjà à la fin du XIXe siècle. Un photographe amateur, dont nous ignorons le nom, mais qui participa vraisemblablement de près au chantier, réalisa de son côté un album de petites images qui montrent des instantanés d'ouvriers au travail, des détails de poutrelles entrecroisées, avec des plongées et contre-plongées tout à fait dans l'esprit de cette époque.

Si l'on considère que, passées les années 1850, la photographie, en France comme dans le reste de l'Europe, est devenue surtout une activité commerciale adaptée aux exigences d'une société bourgeoise conventionnelle, et que cette évolution a entraîné une dégradation surtout sensible dans le genre du portrait, il faut ajouter que certains domaines d'application d'une technique devenue routinière, ont toutefois bien résisté et se sont même développés. Il faut mentionner la production d'ateliers fournissant de la documentation pour les artistes et les industries de luxe, mais aussi, précisément, les reportages industriels, comme ceux qui furent commandités par l'Ecole des ponts et chaussées. Liée aussi nécessairement à l'industrie contemporaine, la photographie ne souffrit pas de la standardisation qui affecta des genres, tel le portrait, plus sensibles aux effets de la mode. Il ne pouvait pas y avoir de confusion dans ce registre entre la recherche esthétique et celle de l'efficacité. On pourrait appliquer aux images de Collard ou Terpereaux ce que l'architecte belge, Henri van de Velde déclarait en 1899 : « La beauté de l'ingénieur résulte du fait qu'il n'est pas conscient de la recherche de la beauté ». Par ailleurs, les années 1880 virent le développement d'une photographie d'amateurs — au sens moderne du terme — qui apporta d'importants éléments de renouvellement, précisément parce qu'elle n'avait aucune finalité professionnelle. Ce renouvellement est bien illustré par le petit album de la tour Eiffel que nous avons mentionné.

Ce sont donc de pures visées fonctionnelles ou privées qui ont permis à la photographie, à partir des années 1860-1870, d'échapper à la dégradation commerciale qu'elle connut alors généralement. A la fin du siècle, en marge d'une nouvelle production de grande diffusion — la carte postale —, apparut un mouvement de recherche esthétique qui réagit lui aussi contre cette évolution. Ses trois points de départ, avant qu'il ne se propageât dans le monde entier, furent trois capitales européennes : Vienne, Londres et Paris. Dans ces trois villes, des photographes s'élevèrent contre la vulgarisation de l'outil photographique et firent « sécession » des organismes officiels représentant le milieu professionnel. Ils affirmèrent les possibilités d'expression artistique du médium et l'originalité de l'épreuve contre la standardisation du tirage commercial. Ils avaient souvent suivi une formation de peintre et leurs propres images sont inspirées de l'impressionnisme ou proches du symbolisme. D'une manière générale ils récusaient toute fonction documentaire pour la photographie, et les sujets qu'ils traitent relèvent de genres picturaux traditionnels : portrait, paysage, nu, scène de genre, et même peinture d'histoire — ou de ce qu'on peut considérer comme des genres nouveaux, tel l'instantané impressionniste. Pour ces deux raisons, très liées, ils se sont peu intéressés à l'architecture. De l'urbanisme moderne, ils eurent — quand ils ne le méprisaient pas — la même vision symbolique que les poètes contemporains — on peut penser notamment aux *Villes tentaculaires* d'Emile Verhaeren. Ils n'étaient pas prêts à célébrer aveuglément les mérites de la nouvelle société industrielle. Et ils s'éloignent ainsi des tendances descriptives des générations précédentes.

Dans ce tableau général on peut remarquer toutefois une exception marquante : l'œuvre de l'Anglais Frederick Henry Evans (1853-1943). Cependant, elle traite essentiellement des cathédrales gothiques et sa contribution à la représentation de l'architecture contemporaine se limite à quelques magnifiques interprétations intimistes de la maison de William Morris, le précurseur de l'Art nouveau. C'est aux Etats-Unis qu'il faut chercher un intérêt plus soutenu des photographes pictorialistes (notamment Stieglitz et Steichen) pour l'architecture contemporaine. En Europe, le regard le plus original et le plus novateur sur l'architecture vient encore d'Angleterre, avec les images de l'Américain Alvin Langdon Coburn (1882-1966). Si son art est, au début du siècle, tributaire du pictorialisme, il est le premier, avant Paul Strand aux Etats-Unis, à créer la rupture qui fait pénétrer la photographie dans l'art contemporain. Dès 1904, avec une image comme *Gabble,* il invente des cadrages qui cernent des détails aux formes géométriques très pures, et cette tendance à la stylisation s'accentue dans les années 1910.

Tout à fait contemporain du pictorialisme, s'est développé en architecture le mouvement de l'Art nouveau, également issu de la Sécession. On peut imaginer qu'un mouvement architectural aussi inventif dans ses conceptions et aussi extravagant dans son décor fut en mesure d'exalter quelques photographes de l'époque, soucieux de trouver un langage nouveau pour le traduire, comme il s'en était trouvé pour l'architecture industrielle dans les années 1860. Or, dans l'état actuel des connaissances, aucun photographe de valeur n'a représenté en son temps les constructions d'Hoffmann, de van de Velde, de Horta, ou de Guimard, et seuls subsistent des témoignages intéressants des travaux de Gaudí à Barcelone.

Le tournant du siècle et les premières décennies du XXᵉ sont surtout marqués par l'œuvre d'Eugène Atget (1857-1927), un isolé de génie, qui accumule sur Paris et ses banlieues une documentation sans équivalent, dans laquelle affleure une des visions d'auteur les plus fortes de l'histoire de la photographie. Mais la démarche d'Atget est celle d'un homme qui rejette l'urbanisme et l'architecture de son temps : il s'intéresse essentiellement à la ville ancienne, dont il veut fixer la beauté

avant qu'elle ne disparaisse. Dans son énorme production, l'architecture du XIXᵉ siècle est peu représentée et celle du XXᵉ quasiment absente, à l'exception de manifestations mineures, comme les cirques, les kiosques, les roulottes et surtout les devantures de boutiques de la fin du siècle. Atget s'intéresse à que ce qu'on appelle « le mobilier urbain ». Mais sa vision très pure et très moderne influença la photographie du XXᵉ siècle, à commencer par les travaux de Berenice Abbott — qui fit connaître Atget aux Etats-Unis — dont les images montrent de manière rigoureuse l'urbanisme et l'architecture de New York dans les années 1930.

Aux Etats-Unis les gratte-ciel furent, au début du XXᵉ siècle, le symbole du modernisme. Dans ce pays neuf, pauvre en monuments anciens, les photographes s'adaptèrent plus facilement qu'en Europe à la physionomie de la nouvelle société. Dès l'époque du daguerréotype on remarque de nombreuses vues, très belles, de villes contemporaines et de bâtiments modernes. Au tout début du siècle, Alfred Stieglitz et Edward Steichen donnent des portraits grandioses du Flat Iron Building de Daniel Burnham, achevé en 1903. L'image de Stieglitz associe la silhouette du gratte-ciel à la forme d'un tronc d'arbre dénudé au premier plan, pour évoquer la rigueur verticale et la puissance organique du nouveau bâtiment. Le photographe alla jusqu'à déclarer : « Le Flat Iron est aux Etats-Unis ce que le Parthénon était à la Grèce ». Ceci donne bien la mesure de l'enthousiasme déclenché par la nouvelle architecture dans certains cercles d'artistes et d'intellectuels cultivés et cosmopolites comme l'étaient Stieglitz et Steichen. La conception photographique du paysage urbain, encore marquée par l'impressionnisme, se modela de mieux en mieux sur les nouvelles formes de l'architecture moderniste. Dans un essai publié par la revue *Urbi* (n° 3, mars 1980), « New York et l'origine du Skyline : la cité moderne comme forme et symbole », William Taylor notait l'homologie entre le médium photographique et l'urbanisme moderne : « En dépit d'une tendance initiale chez les photographes à mimer les conventions pastorales de la peinture, on voit se dégager dès l'origine une affinité singulière entre la caméra et la ville ». Et le même auteur ajoutait, à propos de la situation américaine à l'époque de Stieglitz : « Pour la première génération de photographes attachés à donner à la photo ses lettres de noblesse en tant qu'art indépendant de la peinture, une affinité plus étroite encore s'affirma entre l'appareil et la cité moderne ».

Ces remarques — malgré ce que nous avons dit de Coburn (d'ailleurs américain d'origine) et des premières vues urbaines de Daguerre — s'appliquent mal à la situation en Europe. Sur le vieux continent, le décalage entre le modernisme architectural et la recherche esthétique — consciente et déclarée — en photographie fut plus insistant. Les correspondants de Stieglitz en Europe n'avaient pas de nouvelles valeurs nationales à montrer à travers la représentation d'une nouvelle architecture. Ils ne disposaient pas de symboles aussi efficaces que le gratte-ciel. Le Crystal Palace dans les années 1850, puis la tour Eiffel furent de puissants stimulants. Au début du XXᵉ siècle il n'y avait rien d'équivalent. Les caractères de l'œuvre d'Atget — perspective documentaire et rejet de l'urbanisme contemporain — sont très significatifs de la situation de la photographie en France et de la manière dont s'y préparait la relève du pictorialisme.

Celle-ci eut lieu en Europe dans les années 1920, quand le

pictorialisme se fut épuisé en formules stériles, par un retour à la rigueur objective de la tradition documentaire. L'Allemagne prit alors la tête du mouvement. Les grands centres culturels du pays bénéficiaient de l'héritage des dernières avant-gardes françaises (notamment le cubisme) mais aussi de l'afflux des artistes venus d'URSS ou d'Europe centrale. Grâce à l'institution du Bauhaus à Weimar en 1919, préparée par la création du Deutscher Werkbund en 1907 — association dont l'objectif déclaré était « l'anoblissement du travail professionnel grâce à la coopération de l'art, de l'industrie et du travail manuel » — l'architecture reçut un statut privilégié parmi les autres arts : elle pouvait plus facilement assimiler les innovations des technologies industrielles; elle répondait aux mots d'ordre fonctionnalistes et s'associait aux arts appliqués pour démontrer la possibilité d'une nouvelle alliance sociale par l'accord du beau et de l'utile. La photographie profita largement de ce contexte culturel et les années 1920-1930 furent une des périodes les plus riches de son histoire. L'antagonisme entre art et métier, violemment affirmé par ses détracteurs puis par les pictorialistes, s'effaça en partie, et ceci permit à de nombreux créateurs de reprendre à leur compte, mais de manière beaucoup plus réfléchie et audacieuse, les formules de description objective, documentaire, des professionnels du XIXe siècle. Albert Renger-Patzsch (1897-1966), qui est considéré comme le chef de file de la « nouvelle objectivité » en photographie, déclarait en 1927 : « Le secret d'une bonne photographie — qui, à l'égal d'une œuvre d'art, peut présenter des qualités esthétiques — est son réalisme [...]. Abandonnons donc l'art aux artistes et efforçons-nous de créer des images qui dureront en raison de leur qualité photographique, parce que cette qualité purement photographique n'aura été empruntée à aucun autre art ».

En 1929, l'association Deutscher Werkbund organisait à Stuttgart une immense exposition, intitulée « *Film und Foto* », qui, rassemblant près de mille images de photographes de toutes nationalités, constitua une véritable somme des nouvelles tendances internationales. L'époque du pictorialisme était définitivement révolue, la photographie s'était émancipée des modèles picturaux, elle affirmait son indépendance technique et ses parentés avec le cinéma comme avec les nouveaux produits de la société industrielle. L'exposition montrait également, dans une bien moindre mesure, les nouveaux développements du reportage qui allait trouver sa véritable extension dans les années 1930, grâce aux grands magazines illustrés et à la généralisation de l'usage d'un appareil très maniable : le Leica. La richesse et la variété de la production photographique, dans cette période 1920-1930, furent telles que presque toutes les formes de création ultérieures peuvent s'y rattacher.

En matière de photographie d'architecture, une certaine uniformité, qui tient à la généralisation des partis pris de simplification géométrique — aussi bien dans l'architecture que dans la photographie elle-même — ne doit pas masquer de profondes différences. Les images de Theodor Lukas Feininger, par exemple (né en 1910, il étudia puis travilla au Bauhaus de 1926 à 1932) se distinguent, par une plus grande fantaisie formelle, de celles de son aîné Renger-Patzsch qui avait déjà publié en 1928 son grand livre, *Die Welt ist Schön* (Le monde est beau). La vision de Renger-Patzsch est descriptive et plastique, Feininger exploite des effets plus

graphiques, en multipliant les jeux visuels de fragmentation par les reflets lumineux et les découpes de cadrage. L'opposition au réalisme de Renger-Patzsch est encore plus sensible dans la démarche expérimentale de László Moholy-Nagy (1895-1946), proche du Soviétique Alexandre Rodchenko par son recours systématique aux déformations optiques dues aux vues en plongée et en contre-plongée. Carl Georg Heise, dans la préface qu'il écrivit pour *Die Welt ist Schön*, soulignait que le propos du photographe d'architecture est de donner un « portrait » des édifices. Ceci ne pouvait être l'intention d'artistes comme Moholy-Nagy ou Rodchenko, à moins d'imaginer de leur part une interprétation singulièrement expressionniste de l'art du portrait. Certes, les communications et échanges entre ces auteurs étaient particulièrement intenses, et les formules passent de l'un à l'autre, mais les différences de tendances subsistent.

Accentuant, par de violents effets de diagonale et même des déséquilibres brutaux, le dynamisme des lignes de fuite ou les écrasements des plans par la perspective, les photographes les plus influencés par les découvertes futuristes et constructivistes interprètent l'architecture comme une forme et un symbole de la vision moderne. Influencés par la volonté futuriste (surtout chez les peintres et les photographes italiens des années 1910, trop souvent oubliés d'ailleurs) de traduire le mouvement et le dynamisme de la vie contemporaine, autant que par les recherches de nouvelles géométries (à partir du cubisme français), ils intègrent la perception de l'architecture à un imaginaire de l'urbanisme moderne, mille fois célébré au même moment par les peintres, les hommes de lettres, les cinéastes. Cet esprit est particulièrement sensible dans les photomontages ou photocollages, de tout horizon politique, dont l'exposition du Centre de Création Industrielle présentera un ou deux exemples significatifs, comme cette surimpression d'un portrait féminin sur une vue d'architecture, vers 1928, qui évoque irrésistiblement les collages cinématographiques de Godard dans *Deux ou trois choses que je sais d'elle*. La démarche de Renger-Patzsch, bien qu'il ne se soit pas tenu entièrement à l'écart de ces préoccupations, reste plus attachée à des valeurs traditionnelles, comme la beauté de la nature allemande; elle reste fidèle à la prise de vue directe et demeure, dans son principe, documentaire. Renger-Patzsch a affirmé ce principe avec force à de nombreuses reprises. Il conserve donc généralement la stabilité des objets et des édifices, même s'il exploite toute leur expressivité et souligne la valeur abstraite de leurs formes.

Ceci est encore plus vrai d'un autre grand photographe d'architecture de cette période, Werner Mantz (né en 1901), bien plus spécialisé que Renger-Patzsch dans ce domaine d'activité, et dont les images ont une précision descriptive, une finesse graphique, sans doute inégalées en leur temps. Un critique français lui demandait récemment ce qui faisait à ses yeux une bonne photographie d'architecture, il répondit simplement : « La photographie est bonne quand l'architecture est bonne ». Son œuvre a reçu récemment des historiens de la photographie la reconnaissance qu'elle méritait, mais il s'étonne lui-même de cet enthousiasme pour des images dont il ne peut oublier la raison d'être professionnelle. On retrouve dans sa démarche la logique des grands photographes d'architecture du XIXe siècle qui, avant de se préoccuper d'expression personnelle, cherchaient à traduire le plus exactement possible la nature des bâtiments qu'ils représentaient. Toutefois, parce que Mantz avait une solide culture plastique et qu'il était en relation avec de grands créateurs, tels Erich Mendelsohn ou Hans Heinz Lüttgen, ses images tranchent par leur innovation visuelle sur la production documentaire courante, tout en continuant de se distinguer, par leur sobriété, des compositions plus expérimentales de l'époque. Mantz peut être tenu pour le meilleur photographe d'intérieurs des années 1920-1930. Son usage rigoureux de la lumière naturelle, souvent renforcée par des éclairages artificiels, pour traduire la clarté géométrique, parfois clinique, de l'architecture moderniste, comme ses partis pris fréquents de simplification par la frontalité de la prise de vue, apparentent son œuvre, non seulement à la photographie pure ou « straight photography » mais à l'inventaire des lieux et des espaces vernaculaires mené par Walker Evans dans l'Amérique des années 1930.

Ainsi, trois des grandes catégories distinguées par Beaumont Newhall, dans la dernière édition de son *Histoire de la photographie*, pour rendre compte des tendances de l'entre-deux-guerres — « Straight Photography », « In Quest of Form » et « Documentary Photography » — permettent de distribuer assez bien les différentes attitudes des photographes allemands, et plus généralement européens, en face de l'architecture contemporaine, pendant les années 1920-1930. Renger-Patzsch prend place dans la première catégorie, aux côtés de ses homologues américains, tels Strand, Sheeler, Weston, rassemblés derrière la figure de Stieglitz, auxquels on peut rattacher la part la plus descriptive de l'œuvre de Walker Evans. Moholy-Nagy se trouve dans le chapitre suivant, avec Rodchenko, Erich Mendelsohn — qui assura le lien entre l'Allemagne et les Etats-Unis en publiant en 1926 son célèbre *Amerika, Bilderbuch eines Architekten* — mais aussi Coburn, dont les vues d'architectures, rapprochées d'images plus abstraites, pures spéculations sur la lumière et le mouvement, révèlent la dimension imaginaire qui les rattachent, dix ans avant Moholy-Nagy, au mouvement expérimental. Les photomontages et photocollages prennent place également dans ce chapitre. Quant à la dernière catégorie, la photographie documentaire, si on la distingue, comme on doit le faire historiquement, du photojournalisme, elle permet de projeter un nouvel éclairage sur des auteurs qui ont été situés — ou pourraient spontanément l'être — dans les deux chapitres précédents. De même que l'œuvre de Walker Evans pourrait être entièrement abordée de ce point de vue, il n'est pas interdit de considérer une grande part des images de Werner Mantz, bien qu'elles soient vides de toute présence humaine, comme des documents sur la société de l'époque, tant l'architecture, surtout d'intérieur, est un miroir des modes de vie et des mentalités. De même, certaines vues urbaines, très simples, de Renger-Patzsch, et particulièrement ses paysages de banlieues industrielles, qui relèvent parfaitement de la photographie d'architecture — si celle-ci n'est pas définie étroitement comme un art du portrait isolé de bâtiments — peuvent être rattachées à la tradition du documentaire social.

Il est vrai qu'on touche ici à de nouvelles difficultés. L'Allemagne fut, comme toute l'Europe pendant l'entre-deux-guerres, le terrain de violents affrontements idéologiques. Des penseurs marxistes, ou d'inspiration marxiste, comme Bertolt Brecht, s'élèvent contre les complaisances des photographes à l'égard d'une esthétique industrielle vidée de toute dimension critique. Brecht déclare qu'« une photo des usines Krupp ou de l'AEG ne révèle pas grand-chose sur ces institutions ». Et il ajoute : « La réalité proprement dite a glissé dans le fonctionnel ». Benjamin — qui cite ces phrases de Brecht dans sa *Petite histoire de la photographie*, dénonce l'esthétisation générale entreprise par Renger-Patzsch. Il se réfère au contraire au surréalisme français et à l'œuvre d'Atget contre le nouveau fonctionnalisme de la photographie allemande, pour lui trop dépendante des critères du commerce et de l'industrie. Il écrit avec enthousiasme sur le portraitiste August Sander mais aussi sur Karl Blossfeldt dont il interprète les photographies de plantes, très stylisées, comme des suggestions de formes décoratives ou architecturales, indiquant ainsi l'appartenance de ce photographe à l'esthétique de l'Art nouveau dont il pourrait être considéré, en marge de son temps, et contre le nouveau fonctionnalisme, comme l'interprète retardé en photographie. Loin de toute description, nous sommes avec les images de Blossfeldt en plein imaginaire architectural. Et cet imaginaire, bien que tout à fait moderne dans son traitement, se rattache à une époque révolue, comme l'œuvre d'Atget.

Dans tous les cas envisagés jusqu'à présent, l'architecture est traitée par les photographes comme un modèle, au double sens du terme : objet de représentation et principe d'inspiration. Mais nous avions au début de ce texte souligné l'ambiguïté entre vue d'architecture et paysage urbain, que plusieurs exemples sont venus illustrer. Pour de nombreux photographes du XXᵉ siècle, à commencer par Atget, l'architecture n'est pas tant un modèle qu'un décor, c'est-à-dire un élément de mise en scène — même si celle-ci n'est pas élaborée à grands frais, comme dans le théâtre ou le cinéma, mais avec les seuls moyens du regard et de l'enregistrement, et parfois instantanément, par une réponse immédiate du photographe au spectacle qui s'est formé devant ses yeux. C'est dans ce domaine, qui rencontre la recherche documentaire et le reportage, que s'est formée une poésie propre à la photographie du XXᵉ siècle, bien qu'on puisse en percevoir des antécédents au XIXᵉ siècle. Le photographe hongrois André Kertész (né en 1894), qui vécut à Paris pendant la majeure partie de l'entre-deux-guerres, peut être considéré comme l'inventeur de l'instantané poétique. Son génie multiforme et ses nombreuses relations avec les artistes de l'avant-garde européenne le firent s'exercer à tous les genres; il exposait en 1929 à Stuttgart à côté de Moholy-Nagy et de Renger-Patzsch, et son œuvre pourrait se distribuer dans de nombreuses catégories de la création photographique de l'entre-deux-guerres. Pourtant, ce n'est dans aucun des trois chapitres que nous avons mentionnés que Beaumont Newhall le situe, non plus que dans le photojournalisme auquel il s'est également exercé, mais dans ce que l'historien appelle « Instant Vision ».

La continuité de la tradition du paysage urbain, ouverte par Atget, est une des clés de la photographie du XXᵉ siècle. Les surréalistes sont les premiers à comprendre cette poésie et nous avons vu rapidement quels arguments put en tirer Walter Benjamin pour critiquer le modernisme déshumanisé d'une certaine photographie allemande. Une bonne part de la production parisienne de Man Ray, dans les années 1920-1930, se réfère manifestement à Atget. Kertész hante spontanément les mêmes lieux que celui-ci avait représentés dix ou vingt ans plus tôt — mais il avait vu aussi des images d'Atget chez Man Ray. Il serait impossible de tracer un juste panorama, aussi rapide soit-il, de la photographie d'architecture du xxᵉ siècle — surtout si l'on parle d'imaginaire — sans faire une place à tous ces auteurs majeurs dans l'histoire de la photographie, qui se sont formés auprès de Kertész ou de Man Ray et qui, légèrement plus jeunes, ont commencé à faire des images au début des années 1930 : Brassaï, Cartier-Bresson, Bill Brandt. Entre ces grands maîtres, qui n'appartenaient à aucune école mais en ont enrichi plusieurs, de nombreux liens s'étaient établis dans le même milieu d'artistes parisiens tous plus ou moins affiliés au surréalisme. Il n'a pas échappé à Benjamin, qui bénéficiait du recul nécessaire, que la ville même fut la source d'inspiration principale du «lyrisme surréaliste» et que les photographes profitèrent de l'inspiration des poètes comme ceux-ci s'appuyèrent sur les documents rapportés par les photographes. Dans cette immense production, il n'est pas difficile de trouver de nombreuses images montrant des bâtiments du xixᵉ ou du xxᵉ siècle. Mais il est vrai qu'aucun de ces auteurs ne se spécialisa dans la représentation de l'architecture; celle-ci figure toujours principalement dans leurs œuvres comme élément de décor, chargée de significations variables. Que ce décor soit occupé ou non de figures, il est toujours affecté de valeurs humaines, témoignant de l'harmonie ou du drame social, depuis le clair équilibre de Cartier-Bresson jusqu'à la sombre dramatisation des sites urbains de Bill Brandt.

Toutes les tendances que nous avons examinées jusqu'à présent se retrouvent dans les décennies 1940-1960. Le développement des études historiques enrichira dans les années à venir la connaissance des différentes écoles nationales et on comprendra mieux comment elles se sont alimentées aux sources communes des années 1920-1930. Le visiteur de l'exposition du Centre de Création Industrielle constatera lui-même de nombreuses permanences, il découvrira également les caractères propres aux différents pays. Pour le public français la station d'essence TEXACO du Danois Arne Jacobsen, de 1938, sera sans doute une révélation, mais elle reste difficilement situable, dans l'état actuel des connaissances. Elle prend sans doute plus de sens quand on la rattache à certains antécédents scandinaves du début du siècle. Son étrangeté, qui tient à la précision clinique de l'éclairage, annonce l'hyperréalisme du Suédois Erik Hansen qui représente en 1958 le détail d'une poignée de porte d'une banque de Copenhague. Une autre personnalité du milieu scandinave, qui illustre bien les caractères d'une certaine sensibilité nordique, se dégage : celle de Lennart Olson, sans doute influencé par la vision dramatisée des paysages urbains de Bill Brandt, mais qui rajoute à cette vision une plus grande dureté graphique. La confrontation avec les images du studio Vasari en Italie souligne les orientations classicisantes des années 1930-1940, auxquelles la tradition française de l'entre-deux-guerres apporte quelques nuances poétiques. Mais c'est surtout dans les années 1950 qu'un renouvellement important se manifeste en France, marqué surtout par la personnalité alors dominante de Doisneau.

Celui-ci se rattache à cette famille d'esprits qui associe la poétique de Kertész et la trouvaille surréaliste à la veine documentaire d'Atget, comme en témoignent ses premières images des années 1930, encore rares. En 1949, il publie un livre sur la banlieue de Paris organisé et préfacé par Blaise Cendrars, qui apporte une vision complètement neuve du sujet, traduisant un réalisme brutal, sans afféteries, mais chargé de tendresse. Les imitateurs, nombreux dans les années suivantes, affadiront un style qui risque de basculer à tout moment dans la facilité des bons sentiments. Jamais sans doute l'architecture n'était apparue plus clairement en photographie comme un décor de la vie quotidienne, dont la poésie s'inspire d'ailleurs largement du cinéma réaliste de l'entre-deux-guerres. Mais les images de Doisneau peuvent servir également de documents, assez pathétiques, sur la modernisation de l'urbanisme parisien de l'après-guerre et ses conséquences sociales. On y voit les dernières traces de la misère des banlieues enregistrée déjà par Atget au début du siècle et la calamité des nouveaux ensembles de logements à bon marché, établis dans la plus totale improvisation, avec la plus «naïve» confiance dans le progrès.

Les années 1960 voient la continuation du reportage et de toutes les tendances antérieures, avec un renouvellement très marqué de l'abstraction, au début de la décennie, mais bien plus faible que dans les années 1920, car ce renouvellement semble se rattacher aux courants picturaux contemporains de l'Ecole de Paris. On en perçoit quelques effets, peu convaincants, dans la photographie d'architecture de l'époque. En Italie, le véritable contemporain de Doisneau est Paolo Monti, disparu récemment, dont les images, de 1950 à 1980, montrent toutes les catégories de l'architecture et du paysage urbain, historiques et contemporaines, y compris toutes les formes de l'habitat populaire et les perturbations de l'urbanisme moderne dans les pourtours des grandes villes industrialisées. L'œuvre de Paolo Monti illustre les tendances marquantes de la photographie européenne dans les trois dernières décennies, du réalisme poétique à l'abstraction. Dans les années 1950 d'autres photographes italiens, surtout milanais, tels Ugo Mulas ou Mario de Biasi, travaillent dans une perspective documentaire et un esprit proche à la fois du cinéma néo-réaliste et de Robert Doisneau, qui leur permet d'aborder l'architecture contemporaine d'une manière particulièrement vivante et poétique. A la fin de cette décennie, les vues de gratte-ciel de Monti, avec leurs spéculations abstraites sur les découpes lumineuses des formes, illustrent le nouveau classicisme qui caractérise le modernisme photographique de cette période et distinguait déjà les photographes français des années 1930, tel René Jacques, de leurs homologues allemands. Il semble que ce soit seulement dans les années 1970, avec l'apparition d'une nouvelle génération européenne formée surtout par la culture américaine, qu'une nouvelle explosion d'invention et de fantaisie ait libéré un nouvel imaginaire de l'architecture, moins lié au reportage ou à la tradition classique.

S'il est trop tôt pour déterminer les points forts de la création contemporaine, on peut faire toutefois quelques constatations générales. La première est que la reconnaissance récente en Europe de la photographie de création, grâce à l'apparition d'une critique et de quelques galeries spécialisées, a de nouveau accentué le clivage entre travail professionnel, d'inspiration documentaire, et création libre. La présentation du CCI privilégie sensiblement cette deuxième orientation. Il n'y a guère qu'un auteur dans la sélection, l'Italien Gabriele Basilico, qui, avec son enquête systématique sur l'architecture de la zone industrielle de Milan, démontre un juste accord entre document et expression plastique. Il est vrai que sa recherche se réfère aux grands modèles des années 1920-1930 (on peut penser au travail de Werner Mantz) mais il introduit une nouvelle sensibilité, enrichie par le réalisme des années 1950-1960, la photographie américaine, et de nouvelles expressions cinématographiques, telle l'œuvre du cinéaste allemand Wim Wenders. L'observateur a le sentiment que les autres photographes abordent l'architecture plus comme un prétexte visuel. Il faudrait faire une recherche considérable dans les archives des agences de reportage et chez les photographes spécialisés pour rassembler un fonds d'images qui puisse rééquilibrer le panorama, et il n'est pas certain que ceci ajouterait beaucoup au tableau historique. On obtiendrait sans doute une explosion d'images, bien faites, curieuses, étranges, selon les intentions de la recherche. Aucune vision d'auteur ne s'en dégagerait. Ce serait surtout une démonstration, redondante, des possibilités de *la* photographie d'architecture. Le parti pris adopté par le CCI a le mérite de révéler quelques personnalités de la récente création photographique.

Certains auteurs, déjà bien affirmés, ont été écartés au profit d'autres moins connus, surtout en France. Trois d'entre eux, une Hollandaise, un Français, et un Italien, Anja de Jong, Yannig Hedel, et Massimo Basili se projettent à l'extrême de la spéculation abstraite, avec une recherche plus large chez de Jong, une vision plus intimiste chez Hedel et Basili. Chez celui-ci la photographie aboutit à une subtilité de matière qui l'apparente aux arts graphiques. Ces trois auteurs nous semblent apporter une sensibilité poétique nouvelle à la tradition déjà ancienne de l'abstraction photographique. L'Italienne Patricia della Porta et la Française Rosine Nusimovici exploitent aussi des effets d'abstraction mais plus directement liés aux lignes architecturales et aux perspectives déformantes de la vision indirecte ou parcellaire. Le Belge Gilbert Fastenaekens et l'Allemand Peter Woutta donnent une vision forte, solidement charpentée, des atmosphères nocturnes des villes modernes. Avec les travaux d'Holger Trülzsch (Allemand), Keichi Tahara (Japonais), ou François Hers (Belge), si différents d'inspiration, ce sont les pouvoirs de transfiguration de la couleur qui sont exploités, dans une sorte d'esprit baroque qui emprunte aussi bien au Body-Art (Trülzsch) qu'à la bande dessinée (Tahara, du moins dans l'image présentée) ou à l'hyperréalisme (Hers), mais ces rapprochements sont bien sûr trop grossiers, ils ne servent qu'à indiquer les tendances de l'imaginaire développé par ces trois auteurs.

Dans ce panorama d'expressions très variées, qui pourrait servir de complément à la récente exposition organisée par l'ARPA en Aquitaine, bien que quelques noms se retrouvent nécessairement d'une exposition à l'autre, il sera au moins démontré que la création photographique contemporaine trouve dans l'objet d'architecture un matériau particulièrement souple, bien adapté à une recherche visuelle de plus en plus indifférente aux grands messages et à tout propos de stricte documentation. L'individualisme affirmé de toutes ces propositions répond indirectement à la schizophrénie de l'architecture contemporaine. L'architecture semble avoir explosé en formes et matières lumineuses; elle se métamorphose en se réduisant aux détails d'une construction graphique, comme si elle n'avait plus assez d'autorité pour s'imposer dans son intégrité. Sauf de rares exceptions, comme Mimmo Jodice, Gabriele Basilico (tous deux italiens) ou Anne Garde (française) qui poursuivent des inventaires précis, les photographes créateurs ne participent plus à l'élaboration du décor contemporain ni à la restitution documentaire des monuments historiques ou des sites urbains. Ils semblent partis plutôt à la recherche de leur propre histoire, pour retrouver des traces et des vestiges sans nom et, souvent, cette impression d'« inquiétante étrangeté », produite par une architecture à la fois proche et lointaine, dont parlait Freud.

WERNER MANTZ
photographe allemand (né en 1901, vit à Cologne)
Vue nocturne du siège du quotidien « Kölnische Zeitung », 1928
Galerie Rudolf Kicken, Cologne.

LE FEU D'ARTIFICE, UNE EXPLOSION
DE L'IMAGINAIRE ARCHITECTURAL

EN FRANCE, LES GRANDS FEUX D'ARTIFICE SONT PLUS PARTICULIÈREMENT UTILISÉS LORS DE L'INSTAURATION D'UN RÉGIME POLITIQUE, POUR JUSTIFIER L'EXISTENCE DE CELUI-CI. AINSI, JUSTE AVANT LE COUP D'ÉTAT DE 1852, LA DATE DU 15 AOÛT, FÊTE DE LA VIERGE ET DES NAPOLÉONS, EST CHOISIE POUR TIRER UN FEU D'ARTIFICE DONT LE PROGRAMME EST L'EXACTE RÉPLIQUE DE CELUI QUI FUT DONNÉ LE JOUR DU SACRE DE NAPOLÉON Iᶜʳ. CE SPECTACLE ANNONCE LES ESPOIRS D'EXPANSION DU FUTUR EMPEREUR, EN MÊME TEMPS QU'IL INVOQUE LES MÂNES DE SON ILLUSTRE ONCLE.

——— Patrick Bracco ———
Elisabeth Lebovici

Le feu d'artifice s'annonce comme célébration, le plus souvent des événements de la vie publique : victoires militaires, traités de paix, naissances et mariages royaux, fêtes religieuses et commémorations historiques, de telle façon que se trouve masquée son origine ambiguë, pourtant inscrite dans l'article « pyrotechnie » de l'*Encyclopédie* du XVIIIᵉ siècle : « C'est une composition de matière combustible faite dans les règles de l'art, pour servir dans les grandes occasions de joie ou dans la guerre, pour être employée comme arme offensive ou comme moyen brillant de réjouissances ». Le feu d'artifice a désigné d'abord, et par opposition au feu naturel, l'explosion de la poudre des armes. La commémoration des combats a donc intégré ses effets lumineux et sonores : ils agrémentaient déjà les carrousels de Fontainebleau au XVIᵉ siècle, eux-mêmes transpositions pacifiques du tournoi offensif. Indice et simulacre de puissance, le feu d'artifice fut appelé à prendre de l'importance au XVIIᵉ siècle, lorsque la mise en place du pouvoir politique nécessita des images fortes. C'est ainsi qu'apparaissent les premiers décors architecturés, lors des fêtes du mariage de Louis XIII et d'Anne d'Autriche.

Les temples de l'Hymen, de l'Amour, de la Félicité et de la Paix, « scènes » du spectacle pyrotechnique, inlassablement édifiés au cours des XVII et XVIIIᵉ siècles, ont d'emblée assumé une double fonction : les « machines », ces praticables de bois déguisés de toiles peintes en trompe-l'œil servaient de pôle de lancement des fusées dont elle cachaient le mécanisme technique et les artisans. En même temps, elles inscrivaient le feu dans la logique d'une représentation, d'un « programme symbolique » dont une narration assurait la diffusion par une iconographie complexe : statuaire mythologique, débauche de trophées, de blasons, de devises, d'armes clamaient la renommée des héros du jour, leur parenté réelle ou mythique, estampillaient l'événement au coin de l'allégorie. Les spectateurs alphabétisés recevaient des brochures explicatives — souci pédagogique superflu — car, par-delà les variations stylistiques ou thématiques, ce que nul ne peut ignorer c'est l'« attribution » de l'édifice et son « ordre » : ces compositions architecturales rigides, symétriques, statiques — par opposition au jaillissement incessant des fusées — donnent à voir la Loi, toujours fêtée en ces occasions et incarnée en la personne du roi. Avec sa parure en supplément, le décor d'architecture témoigne de la pérennité des institutions dont il impose un modèle moral (l'amour, la paix...) aux yeux du public.

« Changement de décor » au XIXᵉ siècle

Usant des découvertes de la physique et de la chimie, la science pyrotechnique progresse, elle raffine ses effets et devient objet de discours[1] : d'abondants commentaires saluent l'apparition des couleurs, les feux d'artifice étant limités jusque-là à des effets de brillance dorée et argentée. Le rouge d'abord, puis le vert, enfin le bleu sont mis au point. Les pièces à combinaisons multiples sont abondantes, les lances de décor (une succession de petits jets de feu) qui autrefois soulignaient d'un trait les architectures, s'élancent en des graphies plus libres et plus picturales. La multiplication des effets pyrotech-

Anonyme
Effets pyrotechniques du feu d'artifice
tiré par les établissements Ruggieri sur la tour Eiffel
pour l'inauguration de l'Exposition universelle de 1937 à Paris
gouache, 21 × 30 cm, 1937
Collection Ruggieri, Paris.

niques amène à concevoir des spectacles où le décor d'architecture perd sa fonction centrale.

« La grande Révolution introduit un nouveau calendrier [...] et c'est au fond le même jour qui revient toujours sous la forme des jours de fête, lesquels sont des jours de commémoration » écrit Walter Benjamin[2].

Le décor d'architecture se débarrasse de toute référence mythologique pour devenir document à prétentions véristes d'une histoire moderne inaugurée par la Révolution française. Ainsi, les trois journées révolutionnaires de 1830 font l'objet d'une commémoration pyrotechnique renouvelée durant plusieurs années sur le pont de la Concorde. Dans un site pouvant contenir de grands rassemblements de foule, on juxtapose la réplique de l'Hôtel de Ville, cadre des Trois Glorieuses, et celle de la colonne de Juillet, son *memento mori*. La fête unit en un même lieu deux monuments dispersés dans la ville de Paris qui se rapportent au même événement. Ce procédé de « collage » sera repris lors de l'instauration du 14 juillet comme fête nationale, en 1880 : la colonne se surimpressionne alors à la reconstitution de l'ancienne Bastille et établit une filiation entre juillet 1789 et juillet 1830.

En Grande-Bretagne surtout, mais aussi en France, la mode est aux *reconstitutions de batailles*. Ce goût n'est pas nouveau : le xviiie siècle et l'Empire napoléonien avaient déjà commencé à re-présenter des événements militaires (qui renouaient avec les débuts de la pyrotechnie); ces narrations mêlent le bruit et l'éclat des fusées aux mouvements soigneusement orchestrés des soldats qui rejouent leur rôle et ainsi, elles mettent le public dans le feu de l'action — l'effet d'exaltation nationaliste étant provoqué par les mêmes ressorts qu'aujourd'hui les films de guerre.

De tels spectacles se multiplient lors des guerres coloniales : *Le Bombardement d'Alexandrie, La Prise de Sébastopol, La Bataille de Manilia Bay, Le Bombardement de Canton, Le Siège de Gibraltar* et, bien sûr, *La Bataille de Trafalgar* sont présentés à Londres comme des reportages « en différé », rappelant la grandeur de la flotte anglaise. La « Navy », c'est le symbole en même temps que l'agent de la force de l'Empire britannique : les feux d'artifice célèbrent une puissance en expansion. Les Anglais exporteront leur pyrotechnie dans toutes leurs colonies[3].

En France, les grands feux d'artifice sont plus particulièrement utilisés lors de l'instauration d'un régime politique, pour justifier l'existence de celui-ci, et donc lui donner une filiation, c'est-à-dire une origine. Ainsi, juste avant le coup d'Etat de 1852, la date du 15 août, fête de la Vierge et des Napoléons, est choisie pour tirer un feu d'artifice dont le programme est l'exacte réplique de celui qui fut donné le jour du sacre de Napoléon Ier et dont le décor représente Bonaparte franchissant le col du Grand Saint-Bernard. Ce spectacle annonce les espoirs d'expansion du futur empereur, en même temps qu'il invoque les mânes de son illustre oncle.

Le calendrier des fêtes variera au gré des régimes politiques mais toujours il sera imprimé dans la conscience populaire à coups de feux d'artifice. Il faudra attendre, lors de la Troisième République, que la charge symbolique du 14 juillet soit suffisamment stabilisée pour que les décors perdent leur imagerie didactique.

Contrairement aux siècles précédents où l'architecte pouvait donner libre cours à son imagination pour combiner les thèmes obligatoires sans tenir compte des contraintes inhérentes à l'architecture faite pour durer, au xixe siècle sa tâche est généralement réduite à la copie de bâtiments existants et à leur décoration. Les « machines » perdent leur tridimensionnalité réelle ou illusionniste et deviennent de simples contours soulignés de lances de décor. Ces modèles n'ont aucune incidence sur la création architecturale; leur publication est rare si l'on compare avec le xviiie siècle; on les trouve parfois dans la presse illustrée. L'architecture éphémère n'est plus ici le banc d'essai pour des constructions permanentes.

A Rome cependant, les représentations au trait des grandes « machines » — accumulant les références bibliques — se poursuivent jusqu'à la Première Guerre mondiale. Les décors sont de véritables morceaux de bravoure pour les architectes qui exhibent à la fois leur savoir-faire et leurs connaissances en histoire de l'art, manifestées surtout par l'intérêt archéologique; ainsi pour la *Girandole* de 1865, au Pincio, est construite une allégorie du christianisme constituée par deux « couches » de bâtiments superposés : la base accumule les monuments antiques en ruines, dominée par les monuments chrétiens. Temples à l'égyptienne, colonnes classiques, monuments chinois composent de gigantesques *apparati* architecturaux dont l'échelle et l'esthétique offrent quelque ressemblance avec le monument à Victor-Emmanuel II. Ces décors-péplums se prêtent bien aux grandes mises en scène pyrotechniques et plus tard cinématographiques[4].

La baisse d'intérêt pour les prouesses imaginatives des architectes n'implique pas une désaffection pour les spectacles pyrotechniques, bien au contraire. De nouvelles occasions se présentent.

Un étonnant projet de « fête à toutes les nations du globe, par souscription nationale », datant de 1851 et signé Horeau, Laplace et Ruggieri[5] propose l'organisation d'une grande exposition commerciale en France; les architectes et le pyrotechnicien veulent rivaliser avec les instigateurs de l'Exposition universelle de Londres; ils n'ont pas tort : ces manifestations et les feux d'artifice font bon ménage, le déplacement du pouvoir jouant en faveur des forces commerciales. Comme tous les produits exposés, les feux d'artifice ont une double fonction : ils exhibent les progrès techniques des firmes rivales et ils servent à attirer le public.

« Les Expositions universelles transfigurent la valeur d'échange des marchandises. Elles créent un cadre où la valeur d'usage passe au second plan. Elles inaugurent une fantasmagorie à laquelle l'homme se livre pour se laisser distraire. » Walter Benjamin[6].

Les feux d'exposition subissent des changements dans leur économie propre : ils s'inscrivent dans un budget de dépenses qui appelle des recettes, contrairement aux fêtes dispendieuses de l'Ancien Régime. Grâce à son pouvoir d'attraction, le feu doit multiplier le nombre de visiteurs.

L'irrégularité des commandes officielles avait, déjà au xviiie siècle, amené les artificiers à rentabiliser leurs spectacles en créant des jardins d'attraction payants (Vauxhalls à Paris et à Londres). Situé dans le quartier Saint-Lazare à Paris, le jardin Ruggieri est le premier qui soit essentiellement voué à la pyrotechnie. Pour aguicher le client, on agrémente chaque soirée de quelque curieuse nouveauté : ascension en ballon, montagnes russes, etc. Ce jardin, est pourtant loin d'enrichir ses propriétaires qui, malgré hypothèques et saisies, parvien-

1 - Une Encyclopédie Roret entièrement consacrée à la pyrotechnie assure une diffusion vers un large public.

2 - Walter Benjamin, « Thèses sur la philosophie de l'histoire », *in : L'homme, le langage, la culture*, Paris : éd. Médiations, (traduction), 1971.

3 - *Cf.* Brock, *A History of Fireworks*, Londres, 1949.

4 - *Cf.* catalogue de l'exposition, *Fuochi d'Allegrezza*, Palazzo Braschi, Rome, 1982.

5 - Horeau, Laplace et Ruggieri, *Projet de fêtes offertes à toutes les nations du globe*, Paris, 1851.

6 - Walter Benjamin, « Paris, capitale du xixe siècle », *op. cit.*

nent à conserver leur matériel jusqu'à ce que les Expositions universelles prennent le relais. En Angleterre cependant, les parcs d'attractions pyrotechniques se multiplient et se maintiennent jusqu'à la Seconde Guerre mondiale. Après l'Exposition de 1851, les bâtiments du Crystal Palace sont déplacés. Lorsqu'ils n'abritent pas des foires locales ou internationales, ils servent de tribunes officielles pour toutes les célébrations pyrotechniques tirées depuis un site aménagé à cet effet et qui leur fait face. Tous les visiteurs de marque sont conviés à assister à un feu d'artifice dont le point culminant est la mise à feu de leur portrait en lances de décor. Le roi des Zoulous, des Maoris, le Shah de Perse sont invités à actionner eux-mêmes le déclencheur électrique : à leur grand étonnement, ils se « tirent (littéralement !) le portrait ».

Vitrine du commerce, l'architecture transparente du Crystal Palace est, en 1878, célébrée *in situ,* dans une exemplaire « mise en abyme » où l'embrasement d'une réplique éphémère vient se refléter dans les verrières du monument même.

C'est avant d'entrer en fonction pour l'Exposition de 1889 que la *Tour Eiffel* sert de support au feu du 14 juillet 1887. Signe des temps, aucun décor ne vient rappeler le passé pour justifier le présent. Porteur de l'idée de modernité architecturale, c'est vers le progrès que le monument s'élance; le feu d'artifice annonce, par anticipation, un avenir prometteur. Le monument d'exposition et le feu d'artifice se servent de fairevaloir réciproques; *Le Feu à la Tour Eiffel* devient une institution parisienne.

La commodité et un moindre coût ne sont pas les seules raisons pour expliquer l'utilisation directe des bâtiments « en dur ». L'élargissement du concept de « monument historique » entraîne en effet un passage de la *représentation* de l'histoire à son *représentant*.

Support du feu du bimillénaire de la Ville de Paris, en 1951, les Invalides, bien que construits au XVIIᵉ, servent de « cadre naturel » à l'évocation de l'histoire de la ville. Le Dôme de Milan, le Parlement de Londres, le Château royal de Budapest, le château Saint-Ange à Rome remplissent ce même rôle. Les cartes postales « à effet nocturne » nous le rappelent : le décor des feux d'artifice de notre époque est celui des *monuments-clichés.*

Ainsi peut-on expliquer la profusion de manifestations pyrotechniques dans les stations balnéaires : principales richesses touristiques de ces lieux l'eau, la plage et le ciel d'été deviennent l'architecture de nos loisirs et les explosions multicolores des artifices « saluent » le temps des vacances...

« *Oh ! la belle bleue...* »

Mais où sont les possibles variations de la narration dans un spectacle où les effets chromatiques du feu viennent se greffer sur un monument célèbre ? Cette frustration du discours explicite a été comblée par la sonorisation. La *pyromélodie* associe dans une synchronisation quelquefois parfaite, les phrases musicales et les effets lumineux : la musique apporte au spectacle son ambiance, « héroïque » avec la chevauchée des Walkyries, « dîner aux bougies » avec les *Fireworks* de Haendel, « glamour » avec les valses de Vienne. Elle s'inscrit d'autre part dans le mirage d'une technicité hors pair, où l'automatisation est garante de la qualité. Elle participe enfin au grand projet d'œuvre d'art totale, rêve prométhéen de la création artistique. L'adjonction de la danse aussi bien que du laser viennent enrichir ces tentatives.

Quant à la parole, c'est l'autre côté de la « machine », c'est la face cachée de l'ancien décor : elle explique, elle justifie, elle raconte, elle professe plus directement qu'aucune architecture éphémère ne le fit jamais. Ainsi musique et verbe sont les supports de nos feux d'artifice. Tandis que les rêves de gloire des Etats s'incarnent sur les « petits écrans », dans un spectacle pyrotechnique à l'échelle intersidérale : le départ des fusées dans le feu, le bruit, l'espoir et la fumée...

Anonyme
*Feu d'artifice sur un thème architectural
tiré à Paris le 15 août 1858 à la Barrière du Trône
par l'artificier Félix Aubin,* gouache
Collection Aubin, Fleury-les-Aubrais.

L'ARCHITECTURE
COMME DÉCOR DE THÉÂTRE ET D'OPÉRA

DANS UNE PÉRIODE OÙ LES EUROPÉENS SE PASSIONNENT POUR LEUR PASSÉ, OÙ SE MULTIPLIENT LES RELATIONS DE VOYAGE, LE PEINTRE DÉCORATEUR JOUE UN RÔLE ESSENTIEL. IL PROPOSE DES IMAGES « HISTORIQUES » OU « EXOTIQUES » QUI S'IMPOSENT D'AUTANT PLUS QUE L'ŒUVRE THÉÂTRALE A DU SUCCÈS. CES CRÉATIONS SONT CONÇUES À PARTIR DES MULTIPLES ÉLÉMENTS PUISÉS DANS UNE LARGE GAMME DE STYLES ARCHITECTURAUX, AVEC UN SAVANT ÉQUILIBRE ENTRE LES RÉFÉRENCES À LA VÉRITÉ HISTORIQUE ET LES RÉFÉRENCES À LA FANTAISIE OU À L'IMAGINATION.

—CATHERINE JOIN-DIÉTERLE—

Au début du XIXe siècle, le prestige dont jouit la scénographie italienne est aussi vif qu'au siècle précédent; l'aurait-on oublié qu'il suffit de relire le Journal de Stendhal. La production des décorateurs italiens comme les Bibbiena, Galliari, Juvarra a souvent fasciné les européens et, à l'époque néo-classique, elle reste souvent un modèle; ce n'est pas seulement pour travailler sur le motif et admirer les monuments ou curiosités naturelles que le premier peintre décorateur de l'Académie de musique à Paris, Pierre Ciceri se rend plusieurs fois en Italie, mais aussi pour observer les travaux de Sanquirico à la Scala de Milan[1]. De tous les genres employés à la confection des décors de théâtre, l'architecture est, par tradition, souveraine et c'est en Italie que les réalisations sont les plus audacieuses avec les vues sur l'angle, sur la diagonale, *da sotto in su, quadro-scena*. L'importance donnée à l'architecture n'est pas une caractéristique italienne mais européenne qui se trouve confirmée par les différences de salaires versés aux divers spécialistes; ainsi, en 1804, le peintre d'architecture attaché à l'atelier de peinture de l'Académie de musique à Paris reçoit-il un salaire journalier de 8 francs, tandis que son collègue paysagiste ne perçoit que 6 francs[2].

Pourtant, à l'époque romantique, l'Italie perd ce rôle que les pays du Nord lui ravissent. C'est en Angleterre et en Allemagne que s'opèrent les grands changements confirmés et amplifiés un peu plus tard par Paris. Apparus très tôt, dès la fin du XVIIIe siècle avec en Allemagne le *Sturm und Drang* et en Angleterre la vogue du roman noir, ils s'y développent harmonieusement, les tendances nouvelles remplaçant pro-gressivement la tradition. En France, en revanche, la contradiction entre ces deux courants engendre une crise au début de la Restauration: les grands théâtres étroite-ment contrôlés par le pouvoir politique peu favorable aux nouveautés, se sclérosent et voient le public les abandonner tandis que les théâtres secondaires plus ouverts aux innova-tions les précèdent. Il faudra attendre les dernières années de la Restauration pour qu'elles pénètrent en force sur toutes les scènes parisiennes puis provinciales.

Lié à l'évolution générale du goût et au contenu des ouvrages destinés au théâtre, c'est tout un nouveau monde architectural que proposent les scénographes romantiques. L'Antiquité et la mythologie sont délaissées progressivement au profit du Moyen Âge. L'homme du XIXe siècle se passionne pour l'histoire et considère différemment les notions d'espace et de temps. La fameuse couleur locale apparue dès la fin du XVIIIe siècle dans les arts, et en particulier dans la peinture, s'étend profondément au théâtre. S'exacerbant à l'époque romantique, elle se trans-forme en vérité historique.

C'est en 1797 qu'est monté en Angleterre le premier ouvrage gothique, le *Castle Spectre,* qui marque les débuts de la mode des voûtes, cloîtres, chapelles, châteaux gothiques[3]. Peu après, c'est le tour des Allemands avec des décorateurs comme Karl Schinkel, Karl Gropius, Friedrich Beuther. En France, c'est vers 1817 qu'apparaissent ces premiers décors. Une série de lithographies conservées à la Bibliothèque nationale montrent le rôle d'artistes comme Gué, Ciceri et Daguerre. Qualifiés de gothiques dès le XIXe siècle par l'ensemble de

KARL FRIEDRICH VON SCHINKEL
architecte et peintre allemand (1781-1841)
Détail du décor pour l'opéra « Die Vestalin », 1831.

l'opinion, ces décors laissent pourtant une large place au style roman. Ainsi le projet de hameau devant servir dans plusieurs ouvrages pour le théâtre de la Gaîté rappelle-t-il les églises poitevines tandis que de nombreux projets réalisés en Italie par le décorateur de la Scala, Sanquirico, en particulier pour la *Norma* en 1831, sont d'inspiration romane. Quoiqu'il en soit, l'architecture gothique est bien représentée. Notons qu'en France au moment où la peinture troubadour quitte les cimaises des Salons[4], l'Académie de musique consacre enfin un genre éprouvé depuis quelques temps par les petits théâtres. C'est en 1822 que Ciceri, avec très probablement l'aide de son collègue le spécialiste d'architecture Daguerre, peintre en chef à ses côtés entre 1819 et 1822, compose des décors gothiques pour le ballet *Alfred le Grand*. Ainsi, par analogie à la peinture troubadour dont ils sont très proches, ces décors méritent-ils bien plus l'appellation de troubadour. Ce sont les mêmes voûtes, chapelles et intérieurs qui, inondés d'un éclairage contrasté rappellent les peintures de chevalet de Fleury Richard, Bitter ou Daguerre. Alors qu'en Angleterre et surtout en Allemagne, le décor troubadour se développe abondamment, en France il reste plutôt limité aux petits théâtres. En Italie, le *gothic revival* se manifeste dans l'œuvre de Sanquirico, notamment dans un des décors de la *Pie voleuse*[5] montée en 1817 à la Scala, mais les Italiens plus encore que les Français restent attachés aux motifs classiques.

Exactement à la même période, et cela aussi bien en Angleterre qu'en Allemagne ou en France, apparaît le décor-panorama ou diorama[6]. Il peut se définir comme la reproduction quasi photographique d'un lieu ou d'un monument. Le décorateur porte son attention autant sur la vérité des détails que sur l'angle de vision. Parfois, dans une recherche de « gros plan », il ne peint plus qu'une partie de l'édifice. C'est le procédé adopté par Schinkel avec la cathédrale de Reims, dans un des décors pour la *Pucelle d'Orléans* de Schiller en 1818. Au théâtre, le décor-panorama implique autant l'idée d'un vaste point de vue que celle de la reproduction photographique. C'est en Angleterre, dans la dernière décennie du xviiie siècle, que naissent les premiers panoramas. La mode gagne vite l'Allemagne et la France puisqu'en 1800 à Paris et à Berlin sont créés les premiers spectacles d'optique. En Allemagne ils sont confiés à des peintres et des architectes comme Johann F. Tielker, Karl Kaaz, ou encore Schinkel. Le procédé est bientôt amélioré par Daguerre et Bouton qui fondent à Paris en 1822 le Diorama appelé à connaître un grand succès en Europe. De Daguerre, un critique enthousiaste déclare dans *Le Charivari* : « Il n'invente pas, mais il *reproduit*, et avec une fidélité et une exactitude si parfaites que dans les vues qu'il expose, il y a plus encore pour votre instruction que pour votre plaisir ». Annonçant le cinéma et en parallèle aux arts du théâtre, mouvements et effets lumineux sont introduits donnant l'impression de la troisième dimension : ainsi dans *Saint-Étienne-du-Mont vu depuis le point du jour jusqu'à la messe de minuit*, présenté en 1834.

Le théâtre n'échappe pas à l'influence du panorama. Les Grieve, famille de décorateurs anglais qui dominent la scénographie londonienne de 1820 à 1845 environ, sont les premiers en 1820 à l'introduire au théâtre avec *Harlequin and Cinderella*. Ils vont jusqu'à relever au cours de voyages en ballon en Allemagne et en Hollande, des vues cavalières dont ils font des panoramas au théâtre. En France, cette mode est

confirmée par l'Académie de musique qui, en 1822, crée un des premiers décors-panorama pour le ballet, *Florestan*. Ciceri signe une vue de Venise conforme à la réalité topographique et la presse applaudit : « [...] les principaux monuments qui l'environnent, réveillent dans l'imagination des voyageurs qui les ont visités, l'image réelle de ce qu'ils ont vu[7] ». En Allemagne, Schinkel qui réalise jusqu'en 1816 de nombreux panoramas[8] pour Gropius apporte, dans les décors qu'il exécute peu après, la même précision, le même souci de vérité, comme en témoignent les esquisses pour *La Pucelle d'Orléans* ou *Agnès Hohenstaufen*.

Autour des années 1830-1840, la nouvelle génération de scénographes qui prend alors la relève, comme Ferrario en Italie, Cambon et Séchan en France, Capon en Angleterre, plus audacieuse et plus passionnée encore de vérité archéologique, veut aller au-delà du décor troubadour et du panorama.

Dans une période où les européens se passionnent pour leur passé, où se développent les recherches archéologiques, où se multiplient les relations de voyage, le peintre décorateur joue un rôle essentiel. Il propose des images « historiques » ou « exotiques » qui s'imposent d'autant plus que l'œuvre théâtrale a du succès. Mais alors qu'au début du siècle, le Moyen Age était à la mode, d'autres périodes historiques comme la Renaissance et le xviie siècle retiennent auteurs et public. Autour des années 1830, l'architecture comme décor s'en trouve modifiée aussi bien dans les types d'édifices que dans les motifs décoratifs. Les images architecturales les plus fréquentes sont le palais gothique, la salle de bal, le paysage médiéval, le carrefour urbain. Mais, à la différence des siècles précédents où n'importe quel décor-type comme le temple, la place de village ou de ville pouvait être réemployé d'un ouvrage à l'autre, avec les romantiques, le décor ne peut être conçu que pour un ouvrage particulier en raison du développement des précisions historiques et topographiques : à chaque ouvrage un décor totalement original.

Contrairement à ce qu'ont affirmé leurs détracteurs[9], les décors ne sont pas des transpositions de la réalité, mais des créations conçues à partir d'éléments hétéroclites puisés dans différents styles architecturaux. Ils se caractérisent par un équilibre voulu entre la fantaisie et la vérité historique. Le scénographe reprend tantôt l'esprit d'un édifice tantôt, au contraire, ses motifs ornementaux. C'est précisément par l'importance considérable accordée aux détails qui ont l'avantage de la *vraisemblance* que le décorateur convainc le public véritablement obsédé de vérité historique. Une grande place est cependant laissée à l'imagination.

Les décorateurs s'amusent. Ils s'amusent quand ils déplacent des motifs décoratifs, les détournent de leur fonction ou plus encore en inventent de nouveaux ou quand ils choisissent de représenter un édifice différent de celui décrit par l'auteur[10], et cela par goût du jeu et non par ignorance. Ils s'amusent bien plus que le public qui prend au pied de la lettre les toiles peintes. Jusqu'en 1850, tous les décorateurs européens cherchent à créer *l'illusion* de l'architecture en intégrant des morceaux de réalité objective, autant de clins d'œil au spectateur. Cependant l'ensemble du décor est un arrangement où figurent des anachronismes souvent utilisés pour leur caractère décoratif. La scénographie met en valeur le patrimoine national, mais aussi étranger. C'est ainsi qu'on verra à Paris, à l'Académie de musique, des vues de châteaux

1 - Notamment en 1827, sur Ciceri, *cf.* Marie-Antoinette Allévy, *La mise en scène en France dans la première moitié du xixe siècle*, Paris : Droz, 1938 et C. Join-Diéterle, « Ciceri et la décoration théâtrale dans la première moitié du xixe siècle », colloque *Victor Louis et le théâtre*, Bordeaux, mai 1980, CNRS, 1982. Pour la scénographie italienne, *cf. Museo teatrale alla scala*, 3 tomes, Milan : Electa, 1975.
2 - Archives nat. AJ[13] 63.
3 - Pour l'histoire de la scénographie en Grande-Bretagne, *cf.* Sybil Rosenfeld, *A short history of scene design in Great Britain*, Oxford : Blackwell, 1973.

4 - M.-Claude Chaudonneret, *La peinture troubadour*, Paris : Arthena, 1981.
5 - Collection Niessen, Institut de recherches théâtrales de l'université, Cologne.
6 - Sur le panorama, voir Patrice Thompson, « Essai d'analyse du spectacle dans le panorama et le diorama », *in* : *Romantisme*, 1982, n° 38, p. 47 et suiv.
7 - *Le miroir des spectacles*, 30.6.1822. On verra l'Opéra de Paris présenter quelques décors panoramas, ainsi en 1830 avec une vue du château de Chambord dans *François Ier à Chambord*, et une du Palais-Royal dans *Manon Lescaut*.
8 - En particulier une vue de Palerme en 1804, du Capitole à Rome en 1809, l'incendie de Moscou en

1812. Pour un des décors d'*Obéron*, il réalise une vue de Bagdad à partir de gravures.
9 - De Bronislaw Horowicz à Philippe J. Salazar, en passant par M. Denis Bablet, tous condamnent violemment la scénographie de cette période. Seuls défenseurs contemporains, les américains avec en particulier William Crosten, *French Grand Opéra*, au *Art and a Business*, New York, 1948; C.B. Wicks, *The Parisian stage III, 1831-1850*, Birmingham, Alabama, 1953; Marvin Carlson, *The French Stage in the 19th Century*, New Jersey, 1972.
10 - *Cf.* à ce propos Théophile Gautier, *Histoire de l'art dramatique depuis vingt-cinq ans*, Paris :

comme Chenonceaux dans *Les Huguenots* (1836), Blois dans *La Fille du Danube* (1836), des vues d'églises ou de cathédrales comme celle de Chartres dans *Le Drapier*, de la basilique Saint-Denis dans *Charles VI* (1843), des édifices civils comme l'hôtel de ville de Bruges dans *La Juive* (1835)[11]. Le phénomène est européen : le décorateur anglais William Capon recopie les voûtes de Saint-Stephen à Westminster pour un des décors d'*Iron Chest* et la tour de Londres pour *Richard III*[12]. De même que les scénographes détournent des motifs décoratifs, ils détournent des monuments. Un des premiers exemples est l'hôtel de ville de Compiègne devenu sous le pinceau de Séchan palais vénitien, décor pour *Marino Faliero*[13] en 1829. En France, l'atelier de Cambon et de Séchan sont les pionniers de ces « transformations »[14].

De toutes les images architecturales, le « palais gothique » — version médiévale des fastes de la monarchie du XVIIe siècle — est la plus étrange. Historiquement, ce type de palais gothique n'existant pas, les décorateurs l'inventent en transformant la cathédrale médiévale en édifice civil. Ciceri, avec très probablement l'aide de Daguerre, le premier à en avoir l'idée. En 1822, ils proposent pour la salle des chevaliers d'*Alfred le Grand*, un édifice d'inspiration gothique, dont la toiture et les ornements rappellent l'architecture anglaise, mais qui annonce en outre les constructions métalliques des années suivantes. L'idée sera reprise par un de ses élèves, Cambon, pour *Robert Bruce*[15] à l'Académie de musique en 1846.

Autre image architecturale, le carrefour urbain, ainsi la ville de Constance dans *La Juive* annonce-t-elle la vue de Paris dans *Charles VI*[16] ou encore les paysages montagneux agrémentés de petits châteaux gothiques comme en dessinent Ciceri ou Gaspard Galliari.

C'est l'adéquation entre la réalisation du décorateur et les aspirations du public qui en fait le succès. Ainsi la salle de bal de *Gustave III* conçue par Cambon devient un décor type quand l'année suivante l'idée en est reprise par Séchan pour le *Don Juan*[17] de Mozart. A une époque où dans toutes les classes de la société on danse avec ferveur, la salle de bal devient un des clous des spectacles jusqu'au Second Empire.

Le style de ces images architecturales explique leur influence sur l'auditoire, elles ont l'aspect convaincant sinon évident de la reproduction photographique. Elles constituent alors des modèles pour le public qui les voient sans cesse non seulement dans la Capitale mais dans les grandes villes d'Europe. Ainsi le cloître de *Robert le Diable*, qui a tant contribué à la notoriété de l'ouvrage se retrouve-t-il à quelques nuances près à Berlin en 1832 et ceux des *Huguenots* composés par Séchan en 1836 sont eux aussi repris à Berlin en 1842[18].

En raison de l'importance sociale du théâtre en Europe au XIXe siècle, ces décors deviennent ainsi des modèles de référence dont on perçoit aujourd'hui l'influence sur les façades des hôtels particuliers et dans l'aménagement intérieur des demeures bourgeoises ou dans celui de monuments publics[19]. Mais le renouvellement de l'architecture s'accompagne en outre d'une organisation différente de l'espace. Aux XVIIe et XVIIIe siècles, les Italiens ont élaboré des procédés créateurs d'espaces démesurés, démultipliés et donc irréels. Le proscenium qui n'en constituait qu'une infime partie réservée au jeu des acteurs, était seul praticable. Au XIXe siècle en revanche, le peintre décorateur raccourcit progressivement la profondeur de champ de ses projets, recherchant des effets de

gros plan, de vision rapprochée. Même lorsqu'il propose des édifices grandioses et monumentaux comme chez Ferrario et Cambon, la vision qu'il en offre doit, pour rester *vraisemblable*, donner l'impression d'être techniquement réalisable. L'espace scénographique, pour être réel, doit être praticable dans sa profondeur maximale. Avec ce nouveau système, ce n'est plus la toile de fond qui est grandiose, mais le premier plan. Le procédé est donc exactement à l'opposé de celui des artistes baroques qui reculent à l'infini l'horizon. Le phénomène apparaît très tôt en Allemagne avec Schinkel, en Angleterre puis plus tard en France. La comparaison entre plusieurs décors montre très bien qu'en moins de dix ans, entre *Alfred le Grand* en 1822, *Marino Faliero*[20] en 1829, *Robert le Diable*[21] en 1831, la totalité de l'espace est devenue praticable, permettant de nouveaux jeux de mise en scène. Que ce soit chez les Vénitiens comme les Bertoja ou les Milanais comme Sanquirico, ce réalisme reste étranger aux artistes italiens qui cultivent les horizons lointains et poétiques.

Le goût de la réalité cependant se manifestait déjà dans l'œuvre des peintres néo-classiques avec le procédé de la « fenêtre ouverte » sur la réalité. Schinkel qui l'avait pratiqué dans sa peinture de chevalet[22], en reprend l'idée au théâtre avec des loges, des galeries donnant sur un paysage urbain ou campagnard, comme la loge d'un gothique très fleuri dans la *Pucelle d'Orléans* et la double galerie d'*Agnès von Hohenstaufen*[23]. Les Italiens, de leur côté, emploient très longtemps une formule mise au point à la fin du XVIIIe siècle : l'arc ouvrant sur un paysage. Sans doute ne permet-il qu'un proscenium assez étroit, mais il est proche de la vision réelle. Dans le décor de Sanquirico pour le *Dernier jour de Pompéi*[24] à la Scala, la voûte sert d'encadrement architectural à l'éruption du Vésuve. Ce procédé assez facile sera encore utilisé par les Bertoja pour *Marino Faliero* en 1839 et *Jeanne d'Arc* en 1845 à la Fenice[25]. Cette « vision rapprochée » n'est pas propre aux scénographes, elle est employée par les peintres et les dessinateurs, elle est vraiment la façon de voir du moment.

La recherche et l'expression du réalisme marquent bien la première moitié du XIXe siècle. Après 1850 elles s'accentueront encore plus. L'équilibre entre la vérité et la fantaisie est rompu au profit du réalisme, et particulièrement tôt pour les petits théâtres. Seuls quelques artistes laissent encore place à l'imagination et à la poésie. Ainsi Cambon, actif à l'Académie de musique à Paris de 1833 à 1875, évolue-t-il dans un sens très différent de la majeure partie de ses contemporains en simplifiant ses compositions. Carpezat (1836-1912), élève et successeur de Cambon à l'Opéra, s'inscrit dans la même tradition en privilégiant la couleur et la lumière. En Italie se perpétue la recherche des grands effets avec les vues *da sotto in su* comme dans les œuvres de Ferrario, successeur de Sanquirico à la Scala. Beaucoup d'artistes français comme Rubé (1815-1899), Chaperon (1823-1906) s'inscrivent dans la tradition romantique mais accordent de plus en plus de place à l'érudition. En 1892, Chaperon s'inspire du résultat des fouilles en Bactriane pour monter *Athalie* à la Comédie Française. C'est une situation similaire que l'on rencontre en Angleterre où le théâtre victorien se caractérise par le triomphe du style tapissier et du réalisme. Ils atteindront leur apogée avec le décorateur Charles Kean, attaché au Princess'Theatre de 1850 à 1859, mais se prolongeront jusqu'au tournant du siècle avec Joseph Harker. Pour le *Songe d'une nuit d'été*, il fera exécuter

Magnin-Blanchard, 1858-1859. En 1844, à propos d'*Eucharis*, t. 3, p. 250 et suiv. Gautier regrette les « erreurs » des décorateurs, au risque, dit-il, de paraître pédant.

11 - Décors conservés à la Bibliothèque de l'Opéra, Paris, série scènes-estampes.

12 - Rosenfeld, *op. cité* p. 97.

13 - Coll. part., Paris.

14 - Allévy, *op. cit.* et C. Join-Diéterle, « Evolution de la scénographie à l'Académie de musique, à l'époque romantique » *in : Romantisme*, 1983, n° 38.

15-16 - Esquisses et projet définitif conservés à la bibliothèque de l'Opéra, Paris.

17 - Coll. part., Paris, reproduit dans *Join-Diéterle*, 1982, *opus cit.*

18 - Certains artistes néanmoins, composent des décors totalement nouveaux ainsi Ferrario pour *les Huguenots* montés à la Scala en 1869.

19 - Cf. la publication de Léon Feuchère, *L'art industriel*, gravé par Varin, Paris : Goupil, 1842. Léon Feuchère, architecte, fut un associé de Séchan de 1834 (?) à 1841.

20 - *Marino Faliero* monté en 1829 à la Porte Saint-Martin dans les décors de Séchan.

21 - Sur la mise en scène de *Robert le Diable* voir, C. Join-Diéterle, « *Robert le Diable*, premier opéra romantique » *in : Romantisme*, 1980, n° 28-29.

22 - Schinkel, *Paysage avec arcades gothiques*, Berlin, Staatliche Schlösser und Gärten, Schinkel Pavillon.

23 - Décors conservés à Munich, theatermuseum et Berlin, Nationalgalerie.

24 - Décor conservé à la bibliothèque de la Scala, Milan.

25 - Reproduits dans Gino Damerini, *Scenografi veneziani dell'Ottocento : Francesco Bagnara, Giuseppe e Pietro Bertoja*, catalogo delle mostra veneziana, Fondazione Giorgio Cini, 1962.

une reconstitution de l'Acropole et demandera aux Grieve un diorama[26]. Exactement comme en France, la peinture est une source d'inspiration et l'on dit que c'est à partir d'une toile du xve siècle que Charles Kean a réalisé un des décors du *Marchand de Venise*[27].

A la fin du xixe siècle[28], les idées d'Antoine en France, celles de Stanislavski en Russie ont été vécues par leurs auteurs et leurs contemporains comme une réaction très vive aux mises en scène des années précédentes, pourtant elles ne sont que l'aspect complémentaire et ultime de l'esthétique du xixe siècle. Très proche des idées de Zola, Antoine recrée l'atmosphère des pièces dans des visions qui restent photographiques. Mais il complète cette vision par quelque chose de nouveau, la représentation du monde ouvrier ou misérable, qui a été peu décrit au théâtre ou seulement de façon conventionnelle. Niant le besoin de trucages qu'impose le théâtre, il veut avant tout respecter la vérité du monde. Centrant leurs intérêts sur des œuvres contemporaines, Antoine et Stanislavski ont pourtant le même comportement que leurs précédesseurs. Mais au lieu de se tourner vers l'archéologie, la peinture ancienne et les bibliothèques, ils se font observateurs des us et coutumes de leurs contemporains. Cela les conduit de la blanchisserie londonienne qu'étudie Antoine pour *Op' o' me thumb* de F. Fernn et R. Pryce en 1906 aux asiles de nuit que dessine Simov pour les *Bas-fonds* de Gorki en 1903. Ce souci de vérité conduit les créateurs à reproduire exactement, telles qu'elles sont, des vues d'architecture intérieure sans chercher à y intégrer le jeu des acteurs. Dans cette transposition sur scène, le quatrième côté est supprimé permettant ainsi aux spectateurs de suivre l'action.

A la fin du xixe siècle, en dépit de recherches continues, le réalisme semble un leurre, auteurs et spectateurs sont las des excès de mise en scène qui font oublier le jeu des acteurs et le texte. Les images architecturales qui ont joué un rôle si grand pendant tout le siècle se démodent. Des figures isolées, théoriciens, artistes, marquent en Europe les débuts d'une période de réaction.

Appia et Craig sont les deux personnalités qui vont changer radicalement la conception et la réalisation du décor. En dépit de leurs différences, ils ont la même approche de la mise en scène. S'opposant à l'aliénation du décor par la peinture, leur esthétique se fonde sur le symbolisme et la subjectivité. C'est l'homme, l'acteur, mais aussi le metteur en scène dans la mesure où il impose une vision de l'œuvre qui se trouve privilégiée, et non plus le décor.

Très déçu par les mises en scène de Brückner pour les opéras de Wagner dont il admire les idées révolutionnaires sur le théâtre, Appia propose des décors faits de contrastes de formes et de masses plutôt que des compositions naturalistes. Réagissant violemment au réalisme, il se débarrasse de toutes les références historiques et topographiques et construit un monde épuré, abstrait pour reprendre son propre terme. Quelquefois cependant, des éléments figuratifs sont employés comme symboles, ainsi en 1896, quelques troncs évoquent la forêt et des pierres, le donjon de *Parsifal*.

Plus tard, il découvre les possibilités offertes par l'éclairage et les procédés d'illumination indirecte, par les jeux d'ombre et de lumière comme chez les peintres symbolistes. Puis, passionné par les problèmes de rythme, il dessine des « espaces rythmiques ». C'est au cours de cette période qu'il renouvelle la

représentation de l'espace scénographique. Il emploie quelques motifs architecturaux comme le mur vertical ou horizontal, la terrasse, le bloc et l'escalier qui joue dans son œuvre comme dans celle de Craig un rôle important. Détourné de sa fonction réelle, l'escalier n'est pas tant fait pour relier des zones différentes que pour les séparer et pour donner l'impression de mouvement. Chez Craig, l'escalier a un caractère vivant que n'ont pas d'autres motifs architecturaux; par les changements qu'il peut entraîner, par sa symbolique, un drame entier peut s'y dérouler. Craig en est si convaincu qu'il intitule une de ses œuvres : *The Steps*. Au début du xxe siècle, Craig utilise un nouveau moyen : le paravent. Ces panneaux mobiles de largeur variable sont combinés par paires entre quatre et douze, et peuvent être complétés par un toit plat, des gradins, des fenêtres. Le système employé pour la première mise en scène d'*Hamlet* à Moscou en 1904 est d'abord repris par W.B. Yeats au Théâtre national irlandais avant de devenir un des moyens classiques de mise en scène. « Ces mille dispositifs en un » comme disait Craig lui-même, engendrent un espace architectural à la fois neutre et vivant, structuré et polyvalent. Pourtant, comme l'a très bien montré M. Denis Bablet[29], la suppression des vieilles conventions n'entraîne pas la disparition de l'espace traditionnel, s'il n'est plus planté comme autrefois, il n'en est pas moins suggéré. Ainsi chez Appia comme chez Craig, le décor est-il une recherche rythmée entre vides et pleins comparable aux réalisations architecturales de Van de Velde et Hoffmann.

A la même époque, le recours à la peinture est une des solutions qu'adopte la France, confirmant par là la prépondérance du genre : les Nabis dessinent des projets pour le théâtre d'Art et le théâtre de l'Oeuvre. Pour le théâtre des Arts fondé par J. Rouché en 1910, on s'adresse à des peintres comme Dethomas, Drésa, Piot, Dunoyer de Segonzac. En se détachant progressivement de la perspective de la Renaissance, ces artistes renoncent en même temps à la perspective italienne scénographique mais le décor de théâtre n'est plus qu'une annexe de la peinture.

Ce courant se trouve consacré par les Ballets russes. L'ampleur du succès que rencontrent leurs tournées européennes prouve combien la vision du xixe siècle reste chère aux spectateurs. Entre 1909 et 1914 les Bakst, Golovine, Benois proposent un rêve dont l'organisation architecturale ne change pas fondamentalement par rapport à celle du siècle passé. Ce sont les vieux procédés scénographiques que proposent Bakst avec son projet pour *Shéhérazade*, monté à Paris en 1910. On y retrouve la vue *da sotto in su*, la composition sur l'angle, le très beau rideau d'encadrement, l'importance donnée au plafond. Mais par le triomphe de la fantaisie sur la vérité historique, de l'orientalisme, du parti pris décoratif sur le détail réel, ces réalisations se rattachent à la tradition de la féerie en vogue au xixe siècle. Les modifications de la représentation traditionnelle sont le résultat des exigences de la fantaisie et de l'imagination. Les jeux de l'artifice pleinement accepté donnent le sentiment trompeur de la plus grande des libertés.

A partir de 1914, Diaghilev se tourne vers les peintres « modernes » ouvrant le théâtre aux révolutions picturales. Dans le même temps on assiste à une accentuation de la dépendance de la scénographie à l'égard de la peinture de chevalet. Après la guerre, cette tendance se renforce en France avec des artistes comme Matisse, Picasso, Léger... mais aussi

---

26 - Rosenfeld, *opus cit.*, p. 122.

27 - Les rapports d'influence entre peinture et décor sont très complexes. La peinture a été quelquefois la source d'inspiration directe non seulement d'un décor mais aussi d'une œuvre. La mise en scène de tableaux vivants à la mode dès le début du siècle y a sans doute contribué, en particulier avec l'*Enlèvement des Sabines* monté à l'Opéra en 1811 qui reprenaient deux tableaux célèbres sur les Sabines, celui de Poussin et celui de David. *Le radeau de la Méduse* de Géricault servit de tableau au *Naufrage de la Méduse* monté en 1838 à l'Ambigu.

28 - Pour cette fin de siècle, *cf.* Denis Bablet, *Esthétique générale du décor de théâtre de 1870 à 1914*, Paris : CNRS, 1965.

29 - Denis Bablet, « l'Expressionnisme à la scène » dans l'*Expressionnisme dans le théâtre européen*, colloque, 1968, Paris : CNRS, 1971, p. 193 et suiv.

en Angleterre où Braque introduit en 1925 le cubisme avec les décors du *Fâcheux* et de *Zéphire et Flore,* et même en Allemagne où Grosz fournit des décors à Brecht en 1928. Bien qu'ils n'aient pas apporté de solution originale aux problèmes de la scénographie, les peintres rajeunissent la mise en scène.

C'est à quelques grands mouvements comme l'Expressionnisme et le Bauhaus en Allemagne, le Constructivisme en Russie, le Futurisme en Italie que revient ce rôle. La problématique de ces artistes est totalement différente de celle des peintres. C'est l'espace et non plus le décor qui est au centre de leurs recherches. L'architecture comme décor s'en trouve modifiée dans son expression.

Très tôt en Italie, divers manifestes prouvent l'intérêt des artistes pour des solutions strictement théâtrales[30]. En 1915 Prampolini veut « créer une entité abstraite qui s'identifie avec l'action scénique de la pièce » tandis que Marinetti ajoute « qu'il est idiot de se soucier de la vraisemblance ». Prampolini est plus précis : « La scène sera une architecture électromécanique incolore puissamment vivifiée par des émanations chromatiques d'une source lumineuse produite par des réflecteurs électriques ». Ces idées trouvent rapidement un début de réalisation quand en 1917 Balla signe le décor constitué de faisceaux mobiles de lumière colorée pour *Feu d'artifice* de Stravinsky, monté à Rome par Diaghilev, mais aussi quand Depero élabore une scène pour les danses mécaniques du spectacle de marionnettes, les *balli plastici* en 1918. Mais les décors futuristes ne vont pas tenir très longtemps les promesses de leurs auteurs. Certains deviendront « cette caricature de l'idéologie bourgeoise » comme le disait Plekanov. On assiste alors à un retour en force de l'architecture, ce qui n'étonnera pas de la part des Italiens qui lui ont toujours accordé une place importante. Certes la vision réaliste du XIXe siècle est morte, mais lorsque Baraglia dans la *Scena Medievale* présentée au théâtre des Independenti à Rome en 1924 propose une vue de ville au Moyen Age, son projet apparaît très marqué par les phénomènes de mode.

A première vue, les décors réalisés par les expressionnistes[31] allemands paraissent proches de la scénographie futuriste, en particulier dans les représentations architecturales, comme en témoigne l'esquisse de Sievert, premier décorateur expressionniste allemand, destinée à la *Grand'route* de Strindberg en 1923. Pourtant leur démarche est différente, car les Allemands cherchent d'abord à exprimer l'atmosphère de l'œuvre. En ce sens ils se rattachent à la tradition symboliste et aux idées d'Appia. En 1919 le metteur en scène Jessner utilise un escalier monumental pour le *Guillaume Tell* de Schiller et Sievert en 1925, emploie trois plans inclinés et se contrariant pour la *Penthésilée* de H. von Kleist.

Sievert l'a d'ailleurs bien exprimé : « L'espace doit être visionnaire et mystique ». Le romantisme les conduit à des distorsions, à des contrastes violents de noir et de blanc, toutes caractéristiques que l'on retrouve au cinéma dont l'influence est sensible sur la scénographie. *Le Cabinet du docteur Caligari* en 1919 a profondément marqué les esprits et les mises en scène d'art lyrique qui étaient restées jusqu'alors fermées aux innovations, en seront transformées. Ce qui est nouveau avec

les expressionnistes n'est pas tant la simplification des édifices, leur dépouillement ou leur stylisation que leur totale liberté d'expression par rapport au texte. Ils réalisent un décor indépendant des indications scéniques de l'auteur.

Les artistes du Bauhaus[32] iront beaucoup plus loin que leurs prédécesseurs. Dans ce théâtre total, pour reprendre l'expression de Piscator, l'espace scénographique est une construction abstraite constituée d'éléments géométriques colorés, lumineux où s'insère un élément mécanique : l'acteur. Bien évidemment la figuration d'édifices n'a pas sa place dans ce système mais l'architecture n'en est pas pour autant absente si on la définit comme l'expression de rapports de rythmes, couleurs, espaces, lignes, nombres. Cette recherche du rationnel et de l'harmonie est le propre des mises en scène de Schlemmer. Le travail du corps de l'acteur-danseur dans un conte pantomime se fonde sur les repères inscrits sur le sol. Dans les divers projets réalisés par les membres du Bauhaus dont les plus célèbres sont Gropius et Schlemmer, il arrive quelquefois que l'espace à trois dimensions soit représenté, cependant dans les projets de Roman Clemens, il n'est pas réel mais imaginaire.

Dans l'ensemble de la production scénographique du XXe siècle, ces mouvements n'ont joué qu'un rôle restreint, la plupart des décors s'inscrivant dans la tradition : l'illusionnisme pictural et l'espace neutre. Progressivement pourtant sont reprises au théâtre les nouveautés apportées par chaque génération : techniques, elles vont du plateau tournant de Reinhardt au laser, stylistiques du surréalisme à l'art cinétique. Parmi les innovations techniques certaines sont fort intéressantes en particulier le procédé mis au point en 1963 par Heinrich Wendel qui a développé avec la collaboration du photographe Gerd Körner un système optique original : les photographies d'une maquette de petite dimension sont projetées sur un cyclorama. Il a l'avantage de créer un espace où l'acteur est totalement libre de ses mouvements. L'architecture est toujours à distance de l'acteur dans un *sfumato* poétique. En 1966 Jean Tinguely emploie des structures mobiles en aluminium peint en noir pour l'*Eloge de la folie* au théâtre des Champs-Elysées. L'introduction de la photographie comme dans la mise en scène de Jean Vilar pour *Arturo Ui* au TNP en 1960, de la vidéo, des projections comme dans le *Vaisseau fantôme* présenté à Milan en 1959 par Robert Kautsky, contribuent à modifier les décors restés souvent académiques. L'architecture est plus souvent suggérée que représentée.

Aujourd'hui que le metteur en scène, le décorateur ont à leur disposition une multiplicité de possibilités, accumulation depuis plusieurs générations de différentes pratiques de l'espace et que se manifeste un regain d'intérêt pour la figuration de l'architecture, que l'on pense à Peduzzi ou à Frigerio, peut-on reprendre la déclaration de Claude Baignière à propos de l'expérience cybernétique dynamo-lumineuse tentée par Nicolas Schöffer, à partir des techniques nouvelles : « Le théâtre du XXIe siècle est né à Hambourg, le 9 février 1973[33] » ? L'avenir le dira.

30 - Naemi Blumenkranz-Onimus, *Les manifestes futuristes : théories et praxis,* Paris : Klincksieck, 1975. A. Hyatt Mayor, N. Viale, A. della Corte, *Tempi et Aspetti della scenografia,* Torino, 1954. Guido Ballo, *La scenografia,* Milano : Flle Fabbri, 1970.

31 - Catalogue de l'exposition *Paris-Berlin, 1900-1933,* Centre Georges Pompidou, 1978.
32 - Oskar Schlemmer, *Théâtre et abstraction, l'espace du Bauhaus,* Lausanne : l'Age d'or, 1978. Oskar Schlemmer, *Die Bühne im Bauhaus, Nachwort von Walter Gropius,* Berlin : Mainz,

1965. Catalogue de l'exposition : *Le Bauhaus 1919-1969,* Musée national d'Art moderne. Paris, Stuttgart 1968.
33 - HAD international, n° 13, p. 23.

LE DÉCOR, ÉLÉMENT DE PSYCHOGRAMME

SUR L'ARCHITECTURE DANS LE FILM EXPRESSIONNISTE

LES ARCHITECTES DES FILMS EXPRESSIONNISTES ONT LA MÊME IMPORTANCE QUE LES METTEURS EN SCÈNE ET LES ACTEURS; L'ARCHITECTURE ET LE DÉCOR NE PARVINRENT PLUS JAMAIS À TROUVER UNE PLACE COMPARABLE. MURNAU AVAIT PAR EXEMPLE POUR HABITUDE DE CONSULTER SON ARCHITECTE H. RICHTER AVANT D'ACCEPTER UN SCENARIO.

VOLKER FISCHER

L'expressionnisme, ce mouvement né entre 1903 et 1910 et qui ébranla toutes les formes d'expression artistique, fut une réaction contre le naturalisme et l'impressionnisme et poursuivit dans les arts plastiques, la littérature, le théâtre et le film des objectifs comparables : refus d'une représentation extérieure du monde, tel que nous le percevons visuellement, au bénéfice d'une intensification de l'expression intérieure de l'image, à l'aide de couleurs non naturalistes et du pouvoir qu'elles possèdent de susciter des associations. Le monde intérieur du sentiment et de la pensée doit être rendu visible au moyen d'éléments extérieurs qui lui correspondent. Les sentiments «élémentaires», passionnels tels que la haine et l'amour, la peur et la griserie sont incarnés sous forme de types et dans un langage gestuel violent.

Ces caractéristiques valent également pour le film expressionniste qui porte sur environ quinze années, de 1915 à 1930. Ses motifs et ses *topoï* sont empruntés à la tradition pessimiste, «noire», du romantisme allemand qui cultivait quant à lui une profonde nostalgie du Moyen Age, reprise par le film expressionniste. Tous ces motifs ont en propre une certaine ambiguïté : les choses négatives ont également toujours des aspects fascinants. Le pouvoir de séduction de créatures démoniaques, la violence exaltante du destin, la dualité de l'âme et de la psyché humaine, l'attrait d'hallucinations anormales, la lutte héroïque de l'individu contre la masse ou le bonheur modeste opposé à l'anonymat menaçant de la grande ville — ce sont là tous les thèmes de la volonté stylistique de l'expressionnisme. La plupart des réalisateurs importants du

film muet allemand tournèrent aussi des films expressionnistes : F.W. Murnau et Fritz Lang, Robert Wiene et Paul Wegener tout d'abord, puis Paul Leni, Lupu Pick, Karl Grüne, Arthur Robinson, K.H. Martin et E.A. Dupont. Entre 1925 et 1930 l'expressionnisme au cinéma céda la place à la Nouvelle Objectivité qui se consacra davantage à la peinture de réalités sociales, comme on les trouve par exemple dans les films de G.W. Pabst. Les deux tendances furent mises au ban parce que considérées comme «dégénérées» à partir de 1932-1933 et remplacées par le naturalisme héroïque de films divertissants entièrement détournés de la réalité.

Les architectes des films expressionnistes ont la même importance que les metteurs en scène et les acteurs; l'architecture et le décor ne parvinrent jamais plus à retrouver une place comparable. Murnau avait par exemple pour habitude de consulter son architecte H. Richter avant d'accepter un scénario. Les distorsions de l'architecture représentée et de l'environnement extérieur devaient incarner l'état psychique des hommes, l'expliquer et le motiver de façon convaincante (pour le spectateur). De ce point de vue on peut dire que le langage du film expressionniste — qui s'est constitué en vingt-cinq films à peine — a continué d'exercer son influence : par exemple sur les films d'horreur et les policiers américains des années trente. Un éclairage indirect avec des ombres portées exagérées et des architectures photographiées sous un angle aigu, une focalisation sur des images rétrécies ou des objets vus dans une perspective «métaphysique» : ce sont là les moyens d'un langage cinématographique suscitant la peur et la frayeur,

---

HERMAN WARM ET WALTER ROHRIG
décorateurs allemands de cinéma,
Détail d'une étude pour le décor d'une séquence du film expressionniste
« Das Kabinett des Doktor Caligari » réalisé par Robert Wiene
crayon et pastel, 31 × 42 cm, 1919
Stiftung Deutsche Kinemathek, Berlin-Ouest.

qui a subsisté jusqu'à nos jours. L'escalier du *Golem* de Poelzig trouve son alter ego dans *Psychose* de Hitchcock. Des peintres inconnus et quelconques devinrent les premiers grands photographes; des architectes insignifiants, presque des amateurs, et plus encore des peintres et décorateurs de théâtre furent les premiers architectes célèbres et marquants du cinéma. L'architecture cinématographique est née de quatre genres traditionnels : la peinture de fond en trompe-l'œil pour les dioramas et panoramas encore très populaires au tournant du siècle, les perspectives échelonnées dans le sens de la profondeur réalisées par les peintres de théâtre, les décors mobiles des premiers ateliers de photographes et enfin les premières prises de vue en plein air pour les actualités. En quelques années une douzaine d'hommes créèrent non seulement un métier, mais conquirent pour l'architecture un territoire artistique nouveau dans un médium nouveau. Le seul architecte de métier fut Hans Poelzig. Tous les autres venaient d'ailleurs : peintres et décorateurs de théâtre, acteurs, décorateurs de magasins. Leurs noms sont Hermann Warm, Walter Röhring, Walter Reimann, Rochus Gliese, Robert A. Dietrich, Klaus Richter, Robert Neppach, Fritz Maurischat, Albin Grau, Robert Herlth, Otto Hunte, Karl Vollbrecht, Erich Kettelhut, Heinrich Richter, O.F. Werndorff, Karl Stahl-Urach, Emil Hasler; les plus importants : les deux trios Warm-Röhring-Reimann et Kettelhut-Hunte-Vollbrecht, Poelzig et Herlth, Hasler et Maurischat. La différenciation s'instaura très vite dans ce nouveau métier : Warm et Herlth se dénommaient déjà architectes en chef du cinéma, avec un important état-major de collaborateurs et des budgets considérables.

Plus généralement, le développement de l'architecture cinématographique en tant que genre détermine en même temps une étape différente dans la perception de l'espace en tant que tel. L'appréhension optique de la réalité prend une autre dimension : ce n'est plus la perception de la tridimensionnalité au sens uniquement aristotélicien du terme, mais n'importe quelle combinaison du temps et de l'espace en vue d'une nouvelle continuité du vécu. A la fois fascinante et effrayante pour les spectateurs, une grande partie des premiers films (par exemple la technique du montage d'Eisenstein) se caractérise par cette innovation radicale dans le mélange de découpages et d'ensembles de présent et de passé. La dynamique propre à ce moyen d'expression semble le contraindre à se rattacher à la réalité familière à trois dimensions, grâce à un système « architectural » de coordonnées de plus en plus perfectionné. Au fil de l'évolution du film expressionniste l'architecture cinématographique copie de plus en plus le réel et s'éloigne de toute prétention artistique pure qui nie précisément cette réalité. Les étapes les plus marquantes de ce cheminement — qui représente également la trajectoire suivie par le film expressionniste — sont des films comme *Caligari*, *Le Golem* et *Metropolis*.

Le cabinet du Docteur Caligari, tourné par Robert Wiene en 1919, est le premier film expressionniste reconnu comme tel et reste le plus marquant. Un propriétaire de baraque de foire amène un médium somnambule à « produire » une série de cadavres dans une ambiance ténébreuse et mystérieuse. Les décors du film exagèrent, intensifient, motivent et reflètent l'action. Peut-être n'a-t-on jamais plus retrouvé dans l'histoire de l'art cinématographique une association aussi étroite et réussie de l'architecture cinématographique, des conceptions

artistiques de l'époque et de l'histoire à raconter. Le travail des trois architectes Hermann Warm, Walter Reimann et Walter Röhring fut déterminant dans cette dialectique psychologique. Warm, qui est aujourd'hui le « big old man » de l'architecture cinématographique, avait appris le métier de peintre de décors à l'Ecole des arts appliqués de Berlin, Reimann avait été peintre expressionniste et avait été engagé, comme Röhring, comme peintre dans les studios de l'UFA. Des cloisons de fonds de décors posées de biais et peintes de couleurs vives, des paysages composés de toits vus dans une perspective déformée permettent de constituer un *espace réel*; des perspectives peintes créent l'illusion d'un environnement à trois dimensions d'une impressionnante profondeur. Des effets grotesques d'éclairage jettent des ombres bizarres sur les toits et les intérieurs. Pour la première fois on a renoncé à la précision naturaliste des décors mobiles utilisés jusqu'alors dans les films à décors, au profit d'un espace signifiant ressenti et structuré comme une architectonique. On décèle clairement un lien très fort avec la peinture du Moyen Age et du romantisme allemand, mais aussi avec la peinture expressionniste d'un Kirchner, de Rohlfs, Rouault ou Beckmann. La force symbolique à la fois véhémente et discordante des décors constitue le cadre dialectique de la fascination exercée par l'action démoniaque. Les acteurs nous paraissent bizarrement étrangers, presque déplacés : pour s'affirmer devant ces surfaces puissantes, éclatées qui les entourent, ils stylisent leur jeu en des gestes saccadés, mécaniques, leurs mimiques rappellent les personnages des gravures sur bois. Les toits et les cheminées, les ombres sur les murs et les façades alignées les unes contre les autres, des lampes, des portes et fenêtres déformées deviennent les signes de ce qui se passe dans le psychisme de l'homme, annonciateurs menaçants de terreurs imminentes. C'est ainsi que, pour la première fois dans l'histoire du cinéma, la *structure temporelle* des objets en rapport avec les protagonistes acquiert une dynamique : c'est là un phénomène d'une portée immense pour le développement de courbes de tension dans le film en général. Reimann fait remarquer : « Ainsi donc, les décors ne doivent pas seulement signifier la situation, les indications de lieux et de temps — ils ne doivent pas seulement assumer le rôle sec d'un Baedeker — mais ils doivent fournir toutes ces finesses de la forme et de l'atmosphère qui, seules, donnent au milieu la chaleur qui se transmet, le langage personnel grâce auquel il doit envelopper le jeu des acteurs et le faire comprendre mélodieusement[1] ».

En 1920, Paul Wegener, ancien membre de l'Ensemble de Reinhardt et que le théâtre avait familiarisé avec les effets de scène et d'architecture, tourna *Le Golem*, d'après une légende juive. Dans cette histoire racontant la création d'un homme artificiel qui s'éprend de la fille de son « éveilleur », l'architecture cinématographique se révèle plastique comme jamais elle ne le fut auparavant; s'emparant de l'espace, elle devient architecture dans laquelle on peut évoluer réellement. L'architecte qui conçut les décors expressionnistes du film, Hans Poelzig, était déjà célèbre à l'époque : « Malgré *Caligari* nous en restâmes aux dimensions "massives", à l'architecture. L'élément décisif fut sans doute la griffe de lion du génial architecte Hans Poelzig qui avait modelé et non pas construit, sur le terrain de Tempelhof, une Prague gothique et expressive pour le deuxième film consacré au Golem par Paul Wegener[2] ». Pour la première fois, Poelzig construisit des rues entières,

1 - Walter Kaul, *Schöpferische Filmarchitektur* (Architecture cinématographique créatrice), Berlin : Deutsche Kinematek, 1971, p. 12. *Cf.* aussi la célèbre étude sociologique de Siegfried Krakauer, *From Caligari to Hitler*, Princeton, 1947 (Francfort, 1974), dans laquelle il reconstruit la psyché des Allemands à travers leurs films.
2 - Walter Kaul, *op. cit.* p. 5. La meilleure étude d'ensemble du médium qu'est l'architecture cinématographique est due à Léon Barsacq : *Le cabinet du Docteur Caligari et autres Grandes Illusions*, Paris, 1970 (Massachusetts, 1976).

d'étranges paysages allemands, de hautes maisons et des places médiévales, utilisant des poutres de bois et de la terre glaise : la transposition abstraite d'un ghetto juif surpeuplé. Le spectateur a l'impression de se trouver dans une véritable ville médiévale où il est témoin de ce qui se passe. C'est Kurt Richter qui se chargea de l'exécution des projets de Poelzig auxquels la femme de celui-ci avait participé. L'utilisation de la lumière, le surgissement des visages sur des fonds d'ombres épaisses, la corrélation entre les pignons pointus aux angles obliques et les couvre-chefs juifs produisent cette atmosphère expressionniste où les situations psychiques se reflètent dans les décors. En créant cette Prague médiévale, Poelzig a formulé les dimensions d'une réalité qu'il prétendait créer; elles allaient caractériser à l'avenir le climat d'illusion au cinéma.

Dans le film intitulé *Der müde Tod* (*Les trois lumières*, 1920), Fritz Lang montre déjà à quel point il entrevoyait les possibilités qui s'ouvraient à l'architecture au cinéma. Les architectes Warm, Röhring et Robert Herlth construisirent les décors de quatre périodes historiques différentes : la Venise de la Renaissance, Bagdad au IXe siècle, les décors de l'ancienne Chine, une place du marché et une place de l'Empereur du XVIIIe siècle; une colline à pâturages dans le style rococo et un brasier durent être réalisés à l'aide de structures architectoniques. En profonde communion avec Lang, lui-même fils d'architecte et qui avait étudié l'architecture à Vienne, les architectes des films, marqués par la ville du *Golem* réalisée par Poelzig, conçurent une architecture plutôt abstraite mais plastique et extraordinairement convaincante. Pour le film en deux parties *Les Nibelungen* (1924) et *Metropolis* (1927), Fritz Lang estimant que l'architecture était de loin l'art que l'on maîtrisait le mieux dans le cinéma allemand, réalisa en commun avec ses architectes des décors aux dimensions véritablement gigantesques. Outre Robert Herlth, le second trio qui compta le plus parmi les architectes du cinéma a travaillé pour Fritz Lang : Erich Kettelhut, Otto Hunte et Karl Vollbrecht. Kettelhut était peintre et sculpteur de décors à l'Opéra de Berlin, Hunte peintre expressionniste et Vollbrecht architecte. Tandis que Kettelhut était responsable des éléments suggestifs, Hunte prit en compte la précision rigoureuse de l'expression picturale et Vollbrecht la plasticité de la représentation et la production d'un espace architectonique. Lang dessina lui-même quelques esquisses pour les *Nibelungen*. Des paysages entièrement artificiels furent « animés » dans un esprit expressionniste, le dragon de Siegfried paraissait vraiment gigantesque et Hagen chante sa mort héroïque en allant à la rencontre d'Etzel, dans un fantastique château embrasé. La nature et l'architecture correspondaient à des intentions précises : de nombreux paysages rappellent les tableaux d'Arnold Böcklin. Pour *Metropolis*, Lang obtint un budget jamais atteint jusqu'alors afin de permettre à ses architectes de construire la ville industrielle utopique où les masses de travailleurs sont les esclaves de quelques riches dominateurs. L'action se déroule entre une ville haute et une ville basse. La représentation du totalitarisme et de la lutte de l'individu contre la masse — par moment l'atelier de Lang était traversé par plus de mille personnes — s'effectue devant un fond de gratte-ciel monumentaux qui surplombent tout le reste. Bien qu'inspirés par le Skyline de New-York, ils furent réalisés par Hunte, Kettelhut et Vollbrecht avec de puissantes distorsions expressionnistes. Fondamentale pour la réalisation de ces constructions énormes fut l'utilisation — pour la première fois — de ce que l'on appelait le « procédé Schüftan », une technique spécifique de la caméra qui consiste à projeter des détails réels dans des maquettes de petit format. Metropolis, la ville imaginaire avec ses formes élémentaires géométriques et la gigantesque salle des machines ou ses laboratoires et bureaux, nous paraît moderne même aujourd'hui et l'architecture industrielle qui se distingue par des milliers de détails fait contraste avec la « masse-ornement » : Lang réalise toujours les groupements de masses sous forme de figures géométriques telles que des colonnes ou des pyramides.

Ces quelques exemples suffisent à démontrer que la période expressionniste du cinéma allemand fut plus riche d'expériences qu'aucune autre, en particulier dans le domaine des scénarios, de l'utilisation de la caméra, des techniques d'éclairage et de l'architecture. Pour la première fois, le film crée sa propre atmosphère grâce à ces moyens. Désormais le décor gardera autant d'importance que les caractères.

Traduit de l'allemand par Eliane Kaufholz.

HERMAN WARM ET WALTER ROHRIG
décorateurs allemands de cinéma
Étude pour le décor d'une séquence du film expressionniste
Das Kabinett des Doktor Caligari réalisé par Robert Wiene, 1919
crayon et pastel, 31 × 42 cm
Stiftung Deutsche Kinemathek, Berlin-Ouest.

ARCHITECTURE ET CINÉMA

UN ÉDIFICE CONSTRUIT POUR UN TOURNAGE EN STUDIO, QUE CE SOIT UNE CONSTRUCTION ENTIÈRE OU UNE MAQUETTE À L'ÉCHELLE, RELÈVE DE L'UN DES GENRES LES PLUS FANTASTIQUES DE LA PÉRIODE ACTUELLE. PAR RAPPORT À UN ÉDIFICE RÉEL, IL A LA PURETÉ D'UN PROJET INACHEVÉ. UNE PARTIE DE CETTE CONSTRUCTION EXISTE PAR ET POUR LA CAMÉRA, ET LA SEULE RAISON D'ÊTRE DE TOUT LE RESTE EST DE SOUTENIR CE QUI SERA VU.

— BEN GIBSON —

L'architecture, sous ses diverses formes, est l'une des matières premières du cinéma, et ces deux arts, industrialisés, collectifs, automystifiants, ont beaucoup en commun. Mais les véritables échanges sont rares et chacun se nourrit des stéréotypes de l'autre. Quand la plupart des images d'architecture présentées par le cinéma ne sont que de grossiers pastiches néo-classiques ou des astronefs d'un modernisme primaire, chacun rejette la faute sur l'autre. Analyser ces rapports revient à chercher ce que l'architecture (et les architectes, même s'ils sont très peu nombreux à avoir acquis une réputation dans les deux domaines à la fois, comme Robert Mallet-Stevens et Joseph Urban) apporte au cinéma et à ses images, et ce que le cinéma fait pour l'image de l'architecture. Quand les photographies de plateau ou les clichés publicitaires montrent des images d'architecture, c'est presque toujours de manière *fortuite*. Les photographes s'intéressent aux vedettes, à l'action, aux scènes spectaculaires, et s'il nous arrive de voir un édifice ou un intérieur qui ne serve pas uniquement à créer un cadre de référence pour un personnage ou un épisode, nous pouvons être sûrs que le décor fait partie des arguments de vente du film (les « péplums »), que l'édifice lui-même a un rôle de vedette (*King Kong*) ou alors que le film est tout à fait exceptionnel. L'architecture fait des incursions dans le cinéma sous des noms d'emprunt (décoration, scénographie) qui dénotent des fonctions fondamentalement différentes.

L'architecture et l'image animée
Les nouvelles technologies offrent au cinéma des possibili-tés uniques pour représenter l'architecture. Le théoricien Ricciotto Canudo[1] prétend que le cinéma est un art privilégié dans le classement qu'il a élaboré (figure 1) car, à travers le mouvement, il opère la synthèse de tous les arts plastiques. (Un film nous présente les « arts plastiques en mouve-ment »). Alors que les différents supports artistiques ne donnent à voir qu'une vie stylisée et figée, les films sont mesurés en unités de temps et leur attrait repose sur la promesse du mouvement.

Le cinéma « primitif » de Méliès, des frères Lumière et d'autres créateurs d'avant 1910 respectait les conventions essentielles des arts dont il était dérivé : la photographie, la peinture, le théâtre. De ce fait, il était axé sur le mouvement *à l'intérieur* d'un cadre *fixe*. Les objets inanimés contenus dans ce cadre, qu'il s'agisse de décors peints ou d'une gare de chemins de fer, restaient immobiles, et le seul mouvement offert aux regards ébahis était celui des personnages qui entraient dans le cadre ou en sortaient. Après avoir exploité cette possibilité, le cinéma a découvert (sur les plans esthétique et technique) les conséquences des mouve-ments de caméra. La logique du *mouvement relatif* (ainsi, lorsqu'on regarde par la fenêtre d'un train en se demandant si c'est son propre train ou celui d'à côté qui bouge) suppose que le point de vue ne soit pas unique mais mobile. On comprend très différemment la grammaire du cinéma selon que l'on est subordonné au point de vue de la caméra ou que ce point de vue se confond avec celui d'un personnage dans la scène. Pour Canudo, un plan « mobile » sur un bâtiment — une série ininterrompue d'élévations — commence par l'esthétique de la

NICOLAS WILCKE, décorateur de cinéma
Projet de décor d'un hall pour un film non identifié, vers 1931
Cinémathèque française, Paris.

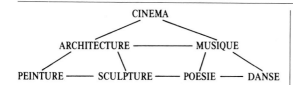

Figure 1
La « pyramide » de Canudo, publiée dans la
Gazette des sept arts, Paris, 1923.

peinture (le plan, la photographie) et transforme celles de la sculpture et de l'architecture (le modèle) en créant un mouvement et un rythme (la danse, la poésie) dans le temps (la musique). Ainsi se trouve restituée notre expérience quotidienne de l'architecture en tant qu'*environnement*. Enrico Guazzoni, le réalisateur italien de *Brutus* (1910) et de *Quo vadis?* (1912), étant pour ainsi dire passé derrière la scène, s'engage plus avant dans la voie qui mènera logiquement au *Cabiria* de Pastrone (1913) : il construit lui-même un décor en trois dimensions, et amorce l'aventure tumultueuse du cinéma et de l'architecture.

Lumière et Méliès : deux cinémas, deux architectures

La division conventionnelle du cinéma en deux grandes traditions, la réalité et la « mise en scène », le documentaire et la fiction, le préexistant et le fabriqué, est favorisée et amplifiée par chaque exception « embarrassante ». Les légendaires frères Lumière (qui ont pourtant réalisé de nombreux films de fiction) sont célèbres pour avoir filmé des gares et des usines et pour avoir fondé la tradition réaliste. Méliès, quant à lui, a frayé la voie qui aboutit à *La Guerre des étoiles*. Sur la figure 2, nous avons tenté de situer ces traditions par rapport à une ligne de partage qui indique la différence entre la scénographie (un sujet qui existe *déjà* dans le film, au même titre que l'éclairage, le son ou le jeu des acteurs) et l'architecture (un sujet *extérieur* au cinéma).

Non seulement ces quelques jalons indiquent, grossièrement, les trajectoires des différents genres et les produits de leurs croisements, mais ils soulèvent en plus d'importantes questions concernant l'architecture. Un édifice construit pour un tournage en studio, que ce soit une construction entière ou une maquette à l'échelle, relève de l'un des genres les plus fantastiques de la période actuelle. Par rapport à un édifice réel, il a la pureté d'un projet inachevé. Une partie de cette construction existe par et pour la caméra, et la seule raison d'être de tout le reste est de soutenir ce qui sera vu. De ce point de vue, les décors du genre épique américain, genre qui a puisé sa substance dans *Cabiria*, et dont le plus célèbre exemple est la Babylone d'*Intolérance* (1916, réalisé par D. W. Griffith, avec des décors de Walter L. Hall), se voient assigner le même rôle que la sculpture victorienne (l'Albert Memorial de Londres) : signifier et non remplir une fonction. Les écoles européennes de décor de cinéma les plus alignées sur les tendances artistiques de la modernité (l'expressionnisme allemand dans les décors de Hermann Warm, Walter Reimann et Walter Röhring pour *Le Cabinet du docteur Caligari* de Wiene et le style international français dans les décors de Mallet-Stevens, Léger, Autant-Lara et Cavalcanti pour *L'Inhumaine* de L'Herbier) se détournent de cette décadence pour parler

simplement : « *Caligari* vient affirmer que la seule vérité intéressante est subjective »[2]. L'énorme importance de ces décors et leur influence au sein du cinéma comme de la pratique architecturale elle-même, sont attestées par leur héritage stylistique : le film noir (en passant par *Citizen Kane* et jusqu'à *Alphaville*) pour l'expressionnisme, le travail de Piero Poletto aux côtés d'Antonioni (en particulier dans *Le Désert rouge* de 1964, où il a peint une rue entière en gris pour traduire un climat psychologique), pour le film d'art européen dans la lignée de *L'Inhumaine*.

Les tendances qui se situent dans le prolongement des Lumière, le documentaire et ses cousins du cinéma de fiction au premier rang desquels figure le néo-réalisme italien, reflètent le caractère éphémère de nos contacts réels avec l'architecture sans forcément réduire leur portée. Les fameux édifices romains de *Rome, ville ouverte* de Rossellini désignent les véritables modèles de la machine à mythes des épopées hollywoodiennes comme des fragments de mythes en *train de s'élaborer* : l'histoire concrète qui sous-tend la fiction. Et l'immeuble de logements sociaux, dans *Une journée particulière* d'Ettore Scola, l'un des rares bâtiments de ce type à être utilisés pour le tournage en extérieurs dans un film grand public, quand il se profile sur les écrans des « salles obscures », nous permet de voir l'architecture sous son aspect social et industriel plutôt que romantique et artisanal.

Une architecture créative qui passe par le cinéma?

Alors que le cinéma continue à véhiculer des images des praticiens de l'architecture (une analyse du *Rebelle*, réalisé par King Vidor en 1949, et de la candeur triomphante de l'architecte-héros campé par Gary Cooper, comparée avec le bâtisseur viril interprété par Paul Newman dans *La Tour infernale* de 1974, pourrait nous apprendre beaucoup sur l'image changeante du modernisme de Mies van der Rohe), quelle est sa contribution à l'évolution actuelle de l'architecture ? Dans l'ensemble, le cinéma européen continue à piller la panoplie des genres hollywoodiens et à réassimiler les mêmes styles « automatiques ». Le retour aux studios laisse les formes architecturales les plus originales aux mains des réalisateurs indépendants qui tournent en extérieurs par choix politique tout autant que par nécessité financière. Au moment où l'écran de télévision, avec toutes ses limites visuelles, en arrive à occuper une position prédominante dans un grand nombre de genres, les visions urbaines délirantes de la science-fiction deviennent la principale production des planches à dessin d'architecture dans le cinéma en général. Malgré quelques exceptions remarquables (dont deux britanniques, *Outland* et *Alien*), ces fantasmagories sont de plus en plus uniformisées pour ce qui est des matériaux et des styles de construction. Là où les nouvelles technologies bouleversent les lois du genre épique et n'ont que des implications fonctionnelles, *La Guerre des étoiles* trouve des images d'un ailleurs qui est le plus stimulant du point de vue architectural, en s'inspirant de l'architecture du sous-développement et des habitations troglodytes d'Afrique du Nord.

Le travail d'investigation des rapports entre l'architecture et le cinéma n'a pas encore été entrepris. Dans ces conditions, nous pouvons seulement déterminer les paramètres possibles d'un sujet qui reste à définir. Une étude approfondie des relations entre l'architecture et le cinéma, qui exclurait la

---

1 - Ricciotto Canudo, rédacteur en chef de la *Gazette des sept arts*, était dans les années vingt, une grande figure du monde parisien des arts et des lettres.
2 - René Clair, dans une critique du *Cabinet du docteur Caligari* parue dans *Le Théâtre,* en décembre 1922.

question trop purement cinématographique de la scénographie, devrait soulever quelques-uns des problèmes suivants : comment les progrès technologiques du cinéma et de la télévision orientent-ils l'évolution de l'architecture à la fois dans les studios et dans la rue ? Quels matériaux culturels (et quelles sources de travail et d'information) le cinéma utilise-t-il et comment les organise-t-il à l'intérieur des conventions narratives des différents genres ? Comment le cinéma, en tant que mode esthétique de production industrielle comparable à l'architecture, considère-t-il la pratique architecturale et ses réalisations ?

Traduit de l'anglais par Jeanne Bouniort.

Figure 2

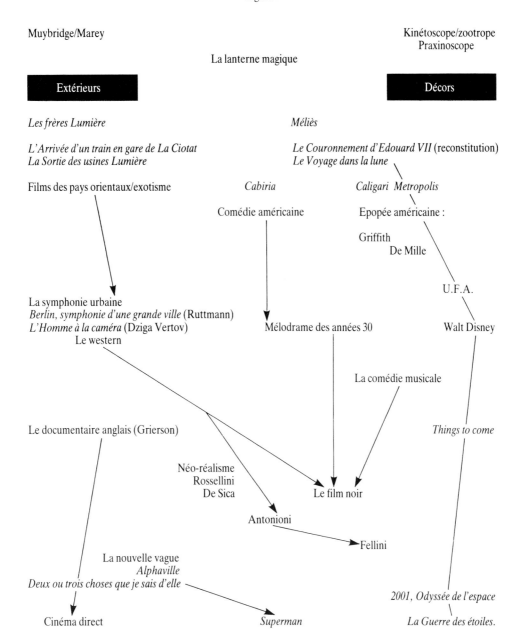

DESSINS D'ARCHITECTURE
ET TECHNIQUES DE REPRODUCTION

DE LA GRAVURE SUR BOIS À L'OFFSET

J'AVANCERAI L'HYPOTHÈSE DE L'EXISTENCE D'UNE RELATION DIALECTIQUE ENTRE LE DESSIN ET SES REPRODUCTIONS : LE DESSIN MANUEL SE MODIFIE SELON L'ÉVOLUTION DES TECHNIQUES DE REPRODUCTION DES IMAGES, DE TELLE SORTE QUE LES NOUVELLES IMAGES FORMENT DE NOUVELLES PERCEPTIONS DE L'ARCHITECTURE QUI, À LEUR TOUR, INFLUENT SUR LE DESSIN PREMIER.

———— Patrick Céleste ————

*L*e mot architecture couvre ici : *l'art de bâtir des maisons, des palais ou des temples, des bateaux, des autos, des wagons, des avions — l'équipement domestique et industriel et celui des échanges — l'art typographique des journaux, des revues ou des livres.* C'est ainsi que Le Corbusier ouvre son introduction au *Modulor.* Ce qui étonne dans cette définition de l'architecture ne tient pas tant à son élargissement aux nouvelles données de la société industrielle qu'à son extension aux domaines du livre. Le Corbusier semble découvrir la modernité des liens qui attachent l'architecture au livre alors que ceux-ci sont aussi anciens que les théories de l'architecture dès lors qu'elles prirent l'écriture et le livre comme support, dès lors que des dessins d'édifices furent publiés grâce à la gravure et à l'imprimerie.

Quels sont ces liens ? Quelles transformations de nature et de statut surviennent pour le dessin quand il est reproduit ? Répondre à ces questions demande d'associer à la compréhension des techniques graphiques de la production manuelle des dessins, quelques connaissances des moyens techniques qui permettent de les reproduire et de les diffuser. J'avancerai l'hypothèse de l'existence d'une *relation dialectique* entre le dessin et ses reproductions : le dessin manuel se modifie selon l'évolution des techniques de reproduction des images, de telle sorte que les nouvelles images forment de nouvelles perceptions de l'architecture qui, à leur tour, influent sur le dessin premier. L'idée n'est pas nouvelle; à cet égard rappelons, tout d'abord, le rôle joué dans la diffusion des théories et des manières de projeter, par les traités, recueils et revues;

pensons également, à l'importance que revêt la copie de dessins publiés dans la formation de l'architecture; enfin, soulignons le fait que les procédés de duplication permettent ou ne permettent pas telle ou telle imitation des dessins originaux, si bien que le dessin original se corrige, s'adapte à ces techniques, quitte à intégrer tel ou tel effet que la technique autorise, quitte à se simplifier et à délaisser tel ou tel autre qu'elle ne peut imiter. C'est ainsi qu'on finit par dessiner comme dans les livres, d'autant plus que les livres légitiment autant, si ce n'est plus, une architecture, que ne le fait le bâti.

Il n'importe pas ici de déplorer cet état de fait et de réclamer, ainsi que l'écrivait Viollet-le-Duc, la nécessité de rejeter la copie pour se tourner vers le « grand livre de la nature », mais seulement de constater la substance double du référent du signe graphique — les dessins, c'est-à-dire toute image originale ou reproduite — et les édifices eux-mêmes. Quelles sont ces techniques de reproduction ? Quand apparaissent-elles ? Que permettent-elles de figurer ? Quelles réductions aux transformations opèrent-elles sur le dessin original ? Quelles relations entretiennent-elles avec le dessin et les théories de l'architecture ? Autant de questions auxquelles nous voudrions maintenant répondre.

La gravure sur bois

Le dessin d'architecture (nous entendons le dessin reproduit dans les livres) connaît une première période « fruste » avec la gravure sur bois de fil. C'est un procédé ancien mais qui ne prend véritablement son essor qu'avec

ANTOINE DE SZRETTER
Tête de l'Apollon du Belvédère
état intermédiaire d'une gravure au burin.

l'introduction du papier en Occident, au XIVe siècle. La gravure sur bois de fil est une technique difficile et fastidieuse. Il faut graver en relief, creuser, retirer de minces copeaux de bois afin de dégager de fines languettes. Ce sont ces fines languettes en forme de lignes qui, une fois encrées deviennent les traits de la gravure. Celle-ci est obtenue en appliquant et en serrant la feuille sur la planche. A ses débuts, la gravure sur bois est purement linéaire, puis viennent les images ombrées de quelques hachures parallèles; à la fin du XVe siècle apparaissent pour la première fois les tailles croisées permettant de nuancer l'intensité des ombres ou le relief des modelés. Dessiner équivaut à tirer des traits, par contre, graver revient à retirer de la matière tout autour du trait, ainsi l'habileté du graveur est-elle particulièrement mise à l'épreuve dans la réalisation des dégradés et des ombres par des tailles croisées. Dans ce cas, il faut cerner les parties à leurs quatre faces, puis enlever les éclats d'une extrême ténuité, circonscrits par la pointe, avec netteté et à la profondeur requise. Ces travaux minutieux exigent un temps considérable, les fibres du bois peuvent à tout instant faire dévier la main, autant de difficultés qui ne peuvent être surmontées que par une grande adresse et une extrême attention. C'est vraisemblablement pourquoi la gravure d'architecture sur bois, qui ne fait qu'accompagner un texte, est le plus souvent simplifiée, réduite à un simple trait évitant les tailles croisées réservées principalement à la représentation de la figure humaine.

La xylographie, tel est son nom, fut utilisée à la Renaissance pour l'illustration des traductions et commentaires des premières éditions du *Traité* de Vitruve (Ier siècle av. J.C.), traité qui a fondé la et les différentes théories de l'architecture, et auquel se sont toujours plus ou moins référés les architectes, les siècles suivants. Dans la mesure où le propos de ces théories se veut universel et à la recherche des fondements d'une beauté absolue et indiscutable, les dessins montrent des objets idéels, des structures géométriques qui sous-tendent les architectures. La part faite à la représentation de la texture, de la matière et à tout ce qui varie suivant les particularités d'un édifice et de sa construction est totalement « effacée ». Cette compréhension de l'architecture est en complet accord avec la gravure sur bois. Technique difficile et fastidieuse, avons-nous dit, elle conduit à *limiter* le nombre des illustrations d'un livre, pour ne s'attacher qu'à l'*essentiel,* qu'à la *figuration de l'idée.* Le trait s'y prête bien, il impose une image des édifices faits de corps géométriques, sans couleur et sans matière, conforme au principe d'universalité recherché; et si parfois un exemple bâti est gravé, celui-ci est transformé, simplifié, redressé, géométrisé et acquiert, par la même, un statut de modèle théorique.

La gravure au burin

A la différence de la gravure sur bois, la gravure sur métal à l'aide d'un burin est relativement plus aisée. Elle présente, en outre, l'avantage d'offrir pour la reproduction des plaques plus résistantes qui autorisent la multiplication des épreuves en un plus grand nombre d'exemplaires. Elle se développe surtout à partir du XVIIIe siècle pour le dessin d'architecture. La gravure au burin retire le métal à l'emplacement même du trait du dessin original (et non tout autour comme l'exige la xylographie); c'est le trait de burin en creux qui, encré, donne le trait sur la gravure. Réaliser les ombres, les modeler ne présente guère comme difficulté que de multiplier des lignes croisées. Cependant, il est important de constater que, parmi les différents niveaux d'expressivité que la gravure met à la disposition de la figuration, le plus adapté à l'architecture est le plus simple, c'est celui que le graveur de figures humaines, d'estampes orginales ou de reproduction de tableaux, utilise pour la mise en place des grands traits de contour fixant la structure de l'image.

Dans cette reproduction d'une gravure originale, on reconnaît ce qui lie le mode graphique du « premier état d'une gravure au burin » au dessin d'architecture néo-classique, du dernier quart du XVIIIe siècle. Ce mode de dessin, blanc et épuré, sans ombre comme la graphie d'une écriture de pleins et de déliés, est nécessité par la recherche de l'économie la plus grande du travail de gravure, et se retrouve tel quel dans le dessin au crayon ou au tire-ligne; c'est celui d'Ingres lors de ses voyages italiens, c'est aussi celui, plus récent, de Picasso, pour le portrait de Stravinsky.

Au travail du métal par une série de traits creusés devant reproduire un effet de lavis, on préfère un tracé plus simple à l'aide de grosseurs nuancées de traits, les côtés à l'ombre (suivant le soleil conventionnel des architectes qui rayonne du haut et à gauche de la feuille de papier) étant marqués par une épaisseur plus forte que les côtés exposés à la lumière. La gravure au burin, privilégiant le trait, va de pair avec la recherche, au XVIIIe et au début du XIXe siècle, de règles normatives pour un dessin épuré et rigoureux, soumis à la géométrie projective et descriptive que Monge codifie à partir de 1790.

La lithographie

Les premiers essais d'impression lithographique remontent à 1801. Avec la lithographie apparaît un procédé sans précédent dont se saisira la presse et toutes les formes de publication de masse. Le geste expressif du dessinateur est alors retranscrit dans les reproductions. Cette technique est à la portée de n'importe qui sait dessiner. La gravure à l'eau-forte permettait aussi cette reproduction mais nécessitait une technicité plus grande. La gravure sur bois et au burin privilégie l'épure, le trait fin, c'est-à-dire une perception et une pratique du dessin faisant de l'exactitude du tracé la base de la discipline; avec la lithographie une forme plus pittoresque de retranscription apparaît, et l'artiste transparaît à travers les traits qu'il dépose. Jusqu'alors l'à-peu-près, l'ébauche, et tout ce qui peut passer pour l'idée brute, l'impression première où la fraîcheur de l'instant n'avait pas encore droit d'édition. C'est la lithographie qui introduit ce droit avec les moyens mécaniques de reproduction, dont le procédé Gillot qui fut le plus répandu et, bien sûr, les nouveaux moyens optiques et chimiques de la photographie et de l'héliogravure (nous y reviendrons).

C'est au milieu du XIXe siècle, alors que Daumier, Gavarni et tant d'autres ont massivement imposé la caricature, que les premiers recueils de dessins d'architectes sont édités, celui de Villard de Honnecourt en 1858 et à la mort de Viollet-le-Duc celui de ses dessins et études. D'autres adoptent ce formidable moyen de promotion et ont, tel von Otto Rieth, publié leurs croquis (*Skizzen,* 1896). C'est aussi avec la lithographie que l'architecture publiée élargit son registre chromatique. Perçu jusqu'alors en noir et blanc, et en quelques nuances qu'autorisent les grisés, le dessin va pouvoir emporter avec la chromolithographie toute la gamme des couleurs; il recherche, dans un premier temps, à imiter les dégradés et les transparences de l'aquarelle et, dans un second temps, porté par l'art de l'affiche, à privilégier le mode même de décomposition par couleur de la chromolithographie, en limitant son choix à quelques teintes et à de grands aplats de couleurs franches. D'une certaine manière, l'Art Nouveau et tous les mouvements picturaux cloisonnistes sont redevables à la décomposition par couleur de la chromolithographie; il suffit d'«oublier» de mettre un ton, il suffit de réduire à trois ou quatre couleurs le spectre chromatique.

L'héliogravure

Enfin, la quatrième étape ayant marqué l'évolution de la gravure est celle introduite par les procédés héliographiques dont les inventions et améliorations jalonnent tout le XIXᵉ siècle à partir de 1830 environ, mais ne furent appliqués à l'imprimerie qu'à partir du milieu du siècle. Ceux-ci permettent de reproduire «n'importe quoi». On tire une épreuve photographique sur la plaque à graver. On peut alors, soit graver à la main suivant les anciennes méthodes, soit utiliser des procédés chimiques ou électrochimiques. Avec la photographie, peu à peu, l'intervention du graveur ira en s'effaçant jusqu'à disparaître complètement, seul le mot «gravure» restera associé au procédé photographique et d'impression («typogravure», «photogravure»).

Cette brève division en quatre étapes des systèmes de reproduction de base est ici présentée de manière schématique. En fait, les procédés sont plus nombreux et empruntent les uns aux autres. Certains procédés connaissent des périodes de renouveau, par exemple au XIXᵉ siècle, la gravure sur bois se développe énormément en utilisant la planche à graver non plus en prenant les veines du bois de fil, mais «debout». Ce moyen, utilisé par exemple par Gustave Doré, permet d'obtenir des effets de lumière et de finesse qui jusqu'alors, n'étaient réservés qu'à l'aquateinte. La gravure sur métal, au XIXᵉ siècle, utilise l'acier; plus dur que le cuivre, il permet de réaliser en plus grand nombre les épreuves, d'obtenir des finesses plus grandes (c'est le procédé utilisé par César Daly pour la *Revue générale de l'architecture et des travaux publics*). Les gravures sur acier cherchent à reproduire les effets du lavis, avec ses dégradés et ses transparences. On utilise alors des trames, des pointillés grâce à des roulettes, autant de moyens mécaniques pour exprimer les ombres ou marquer des différences fonctionnelles ou constructives, que l'on retrouvera plus tard avec les planches d'adhésifs, les «zip», poncées sur le papier calque; moyens qui d'ailleurs détachèrent la représentation des ombres de son état d'origine, le lavis, et détachèrent les représentations elles-mêmes de toute figuration rationnelle des ombres.

C'est avec la photographie qu'apparaît la possibilité pour un dessin de connaître le destin d'être multiplié et, lors de ses multiplications, de changer de nature. Par exemple, une lithographie peut être reproduite par un document photographique qui, à son tour, passera par une matrice, une épreuve galvanoplastique, et sera enfin imprimée. Entre-temps, on aura pu changer le format initial, le réduire, l'agrandir ou n'en retenir qu'une vue partielle. Le XIXᵉ siècle réédite en masse les ouvrages des siècles précédents, on «refait» tout Palladio, du Cerceau, Blondel, Ledoux, Piranèse grâce à la combinaison de l'héliogravure et de la lithographie. Actuellement le «voyage» dans les livres des images devient un parcours obligé, par la pratique répandue du repiquage, du fac-similé, du re-print et de toutes les formes d'emprunt d'un livre à l'autre qui autorisent tous les collages.

Les techniques, avant d'acquérir un statut autonome, s'introduisent dans les livres de manière biaise; par exemple, avant la guerre de 1914, les photos reproduites dans les livres d'architecture imitent la gravure, les feuilles sur lesquelles elles sont collées ont, à l'instar de la gravure sur cuivre, une cuvette qui tout autour de l'image fait une sorte de cadre. Après-guerre, la cuvette disparaît, et les revues peu à peu mélangent sur la même page photos, textes et dessins. Les textes d'architecture se présentaient jusqu'alors comme un discours linéaire, construit suivant les règles de la rhétorique classique où se font écho les positions doctrinaires et un mode d'exposition rationnel et démonstratif. Avec le mélange de la photo, du dessin et du texte, le propos éclate sur plusieurs registres, dont celui du commentaire d'images qui prendra de plus en plus de place. C'est au début de ce siècle que les photographies de bâtiments apparaissent seules dans les revues et les recueils et en assurent le nouveau statut, reléguant le dessin au rang d'images illustratives, de schémas.

Quelque fût l'importance de la lithographie et de la quadrichromie offset, l'habitude de privilégier le dessin au trait, en noir et blanc, a pris le pas sur le dessin aquarellé. La raison principale tient à la nécessité de multiplier les tirages dans les agences professionnelles pour assurer une communication chaque jour de plus en plus intense avec les entreprises, et pour laisser des traces documentaires auprès des différents services administratifs et de contrôle. Ceci est une autre histoire, différente de celle du voyage des images dans les livres, mais dont l'importance a été également essentielle pour le dessin.

Quelles perspectives peut-on entrevoir pour le dessin d'architecture au regard des nouveaux modes de duplication? Actuellement on assiste d'une part, à l'apparition du dessin automatisé par les machines (table traçante et dessin sur écran cathodique), d'autre part, à l'utilisation de la photocopie permettant des agrandissements et des réductions d'échelle immédiats. Avec le développement et l'amélioration de la photocopie couleur, il y a fort à parier que nous assisterons à un retour de la couleur non seulement dans les modes de rendu où le dessin doit séduire et convaincre, mais aussi dans les techniques d'élaboration des projets et d'exécution des plans. Ainsi voit-on en même temps apparaître des techniques de duplication qui, pour certaines, vont dans le sens de l'épuration et de la rigueur du dessin, et pour d'autres, vers une plus grande libération du geste graphique, du croquis et des effets picturaux.

KARL FRIEDRICH VON SCHINKEL
architecte et peintre allemand (1781-1841)
Façade principale du Nouveau Musée à Berlin, gravure, 1828
Technische Universität, Berlin

L'IMAGERIE ARCHITECTURALE
DANS L'ÉDITION

PEU D'ARTISTES ET ARCHITECTES ONT FAIT DES GRAVURES OU DES EAUX-FORTES DE LEURS PROPRES ŒUVRES. PARMI LES EXCEPTIONS FIGURENT LES PLUS GRANDS NOMS, COMME DÜRER, REMBRANDT OU PIRANÈSE. MAIS, AVANT L'INTRODUCTION DE LA LITHOGRAPHIE À UNE GRANDE ÉCHELLE, PRESQUE TOUS LES ARCHITECTES DÉPENDAIENT DES GRAVEURS PROFESSIONNELS POUR LA DIFFUSION DE LEUR DESSINS. LA RAPIDITÉ ET LA SIMPLICITÉ DE L'APPLICATION D'ENCRE AU PINCEAU OU À LA PLUME DIRECTEMENT SUR LA PIERRE LITHOGRAPHIQUE ONT CHANGÉ CET ÉTAT DE CHOSES.

BEN WEINREB

Le premier livre d'architecture illustré fut imprimé en 1511. C'était une édition du traité de Vitruve en latin, préparée par Fra Giocondo et agrémentée de cent trente-six bois gravés. Suivit, dix ans plus tard, une autre édition imprimée à Côme, comportant cette fois une traduction en italien et un commentaire de Cesariano, qui avait également signé la plupart des superbes bois gravés. Cet ouvrage reste l'un des plus beaux livres illustrés de tous les temps.

Le bois gravé, ou plus exactement la gravure sur bois, est un procédé d'impression en relief. La partie imprimante qui reçoit l'encre est la surface laissée en relief après évidage de toutes les autres parties, d'où le nom de « taille d'épargne » donné à ce type de gravure. Cette méthode permet d'obtenir sur le papier des impressions aux contours accusés mais, exception faite pour les artistes ou les artisans les plus habiles, elle ne convient pas pour la reproduction de détails précis. C'est pourquoi le bois a très vite cédé la place au cuivre dans les travaux d'illustration. La gravure sur cuivre, ou taille-douce, est un procédé d'impression en creux, à l'inverse de la gravure sur bois : ce sont les traits ou sillons creusés dans le métal qui reçoivent l'encre pour l'impression.

Le premier maître de la taille-douce à avoir gravé des édifices fut Antonio Lafreri, qui quitta la France pour Rome dans les années 1530. Dès 1544, il exécutait et publiait des gravures de statues et d'édifices romains qui étaient vendues aux pèlerins et aux visiteurs.

Pendant près d'un siècle, la gravure sur bois et la gravure sur cuivre se développèrent côte à côte mais, vers le début du

XVIIe siècle, la gravure sur cuivre devint la méthode la plus répandue dans l'illustration de livres. Il existe plusieurs techniques de gravure sur cuivre, indépendamment de la gravure au trait, comme le mezzotinte ou manière noire, l'aquatinte et bien sûr, les subtilités et les ressources artistiques infinies de l'eau-forte. La gravure d'architecture atteignit son apogée avec Piranèse (1720-1778).

Dans le mezzotinte, dont l'invention en 1624 est attribuée à Ludwig von Siegen, la plaque de cuivre est grainée sur toute sa surface à l'aide d'un « berceau », sorte de tampon à bascule muni d'une lame en acier dentée. Ensuite, les parties qui ne doivent pas imprimer ou qui doivent laisser une impression très légère sur le papier sont raclées et poncées.

Dans l'aquatinte, qui fut utilisée pour la première fois en 1750 par Saint-Non, on grave le dessin dans la plaque de métal, puis on couvre cette plaque de petits grains de résine et on protège les parties qui doivent rester claires avec un vernis. Après quoi on expose la plaque à la morsure d'un acide qui creuse des alvéoles microscopiques dans lesquelles sera déposée l'encre. Pour obtenir la profondeur désirée dans chaque partie de la plaque, on répète maintes fois cette opération. Il en résulte une surface finement nuancée.

A l'époque, il fallait des mois pour réaliser une planche tant soit peu complexe, et on continuait sans relâche à chercher des procédés plus rapides et moins coûteux. Ce but fut atteint en 1796 avec la découverte de la lithographie par Aloys Senefelder. La lithographie est un procédé d'impression à plat ou « planographique ». Une surface lisse et unie reçoit un

GIAMBATTISTA PIRANESI, dit PIRANÈSE
architecte, dessinateur et graveur italien (1720-1778)
Invenzioni di Carceri, gravure, 1750
Cabinet des Estampes de la Technische Universität,
Munich.

traitement chimique, de façon que certaines parties acceptent l'encre et d'autres la refusent. La partie imprimante est enduite d'un produit gras, tandis que le reste de la surface est imbibé d'eau, incompatible avec l'encre grasse d'imprimerie. A la date de son invention, Senefelder habitait près de Munich. En l'espace de vingt ans, la lithographie fut adoptée dans la plupart des pays européens. Et depuis lors, la majorité des images imprimées le sont selon ce principe qui a bénéficié de nombreux perfectionnements.

Peu d'artistes et architectes ont fait des gravures ou des eaux-fortes de leurs propres œuvres. Parmi les exceptions figurent les plus grands noms, comme Dürer, Rembrandt ou Piranèse, plus célèbre pour ses eaux-fortes que pour ses constructions. Mais, avant l'introduction de la lithographie à une grande échelle, presque tous les architectes dépendaient des graveurs professionnels pour la diffusion de leurs dessins. La rapidité et la simplicité de l'application d'encre au pinceau ou à la plume directement sur la pierre lithographique ont changé cet état de choses. De nombreux artistes et architectes ont acquis une certaine habileté dans la technique de l'autographie qui permet de dessiner directement sur la surface imprimante. Même dans les cas où l'on faisait appel à des lithographes professionnels, les auteurs des dessins avaient désormais de plus grandes possibilités d'intervention sur la plaque d'impression achevée.

Si la gravure sur cuivre a été détrônée par d'autres méthodes de reproduction, c'est aussi parce qu'elle n'autorise qu'un nombre relativement limité d'impressions à partir d'une même plaque. Le cuivre est en effet un métal tendre qui s'use très rapidement. Après une centaine d'épreuves environ, les détails les plus fins s'effacent. Il faut les graver à nouveau ou, dans le cas de l'eau-forte, procéder à une nouvelle morsure par l'acide, d'où les nombreuses impressions légèrement différentes, qui sont connues et répertoriées par les collectionneurs d'estampes. Lorsque la toute jeune lithographie commença à s'adresser aux connaisseurs, le renouveau du bois gravé et l'invention de la gravure sur acier répondirent aux exigences d'éditeurs qui essayaient de produire des estampes et des livres illustrés capables de satisfaire la demande sans cesse croissante d'un public cultivé.

Depuis le XVIᵉ siècle, il y avait eu de multiples tentatives en vue de réaliser des gravures sur acier, mais elles avaient toutes échoué. Ce fut Jacob Perkins, du Massachusetts, qui parvint à mettre au point une méthode satisfaisante, alors qu'il cherchait une nouvelle technique pour imprimer des billets de banque. En 1810, il produisit avec son associé les premiers livres imprimés à l'aide de plaques d'acier que l'on connaisse. Peu après, Perkins partit pour l'Angleterre, attiré par la récompense de 20 000 livres que la Banque d'Angleterre offrait à l'inventeur d'un billet impossible à contrefaire. Une fois installé en Angleterre, il fabriqua des plaques d'acier pour les éditeurs britanniques, et dès 1825 environ, plusieurs graveurs avaient abandonné le cuivre pour l'acier. Le procédé ne tarda pas à se répandre dans le reste de l'Europe.

Bien que ces gravures soient plutôt sèches et moins propices aux dessins de paysage et aux scènes de genre que le cuivre, à cause de leur précision un peu raide, elles présentent le double avantage d'être plus faciles à imprimer et de ne pas s'user au tirage. Les blocs de bois aussi sont plus résistants que les plaques de cuivre et comme ils sont taillés en relief, ils peuvent être utilisés en même temps que des caractères mobiles lors de l'impression. De ce fait, on assiste à partir de la fin du XVIIIᵉ siècle à un retour en force des gravures sur bois dans la production de livres bon marché et de périodiques.

Donc, vers 1830, la gravure sur cuivre ou taille-douce, et plus particulièrement l'aquatinte et le mezzotinte, était toujours utilisée pour les livres de haut de gamme, surtout en Angleterre, mais la lithographie gagnait rapidement du terrain. On préférait la gravure sur bois chaque fois que les illustrations étaient incorporées au texte ou imprimées en même temps et sur la même machine que les planches de caractères. La gravure sur acier était couramment employée pour les cartes de géographie, les récits de voyages et les livres didactiques quand on prévoyait une forte demande.

De bons exemples d'illustrations d'architecture en taille-douce sont fournis à cette époque par Percier et Fontaine dans le *Choix des plus célèbres maisons de plaisance de Rome et de ses environs* (1824) et par Klenze dans la *Sammlung architektonischer Entwürfe für die Ausführung bestimmt oder wirklich ausgeführt* (1830). Le livre de Klenze est un ouvrage de transition particulièrement intéressant, car certaines planches sont gravées et d'autres lithographiées. La gravure sur bois et son application à l'illustration de périodiques sont représentées dans le *Magasin pittoresque,* et la gravure sur acier encore à ses débuts trouve sa meilleure expression dans les planches exécutées par C. Heath pour le *Paris and its Environs* de A.C. Pugin publié en 1829-1831. Auguste Charles Pugin (1769-1832), né en France mais dont toute la carrière s'est déroulée en Angleterre, est l'un des meilleurs dessinateurs d'architecture de l'époque. Il s'est surtout fait connaître par ses travaux pour l'éditeur Rudolf Ackermann et ses illustrations les plus célèbres sont celles du *Microcosm of London* (1808-1810) qui comporte cent quatre aquatintes imprimées en couleurs, pour lesquelles Pugin a dessiné les édifices et Thomas Rowlandson les personnages.

Pour ce qui est de la lithographie, la publication la plus remarquable est de loin celle des *Voyages pittoresques et romantiques dans l'ancienne France,* du baron Taylor, édités à Paris entre 1820 et 1878. Le baron Taylor avait conçu le projet et en dirigea la réalisation avec les encouragements et le soutien financier du gouvernement français. Il s'agit d'un ensemble de quelque trois mille planches lithographiques auquel participèrent à peu près tous les lithographes et topographes français, ainsi que bon nombre de leurs homologues anglais. Il fut publié en plusieurs livraisons d'inégale longueur, comportant chaque fois un texte descriptif. De temps en temps, des guerres et des révolutions entravèrent cette publication, mais elle fut poursuivie avec ténacité jusqu'à la mort du baron Taylor. Son objectif était à l'origine de dresser un inventaire des monuments anciens qui subsistaient sur le territoire français. Et, comme l'architecte Alphonse de Cailleaux fut d'abord le rédacteur des textes d'architecture, puis le principal rédacteur, la représentation fidèle des édifices fut le premier souci des dessinateurs et des lithographes. Aussi ces vingt volumes échelonnés sur une période de vingt-huit ans, reflètent-ils l'essor et le déclin de la lithographie en tant que procédé d'illustration topographique et architecturale.

Depuis l'époque des premiers livres illustrés imprimés dans toutes les techniques d'impression, les reproductions de peinture étaient colorées à la main. C'était un héritage des superbes livres de dévotion enluminés du Moyen Age et de la Renaissance. Après l'introduction du mezzotinte et de l'aquatinte aux XVIIᵉ et XVIIIᵉ siècles, les imprimeurs s'aperçurent qu'en appliquant des encres de couleurs à la place du noir et du brun habituels, ils pouvaient obtenir des impressions polychromes. Mais, comme il fallait réappliquer minutieusement les couleurs sur la plaque de cuivre après chaque passage dans la presse à bras, cette méthode n'était pas plus rapide que le coloriage après impression.

L'étape suivante dans l'évolution des techniques d'imprimerie fut la recherche active d'une méthode d'impression en couleurs à la fois fiable et peu onéreuse. Des progrès furent accomplis dans l'impression des gravures sur bois et dans la lithographie à moins de dix ans d'intervalle. En 1829, George Baxter obtenait ses premières impressions en couleurs avec des planches en bois, et en 1837 Engelmann déposait un brevet pour « des procédés d'impression lithographique en couleurs », cependant qu'à Londres Hullmandel mettait au point une autre méthode de lithographie en couleurs.

George Baxter, imprimeur à Lewes (Angleterre), en travaillant sur des idées formulées un siècle auparavant par Le Bon, qui s'inspirait lui-même des gravures en clair-obscur ou camaïeu, élabora un procédé d'impression polychrome utilisant des encres grasses. Il exécutait une première impression à partir d'une plaque de cuivre ou d'acier dans laquelle les contours et les principaux détails étaient gravés en pointillés. Il imprimait les couleurs par-dessus avec un assemblage de pièces de bois, chaque pièce devant imprimer une seule couleur. Il pouvait encore superposer les impressions de couleurs pour y ajouter des nuances et il utilisait parfois une dizaine de blocs de bois pour une même estampe. Ce procédé laborieux donnait d'excellents résultats. D'autres imprimeurs demandèrent à Baxter l'autorisation d'exploiter son brevet qui fut bientôt largement commercialisé. Baxter, ainsi que les concessionnaires du brevet, avait tendance à privilégier les sujets romanesques, et sa méthode fut surtout utilisée pour illustrer des livres pour enfants ou la littérature populaire. A part les gravures d'édifices en couleurs publiées de temps à autres par les *Illustrated London News*, elle ne fut guère employée pour imprimer des images d'architecture. Baxter publia quelques planches de l'exposition de Londres de 1851, et dans les années 1860 Benjamin Fawcett réalisa avec ce procédé une ravissante série de planches en couleurs, représentant des demeures élégantes dans leur cadre campagnard, pour les *Country Seats of Great Britain* de Morris.

Beaucoup plus importante pour le dessin d'architecture fut l'invention de la chromolithographie. Elle fut précédée par la mise au point d'un procédé appelé indifféremment lavis lithographique, lithotint ou lithographie au tampon, qui consiste à superposer une impression lithographique d'un dessin au trait et une impression reproduisant des valeurs dégradées assez semblables à celles que l'on obtient dans l'aquatinte. Le premier livre utilisant exclusivement ce procédé est aussi l'un des plus beaux. Il s'agit des *Sketches at Home and Abroad* de J.D. Harking, imprimés par Hullmandel en 1837. Harding s'était spécialisé dans l'aquarelle et la lithographie de paysages mais il était très attentif aux formes architecturales. Les lavis lithographiques les plus célèbres sont les *Sketches of the Holy Land and Egypt* de Roberts, publiés entre 1842 et 1849. Louis Hague lithographia cet ouvrage remarquable d'après les dessins de Roberts, en utilisant deux et parfois trois pierres lithographiques pour chaque planche. David Roberts avait débuté comme peintre de décors et en général il visait résolument à l'effet théâtral, mais il fournit à Louis Hague des croquis suffisamment détaillés pour que ce lithographe méticuleux puisse représenter les édifices dans un style assurément spectaculaire, mais aussi avec une précision architecturale saisissante de vérité. A partir du lavis lithographique, où l'on utilisait deux ou trois pierres, il n'y avait qu'un petit pas à franchir pour en arriver à l'emploi d'un plus grand nombre de pierres, chacune servant à appliquer une seule couleur. Si bien qu'au moment où Baxter obtenait des images colorées grâce à l'application successive de plusieurs planches de bois, Hullmandel, Thomas Shotter Boys, Owen Jones et quelques autres menaient des recherches dans le même sens, mais avec des encres lithographiques de couleurs et des pierres lithographiques.

Le premier livre imprimé en chromolithographie fut la *Picturesque Architecture in Paris, Ghent, Antwerp, Rouen, etc.* de Thomas Shotter Boys. Hullmandel imprima ces planches en 1837, la même année que l'ouvrage de Harding. C'est aussi le premier livre comportant des planches polychromes pour lesquelles l'application des couleurs fut entièrement effectuée par des procédés mécaniques. Sa « notice descriptive » nous apprend que : « La totalité des dessins composant ce volume sont entièrement réalisés au moyen de la lithographie. Ils sont imprimés avec des couleurs à l'huile et sont sortis de presse tels qu'ils se présentent actuellement. Il était expressément stipulé par l'éditeur que pas une seule touche ne serait ajoutée par la suite, et cette injonction a été suivie à la lettre. Ce sont des images dessinées sur la pierre et reproduites par l'impression en couleurs : chaque touche est l'œuvre de l'artiste, chaque impression le produit de la presse. C'est la première et, jusqu'ici, la seule tentative d'imitation par la chromolithographie des effets picturaux des compositions architecturales. Et dans son application à cette catégorie de sujets, la chromolithographie a été poussée si loin au-delà de ce qu'exigeait la représentation polychrome de l'architecture, des hiéroglyphes, arabesques, etc., qu'elle en est presque devenue une nouvelle forme d'art. »

Thomas Shotter Boys (1803-1874) était un aquarelliste anglais de grand talent. Venu de bonne heure à Paris, il se lia d'amitié avec Richard Parkes Bonington (1802-1828) qui exerça sur lui une grande influence. Vers 1833, il fit des lithographies pour les *Voyages pittoresques* du baron Taylor. Puis il retourna à Londres avec ses aquarelles de Paris, Gand, Anvers, Rouen et consacra deux années à la préparation des nombreuses pierres lithographiques nécessaires pour imprimer ce somptueux ouvrage. A partir de cette date, les architectes sont étroitement associés au développement de la chromolithographie. Cela tient en grande partie à leur intérêt naissant pour la polychromie dans la construction. Après avoir recherché des exemples dans l'histoire, ils éprouvèrent le besoin de communiquer les résultats de leurs recherches et de donner une large diffusion à leurs idées.

Tout commence avec la découverte des ruines richement décorées d'Herculanum et de Pompéi, mises au jour au siècle précédent, et connues d'abord par des gravures sur cuivre en noir et blanc, puis par de luxueux recueils de planches colorées à la main. Ces derniers, ainsi que les traces de couleurs encore visibles sur certains monuments grecs, incitèrent les archéologues et les architectes à se demander si les édifices de la Grèce classique n'étaient pas abondamment colorés à l'intérieur et à l'extérieur. Cette hypothèse fut examinée attentivement par les critiques et architectes français Quatremère de Quincy, Hittorff. et Labrouste et par les architectes anglais Kinnard et Penrose, entre autres. Au début, les livres de Quatremère de Quincy et de Hittorff étaient illustrés de planches colorées à la main, mais l'*Alhambra* de Jules Goury et Owen Jones, publié entre 1836 et 1845, fut le premier ouvrage d'architecture pure à utiliser à plein la chromolithographie. Goury et Jones étaient allés à Grenade en 1834 et avaient fait de nombreux dessins de l'Alhambra. Quand Goury mourut du choléra, Jones rentra en Angleterre avec la ferme intention de publier leur travail commun pour perpétuer la mémoire de son ami, mais aussi parce que c'était, dans le monde occidental, la première description détaillée des formes et des couleurs des ornements et décorations arabes. « La forme sans la couleur, devait-il dire plus tard, est comme un corps sans âme. » Or, il n'y avait pas un seul imprimeur lithographe dans toute l'Angleterre qui fût en mesure d'entreprendre une tâche de cette ampleur. Jones s'installa donc à son compte, et réunit une équipe d'ouvriers qu'il forma lui-même. Il réussit à publier, entre 1836 et 1841, un livre contenant cent-quatre planches in-folio dont soixante-neuf en six ou sept couleurs, qui démontra que la lithographie se prêtait admirablement à la reproduction des ornements et décorations polychromes utilisés en architecture ou ailleurs. Owen Jones continua à éditer des livres de chromolithographies, soit dans sa propre maison, soit chez Day and Son. Le plus remarquable d'entre eux fut sa *Grammar of Ornament* publiée en 1855, dont la valeur et l'importance ne se sont pas démenties.

Dans le même temps, les ateliers lithographiques de Godefroi Engelmann éditaient à Paris des ouvrages tout aussi importants, comme *La charpente de la cathédrale de Messine,* de Morey (1841), et *L'architecture polychrome chez les Grecs,* de Jacques Ignace Hittorff (1846-1851). En fait, Engelmann et son fils fournissaient un travail si excellemment exécuté qu'ils se firent des clients un peu partout en Europe, et notamment en Russie.

Parmi les ouvrages remarquables publiés à cette époque, citons également les *Comprehensive Pictures of the Great Exhibition,* comportant cinquante-cinq grandes lithographies, exécutées d'après des aquarelles de Joseph Nash et d'autres artistes, qui sont toutes des vues de l'Exposition de Londres de 1851. Cet ouvrage présente un intérêt tout particulier dans la mesure où il s'agit d'un document d'époque sur l'intérieur et l'extérieur d'un bâtiment qui a fait date dans l'histoire de l'architecture. Il va de pair avec les *Industrial Arts of the Nineteenth Century,* de Matthew Digby Wyatt, qui offrent un panorama en cent soixante chromolithographies, imprimées chacune en six ou sept couleurs, des plus mémorables expositions du siècle. Wyatt, architecte de son métier, fut nommé organisateur de l'Exposition de 1851 et on lui doit un certain nombre de livres sur l'architecture, ou sur des sujets connexes, illustrés de chromolithographies. Enfin, à Berlin, Storch et Kramer éditèrent en 1855, *La Wilhelma, villa mauresque de sa majesté le roi Guillaume de Wurtembert* de Zanth.

Inventeurs, lithographes et imprimeurs continuèrent à affiner les techniques et à perfectionner les presses. De très beaux livres de chromolithographies furent encore édités, dont *L'ornement polychrome* de Racinet en 1869-1887, *Peintures murales des chapelles de Notre-Dame de Paris* de Viollet-le-Duc en 1876, *Décorations intérieures de l'architecture privée au xixᵉ siècle* de Daly en 1877, *La brique ordinaire au point de vue décoratif* de Lacroux en 1878-1886, *La brique et la terre cuite* de Chabat en 1881-1886 et, peut-être le plus remarquable de tous, *Le nouvel Opéra de Paris,* de Charles Garnier, publié en 1878-1881 avec des planches imprimées par Lemercier. Ces livres étaient achetés par des architectes, des artistes et artisans décorateurs et aussi par des fabricants de briques, de tuiles, de ferronneries et de verre. Les édifices, les meubles et les objets d'art que nous a légués cette époque attestent de l'influence étendue et durable de ces publications. Toutefois, ces livres marquent le sommet atteint, à ce moment-là, par l'édition. Ils étaient extrêmement coûteux et ne pouvaient soutenir la concurrence des nouveaux procédés de photogravure et de photolithographie. Tout comme les constructions dont ils nous donnent des images si somptueuses, ces publications ont cédé la place aux techniques de production plus économiques, capables de satisfaire la demande plus forte, mais moins exigeante, d'un autre siècle.

Traduit de l'anglais par Jeanne Bouniort.

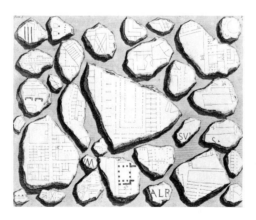

GIAMBATTISTA PIRANESI, dit PIRANÈSE
architecte, dessinateur et graveur italien (1720-1778)
Fragments en marbre du plan de la Rome antique présentés au musée du Campidoglio
gravure, 1756
Cabinet des Dessins de la Technische Universität, Munich.

L'ARCHITECTURE
DANS LA BANDE DESSINÉE

SELON LES INSPIRATIONS VARIÉES ET DIVERSES MOTIVATIONS DES DESSINATEURS OU SCÉNARISTES, TOUS LES MODES, STRUCTURES, ENSEMBLES ET « MOMENTS » ARCHITECTURAUX SERONT ABORDÉS, EXPLORÉS, INDUITS, EXPLOITÉS ET INVESTIS. QU'ELLES SOIENT POLITIQUES, RÉALISTES OU NOSTALGIQUES, DOCUMENTAIRES, SOUCIEUSES D'EXOTISME, D'UTOPIE OU DE FICTION, SOCIALES, POLICIÈRES, HISTORIQUES, FANTASTI-QUES, RÉGIONALISTES OU D'ASPIRATION, LEURS RAISONS CONDUIRONT CES CRÉATEURS À NE RIEN NÉGLIGER ET TOUT APPRÉHENDER.

—JEAN-MARIE DE BUSSCHER—

Entre-deux-guerres... Dans l'infini d'un paysage désormais entièrement façonné par l'homme, l'univers machiniste monopo-lise dans son emprise exclusive la totalité de l'espace social et élabore le langage de la non-architecture des grandes halles indus-trielles... L'époque est aux konzerns! Un jeune reporter du petit *Vingtième* en témoi-gne, non sans humour et roborative perspi-cacité. Et débute la publication des *Aventures de Tintin au pays des Soviets* : le 10 janvier 1929, dans le supplément pour enfants du quotidien belge *Le Vingtième Siècle*.

Certes, et pour expliciter le rapport subtil de l'architecture à la bande dessinée, d'aucuns trouve-ront bien tardif cet entre-deux-guerres revu et corrigé par Hergé. C'est qu'en matière de B.D. tout est possible... et même de remonter jusqu'au XIIᵉ siècle... L'*Hortus Delicarium* (1185) de Hérade de Lansberg, abbesse des chanoinesses du mont Sainte-Odile (Alsace), est tout à fait révélateur de cet art de l'image mise au service de la scholastique en deux cent cinquante-cinq feuillets. Les xylographies des *Bibles des pauvres* assemblées en cahiers, au XVᵉ siècle, sont à n'en pas douter les premiers « comic-books ». Et, vers 1230, dans un Manuscrit de l'Apocalypse — celui de Trinity College Library de Cambridge — le discours de ceux qui, sur l'image, parlent... est visualisé par des « bulles », que dis-je, des phylactères. L'osmose image/écriture a d'ailleurs, et toujours, été plus précoce dans les pays anglo-saxons qu'en France. Dans son étude sur les humoristes anglais du XVIIIᵉ siècle, Thackeray, déjà, alignait le peintre William Hogarth (1697-1764) sur Swift et Fielding... des écrivains! « Ses gravures écrit-il, nous

donnent une image complète et fidèle des mœurs et même des idées ». Et, de son côté, Hogarth confessera que la comédie peinte lui avait toujours semblé plus convaincante pour l'esprit d'un homme à conception rapide que ne le serait un millier de volumes de comédie écrite. Il est vrai que depuis belle lurette les sujets de sa Majesté avaient été à bonne école... Si l'on considère que leur première reine normande, la reine Mathilde, dix ans seulement après Hastings, concevait et bro-dait le « strip » le plus long de toute l'histoire de la B.D. : la tapisserie de Bayeux (70 mètres)! Pour rattraper ce foudroyant et déterminant départ, le continent mettra près de huit siècles. Huit siècles à attendre qu'un Suisse de génie, Töpffer, consente à réimporter du Royaume-Uni — où un riche et britannique amateur l'avait emmené — ce concept et cette verve osmotique. Les *Voyages et aventures du Docteur Festus* empruntent, alors, des chemins que Lewis Carroll n'eût pas désavoués. L'Allemand Wilhelm Busch, sans un mot, marche dans la foulée; cependant qu'en France, enfin! et avec le concours des Daumier, Decamps, Raffet et Charlet, Monnier et autres Gavarni, la presse en images voit le jour... enfantée par : « Cette langue toute nouvelle en France, mais si appropriée au caractère national »..., comme se plaît à se le répéter le fondateur de *La Caricature* et de *Charivari*, Philipon, ce pré-cavannien qui, déjà, use de la méthode Coué tout en élisant domicile au « Magasin de caricatures », galerie Vérot-Dodat. Toutefois, ce ne sont encore là qu'images, et non des histoires « en » images... Ainsi que s'en plaignait Rodolphe Töpffer à Sainte-Beuve : « Ils [Daumier et Gavarni] font des

TARDI
illustrateur français de bande dessinée
Détail d'une vignette pour l'album *Adieu Brindavoine*
publié en 1979 par les Éditions Casterman
Tournai/Paris.

suites, c'est-à-dire des faces différentes d'une même idée; ce sont des choses bout à bout, non des choses liées par une pensée». Et il faudra attendre le töpfférien Cham, Stop ou Gustave Doré, pour les tentatives... Mais pour arriver à lier, en une souple émulsion, «bédéifiée» le récit et l'image, il faudra que viennent l'avènement du cinéma et les débuts d'un autre génie, belge cette fois, Hergé. Comme on le voit, et avant que de pénétrer l'Hexagone, la B.D. rodera longtemps à ses frontières, du Plat-pays aux Alpes acérées...

Au XIXe siècle, si les problèmes de robinet préoccupent les écoliers, ceux du mouvement occupent largement les scientifiques, qu'ils soient chercheurs ou aventuriers. L'un d'eux, le Belge Joseph Platteau va inventer, dans la trace des expériences de Faraday, le zootrope. Cet amusant instrument d'expérimentation optique qui, durant quelques décennies, ravira les enfants tout en connaissant un vif succès commercial, amorce la cinétique, pompe à images dont le débit tumultueux s'appelera cinéma.

Avancer que le cinéma ne commence qu'à partir de *Naissance d'une nation* de Griffith, pourra paraître excessif à plus d'un. Pourtant, et auparavant, le cinéma n'est que découverte, aimablement naïve, des reflets de la réalité mouvante et non cette préhension réellement nouvelle du monde que lègue, avec la notion de cadrage, le cinéma. Durant une vingtaine d'années les cinéastes vont peaufiner ce nouveau langage fait de découpages, de champs et contrechamps, de téléscopage des effets, de plongées et de contre-plongées, de gros plans et enfin de montage, et laissant à l'imagination ces fragments qu'elle se plaît à compléter. Passant de l'encadrement désuet, tel que le pratiquait le premier cinéma, au cadrage innové par Griffith, la B.D. va faire siennes les techniques du récit cinématographique. Et, en Europe, Hergé le tout premier qui à seize ans titre dans *Le boy-scout belge*: «United Rovers, présente *Les aventures de Totor C.P. des Hannetons*» et signe Hergé Roving Pictures! Est-ce assez dire... Est-ce assez dire l'influence du cinéma sur la B.D.? Une bande dessinée qui, à l'instar des somptueux plans cinématographiques, va nourrir ses «strips» du paysage architectonique, du détail ou de l'élément; de cette architecture, enfin et souvent, indispensable plan de l'aventure.

Dès cet instant, et selon les inspirations variées et diverses motivations des dessinateurs ou scénaristes, tous les modes, structures, ensembles et «moments» architecturaux seront abordés, explorés, induits, exploités et investis. Qu'elles soient politiques, réalistes ou nostalgiques, documentaires, soucieuses d'exotisme, d'utopie ou de fiction, sociales, policières, historiques, fantastiques, régionalistes ou d'aspiration, leurs raisons conduiront ces créateurs à ne rien négliger et tout appréhender. Didactiques, religieuses, modernistes, arcadiennes, postatomisées ou atomiques, totalitaires, lémuriennes ou écologiques, les cités de la bande dessinée disent les idéaux, les espoirs, le nihilisme, la parano ou les prométhéennes vertus des auteurs et de leurs époques; au même titre d'ailleurs, et comme le faisait remarquer Benoît Peeters[1], que ces projets futuristes d'architectes qui renseignent davantage sur l'époque à laquelle ils ont été faits que sur celle à laquelle ils les destinaient et prétendaient. Voilà, en tous cas, qui tendrait à clore le débat sur la question de savoir si certaine B.D.-architecture dite de S.F. serait le cimetière visuel de nos errements ou le creuset de l'errance architecturale du futur...

Quoiqu'il en soit, et pourquoi le nier, le décryptage du *De viris illustribus urbis Romae* dédaléen, fut, pour moi, fort largement éclairé par la lecture lénifiante des *Aventures d'Alix*, cette B.D. tout à la fois péplum et fleuve que mes yeux émerveillés durent au talent de Jacques Martin. Au fil des albums et des planches, les ordres, généralement colossaux, se bousculaient, du dorique au composite et des Gaules à Carthage en passant par le Nil. Désormais, et de par la grâce d'Alix, le jeune et pétulant ami gaulois de César, nous lisions les *Commentarii de bello gallico* de ce dernier — n'ayont pas peur des mots: comme en nous jouant.

De forums en ziggourats, de panthéons en villas et de narthexs en pagodes, voire d'hypogées en mastabas, le lactucarium socratique que distille les dix-sept aventures d'Alix exige le superbe décor et le scrupule d'une architecture historico-didactique. A l'extrême opposé de ce réalisme historicisant, Schuiten et Peeters, avec *Les murailles de Samaris* et *La fièvre d'Urbicande*, nous proposent une maïeutique de l'architecture en bande dessinée. Leur projet des «Cités obscures», dont *La fièvre d'Urbicande* constitue le second volet, embrasse ce qui pourrait bien être les ultimes limites du commerce B.D.-architecture. En effet, ce ne sont plus les héros qui y mènent le jeu, mais l'architecture, la ville, cependant que les personnages se voient quasi réduits au décor... Du propre aveu des auteurs: «C'est une ville qui donne à chaque histoire son unité, non pas une ville réelle que des travaux de repérage permettraient d'approcher, mais une ville entièrement fictive»... Fictive? Leur fiction semble beaucoup devoir à l'axe Nord-Sud, ou grande Avenue, du nouveau plan de Berlin[2] (1937-1943) et à ses maquettes de l'Ile aux musées, de la Hochschulstadt, de la Langemarckhalle ou de la Kriegsakademie des Klaje, Dustmann, Troost, Kreis, Gilly, March, Sagebiel, Reichle et autres Nestler, toutes marquées au sceau de Speer et du GBI[3] et que Hitler qualifiait de réalisations de «la plus noble tectonique allemande»[4]. De l'architecture considérée comme un art total et du «pouvoir magique du mot architecture dans le régime hitlérien»[5] naît la ville totalitaire, la ville de pouvoir, la ville dictatoriale dont «les édifices visent à renforcer l'autorité du parti»[6], la ville où «il est nécessaire de transcrire par des réalisations grandioses les grandes missions de notre époque»[7], la ville-incarnation suprême, la ville-héros et héraut d'une idéologie. Oui, la ville, alors, peut devenir personnage. Un personnage fascinant et oppressant comme le sont les architectures idéales de Carl Zehnder. Un personnage dont Peeters et Schuiten se servent talentueusement pour dénoncer toutes coercitions... tant il est vrai que staliniennes, nazies, républicaines, démocratiques ou monarchiques, les architectures, lorsqu'elles sont officiello-culturelles, tendent à la similitude dans cette période dite «des réalismes». Le grand dôme de Speer ne sortait-il pas tout droit des crayonnés de la coupole qu'Etienne Boullée destinait à son temple de la Raison?

Mais, s'interrogeront les curieux au sens XVIIIe du terme, entre ces deux cimes représentées — l'une par un magistral précurseur-professeur et l'autre par deux investigateurs «pointus» et de troisième type — est-ce le vide, le néant? Oh! que non... Dans les *fifties* et les *sixties*, le moral européen est au zénith. Le nez frileusement caché dans une confortable écharpe d'Iris, l'Occident irise l'euphorie. La Belgique, qui est à elle seule la B.D. de ces deux décennies, va se noyer dans un

1 - *A Suivre*, n° 68.
2 - Lars Olof Larsson, *Albert Speer. Le plan de Berlin 1937-1943*, Bruxelles: Editions des Archives d'architecture moderne, 1982.
3 - Service de construction chargé de la transformation de la capitale du Reich.
4 - Expression citée en permanence dans toutes les revues d'architecture national-socialistes.
5 - Albert Speer, «*Au cœur du IIIe Reich*», Paris: Fayard, 1971.
6 - Discours sur la culture prononcé par Hitler à Nuremberg, 1937.
7 - Discours sur la culture prononcé par Hitler à Nuremberg, 1935.

modernisme effréné et, comme elle se le doit à elle-même, la B.D. va suivre, avec un optimisme béat. En 1984, on serait tenté de dire : avec hébétude. Quoi de plus normal ? La vitesse est reine, la science aussi. Les projets libèrent et les loisirs réalisent les projets les plus fous. En outre, l'Ecole nationale supérieure d'architecture et d'arts décoratifs, dite « La Cambre », à Bruxelles, n'a-t-elle pas été fondée par l'anversois Henry Van de Velde, le fondateur de la Kunstgewerbeschule de Weimar et, dès lors, qu'y aurait-il de paradoxal à voir la B.D. célébrer le Bauhaus avec tant de radieux enthousiasme ? De cette célébration, Will est le maître incontesté. Dans *Tif et Tondu* (Will et Rosy), tout défile, des maisons de Wright ou Eames aux immeubles de Mies van der Rohe, toutes et tous truffés de sculptures abstraites, de mobiles made in Calder et de meubles façon design italien. Dans *Les aventures de Spirou*, Franquin reprendra cet univers, mais avec un look légèrement petit-bourgeois et, surtout, des questions quelque peu angoissées. C'est que désormais la course infernale passe par la découverte du cadre de vie... La porte, alors, s'ouvre au délire architectural tous azimuts, de la redécouverte de l'architecture triomphante et bourgeoise du XIXᵉ, ses villas, villes d'eau, conquêtes de fer, gares et villégiatures dont Tardi avec *Les*

aventures extraordinaires d'Adèle Blanc-Sec sera l'interprète ému, aux contes et récits postatomisés des frères Varenne (*Ardeur, Warschau, Berlinstrasse*) et d'Auclair (*Jason Müller*).

Entre ces pôles de la contestation architecturale allant de la reconstitution à la dégradation, une noria d'auteurs rétro par affinités agitent avec délices les archives très complètes de l'architecture occidentale au XXᵉ siècle. Joost Swarte dans *Une deuxième Babel* couvre tout, du bunker à Loos. Ted Benoit avec *Les aventures de Ray Banana* se prélasse dans les années trente. Philippe Bertrand dessine ses *Scènes d'intérieur* d'après le plan de l'hôtel van Eetvelde de Victor Horta. Cependant que, modernes et le regard fixé sur la ligne bleuâtre de la troisième révolution industrielle, Slocombe se passionne pour l'univers carcéral hospitalier et Kiki Picasso, pour l'environnement bureautique. Mais ce serait oublier toute la B.D. dite de S.F., qui, Moebius en tête et dans le savant métissage des styles, élabore les cités baba cool (Macedo) ou démoniaque (Liberatore) d'un futur qu'on subodore. Ce serait oublier, aussi et surtout Edgar P. Jacobs, le père de *Blake et Mortimer* et, en matière de décor architectural, qu'il soit réaliste ou de fiction, leur père à tous.

SCHUITEN
illustrateur belge de bande dessinée
Vignette pour le récit *La fièvre d'Urbicande* (scénario de Peeters)
publié en feuilleton en 1983 et 1984 dans le magazine *A Suivre*
édité par les Éditions Casterman, Tournai/Paris.

LA PHOTOGRAMMÉTRIE ARCHITECTURALE

LA MÉMOIRE PHOTOGRAPHIQUE RESTE INCOMPARABLE POUR COLLECTER SUR LE TERRAIN LES MESURES, POUR ÉCLAIRER LES DIMENSIONS ET LES FORMES D'UN ÉDIFICE, ET L'ORDINATEUR OFFRE AUJOURD'HUI DANS LE TRAITEMENT DES DONNÉES PHOTOGRAMMÉTRIQUES DES MOYENS POUR AFFINER DES FORMES DE REPRÉSENTATION MIEUX ADAPTÉES À LA SENSIBILITÉ DE L'ARCHITECTURE EFFECTIVE, MOYENS QU'IL ÉTAIT IMPOSSIBLE D'IMAGINER IL Y A SEULEMENT QUELQUES ANNÉES.

—JEAN-PAUL SAINT AUBIN—

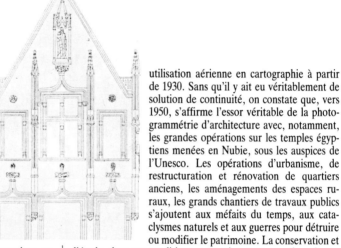

La photogrammétrie permet, à partir de photographies d'objets, quelles que soient leur taille ou leur complexité, de rendre compte globalement de leurs formes, de leurs dimensions et de leur situation dans l'espace. Cette information peut alors être sélectionnée par l'intermédiaire de traductions graphiques géométrales ou perspectives. Géométriquement, le procédé se résume à l'enregistrement de deux photographies — un couple — assimilées à deux perspectives coniques et à la reconstitution des formes et des dimensions de l'objet photographié, à partir de l'intersection des rayons homologues issus de chacune des perspectives en procédant soit directement par construction graphique ou calcul, soit par l'intermédiaire de la vision stéréoscopique.

L'idée d'utiliser des vues perspectives pour déduire les formes et les dimensions d'un objet est déjà envisagée au XVe siècle (Piero della Francesca, *De prospectiva pingendi*, vers 1490). Mais c'est avec l'invention de la photographie et par l'exploitation de plusieurs perspectives obtenues photographiquement que Laussedat, en France, élabore dès 1850 les prémisses de ce qu'il nomme métrophotographie et exécute sur l'église Santa Maria delle Grazie à Milan le premier relevé d'architecture d'après des photographies. A partir de 1858, Meydenbauer réalise sur des monuments d'Allemagne la première collection de photographies destinées à faciliter les relevés d'architecture et, dès 1885, anime le premier service de relevés architecturaux utilisant ce qu'il nomme «photogrammétrie». Historiquement, la photogrammétrie fut donc d'abord terrestre, mais son développement reste lié à son utilisation aérienne en cartographie à partir de 1930. Sans qu'il y ait eu véritablement de solution de continuité, on constate que, vers 1950, s'affirme l'essor véritable de la photogrammétrie d'architecture avec, notamment, les grandes opérations menées sur les temples égyptiens menées en Nubie, sous les auspices de l'Unesco. Les opérations d'urbanisme, de restructuration et rénovation de quartiers anciens, les aménagements des espaces ruraux, les grands chantiers de travaux publics s'ajoutent aux méfaits du temps, aux cataclysmes naturels et aux guerres pour détruire ou modifier le patrimoine. La conservation et l'étude, dans ces conditions, apparaissent comme de redoutables gageures; l'ambiguïté de la restauration, qui viole l'authenticité historique du document, le paradoxe de l'archéologie, qui détruit en l'étudiant l'objet même de sa recherche, expliquent l'introduction des techniques comme la photogrammétrie qui permettent de sauvegarder matériellement et intellectuellement la globalité de ce patrimoine.

A ce niveau se pose le problème de la représentation de l'architecture qui a pour vocation de traduire par le dessin — ou de toute autre manière concrète — l'architecture, d'exprimer l'idée de la «cosa mentale», autrement dit d'être comme au-delà ou en deçà de l'apparence construite. La théorie peut, en effet, être contredite par l'objet lui-même et ne se matérialise que dans l'imperfection du geste du tailleur ou du maçon. La nature même du monument historique, remanié au cours des siècles par d'incessants aménagements, restauré selon les préceptes d'une époque, déformé par d'insidieuses fêlures, traumatisé par la mouvance du contexte, illustre un

Détail du relevé photogrammétrique de l'hôtel Saint-Georges
édifié au XIXe siècle à Nantes, 47 × 34 cm, 1980
Direction de l'Inventaire général des monuments, Paris.

peu plus la compromission de cette incarnation. Pourtant, à l'instant de la décision architecturale, du projet, l'édifice virtuel assemble des formes plus ou moins complexes mais qui sont toutes définies géométriquement; ce modèle mental s'ordonne selon une structure logique dans un système orthogonal d'axes orientés, horizontaux, verticaux. Les principes de régularité, verticalité, perpendicularité et parallélisme absolus font coïncider les axes et plans architecturaux avec les axes et plans d'un système de représentation graphique simpliste, qui projette orthogonalement l'objet sur les faces d'un parallélipipède rectangle dégageant ainsi trois plans : le plan, l'élévation et la coupe.

Mais qu'advient-il alors des relevés d'architecture ? Sont-ils ou doivent-ils être la transcription de l'idéal mais, surtout, peuvent-ils être autre chose que la restitution du projet architectural ? Il semble que ces évidences et ces questions marquent toute l'histoire du document graphique et jusque, et y compris peut-être, dans sa formulation photogrammétrique. En effet, par les méthodes traditionnelles, à partir d'un nombre limité de longueurs, l'élaboration du relevé n'est que ponctuelle et toute ligne se trouvera être interpolée entre des points définis — plus ou moins nombreux; c'est-à-dire que toute forme — et l'historien des formes sursaute — sera interprétée et toute comparaison typologique, à partir de formes relevées, n'aboutira qu'à la confrontation des interprétations subjectives des dessinateurs. Subsidiairement, pour limiter le nombre de mesures — autrement dit, le temps du relevé — il est nécessaire de poser en préalable toute une série d'hypothèses spatiales ou formelles, de sélectionner les signifiants architectoniques ou ornementaux; le mur figure un plan, cette arête une droite horizontale, verticale oblique, cette baie s'inscrit dans un rectangle, cet arc est en tiers-point et cette voûte un berceau — un demi-cylindre. Le relevé repose ainsi sur une systématique d'idéalisation qui entend traduire l'essence d'une architecture, de la même architecture qu'on restaure au XIXe siècle, comme le dit Viollet-le-Duc, « dans un état complet qui peut n'avoir jamais existé ». Le relevé, alors, n'est qu'une vision mal assurée et supposée du projet d'architecture, puisqu'en fait les mesures sur l'édifice vont conforter, comme dans un syllogisme les prémisses.

Dans les années 1960, le recours à la photogrammétrie introduit l'espoir de se dégager de tout subjectivisme et d'arriver à une représentation de l'architecture effective, telle qu'elle est parvenue à la date du relevé. Les deux photographies permettent rapidement d'assurer une mémorisation quasiment exhaustive de l'édifice; et, par l'intermédiaire de la stéréoscopie qui assure la vision du volume, elles dressent le constat de l'état architectural et offrent un enregistrement d'une fidélité absolue, comme le microfichage exemplaire de l'édifice. Ainsi, le couple photogrammétrique assure en soi une représentation de l'architecture qui, pour la première fois, part de la construction elle-même et non de son interprétation. A partir de cette modélisation, les interrogations formelles et structurelles peuvent recevoir la réponse qu'attend l'historien de l'art ou l'architecte restaurateur car, la photographie étant une image globale continue, ce sont les formes elles-mêmes qui sont analysées lors de la « restitution » photogrammétrique.

La saisie s'effectue dans les trois dimensions de l'espace par des mesures, en continu. Les clichés non seulement assurent la possibilité de mesures ponctuelles mais permettent

la connaissance de la nature des lignes qui décrivent la forme, fixent les relations dans l'espace des formes entre elles ou des objets entre eux. Il est donc possible de suivre les lignes qui définissent l'objet, d'appréhender son épiderme et les ruptures dans sa continuité. Ceci conduit à une numérisation de l'objet qui pourra être transmise directement ou indirectement à une table traçante, mais aussi à un ordinateur ou à un écran graphique. Force, alors, nous est de constater l'inadéquation du mode de représentation classique avec la précision de la saisie; l'organisation des formes et des plans, des liaisons architecturales, peut être appréciée et met en évidence les mouvements de la structure, les déformations acquises ou innées. Et, à l'instant où le moyen d'appréhender l'architecture qui cesse d'être idéale, devient efficace, le système de projection doit s'adapter à la complexité de l'édifice; le volume architectural n'étant pas développable, sa projection sur le plan unique de la table à dessin entraîne inévitablement une série de déformations qu'il convient de dominer et d'expliciter pour éviter une image déficiente et polysémique. Au-delà de l'apparence « représentée », le relevé photogrammétrique va déchiffrer les altérations géométriques qui marquent l'édifice mais qui, en même temps, le signent et le datent tant elles sont contingentes des procédés de construction, des outils et des hommes d'une époque mais également du temps écoulé; à travers l'imperfection de la forme effective, c'est l'ambition du projet architectural, la conjugaison des visions théoriques et des moyens mis en œuvre, que l'analyse photogrammétrique révèle.

Avec la photogrammétrie, outil objectif qui va permettre d'enregistrer l'objet tel qu'il est, le problème des hypothèses préalables ne se pose plus, demeurent cependant les difficiles mais nécessaires sélections des mesures, formes, relations de situation ou d'espace significatives, qui existaient aussi dans le relevé manuel. Car imaginer un relevé graphique exhaustif est un leurre; le passage par une échelle de réduction restreint déjà le « remplissage » possible à la lisibilité minimale. Par ailleurs, les lignes qui définissent un objet sont hiérarchisées; toutes n'ont pas la même importance. Certaines sont essentielles à la définition, d'autres n'ont qu'un rôle illusoire. La faiblesse de cette sélection repose sur le choix que va effectuer l'opérateur derrière son restituteur stéréophotogrammétrique; celui-ci, formé aux techniques cartographiques, méconnaît bien souvent l'essentiel du langage architectural ou archéologique et pallie son ignorance en tentant de rendre le plus complètement possible l'objet qu'il a sous les yeux. Le résultat est l'obtention d'une projection techniquement parfaite, esthétiquement belle, mais dont la complexité, liée à l'abondance des lignes, est d'une interprétation délicate sinon impossible pour l'utilisateur; de surcroît, le temps de restitution dépendant en grande partie du nombre des lignes à représenter, le dessin photogrammétrique exécuté par un opérateur non averti se révèle d'un coût prohibitif. Seules l'analyse préalable de l'objet, la définition exacte de la demande graphique et l'adoption d'une sémiologie rigoureuse peuvent assurer un rendu digne des clichés photogrammétriques; cela n'est naturellement possible que par le dialogue constant de l'opérateur restituteur avec le chercheur — archéologue, historien de l'art, architecte — c'est-à-dire par une formation interdisciplinaire qui fait de l'opérateur restituteur un « archéologue » en chambre, sensibilisé aux problèmes architecturaux ou archéologiques. A cette nécessité s'ajoutent des facteurs d'ordre économique qu'il n'est pas facile de sous-estimer. En France, le patrimoine protégé constitue un parc très important de plus de 30 000 édifices qui s'accroît chaque année de plus de 500 édifices. Cette augmentation du patrimoine protégé correspond à une meilleure connaissance du patrimoine mais également à un changement de la notion de monument, à une ouverture sur des édifices apparemment moins exceptionnels ou d'un passé plus proche. Malgré l'importance de ces mesures conservatoires, le patrimoine est sujet à une érosion intense. En effet, limitée à moins d'un millier d'interventions par an, la conservation matérielle ne saurait être que partielle car l'ampleur du patrimoine architectural de la France peut être estimée entre 1 et 1,2 million d'édifices. Cette évaluation fixe les limites d'un programme ambitieux de documentation technique ou archéologique pour assurer la conservation intellectuelle : depuis 1964, le Service de l'inventaire général des monuments et richesses artistiques de la France a pour mission de rassembler cet ensemble documentaire sur la totalité du patrimoine public ou privé.

Il s'agit donc de privilégier une couverture photogrammé-trique, quitte à négliger les pratiques topométriques longues et sophistiquées — sauf si celles-ci se révèlent la nécessité de l'heure — car les prises de vue resteront un garant intellectuel de l'édifice si celui-ci disparaît et pourront être utilisées malgré tout (les clichés pris par Meydenbauer en Allemagne au siècle dernier par exemple, et utilisés après les destructions de la Deuxième Guerre mondiale); si l'édifice existe encore, il pourra être fait éventuellement des compléments de mesure pour faciliter l'exploitation. L'introduction de l'ordinateur dans les méthodes d'exploitation photogrammétrique des clichés autorise des procédures d'enregistrement plus légères, car son utilisation permet itérativement de calculer, orienter, ajuster des clichés quelles que soient les conditions de prises de vue. La technologie actuelle tend de plus en plus vers des exploitations en restitution appuyée sur l'usage d'un calcula-teur; et il devient possible d'envisager des opérations de terrain rapides et massives sans risquer une accumulation d'archives inexploitables dans l'avenir. L'enregistrement photogrammé-trique se trouve ainsi considérablement allégé : l'ordinateur, relais de la mémoire photographique et générateur d'analyses de l'architecture, recadre une vision enrichie de la photogram-métrie; celle-ci n'est plus perçue comme un luxueux miracle technologique, mais comme un outil indispensable qui s'inscrit parfaitement dans le cadre d'une documentation inventoriale fonctionnelle répondant à l'urgence du recensement comme à la nécessité d'un travail d'analyse. Dans ce cadre, le traitement doit pouvoir être différé *sine die;* il importe donc que les données de terrain soient archivées avec soin et cataloguées au regard de la banque d'images. Cette mémoire globale, accessible par ces moyens très rapidement, serait sollicitée lors de l'analyse architecturale principalement sous forme numéri-que. Les données quantitatives ou formelles, extraites des plaques par restitution photogrammétrique, serviraient à élaborer une mémoire annexe transmise à l'ordinateur de manière à ne perdre ni la troisième dimension qui s'évapore sur la planche à dessin, ni la finesse du suivi oculaire que réduit

fréquemment la définition graphique. Cette nouvelle mémoire, analytique, par opposition à la mémoire globale et éthérée précédente, constitue la base de traitements graphiques immédiats ou différés dans un système spatial quelconque et de traitements numériques sur les formes et les rapports de proportions, les tracés théoriques ou directeurs, etc.

De plus, l'introduction de l'ordinateur, directement lié aux restituteurs, facilite naturellement de multiples tâches prosaï-ques — gestion, analyse numérique, dessins répétitifs; ainsi, cadres et cartouches de présentation peuvent-ils être composés automatiquement. Dans cette nouvelle orientation qui tente de faire dire plus à la mémoire photographique, le dessin classique d'architecture continue à avoir sa part; mais, à partir des données extraites des plaques photogrammétriques considé-rées comme carnet de croquis, le traitement de ce dessin peut être aussi purement manuel ou relayé, dans le cas d'architec-ture modulaire, par les tables traçantes. Il convient de poursuivre les recherches de formulations graphiques particu-lières comme celles que l'Atelier de photogrammétrie architec-turale de l'Inventaire général a appliquées dans une première étape à l'architecture industrielle. Cette recherche exploite au maximum toute la potentialité de la mémoire photogrammétri-que, ses avantages de rapidité sur le terrain comme sa précision continue.

Les organisations internationales, le Conseil de l'Europe, le Comité international de l'histoire de l'art, l'Unesco recommandent la constitution d'archives photogrammétriques et préconisent l'exploitation des relevés par photogrammétrie pour mémoriser, étudier ou sauvegarder le patrimoine. L'Icomos, en collaboration avec la Société internationale de photogrammétrie, a créé en 1970 un comité international spécialisé, le CIPA, qui organise régulièrement des colloques sur le sujet. Cette activité institutionnelle se trouve relayée tout d'abord par des relevés commandés par l'Unesco sur des sites et monuments du patrimoine mondial (temples de Nubie, sanctuaire de Borobodur, etc.), par la création, dans un certain nombre de pays, de cellules d'application de la photogrammé-trie : il faut citer les ateliers de photogrammétrie de l'Autriche au Bundesdekmalamt, de Rhénanie (RFA) au Landeskonserva-tor, et en France à la Direction du patrimoine du ministère de la Culture mais également, les nombreux instituts des facultés d'architecture ou écoles d'ingénieurs qui développent, notam-ment en Italie, en Allemagne ou en Suisse, des activités importantes.

Aujourd'hui, plus de cent ans après Laussedat et Meydenbauer, la photogrammétrie s'offre encore comme un outil paradoxal : son objectivité et son exhaustivité se révèlent inexploitables sans analyse architecturale préalable et ne peuvent s'incarner qu'en éclatant le carcan théorique — par plan, coupe, élévation — du projet d'architecture. Mais la mémoire photographique reste incomparable pour collecter sur le terrain les mesures, pour éclairer les dimensions et les formes d'un édifice, et l'ordinateur offre aujourd'hui dans le traitement des données photogrammétriques des moyens pour affiner des formes de représentation mieux adaptées à la sensibilité de l'architecture effective, moyens qu'il était impossible d'imaginer il y a seulement quelques années.

AVATARS DE L'AXONOMÉTRIE

ON PEUT DATER PRÉCISÉMENT LA NAISSANCE MODERNE DE L'AXONOMÉTRIE : ELLE A LIEU À L'EXPOSITION « DE STIJL » TENUE EN OCTOBRE-NOVEMBRE 1923 À PARIS, OÙ LES DESSINS DE VAN DOESBURG ET VAN EESTEREN PROVOQUENT LA STUPÉFACTION GÉNÉRALE. L'EXPOSITION DES MÊMES DESSINS QUELQUES MOIS PLUS TARD À WEIMAR ENGENDRE LA MÊME SURPRISE ÉMERVEILLÉE, ET C'EST À BON DROIT QUE VAN DOESBURG SOULIGNE LEUR EFFET IMMÉDIAT SUR LE DESSIN ARCHITECTURAL DU BAUHAUS.

—— YVE-ALAIN BOIS ——

Malgré la vogue croissante que connaît aujourd'hui la projection axonométrique auprès des architectes, ceux-ci semblent bien peu se soucier de l'origine et de l'histoire de ce moyen graphique. Plus encore, les maîtres de l'axonométrie, lors des années 1920 comme aujourd'hui, ne se sont guère expliqués sur cette prédilection. Des pionniers comme Theo van Doesburg ou Alberto Sartoris ont été quasiment muets sur la question, et il a fallu attendre le long essai que Bruno Reichlin a consacré à ce dernier pour voir paraître, sous la plume d'un architecte, une défense et illustration résolument moderne de l'axonométrie[1]. Une exception à ce long silence des architectes cependant : le très beau chapitre que consacre Claude Bragdon à la « perspective isométrique » dans son *Frozen Fountain* de 1932. Mais Bragdon n'appartient aucunement à l'espace épistémologique du mouvement moderne : petit maître de l'Art Déco, il parvient à l'axonométrie à la suite de réflexions occultistes et théosophiques sur la quatrième dimension (c'est le traducteur du *Tertium Organum* de Ouspensky, livre qui avait fasciné Malevitch), même s'il justifie son usage de ce mode de projection par des raisons de commodité pratique[2].

On le voit par l'énigmatique et solitaire enthousiasme de Bragdon : si l'axonométrie doit bien être considérée comme une « forme symbolique » (comme le suggère Reichlin), au sens que Panofsky donne à ce terme après Cassirer, c'est en tenant compte de l'extrême diversité de ses implications idéologiques. En effet, de la même manière que la projection axonométrique annihile tout point de vue fixe et unique du spectateur, de la même manière l'usage qui en a été fait dans l'histoire est multiple et contradictoire : le sens de l'axonométrie pour un stratège jésuite du XVIIIe siècle (instrument graphique de surveillance et de calcul en balistique) est très éloigné de celui qu'elle avait pour les peintres Lissitzky ou Albers (ambivalence de l'espace), pour les architectes constructivistes russes (rêverie technologique) ou les artistes de la Renaissance japonaise qui illustraient le *Dit du Genji* (jeu sur le montré/caché, propice à la narrativité). En bref, ce qui fait de l'axonométrie un objet théorique étrange et passionnant, c'est tout d'abord sa très longue histoire (elle apparaît dès la Chine ancienne, avant J. C.); c'est ensuite la diversité des champs du savoir où elle est intervenue (à la stratégie, l'architecture et la peinture déjà citées, on peut ajouter la géométrie descriptive, la coupe des pierres, la cartographie, l'art des jardins, le dessin mécanique, la cristallographie, etc.); enfin, c'est le caractère très subit de son « revival » moderne, sur lequel j'aimerais ici tout particulièrement m'attarder.

L'axonométrie (et surtout l'isométrie, qui en est un cas particulier) était enseignée dans les écoles d'ingénieurs dès la fin du XIXe siècle (c'était même l'un des instruments graphiques privilégiés de la charpenterie). Les architectes la connaissaient bien dès le début du XXe siècle, sinon par ce biais de la pratique d'ingénieur, du moins depuis la parution des livres de Choisy, sans compter les admirables planches de *L'Art de bâtir chez les Romains* (1873), suivi de *L'Art de bâtir chez les Byzantins* (1883), chacun sait la vogue de sa monumentale *Histoire de l'architecture* de 1899 auprès des architectes modernes[3]. Tel

AUGUSTE CHOISY
Palatin, planche VIII extraite de l'ouvrage *L'art de bâtir chez les Romains*
dessinée par l'auteur et gravée par J. Bury, 1873.

dessin de jeunesse de Le Corbusier confirme d'ailleurs que les architectes du mouvement moderne disposaient de l'axonométrie à leur arsenal graphique; simplement ils ne s'en servaient pas (ou peu et mal) parce qu'ils n'avaient pas *vu* — à l'exception de Choisy, précisément — les avantages graphiques et esthétiques d'une telle méthode. Nous verrons plus loin les raisons de cette cécité.

On peut en effet dater très précisément la naissance moderne de l'axonométrie : elle a lieu à l'exposition De Stijl tenue en octobre-novembre 1923 à Paris (galerie de l'Effort Moderne), où les dessins de van Doesburg et van Eesteren provoquent la stupéfaction générale. L'exposition des mêmes dessins quelques mois plus tard à Weimar, lors de la rétrospective de van Doesburg au Landesmuseum, engendre la même surprise émerveillée, et c'est à bon droit que van Doesburg souligne leur effet immédiat sur le dessin architectural du Bauhaus[4]. Certes, cette institution avait déjà produit de très belles planches axonométriques (notamment la célèbre isométrie de Herbert Bayer représentant le bureau de Walter Gropius) : c'est qu'au Bauhaus l'influence d'un autre défenseur de l'axonométrie s'était déjà fait sentir, celle de Lissitzky, qui l'utilisait dans sa peinture *Proun* dès 1919. C'est d'ailleurs Lissitzky qui confirme définitivement cette naissance moderne de l'axonométrie par le texte éblouissant qu'il consacre à la mise en forme de l'espace à travers les âges, « K und Pangeometrie », dans l'*Europa-Almanach* de Carl Einstein et Paul Westheim (1925). Le retentissement de ce texte fut tel, en effet, qu'un érudit aussi peu suspect de modernisme que Panofsky prit la peine de l'étudier avant de le réfuter sur certains points[5].

Il n'est aucunement un hasard que deux *peintres* soient à l'origine du déferlement axonométrique qui s'abattra sur les bureaux d'architecture dans les années 1920 — et que ces deux peintres soient parmi les maîtres de l'art dit abstrait et de sa théorie. (Parenthèse : il ne s'agit pas ici de nier la part de van Eesteren dans l'élaboration des axonométries de l'exposition De Stijl en 1923. Il est tout à fait évident que van Doesburg ne connaissait pas ce moyen graphique avant de rencontrer le jeune architecte. Mais il est d'autant plus remarquable que van Eesteren n'ait *rien fait* de son savoir axonométrique avant sa collaboration avec van Doesburg, et qu'il l'ait ensuite quasiment abandonné : aucun architecte n'aurait pu, en 1923, produire des images aussi improbables que les célèbres *Contre-constructions* de van Doesburg, exposées alors sous le titre de *Analyse de l'architecture*[6]). Bref : alors que les architectes préféraient vues perspectives et lavis skiagraphiques, ce sont les peintres qui ont montré aux architectes, au début des années 1920, tout le parti qu'ils pouvaient tirer de l'axonométrie; ce sont les peintres qui ont fait comprendre aux architectes qu'ils possédaient en elle un trésor.

Dans le texte que j'ai déjà mentionné, Lissitzky écrivait ceci : « Le suprématisme a fait reculer l'extrémité de la pointe de la pyramide visuelle à l'infini [...]. On peut aussi bien construire l'espace suprématiste en saillie qu'en profondeur. Si on désigne la surface du tableau par zéro, on peut alors symboliser "la direction de profondeur" par un moins (négatif) et la "direction de relief" par un plus (positif) ou vice-versa [...] Le suprématisme a inventé la dernière illusion : l'extensibilité infinie vers l'arrière-plan ou l'avant-plan[7] ». Et Lissitzky illustrait son propos par un schéma qui opposait l'espace suprématiste de Malevitch au système perspectif classique. En fait, bien plus que l'art de Malevitch (qui l'a rarement utilisée), c'est l'axonométrie que décrit ici Lissitzky. En effet, quelle que soit la forme d'axonométrie (*isométrique, dimétrique* ou *trimétrique*, selon que la mesure de base est identique sur les trois axes — hauteur, largeur et profondeur — ou sur deux seulement, ou différente sur chacun des axes; *orthogonale* ou *oblique*, selon que l'un des plans du solide représenté est en projection géométrale ou non), le centre de projection est situé à l'infini et les rayons de projection sont parallèles : il n'y a donc pas de diminution en profondeur, et aucun *point*, aucun cran d'arrêt, ne vient limiter l'espace. Or, ce sur quoi insistait Lissitzky, lorsqu'il écrivait que l'on pouvait aussi bien construire l'espace en saillie qu'en profondeur, est ce qui fait de l'axonométrie la *critique* de la perspective monoculaire, mais non sa *déconstruction* : celle-ci sera le fait de Cézanne et d'une toute autre généalogie de l'art moderne qui se sera attachée à détruire à la fois le fondement de la perspective monoculaire et son but. Le fondement de la perspective, c'est la linéarité, la secondarité de la couleur par rapport au contour; son but, c'est la représentation géométrique de la profondeur sur un support bidimensionnel. C'est précisément parce que l'axonométrie ne détruit ni ce fondement linéaire ni ce but figuratif que les architectes allaient pouvoir partager l'enthousiasme de certains peintres.

On connaît le discours habituel sur la perspective. Selon la plupart des historiens d'art, elle marque l'avènement du « sujet de la conscience » dans la philosophie européenne à l'âge classique, elle est l'équivalent du *cogito ergo sum* de Descartes, elle assigne au spectateur la place du prince devant le théâtre du monde et ce prince mesure l'espace de son territoire, les dimensions de son savoir et l'ampleur de son pouvoir. Or rien n'est plus historiquement daté que cette interprétation. Ou plutôt, cette interprétation décrit un cercle logique, car elle est le fait d'une histoire de l'art prisonnière de cette « philosophie de la conscience » au travail dans l'espace perspectif : si le « sujet de la conscience » correspond bien à l'espace perspectif, c'est parce qu'il est un sujet illusionné, pris au piège en trompe-l'œil de son libre arbitre. Les cas limites de la construction perspective que sont les anamorphoses et les fresques *dal soto in su* (par exemple, le *Triomphe des Jésuites* de Pozzo, 1691-1694, à l'Eglise San Ignazio de Rome) le montrent bien : que le spectateur se déplace, qu'il sorte du lieu exact que la construction perspective lui assigne, et tout l'espace de la représentation s'effondre comme un château de cartes[8]. La perspective, en théorie du moins, réclame la *pétrification* totale du spectateur : c'est la tête de Méduse, dont Freud nous a suggéré sur quel fond de violence sexuelle elle fondait son pouvoir apotropaïque[9].

La construction perspective de la Renaissance reposait sur une contradiction : le point de fuite est censé représenter l'infini. Or l'infini ne peut être représenté : seul Dieu est à l'infini. On contourna la difficulté logique (comment prétendre que deux parallèles ne se joignent jamais et représenter leur jonction) et le tabou théologique en nommant le point de fuite *quasi per sino in infinito* et en le dissimulant le plus souvent dans les tableaux par une « feuille de vigne », comme l'écrit Panofsky[10] — mais la contradiction, fondée sur une métaphore (*quasi*), est au travail dans toute théorie de la perspective. C'est cette contradiction que l'axonométrie voudra résoudre :

Je tiens à remercier ici Hubert Damisch et Jacques Guillerme qui ont guidé mes premiers pas, il y a près de dix ans, dans cette recherche historique sur l'axonométrie.

1 - Bruno Reichlin : Préface, catalogue de l'exposition Alberto Sartoris à l'Ecole polytechnique de Lausanne et à l'ETH de Zürich. Le seul texte où, à ma connaissance, van Doesburg parle explicitement de l'axonométrie est aussi consacré à Sartoris, comme l'a bien remarqué Reichlin (*Het Bouwbedrijf*, VI, n° 15, 19 juillet 1929, pp. 305-308).

2 - C'est sur son travail de décorateur de théâtre que Bragdon affirme avoir été séduit par la facilité de l'axonométrie (elle supplée économiquement aux maquettes et permet de voir dans l'espace), ce qui ne manque pas de surprendre puisque c'est la perspective qui est usuellement associée à la scénographie. Bragdon est l'auteur d'une dizaine d'ouvrages ésotériques.

3 - *Cf.* sur ce point Reyner Banham : *Theory and Desing in the first Machine Age*, Londres, 4th edition, 1972, p. 23 et suivantes ainsi que 225-228.

4 - Voici ce qu'écrit van Doesburg dans le numéro spécial du dixième anniversaire de De Stijl : « A l'exception des maquettes (et en relation avec une rétrospective van Doesburg), une exposition semblable [à celle de la galerie de l'« Effort Moderne » à Paris] se tint en 1924 au Musée de Weimar. Le Bauhaus y eut de nouveau l'occasion d'élargir son développement et de faire des études pour le Bauhaus-Siedlung. Il est tout à fait remarquable que le Bauhaus — ennemi du Stijl — ait dès lors adopté la même méthode de représentation architecturale schématique, planifiée, « contre-constructive » et universellement axonométrique, comme on peut le voir dans de nombreuses reproductions ». In « Data en Feiten », *De Stijl*, n° 79-84 (1927), p. 57.

5 - *Cf.* Erwin Panofsky, *La perspective comme forme symbolique*, tr. fr. 1975, Paris, pp. 179-180.

6 - Avant de rencontrer van Eesteren, van Doesburg en était resté à la méthode de l'« éclaté » (ou *expanded box*), si peu propice à la représentation de l'espace. Si l'on excepte la maladroite vue aérienne du premier université (1921-1922), van Eesteren, de son côté, ne semble aucunement s'être intéressé à l'axonométrie avant 1923. Lors

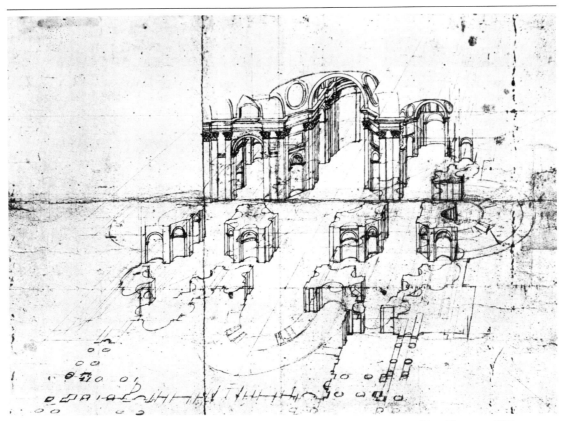

Baldassare Peruzzi, architecte italien (1481-1536), Projet pour Saint-Pierre de Rome, *54 × 68 cm, vers 1530*
Cabinet des Dessins du musée des Offices, Florence.

l'axonométrie est l'*Aufhebung* de la perspective monoculaire.

Il ne s'agit plus en effet de donner à *voir* l'infini, ou l'illusion de l'infini, puisque cela est impossible, mais de le donner à *penser* en situant le centre de la projection géométrique effectivement à l'infini. D'où cette extensibilité virtuelle des lignes de fuite parallèles aussi bien en relief qu'en profondeur que signalait Lissitzky. La profondeur n'est pas niée mais elle est infinitisée géométriquement : l'œil n'a plus sa place déterminée. Le regard n'est plus dompté, il n'est plus médusé. Or, c'est précisément cette libération du regard, cette suspension optique que toute la géométrie occidentale, depuis ses fondements grecs, ne pouvait admettre. Je ne puis m'étendre ici sur toute l'histoire de l'axonométrie en Extrême-Orient, mais il n'est pas un hasard qu'elle soit née en Chine ancienne, qui ne possédait pratiquement aucune géométrie descriptive alors qu'elle était très avancée en algèbre. Pour le dire brièvement : c'est sans aucun doute le préjugé optique de l'Occident qui le fit avorter plusieurs fois avant qu'il parvienne à accoucher de l'axonométrie; c'est ce préjugé optique qui fit plusieurs fois l'Occident ignorer sinon condamner ce fruit de quelques imaginations précoces, avant qu'il le reconnaisse enfin pour sien, aujourd'hui, et l'adopte comme un nouvel académisme.

Plusieurs fils historiques parallèles conduisent à l'axonométrie. Le plus intéressant d'entre eux, mais aussi le plus tortueux, est fait des multiples problèmes de représentation qui assaillirent les architectes à partir de 1500. Trois textes sont ici essentiels : celui de Vitruve, qui réapparaît en 1486 (dans l'édition de Giov. Sulpizio da Veroli), mais qui n'avait jamais été totalement « oublié » durant le Moyen Age; celui d'Alberti (le *De re aedeficatoria* est publié un an plus tard); et enfin la fameuse lettre à Léon X, de 1519, dont on s'accorde à penser que l'auteur en est Raphaël. Ces trois textes insistent tous sur la fonction *analytique* du dessin d'architecture, sur la nécessité de *séparer* les différentes instances graphiques du relevé ou du projet, mais ne disent pas comment les relier entre elles géométriquement. Pour Vitruve, le dessin architectural comporte trois genres : plan, élévation et vue « perspective »; pour Alberti, seules les projections orthogonales sont utiles à l'architecte : plans et élévations doivent être dessinés sur des feuilles distinctes et accompagnés d'une maquette (la perspective est pour lui instrument du peintre : elle ne peut qu'introduire la fausseté des apparences dans la figuration architecturale); la lettre à Léon X, enfin, fait une sorte de compromis entre les deux positions précédentes : l'auteur admet la perspective comme *supplément* destiné à convaincre le commanditaire, mais il introduit un nouvel élément indispensable à l'art du dessin architectural : la coupe.

Certes, la maquette, dont on sait que la plupart des architectes usaient abondamment, accompagnée d'un plan au

d'un entretien que j'ai eu avec lui en novembre 1978, van Eesteren me confirmait d'une part qu'on lui avait enseigné l'axonométrie à l'école en tant qu'instrument graphique pour représenter des détails techniques et d'autre part qu'il ne portait à cette méthode, en 1923 comme aujourd'hui, aucun intérêt particulier. Enfin, dans un entretien avec Nancy Troy, van Eesteren a précisé que van Doesburg avait en partie *décalqué* ses propres axonométries, beaucoup plus « réalistes », pour dessiner ses « contre-constructions » de 1923. (*Cf.* Nancy Troy, *The De Stijl Environment*, Cambridge : MIT Press, 1983.)

7 - « K und Pangeometrie », *in* : Sophie Lissitzly-Küppers, *El Lissitzky Maler, Architect, Typograf, Fotograf*, Dresden, 1967, p. 107.
8 - *Cf.* l'analyse de la fresque de Pozzo à laquelle s'est livré H. Pirenne dans *Optics, Paintings and Photography*, Cambridge, 1970, pp. 79-94.
9 - Sigmund Freud : « Das Medusenhaupt » (1922), *Gesammelte Werke*, t. XVII, Londres 1941, pp. 46-48.
10 - Panofsky, *op. cit.*, p. 78. L'expression est utilisée par Panofsky pour désigner tous les artifices (le plus souvent décoratifs) chargés de dissimuler, avant la théorisation de la Renaissance italienne, les imperfections dans la convergence des lignes de fuite. Or il est extrêmement rare que dans une vue perspective rigoureuse les lignes de fuite soient représentées jusqu'à leur point de convergence : la violence du système se dévoilerait alors avec tant d'évidence que l'effet produit, loin de tromper l'œil, provoquerait une sorte d'invraisemblance proche du fantastique. On peut donc nommer « feuille de vigne » tout ce qui, dans une vue perspective rigoureuse, masque la figuration du point de fuite en tant que tel. Sur cela, et ce qui suit, *cf.* Hubert Damisch, *La théorie du nuage*, Paris : Seuil, 1972, *passim*.

sol, répondait à la nécessité d'une vue synthétique du bâtiment, mais il semble que les architectes (notamment pour des raisons économiques) désiraient trouver une solution graphique à cette nécessité bien avant qu'Alberti ne les en dissuade avec son interdit sur la perspective (comme le montre le célèbre dessin de la cathédrale de Milan, attribué à André de Vincenti, qui articule, un siècle avant le texte d'Alberti, en 1389, un plan et une élévation partielle sur une même feuille[11]). La domination du plan s'accentuera cependant jusqu'à ce que le cercle de Raphaël y mette un terme. Les architectes en effet, ne semblent pas avoir trouvé de solution immédiate à son insuffisance : les coupes perspectives sont d'abord dues aux peintres, car les architectes obéissent à Alberti[12].

Il n'est pas dû au hasard que les deux premières réponses apportées à ce problème soient en fait des antécédents de l'axonométrie. C'est tout d'abord la perspective cavalière que Léonard utilisa souvent dans ses esquisses, l'associant à la coupe, et dont Francesco di Giorgio Martini nous a donné le premier grand corpus : dans leur maladresse, les dessins de ses *Traités d'architecture civile et militaire* sont très proches de la perspective militaire du XVIIe siècle — ils représentent d'ailleurs essentiellement des fortifications. L'autre solution vient du cercle de Bramante, qui désobéit à l'interdit d'Alberti en produisant nombre de « coupes » perspectives. Rien, a priori, n'annoncerait l'axonométrie dans ces représentations pictu- rales de l'intérieur « ouvert » des bâtiments, si l'un des dessinateurs de ce cercle n'avait subverti la méthode pour des raisons essentiellement techniques. Le *Codex Coner*, ensemble remarquable de dessins daté de 1515 (auquel Palladio plus tard portera un grand intérêt) est partagé entre vues globales d'édifices et vues de détails (corniches, frontons, etc.). Tous ces dessins sont en coupe perspective, mais c'est dans les vues de détail qu'apparaît l'innovation : le point de fuite est très éloigné, presque à l'infini et donc impossible (la convergence des lignes de fuite est à peine visible), le raccourci est oblique (à 45°) et le point de vue est chtonien (d'en bas). C'est le célèbre « point de vue de la grenouille » que choisira plus tard Choisy, dont l'irréalité provoque très souvent des apories de lecture : nous sommes presque en face d'axonométries modernes[13].

Ni les croquis de Léonard, ni les planches programmati- ques de Francesco di Giorgio, ni les dessins étonnants du *Codex Coner* ne sont des représentations techniques précises au sens moderne du terme (même si ces derniers dessins constituent les relevés les plus précis que l'on possède de cette époque) : il faut attendre pour cela les coupes orthogonales d'Antonio da Sangallo le Jeune, rendues nécessaires par la rigoureuse division du travail qui s'établit pour un projet aussi grandiose que l'érection de Saint-Pierre de Rome. De Raphaël à Sangallo (son assistant), de Sangallo à Palladio, on assiste à l'abandon progressif du « point de vue du peintre » qu'avait tenté d'instaurer Bramante. Avec les *Quatres livres* de Palladio (1570), le précepte de Raphaël (séparation de la coupe, du plan et de l'élévation) reçoit ses lettres de noblesse. Le problème d'une représentation synthétique des bâtiments continuait néanmoins à hanter les architectes — et c'est à résoudre ce problème que vont s'atteler, parfois sans le dire, bon nombre de traités. Selon une méthode entrevue par Dürer, mais mise au point par Serlio (à partir de son *Premier livre*, en 1537) on continue de séparer les différentes instances graphiques du

projet, mais on les dessine sur la même feuille et on les articule géométriquement : toute la pratique graphique des académies au XVIIe siècle ne sera que la lente consolidation de ce procédé de tripartition (plan/coupe/élévation) unifiée géométrique- ment. Ce n'est cependant pas avant Amédée-François Frérier (1738)[14] que cet appareillage, beaucoup trop complexe, reçoit son fondement théorique : les architectes ne parviennent à théoriser la relation entre plan, coupe et élévation sur une même feuille qu'au moment ou d'autres solutions allaient être trouvées, telle celle de Monge, et rendre inutiles de telles complications.

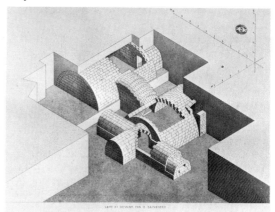

Auguste Choisy, Vivières, *planche XIX de l'ouvrage*
L'art de bâtir chez les Romains, *dessinée par Sauvestre, 1873.*

Une exception cependant à cette volonté analytique de tripartition, exception qui, là encore, préfigure l'axonométrie. Il s'agit d'un célèbre dessin de Baldassare Peruzzi, qui refusait d'adopter l'élévation orthogonale lors même de sa collabora- tion avec Sangallo pour Saint-Pierre. C'est le premier dessin important à figurer parmi les ancêtres de l'axonométrie (il ne s'agit plus de détail) : une coupe « cavalière » dont seul le plan est en perspective très légèrement convergente (le point de fuite est très éloigné). Conçu comme une sorte de *démonstra- tion méthodologique* des diverses formes graphiques de l'exposition d'un projet, ce dessin expose en une même image et sans tripartition un plan au sol (au premier plan), une élévation partielle des piliers, montée à partir de ce plan (avec coupe transversale des piliers), une élévation en projection orthogonale (à l'arrière-plan), rendue visible par l'adoption d'un véritable étagement — en escalier — de la coupe d'ensemble. C'est « l'image mentale » du bâtiment que Peruzzi veut donner à voir, la manière dont les espaces s'articulent entre eux. Plus proche des « faits » que des apparences, comme le disait Bragdon de l'axonométrie, le dessin de Peruzzi témoigne d'une volonté d'exposition spatiale synthétique qui n'apparaîtra plus dans l'histoire du dessin architectural avant les planches de Choisy.

La vue cavalière proto-axonométrique de Peruzzi n'allait pas avoir de suite en Italie[15], où la méthode de Serlio d'abord (qui doit beaucoup à Peruzzi), les élévations de Palladio ensuite, viennent supplanter et arraisonner cette extraordinaire volonté de mise en scène spatiale de la structure architecturale. En France cependant, le travail de Jacques Androuet du

11 - *Cf.* W. Lotz, « The Rendering of the Interior in Architectural Drawings of the Renaissance », *Studies in Italian Renaissance*, Cambridge : MIT, 1977, p. 4, fig. 1. Je dois beaucoup à ce livre pour tout ce qui suit.
12 - La première représentation perspective de l'intérieur d'un bâtiment par un architecte se trouve selon Lotz dans la copie florentine du traité de Filarete, écrit avant 1465, mais bien après les dessins de Jacopo Bellini et de Pisanello.

13 - Sur le *Codex Coner, cf.* Lotz, *op. cit.*, et Thomas Ashby, « Sixteen Century Drawings of Roman Buildings, attributed to Andreas Coner », *in : Papers of the British School at Rome*, II, 1904, pp. 1-88.
14 - Sur ce point, *cf.* Peter Jeffrey Booker, *A History of Engineering Drawing*, Londres : Chatto and Windus, 1963, p. 39.
15 - La nature exceptionnelle du dessin de Peruzzi est confirmée par l'hostilité que lui témoigne un historien tel que Lotz. Après avoir comparé ce dessin à l'isométrie (le dessin de

Peruzzi a d'ailleurs été très souvent pris pour une isométrie), Lotz condamne la méthode de Peruz- zi : « This method is in fact not suitable for architectural planning for the very reason that all the perspective construction is too artistic; it serves neither to throw light on the appearance of the interior nor to give the complete measure- ments to the architects in charge of the building. In both respects the section with the orthogonal projection is far superior » (*op. cit.*, p. 30).

Cerceau, pourtant très influencé par Serlio, relance la question d'une vision synthétique et fait concurrence à l'œuvre graphique de Palladio. Son recueil encyclopédique des *Plus excellents bâtiments de France* (1576-1579) n'a aucun équivalent dans les publications de la Renaissance italienne. Bien qu'il ait rédigé un *Livre de perspective positive* (1576), inspiré de Pélerin Viator, du Cerceau n'a aucune constance dans ses gravures. Sa prédilection pour « l'assiette haute » (c'est-à-dire pour le point de vue cavalier) et pour la « vüe de côté » lui fait souvent réaliser, à son insu, des vues axonométriques. Mais la plupart du temps celles-ci sont inconséquentes, du Cerceau n'appliquant pas le même principe graphique pour tout le bâtiment, d'où les maladresses de ses relevés.

Du Cerceau ne sera pas suivi : nous avons vu que la tripartition « académique » apparaissait comme bien plus fiable, les architectes préférant perdre en « spatialité » ce qu'ils gagnent en « vérité » géométrique. Cette tripartition ne sera remplacée qu'au XVIIIe siècle par les skiagraphies de Monge, c'est-à-dire des élévations sur lesquelles l'ombre portée donne *l'information* du plan. D'une élégance parfois extrême, comme le montrent les lavis de Labrouste, cette méthode participe de l'illusionnisme perspectif sans souffrir des déformations optiques dues à la convergence des lignes de fuite, déformations que réprouvait Alberti pour le dessin d'architecture. Théorisée par Monge en 1795, la skiagraphie a la faveur de l'enseignement des Beaux-Arts jusque vers 1950 : on assiste, tout au long du XIXe siècle, à une véritable folie pour « l'ombre portée », vogue qui explique la longue résistance des architectes civils à l'axonométrie.

L'une des origines de l'axonométrie est l'art militaire, dont les jésuites furent les grands théoriciens. Dès 1677, Millet Deschales (dans *L'art de fortifier, de défendre et d'attaquer les places*) comprend l'usage que peut faire l'artillerie d'un tel système graphique, qui élimine les angles morts, standardise la récession, et simplifie les calculs. Jusqu'au livre de Christian Rieger, *Perspectiva militaris* (1756), qui contient la première explication géométrique de l'axonométrie, on voit paraître une foule de traités visant à convaincre les architectes militaires d'abord, puis les architectes civils, de l'intérêt d'une telle méthode, de sa facilité et de son économie[16]. Intimidés par les humanistes, les architectes ne se laissent pas convaincre : les *Lettres sur l'Antiquité* de Lessing (1768), ironisant férocement sur la perspective militaire, sonnent le glas de cette campagne menée par les jésuites.

Une autre origine de l'axonométrie est constituée par le dessin mécanique, lui-même relayé par la géométrie. On connaît l'insuffisance technique des dessins mécaniques jusqu'au XVIIe siècle. C'est en France, avec Colbert, qu'un certain désir de scientificité s'épanouit. Colbert commande d'abord une description graphique d'un « métier à bas » destiné au château de Madrid. Le recueil des planches (*Métier à faire des bas dessiné dans toutes ses parties*) est le premier exemple d'un usage de l'axonométrie comme instrument de savoir encyclopédique (1664)[17]. Sans doute satisfait du résultat, il demande à l'Académie des sciences, en 1666, d'entreprendre une *Description des arts et métiers*. Malheureusement, l'entreprise fut très lente et le livre ne fut publié qu'un siècle après avoir été commandé, en 1761-62, soit un an avant l'*Encyclopédie* de Diderot et d'Alembert. Alors que l'on trouvait de nombreuses planches proto-axonométriques dans le recueil commandé par

Colbert, l'*Encyclopédie*, avec ses vues volontairement pittoresques et son retour à la perspective, devient le modèle obligé de tout dessin technique : là encore, la victoire de l'axonométrie avorte.

Ce n'est qu'en 1822 qu'elle est officiellement présentée par William Farish comme la méthode la plus apte à projeter et à présenter de nouvelles machines. Dans sa conférence intitulée *On isometrical perspective* à la Cambridge Philosophical Society, dont il est le président, William Farish est le premier à proposer l'isométrie et à expliquer les bénéfices d'une même échelle pour les trois dimensions de l'espace[18]. Son court texte est un plaidoyer qui montre l'intérêt de sa méthode, non seulement pour les dessinateurs industriels mais aussi pour les architectes, les cartographes, les urbanistes, les armateurs, les naturalistes, les géologues, etc. Peu après le texte de Farish une foule de traités paraissent en Angleterre pour démontrer le bien-fondé de ce moyen graphique. L'un deux (*A Treatise on Isometrical Drawing, as Applicable to Geological and Mining Plans*, de Thomas Sopwith, 1838) applique l'axonométrie à toute l'ingénierie minière. Dans son zèle, Sopwith va jusqu'à proposer l'isométrie aux *gentle ladies* de la bonne société qui aiment à peindre des fleurs. Un autre de ces traités, *The Practice of Isometrical Perspective* (1842), montre que la méthode commence à intéresser les architectes : son auteur, Joseph Jopling, lui-même architecte, illustre son propos par un grand projet de bâtiments agricoles.

Mais l'architecture étant, comme on sait, fille de la géométrie, il faut attendre l'approbation des mathématiciens pour que les bâtisseurs abandonnent leur réserve. La deuxième moitié du XIXe siècle voit fleurir un très grand nombre de traités de géométrie consacrés à l'axonométrie (surtout en Allemagne et en Suisse où paraissent près de cinquante livres sur la question). Je ne citerai qu'un seul de ces mathématiciens, bien qu'il n'ait fait preuve que d'un intérêt restreint pour l'axonométrie. Pourquoi ? Parce qu'il était français, et à ce titre absolument solitaire à son époque. Parce qu'il est sans doute à l'origine de la fascination qu'eut un Choisy pour l'axonométrie. Jules de la Gournerie (1814-1883) enseigna en effet la géométrie à l'Ecole polytechnique alors que Choisy y était élève et fut, comme Choisy, ingénieur des Ponts et Chaussées. Admirateur de Monge, il analyse en deux chapitres de son *Traité de géométrie descriptive* (1860-1864) ce qu'il nomme la « perspective rapide » : traitant l'axonométrie avec condescendance, il est bien loin d'apprécier en elle ce qui fera la joie d'un Albers, à savoir la totale réversibilité des figures. Cette propriété est même pour lui le péché mortel de l'axonométrie : la solution qu'il propose n'est guère surprenante de la part d'un successeur de Monge, mais elle est absurde, car redondante : de la Gournerie demande aux axonomètres qu'ils ombrent leurs dessins. « Quand une vue est ombrée, écrit-il, il ne peut y avoir de doute », précepte auquel obéira très scrupuleusement Choisy, montrant par là, malgré la vertigineuse beauté ascensionnelle de ses planches, qu'avant la leçon de van Doesburg nul ne pouvait se laisser totalement charmer par l'ambiguïté fondamentale de la représentation axonométrique.

Reprenons une dernière fois le récit de la *naissance moderne* de l'axonométrie. Alors que tous les traités antérieurs à cet événement (que j'ai daté de 1923 : l'exposition De Stijl à Paris) insistent sur la facilité et la justesse de l'axonométrie (qu'il s'agisse d'architecture, d'art militaire, de coupe des

16 - Sur ce point, *cf.* Jacques Guillerme, *Figuration graphique en architecture*, Paris : AREA, 1976, *passim*.
17 - Le recueil, conservé au Cabinet des estampes de la Bibliothèque nationale, a parfois été attribué à Perrault. Il provient de la collection de l'abbé de Marolles. *Cf.* le catalogue de l'exposition *Collections de Louis XIV* (Paris : Orangerie, 1977-1978), n° 345, p. 321.

18 - « On isometrical perspective », Transactions of the *Cambridge Philosophical Society*, vol. I, 1822, pp. 4-19.
19 - La première toile de Malevitch où figure un volume axonométrique fut montrée lors de la célèbre exposition *0,10* à Pétrograd, en 1915. Malevitch revint plus tard sur cette toile pour expliquer comment l'usage de l'axonométrie dans sa peinture l'avait conduit à l'architecture, ou plutôt à ses projets de « Planites » (*cf.* Kowtun,

« The Beginning of Suprematism », *in* : *Von der Fläche zum Raum*, Galerie Gmurzynska, Cologne, 1974, pp. 46-49). D'autre part un dessin axonométrique de Malevitch illustrant son livre du Bauhaus (*Die Gegenstandslose Welt*) montre qu'il avait compris comment l'axonométrie engendre d'elle-même un mouvement rotatif.
20 - J. Albers cité dans *Despite Shaight Lines* de François Bucher, New Haven, 1965, p. 11.

pierres, de dessin mécanique ou de géométrie), nos artistes modernes y voient avec plaisir l'occasion d'exploiter une amphibologie perceptive. D'où l'intérêt de Lissitzky pour l'extensibilité virtuelle des lignes de fuite axonométriques en relief ou en profondeur. L'image axonométrique est réversible, elle «rompt avec la terre», selon le mot de Malevitch (d'où la facilité avec laquelle elle est utilisée pour les représentations aériennes). Lissitzky — qui savait très bien comment utiliser

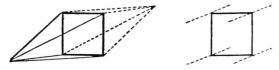

techniquement l'axonométrie dans ses dessins architecturaux — accentua encore cette réversibilité potentielle en choisissant souvent dans ses tableaux *Proun* un axe de projection différent pour chaque volume figuré : son but était d'atteindre par cette rotation fictive une réversibilité totale du tableau. Mais, comme Malevitch l'avait compris — lui qui fut le premier peintre occidental à utiliser ce moyen graphique — cette complication n'était pas nécessaire[19] : dans une image axonométrique l'espace est atopique et polymorphe, il est *abstrait*. Les architectes du mouvement moderne, qui voulaient détruire la primauté de la façade, ont constamment joué de cette réversibilité en représentant leur bâtiment soit d'en haut soit d'en bas, dans des espaces dont les directions de profondeur et de relief sont interchangeables. A ce titre, Alberto Sartoris — dont les planches sont si souvent reproduites à l'envers — peut être comparé à Albers, qui exploitait délibérément les possibilités de la polymorphie axonométrique dans ses *Constellations structurales*. Dans ces images aporétiques, un même contour appartient à deux plans hétérogènes et exclusifs l'un de l'autre : «Les mouvements ne sont pas confinés en une seule direction, mais s'échangent. De sorte que le volume

solide se transforme en espace ouvert et l'espace ouvert en volume. Les masses bougeant d'abord d'un côté peuvent soudainement sembler se diriger du côté opposé ou dans une toute autre direction [...] C'est ainsi que nous ne pouvons rester en un seul point de vue; il nous faut plusieurs points de vue pour que la vision libre soit sauve[20]».

Si les peintres n'avaient montré la voie, je ne suis pas sûr que les architectes se seraient passionnés pour cette ambivalence fondamentale de l'espace axonométrique (on a vu que même un Choisy, dont les planches sont souvent à la limite de l'indécidable, renonçait aux charmes du vertige en ombrant ses dessins). Or cette ambiguïté fondamentale, ce jeu sur le +/− semble aujourd'hui l'un des traits dominants de l'axonométrie architecturale : que l'on pense aux dessins des Five Architects, par exemple, auxquels l'on reproche parfois leur «illisibilité». Si ces dessins ne disent peut être pas *la* vérité sur l'architecture, c'est peut-être parce que le concept monologique de vérité (dont a souffert le mouvement moderne) est contesté par l'axonométrie. Mais cette contestation n'est pas frontale : l'axonométrie ne nie pas ce concept monologique de vérité, elle en détourne, elle en fracture le sens. Tel le cheval dans le jeu d'échecs, elle propose une démarche oblique par rapport au préjugé optique de l'Occident, un flottement généralisé.

Un mythe me permettra de conclure. Claude Bragdon, dans *The Frozen Fountain*, trace un parallèle entre axonométrie et photographie aérienne. Il y aurait, de fait, tout un chapitre à écrire, dans l'histoire de l'axonométrie, sur la vue d'avion et la photogrammétrie. Je retiendrai simplement que la plupart des planches axonométriques sont aériennes (Choisy est la grande exception) : le dessin axonométrique flotte, mais en survolant. Or j'ai un peu parlé de la fonction médusante de la perspective : la perspective est la Gorgone mythologique dont le regard sidérait quiconque l'apercevait. Reprenant la métaphore du cheval, j'aimerais associer l'axonométrie à la figure de Pégase, le cheval volant, car Pégase est né du sang de la Gorgone.

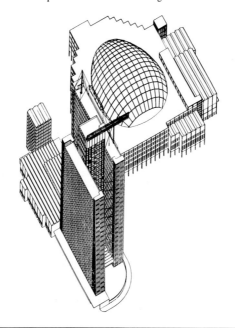

HANNES MEYER
architecte suisse (1889-1954)
Vue axonométrique du palais des Nations à Genève
projet de concours en collaboration
avec Hans Wittwer, 1926-1927.

134

REPRÉSENTATION DE L'ARCHITECTURE
ET NOUVELLES TECHNOLOGIES

SI L'ON ESSAYAIT D'IMAGINER LE DEVENIR DE TOUTES CES FORMES D'EXPRESSION GRAPHIQUE DE L'ARCHITECTURE AU REGARD DE L'ÉVOLU-TION DES NOUVELLES TECHNOLOGIES DE L'IMAGE, LA QUESTION SE POSERAIT TOUT NATURELLEMENT DE SAVOIR SI CES DERNIÈRES OFFRENT UNE RÉELLE OPPORTUNITÉ DE TRANSFORMATION DES MODES DE REPRÉSENTATION DE L'ARCHITECTURE. IL SEMBLE QUE L'INFORMATIQUE CONSTITUE AUJOURD'HUI UN DOMAINE D'EXPRESSION À PART ENTIÈRE, TOUT COMME L'ONT ÉTÉ AVANT ELLE LA PLANCHE À DESSIN OU LA PHOTOGRAPHIE.

JEAN ZEITOUN

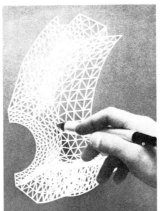

L'usage du dessin d'esquisse, du plan coté ou de la perspective et de toute une variété de graphismes caractéristiques du genre, a pris un tel caractère de familiarité dans la représentation de l'architecture que l'on imagine assez difficilement une évolution de ces modes d'écriture.

Le dessin d'architecture est lui-même pris quelquefois en tant que tel comme une image d'architecture, délaissant son rôle fonctionnel pour conquérir un statut esthétique propre, au même titre qu'une peinture ou qu'une gravure. De sorte que si l'on essayait d'imaginer le devenir de toutes ces formes d'expression graphique de l'architecture au regard de l'évolution des nouvelles technologies de l'image, la question se poserait tout naturellement de savoir si ces dernières offrent une réelle opportunité de transformation des modes de représentation de l'architecture. Il semble bien que l'informatique constitue aujourd'hui un domaine d'expression à part entière, tout comme l'ont été avant elle la planche à dessin ou la photographie.

Nous évoquons dans les lignes qui suivent quelques aspects essentiels de la représentation de l'architecture susceptibles de transformations et partant, de leurs conséquences probables dans les champs de la conception, de la production et de la communication architecturales.

Les nouvelles technologies sont disponibles dès aujourd'hui

Si la question se pose en architecture d'analyser les impacts potentiels des nouvelles technologies, il faut se convaincre qu'il ne s'agit pas là d'un exercice de style, ni d'un propos futuriste.

Les nouvelles technologies sont bien présentes aujourd'hui, et ce, dans une très grande variété d'applications.

On peut disposer ainsi de moyens pour dessiner au trait, pour produire des images réalistes, simuler des objets, calculer des structures, mémoriser d'importantes quantités d'informations graphiques, textuelles ou numériques. Leurs applications se rencontrent fréquemment dans l'industrie mécanique, avec la Conception assistée par ordinateur, dans les simulateurs de vols susceptibles de réaliser des voyages virtuels aux commandes d'un engin, dans le traitement des images en médecine, etc. Ces techniques sont interactives, c'est-à-dire que chaque action du sujet entraîne des effets immédiatement visibles et traduisibles par le système grâce notamment à la rapidité du calcul. A côté de ces moyens de traitement et de visualisation d'objets tridimensionnels, mentionnons ce qui correspond aux moyens de diffusion et de transfert de l'information. Car on peut ainsi alors travailler à distance sur les mêmes objets, les traiter ou les échanger, les consulter, et abandonner bientôt définitivement toutes les infrastructures de transport et de communication des pratiques antérieures. Le temps de traitement, l'espace du traitement, la capacité de mémorisation et d'organisation de cette mémoire ainsi que les formes de dialogues prennent une consistance nouvelle.

Tout ceci existe déjà. L'architecte peut y recourir, pour peu qu'il y prête intérêt. Toutefois les coûts de ces technologies restent encore assez élevés, et le travail d'accoutumance nécessaire pour en acquérir une maîtrise réelle, c'est-à-dire en faire de véritables outils de conception ou de communication demande une certaine énergie.

Pour la communication et le dialogue ce sont les écrans permettant le dessin au trait ou l'image couleur réaliste, les claviers pour les données textuelles et numériques, les tablettes de saisie, véritables senseurs des mouvements d'un stylo guidé à la main, et repère pour la désignation de commandes immédiatement exécutables et contrôlées à l'écran. Il faut également ajouter la possibilité de commande et de sortie vocales, de commandes analogiques par leviers pour simuler des actions ou du mouvement, etc.

Pour la sortie et la production de documents on peut disposer de tables traçantes au trait ou en surface et en couleur, de sorties sur diapositives, d'imprimantes dont la qualité typographique peut être spécifiée et très sophistiquée.

Pour le stockage de l'information, les supports magnétiques (bandes, disques, disquettes) assurent la concentration de grandes quantités de données et, naturellement, elles seront disponibles pour le traitement ou pour la diffusion. Ces informations peuvent être des données numériques pour le calcul ou le dessin mais également pour l'exploitation d'images vidéo ou synthétiques, c'est-à-dire créées par l'usager grâce à des programmes particuliers.

D'autres outils assurent également une interactivité élémentaire, telles que les palettes électroniques, véritables chevalets et pinceaux électroniques disposant d'une variété infinie de couleurs, de matières, et de textures. Le geste manuel joue un rôle important, et l'utilisateur n'est plus seulement un fournisseur de données codées mais un sujet ayant des réactions et des comportements propres, susceptibles d'acquérir une valeur informative pour le système capable de les interpréter.

A côté des outils de traitement et de communication, les moyens de transmission et de transfert des informations permettent de consulter des données à distance, de partager des espaces de travail et donc d'agir de divers endroits sur un même objet, de diffuser toutes sortes de données (images, graphiques, sons, textes, programmes, documents techniques divers, etc.).

Les outils logiciels constituent une part essentielle des systèmes informatiques. Leur développement est lié aux divers marchés et, sauf exception, les utilisateurs disposent de logiciels produits par les sociétés de services, des bureaux d'études ou des laboratoires. Ces produits logiciels assurent la fonctionnalité des tâches mais doivent être à la fois fiables, adaptables quelquefois, évolutifs. Après une dizaine d'années de production à caractère artisanal, on entre aujourd'hui dans une phase industrielle, et les produits logiciels commencent à suivre la même évolution que les matériels : standardisation, performances, baisse des coûts, facilité d'emploi. A terme, on peut considérer que l'utilisateur, même s'il sait programmer, n'aura pratiquement qu'à énoncer ses exigences pour construire un programme. Les logiciels disponibles agissant comme des interpréteurs de sa demande et des générateurs de programmes. Tout comme pour la couture, l'industrie du logiciel va du prêt-à-porter jusqu'à la haute couture, en passant par une multitude de formules intermédiaires.

Avec le développement des technologies, les logiciels les plus fréquemment utilisés, les plus standardisés sont peu à peu transformés en matériels. Ainsi font-ils partie intégrante de la machine ce qui assure une grande fiabilité, d'excellentes performances et une baisse notable des coûts.

De sorte que l'on peut dire aujourd'hui devant un tel tableau que tout est possible. Il suffit à l'architecte de faire des choix, de créer, d'innover, d'entreprendre de nouvelles modalités de travail tant pour lui-même que dans ses relations avec les autres acteurs du cadre bâti et de l'architecture, comme dans ses rapports avec les utilisateurs ou la maîtrise d'ouvrage.

Certes, les obstacles financiers et techniques existent et c'est tout le contexte technico-culturel qui réagit dans un processus de conquête par les architectes des nouvelles technologies. Certaines logiques économiques se trouvent totalement inadéquates, et les enjeux ne se situent pas seulement au plan de la sophistication technique.

Les formes de représentations de l'architecture telles que ses acteurs les pratiquent, traduisent des équilibres techniques, sociaux et économiques. Leurs transformations, mêmes marginales, remettent en question ces équilibres dans la conception, la production et la communication de l'architecture.

La diversité des formes de représentation de l'architecture

Abordons dans un premier temps la question de la conception. Du point de vue de l'architecte, une représentation d'un espace est un mode d'expression permettant d'organiser cet espace, de le traiter et l'évaluer, de simuler une réalité architecturale. Mais elle contient en même temps de l'information sous forme de données, de contraintes, d'éléments à la fois symboliques, techniques et fonctionnels.

Dans son travail de conception l'architecte utilisera des représentations graphiques approximatives mais riches de sens, et aisément modifiables, en tant qu'outils d'expression. La recherche de propositions architecturales ressortira d'une sorte de dialogue constant, qui se traduira dans cette expression graphique de manière plus symbolique que réaliste.

La représentation d'objets en conception n'est généralement pas un plan coté parfaitement tracé mais un mode d'expression graphique personnel et expressif. Les croquis en tous genres peuvent traiter tous types d'espace et à toute échelle. Ils forment en quelque sorte un récit.

L'information de base, relative au projet, son dimensionnement, les choix techniques des structures ou des principes constructifs, les données et relations fonctionnelles, les données particulières au projet ne sont que très peu visibles et restent dans l'esprit du concepteur. Pour ce dernier, ce type de représentation se poursuit tout au long du projet, et conserve sa qualité d'espace de travail toujours évolutif.

Le flou et l'expression rapide compensent, par leur interprétabilité, l'absence d'une écriture complète explicitant une multiplicité de choix possibles; ils laissent ainsi une marge dans le développement du travail, tout en structurant les tâches d'analyse et de résolution.

Lorsqu'un projet est important, la complexité et la quantité des données à prendre en compte imposent un déroulement progressif des mises en forme, et il se produit une interaction constante entre les solutions possibles et partielles d'avant-projet, dans leur version « dessinées à l'échelle », et le traitement conceptuel en croquis et en reprises de modifications.

Les outils de représentation, lors du travail de conception, peuvent être très divers. Le dessin sous forme de croquis de plan ou perspectif, en tant qu'image suggestive de l'architecture envisagée peut ne pas suffire. On peut recourir à des maquettes en papier ou en matériaux plus consistants, sur tout ou partie de l'objet et de son contexte, et avec plus ou moins de détails sur ceux-ci.

L'utilisation de calques pour superposer des dessins, les comparer, les faires évoluer, est une véritable interaction, un dialogue au sens informatique du terme. Le recours aux photomontages pour la simulation volumétrique, et d'une manière générale tous les principes de montage de documents vont dans le même sens : celui de mettre en place un outil de travail permettant l'expression et la modification de celle-ci, tout en conservant une partie de l'information. Autrement dit, tout se passe comme si on travaillait sur diverses syntaxes possibles, chacune d'elles permettant de mieux apprécier certains aspects du projet. On note ainsi que l'économie des représentations en matière de conception ne saurait s'accommoder d'une amélioration ou d'un changement local notable sans provoquer des conséquences sur le reste.

Plus encore, lorsque le ou les concepteurs travaillent au calque et sur certains types de documents, ils agissent selon une logique qui organise les phases de décision et d'évolution du projet. Par exemple, on travaille d'abord sur les façades, ou sur la volumétrie, ou sur le plan, on ne suit pas la même organisation du traitement. Si on travaille à partir d'organigrammes confectionnés d'après l'analyse du programme et que l'on spatialise cet organigramme, là encore le processus n'est pas équivalent à un travail direct sur la volumétrie. Les représentations ne seront donc pas équivalentes par le rôle qu'elles jouent dans ce processus.

Ceci nous amène à repérer au niveau des représentations :
les graphiques et maquettes d'expression réaliste (image, apparence, composition),
les graphiques et maquettes opératoires (topologie, diagrammes, principes d'aménagement fonctionnels et techniques),
et au niveau des syntaxes :
les systèmes de listes et de catalogues,
les systèmes de calques et de traitements du dessin,
les systèmes volumétriques de type maquettes,
les systèmes picturaux et photographiques, réalistes ou interprétatifs,
les dessins d'avant-projets codifiés, pour la communication.

Les technologies électroniques et informatiques ne sont pas incompatibles avec chacune de ces formes d'expression et on peut imaginer la mise en place d'outils matériels et logiciels pour reprendre terme à terme ces modes de faire. Mais ce serait là un contresens du point de vue même de l'évolution de la communication. L'économie informatique passe par d'autres composantes fondamentales, qui permettent d'atteindre au moins les mêmes objectifs qu'en situation traditionnelle. Pourtant, c'est un peu ce qui se passe au début du processus d'informatisation de la pratique professionnelle. On commence par disposer d'outils pour établir et traiter des listes et des fichiers de données ou des catalogues, des systèmes interactifs pour produire du dessin coté standardisé, des programmes pour évaluer des propositions architecturales techniquement ou financièrement. Cette phase de substitution marginale est nécessaire pratiquement, pour des raisons économiques parce qu'elle vise une économie immédiate, et pour des raisons

psychologiques parce qu'elle initialise un changement de perspective instrumentale.

Abordons en quelques lignes à présent le dessin de communication. Le travail de conception ayant atteint un stade suffisamment avancé, les concepteurs vont le concrétiser sous la forme de plans d'avant-projet. La maquette architecturale du projet est faite, même si tout n'est pas décidé. Ce qui importe est de communiquer les résultats de la conception aux autres intervenants : maîtrise d'ouvrage, bureaux d'études, entreprises pour analyse et traitement. Ces résultats sont encore codifiés sous forme de plans, parfois de maquettes approximatives mais réalistes, de perspectives. On voit à peu près le projet. Les éléments existent pour entrer dans une phase plus technique qui conduira à des spécifications nouvelles (matériaux, systèmes constructifs, détails d'aménagements) et à des modifications du projet. Il est assez rare que l'on dispose de plusieurs variantes et ce à divers niveaux de choix. Les solutions proposées sont généralement le fruit de choix successifs « optimaux ou presque ».

A ce stade les codes graphiques sont partageables entre les acteurs du système de production de l'architecture. Ils vont reprendre dans leur espace de travail propre les données communiquées graphiquement et textuellement pour en faire un objet adapté à leur intervention. A la limite, leurs motivations n'étant pas celles du concepteur, ils réduiront d'une part et enrichiront d'autre part les plans fournis.

Quant au destinataire, qu'il soit maître d'ouvrage ou usager, il lui est souvent malaisé de tout comprendre ou de tout « voir », en dehors de certains aspects évidents.

On sait que l'ensemble des traitements sur les plans conduiront à définir presque complètement le projet, grâce aux croquis techniques, aux données numériques, aux indications textuelles et aux recours à des nomenclatures. Le plan achevé, mais toujours modifiable, est en quelque sorte une base de données universelle pour tous les acteurs concernés. Cette lecture des formes d'expression tend vers un but que nous allons préciser, et qui constitue l'une des clés d'entrée des nouvelles technologies : la maquette totale.

La maquette totale

Imaginons que le projet architectural soit rendu visible et calculable entièrement et sous tous ses aspects, grâce à un système informatique que l'on pourrait certainement réaliser dès aujourd'hui.

Que contient cette maquette ? La forme du bâti, la matière, son apparence extérieure ou inférieure, son environnement bâti ou végétal, sa structure constructive, ses équipements techniques (éclairage, chauffage, distribution des fluides, etc.), son comportement thermique et énergétique, sa sonorisation réaliste en fonction du contexte. Tout ceci grâce à un poste de travail graphique informatique.

Comment peut-on l'explorer ? Grâce aux commandes et à l'interactivité des logiciels, on peut la représenter sous tous les points de vue, et s'y déplacer à l'extérieur comme à l'intérieur, faire des coupes, entrer dans les détails. Les éléments qui constituent cette maquette peuvent être modifiés : couleur, texture, matériaux, formes, types d'équipements, distribution des espaces, etc.

Les modifications apportées à cette maquette supposent de nouveaux calculs, de nouvelles évaluations fonctionnelles, techniques et économiques du projet. On peut en extraire les documents graphiques, donc les représentations adaptées à chaque corps d'état : maçonnerie, électricité, menuiserie, peintures, etc. On peut également en extraire des documents descriptifs et estimatifs. Tout ceci grâce à des programmes d'interrogation et de traitement de la maquette.

De quoi est-elle faite ? La maquette totale est à la fois visuelle, textuelle et numérique. On peut la voir sur un écran, mais également en avoir une représentation sous la forme de pièces écrites : tableaux, listes, énoncés divers. En réalité, l'apparence, c'est-à-dire la simulation spatiale, n'est qu'un moyen de validation du projet, et la maquette est essentiellement une base de données. Ces données concernent tout ce qui fait la maquette. Mais ce sont également des ensembles de programmes permettant de gérer leur cohérence, leurs modifications, leur traitement et leur visualisation éventuelle. Ce sont enfin des fichiers, des catalogues ou des nomenclatures d'éléments qui peuvent être fournis par les industriels ou par la législation. Autrement dit, la maquette est une mémoire importante et très complexe de tout un ensemble de données et de programmes dont certains appartiennent au concepteur, d'autres aux systèmes informatiques, d'autres enfin à des intervenants extérieurs (techniciens, industriels, administration).

La représentation au sens visuel et graphique n'est qu'une conséquence de cette mémorisation et des moyens d'y accéder. A la question posée « de quoi est-elle faite ? » on répondra : d'informations et de logiciels, c'est-à-dire d'une matière virtuelle informative.

Cette maquette totale fait logiquement suite aux dessins d'esquisses, et apporte au concepteur l'ensemble instrumental nécessaire pour simuler son projet et le proposer au maître d'ouvrage. Le concepteur reprend ses droits de créateur et travaille sur cette maquette dans un contexte de communication. En effet, les informations qu'elle contient peuvent être transférées directement vers des bureaux d'études, vers des entreprises de construction, vers des administrations, qui les traiteront à leur manière. Avec cette forme d'intégration du projet, la représentation de l'architecture peut être alors éclatée en une multiplicité de représentations partielles, cohérentes avec la maquette totale.

La fixité et l'unicité des représentations : esquisse, perspective, dessin coté, dessin d'exécution, etc., n'est plus de mise. Quoique disponible, la représentation standardisée sera secondaire par rapport à la représentation particulière et spécifique du projet. On extraira ce qui est juste nécessaire au traitement d'un problème.

La maquette totale n'est plus en but en soi, mais devient ainsi l'espace de travail du concepteur. Elle n'est plus un aboutissement du projet ni une formulation définitivement spatiale ; elle est un environnement, un contexte de la conception. On peut disposer de dessins ou de données codées à caractère technique, mais également d'une expression picturale plus libre, abstraite ou figurative, et plus personnelle, certainement fort utile au dialogue avec les destinataires. Il s'agit donc d'un objet qui simule totalement tous les aspects explicitables de l'architecture, et aide à la résolution des problèmes techniques et fonctionnels. L'ingénieur se trouve alors davantage éloigné de l'architecte, et ce dernier peut réinventer des nouvelles expressions, au sens des technologies nouvelles, appropriées à sa démarche. La standardisation n'est

plus impérative sitôt que la production de la maquette peut se faire *a volo*, et qui plus est, avec la participation même du concepteur, en tant que conducteur du système. La technique étant programmée et programmable avec plus ou moins de sophistication, l'ingénieur n'est plus vraiment indispensable dans les cas ordinaires et n'impose plus ses représentations. Ceci n'est pas sans conséquences comme l'on s'en doute, mais n'a rien d'exceptionnel. Il ne s'agit là que d'une tendance générale dans notre société à la banalisation de la technicité via la démocratisation des technologies. Celles-ci emmagasinent des savoirs techniques et logiques et les restituent aux utilisateurs naïfs. Les calculettes, les jeux électroniques, les robots, les simulateurs de vols ou d'engins complexes, les micro-ordinateurs avec leurs programmes d'applications, et plus généralement les automatismes de tous les instruments et appareils contemporains n'expriment-ils pas cette tendance avec évidence ?...

En conclusion de cet aspect des choses, nous disons que l'aboutissement vers la maquette totale en tant que système intégrateur du projet fragmente et efface tendanciellement les représentations opératoires de l'architecture qui nous sont devenues familières. Tout se passe comme si l'on rejoignait le chantier, mais dans le cas présent celui-ci est virtuel, spectaculaire, et surtout interactif, comme un chantier réel. Aussi retrouve-t-on l'architecte sur son « chantier », avant que les techniciens de la construction n'imposent leur logique d'expression. Une nouvelle donne est prête, une donne technologique et donc post-technique, un peu comme l'aboutissement du cycle de développement technique. Est-ce la fin des représentations architecturales pour autant ? Certes non, car si dans leur technicité elles changent d'allure et de matérialité, dans leur nécessité de communication et de visualisation elles restent absolument présentes.

De la maquette « objet » à la maquette « problème »

Que s'est-il passé jusqu'à présent dans notre parcours ? Nous avons vu que les outils du dessin et du calcul, de la représentation picturale et des graphiques techniques existaient et que, reprenant globalement les tâches de représentation par l'ensemble de ces systèmes informatiques, on était conduit à la construction d'une mémoire structurée du projet, la maquette totale, véritable représentation de celui-ci. La maquette est alors l'espace de travail mais aussi le lieu de rencontre des interactions avec ses utilisateurs, dont bien sûr le concepteur. Le contrôle de cohérence de cette maquette est assuré par le système, dans la mesure où les logiciels ont été réalisés pour cela. L'approvisionnement en images, en croquis et en documentation technique qui accompagne la maquette totale du moment et qui servira également à d'autres, fait l'objet de transactions particulières, éventuellement par télétraitement, avec d'autres intervenants. Mais jusque-là le travail de mise en place, de construction et d'évaluation de la maquette a été suivi pas à pas et ordonné par le concepteur. C'est une maquette objet, support des informations et des interactions, relativement distincte du processus de conception. Et déjà les représentations traditionnelles s'effondrent dans leur nécessité technique.

Un nouveau pas est alors possible dans la perspective d'évolution de l'informatique. Mais là, nous ne pouvons pas dire que tout existe et que tout est disponible pour une mise en œuvre quasi immédiate, comme précédemment. Quelques années sont encore nécessaires pour que les nouvelles technologies donnent naissance à de nouvelles formes de traitement. Nous en dirons à présent quelques mots car on ne saurait se limiter à une vue statique de telles réalités sans une perspective technologique.

Le concepteur se met au poste de travail et demande à faire un projet. Le système l'interroge sur celui-ci : type de projet, dimensions, caractéristiques particulières, expériences antérieures du même type, méthodologie désirée, etc. Par le biais de ce dialogue, il lui sera possible de dessiner à main levée des esquisses, de créer des codes et des règles de composition ou d'assemblage entre volumes, composants ou systèmes techniques, de composer des catalogues, de rechercher des types de plans ou des solutions architecturales voisines dans une base de données.

Les diverses tâches à réaliser sont demandées par le concepteur au système qui lui indique ce dont il a besoin pour pourvoir à sa demande, c'est-à-dire configurer un programme qui résoudra son problème, d'où le terme de maquette «problème» pour désigner ce nouvel espace de travail. Ainsi peu à peu les problèmes posés, qui seront organisés de fait par l'interaction sujet/machine, seront-ils décrits et leur résolution potentielle ou définitive traitée par un programme créé ad hoc par le système lui-même. Ceci peut paraître totalement irréel et pourtant, les premières expériences de ce type sont déjà fort concluantes. L'idée est fort simple. Le système possède des outils pour la résolution de problèmes. Ces problèmes doivent être posés, analysés, et leur solution dépendra des données que le concepteur fournira, et des règles et des principes de résolution qu'il souhaite faire prendre en compte. Le système confectionnera une suite d'instructions qui tentera d'arriver au but indiqué grâce à ces informations, et à la mémoire des traitements antérieurs. Comme les solutions ne sont pas toujours évidentes ni possibles, le système sollicitera le concepteur à chacun de ses blocages, et ce dernier approvisionnera en données, contraintes, choix et règles le système pour qu'il poursuive sa recherche de solution. Ceci signifie que l'interaction entre le sujet et le système a pour but de résoudre un problème avec l'ensemble des potentialités de ces deux acteurs. Les résolutions ne sont pas des recettes automatiques mais le fruit d'essais de mise en forme et de traitement de l'information en vue d'atteindre un but en cohérence avec les règles et principes en vigueur. Ces derniers peuvent évidemment être remis en question par le concepteur. Les méthodes sont réinventées au cas par cas. Soit un exemple de cette situation : le concepteur, en cours de travail avec le système souhaite définir un module spatial évolutif, susceptible de remplir un volume enveloppe, sans que la chose soit trop stricte, le module n'étant pas vraiment rigide, tout en respectant des contraintes de contact avec l'extérieur, de maintien d'espaces de circulation, de cohérence verticale approximative, mais aussi de prise en compte de certaines fonctionnalités (distribution de fluides, écoulements, proximités fonctionnelles entre des espaces, etc.). S'il possède déjà une idée de la structure et de l'ossature de l'ensemble celle-ci sera considérée comme une contrainte. S'il souhaite que ce module spatial conserve un certain degré d'habitabilité, on dira que c'est un objectif à atteindre. Mais dans les deux cas, le concepteur indiquera qu'il demande de satisfaire un énoncé x, il donnera la définition et les règles de validation. Avec les contraintes indiquées, le système proposera des découpages de l'espace, et le sujet modifiera les spacifications des modules proposés par cette division, si ces derniers ont été définis comme des parties semblables du volume global. Le système utilise tous les concepts introduits par le sujet pour un traitement aussi logique que possible, compte tenu des données disponibles. Si une question porte sur le nombre de points d'appuis du module, alors le système en demandera la définition au sujet et l'utilisera comme un caractère du module qu'il introduira dans les calculs. A partir de là il reprendra, en évitant les contradictions, la recherche de solutions, etc.

La conclusion de tout ceci tient en peu de mots. L'espace de travail du concepteur change notablement de consistance et de nature. De consistance par la mémoire structurée et à la puissance de traitement; de nature par une interactivité et une communicabilité qui invite une redistribution des rôles effectifs des partenaires concernés par le projet, et fait place à la «machine-outil logique».

La représentation de ce nouvel espace de travail ne possède pas de forme figée; elle est produite ou configurée logiquement pour la circonstance. Si le dessin et le croquis conservent toujours leur valeur suggestive et imaginaire, le mode de travail sur une maquette totale, qu'elle soit «objet» ou «problème» impose un sérieux déplacement vers une simulation réaliste sophistiquée. Sans doute est-ce là l'aboutissement de la conquête de l'image totale et du «double» parfait que les nouvelles technologies révèlent aujourd'hui. Peut-être est-ce également la fin des modèles de représentations intermédiaires, et l'émergence de la simulation totale. Le traitement de l'information sur le mode des nouvelles technologies fait éclater le carcan des représentations typiques. Sans doute faudra-t-il passer alors à de nouvelles formes de récit, dont la syntaxe s'accommodera de la temporanéité et de la variabilité de ses expressions. Il y a encore place pour la création.

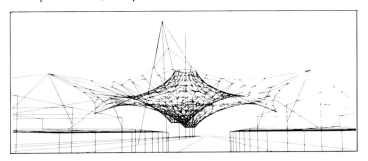

Perspective exécutée par le traceur d'un ordinateur
pour la structure de la tente de couverture
de l'entrée du *palais des Foires et Expositions*
à Milan,
conçue par l'architecte Renzo Piano.

LETTRES OUVERTES

NOUS AVONS DEMANDÉ À QUELQUES ARCHITECTES, PEINTRES ET PHOTOGRAPHES EUROPÉENS D'ÉVOQUER ICI DE FAÇON INFORMELLE, DANS UNE « LETTRE OUVERTE », LA NATURE DES IMAGES ET DES IMAGINAIRES AUXQUELS ILS SE RÉFÈRENT AUJOURD'HUI. QUELLE EST POUR EUX, SELON LEUR MÉTIER ET L'INTERPRÉTATION QU'ILS EN FONT, LA SIGNIFICATION ACTUELLE DU DESSIN, DE LA PHOTOGRAPHIE OU DE LA PEINTURE D'ARCHITECTURE ? QUELLE EST LA FONCTION TECHNIQUE, CULTURELLE, SOCIALE VOIRE POLITIQUE DE L'IMAGE DANS CE DOMAINE DE LA CRÉATION ? QUELLES INTERPRÉTATIONS ET USAGES PEUT-ON EN ATTENDRE ? COMMENT L'UTILISENT-ILS ET À QUELLE FIN ? NOUS AVONS CHERCHÉ À RASSEMBLER DES TÉMOIGNAGES TRÈS DIVERS POUR RENDRE COMPTE DE LA PLURALITÉ ACTUELLE DES ATTITUDES À CET ÉGARD.

ENTRE LA PREMIÈRE TRANSE ET LE TRAIT DÉCISIF DU DESSIN SE CACHE UNE HISTOIRE...

Il semble que dans les milieux de la presse d'architecture, la plus grande méfiance règne à l'égard de cet acte quasiment archéologique qui est de constituer un tableau, je dis bien *un tableau* montrant en perspective un fragment imaginé de cette folie de ville, disons Paris, quelque chose, un projet d'Opéra, de Jardin, de Place, de Maison, de Square, quelque chose qui échappe aux mots d'un programme et aux termes d'un concours, et bien pire encore s'il s'agit de donner à voir non pas un, mais une suite de tableaux présentant un luxe de détails et une fertilité dans la variation des « Vedute » — des vues —, comme une obsession de la réalité : hyper-bien-réelles elles sont, ces vues.

Cette tendance-là n'est pas aussi répandue que l'on veut le croire. Pour répondre à la commande il faut le plus souvent produire vite : dominance de fait, pour cette raison, des attitudes mentales dites conceptuelles et linguistiques. Assembler des formes à signification et faire une sorte de tout de ces syllabes, voilà qui procède d'une syntaxe compréhensible et cible... et où, dans cette affaire, habite-t-elle la fiction, la légende, l'histoire ? Nulle part.

Le *temps*, je dis, seul le temps phénoménalement long de la fonte et de la refonte des dessins, les mauvais et les bons, porte une vision fantastique des constructions et de leur vie. Qu'avez vous à faire de peaufiner un produit fini ? Installez une, deux, trois Sagrada Familia dans une ville, créer un, deux, trois chantiers-situations où s'écoulent de l'histoire, du temps, de l'argent, de la souffrance, de l'*anima,* du souffle, du désir. La préfiguration d'une telle aventure est pour moi dans ces séquences de dessin continuellement perfectionnées. Par exemple, faire le concours de l'Opéra de la Bastille à Paris, respecter les données mécaniques et scénographiques proposées, prendre des libertés avec le terrain évidemment trop petit, faire un projet lyrique et violent qui se trouve n'être pas retenu par le jury, l'ambiance générale des projets sélectionnés étant à densifier l'îlot de l'ancienne gare avec de l'architecture mineure déguisée en théâtre.

Où s'exprimera la monumentalité de cette construction, le lyrisme de cette place forte ? Où imaginera-t-on les grands spectacles, les fêtes commémoratives de la Révolution de 1789, où prendront place les nouveaux *Mystères,* formes théatrales en pleine ville, chargées de la puissance de la technique au service de la musique et de la fiction ?

Je construis avec Louis-Paul Untersteller, les dessins de l'Opéra de la Bastille, lieu fantastique de Paris, comme j'ai construit le projet des Jardins de l'Ourcq et du Palais des thermes de la Villette, comme j'ai construit le projet de la Place des Halles à Paris, avec Hubert Tonka, comme j'ai construit le projet du thème « Astronomie » pour la Villette, et plusieurs autres qui sont visibles dans des publications connues, *L'ivre de pierres* en particulier.

Aujourd'hui, comme toujours, construire un projet n'est pas simplement répondre à un programme, c'est fonder un fragment du socle, chose nullement étonnante cette fondation existe par le plus traditionnel des moyens : quelques tableaux au crayon, à la gouache et à l'encre de Chine.

Là est justement l'illusion. Entre la première transe et le trait décisif du dessin se cache une histoire, de la plus haute des technicités à la plus primitive des sensations.

JEAN AUBERT

UNE LUMIÈRE BRILLANTE QUI RÉVÈLE LA
PEAU DE L'ARCHITECTURE.

Je suis photographe depuis dix ans et j'ai fait des études d'architecture...

Je m'occupe de photographie en tant que professionnel pour l'édition, l'industrie et, parfois, la publicité, mais le maximum de mon attention s'adresse au travail de recherche. Au centre de cette activité de recherche, il y a de manière monolithique le genre « architecture » que je préfère toutefois appeler « espace urbain ».

Il ne m'arrive jamais de parler de mon travail sur le plan méthodologique avec assez de détachement pour avoir une vue d'ensemble : je crois être très, trop concerné, sur le plan émotif, par la réalisation de mes images, même si parfois elles sont apparemment froides.

Il est peut-être plus facile pour moi de communiquer modes et moments du « photographier » qui, une fois mis en évidence avec lucidité, peuvent devenir le « savoir voir » de l'auteur.

Dans l'histoire du travail d'un photographe, dans l'histoire de celui qui observe et isole une réalité personnelle d'un contexte plus général, il y a des moments-clés, qui, par étapes successives, déterminent l'évolution de l'activité. Pour moi, le moment-clé le plus proche dans le temps et qui m'influence encore maintenant, correspond au début de mon travail sur la banlieue industrielle milanaise, recherche photographique qui dura trois ans.

Cette recherche commença aux vacances de Pâques, lorsque j'observai des espaces urbains sous une lumière particulièrement brillante : le rapport lumière/ombre me rappelait des espaces métaphysiques et a été pour moi une découverte qui m'a poussé à conduire toute une recherche sur la zone industrielle milanaise, photographiant presque toujours dans des conditions ambiantes et atmosphériques homogènes.

L'absence de personnes et d'objets étrangers à l'architecture et en même temps la présence d'une lumière forte et brillante qui projette des ombres pleines aux contours nets, sont devenues deux constantes caractérisant ma recherche sur les usines milanaises. Ma relation de photographe avec l'espace urbain s'est enrichie grâce à cette première expérience et, dans le développement de la recherche, elle s'est agrémentée de nouveaux aspects perceptifs et émotionnels, définissant, dans ma façon de photographier, une série de codes, un mode de voir, de choisir et d'enregistrer qui sont devenus pour moi une attitude naturelle et en même temps presque immuable, capable d'influencer totalement mon « être photographe ».

La lumière est de toute façon l'élément protagoniste, une lumière brillante qui révèle « la peau » de l'architecture et lui donne à réciter, comme sur une scène, un nouveau rôle en transformant l'image quotidienne en une image plus « subjective ». C'est la lumière qui, presque pardoxalement, suggère au photographe le sujet, lui donnant de nouvelles valeurs de ton, l'enrichissant de menus détails jamais observés avant. Au photographe, ne reste donc que la tâche de traduire cette vision en une image photographique.

GABRIELE BASILICO
Traduit de l'italien par Antonia Bachetti

LE DESSIN PEUT ÊTRE UNE ARME QUAND ON
SAIT S'EN SERVIR...

Ne cherchez pas dans ces dessins, vous n'y trouverez rien : aucune idée exceptionnelle, aucune volonté bien particulière. N'attendez pas de moi une explication hautement sophistiquée, culturelle ou conceptuelle. Il y a des personnes qui ont fait un métier de ce genre de démarches, bien d'autres qui ne se lassent pas de les classer ou déclasser suivant les modes et les tendances.

Un dessin, un tableau d'un morceau de ville peint par un de ses citadins serait à mon avis le meilleur exemple pour celui qui veut participer à la reconstruction des villes que nous voyons périr devant nos yeux. Aujourd'hui, vous le savez, ces villes sont défigurées par les nouvelles constructions qui ont pulvérisé toutes les valeurs culturelles, toutes les valeurs historiques et le savoir-faire.

Alors nous redessinerons nos quartiers comme ceux des villes que nous avons tant aimées et nous les opposerons à tout autre projet. Quand bien même nous n'aurions pas la preuve de ce que nous avançons, nous sommes persuadés d'avoir raison face à la bêtise qui se présente toujours de la même manière, toujours aussi bête.

Maintenant, c'est une certitude. Une certitude que j'ai acquise pendant les quelques années de ma collaboration aux luttes urbaines à Bruxelles : *le dessin peut être une arme quand on sait s'en servir.*

Voilà pourquoi je ne me lasserai pas de peindre toujours cette même image paisible des quartiers, des rues, des places habités et vécus dans toute leur complexité quotidienne. Qualifiés par certains de vision passéiste et nostalgique, ces dessins sont pour moi une manière de voir le futur. On ne peut penser à une architecture qui renoue avec la tradition classique des villes sans penser à la condition de leur existence, à leur façon d'être vécue.

Cette vision du futur, je ne peux pas vous dire qu'elle soit fort appréciée des milieux professionnels. Il suffit de constater que mes efforts toujours renouvelés n'ont jamais débouché sur une seule commande.

Il y a bien d'autres détails et allusions dans ces images dont j'aurais pu vous entretenir, mais je préfère finalement les garder pour mon propre plaisir pour ne pas encombrer les pages et les esprits anxieux.

SÉFIK BIRKIYE

LE PLAISIR DU DESSIN MÉTICULEUX COMME
SUPPORT DES REVENDICATIONS CITADINES...

Depuis l'après-guerre, plusieurs générations d'architectes se sont acharnées à cultiver le mépris collectif du dessin et de l'art de construire pour rallier, un sourire radieux aux lèvres, le camp des technocrates. A leur indignation générale, teintée d'inquiétude, certains audacieux ont rejoint durant les années soixante-dix les habitants organisés qui, à Bruxelles et ailleurs, ont la prétention de refuser l'avenir technocratique qui leur est préparé.

Non contents de cette désertion, ces audacieux ont ensuite poussé l'outrecuidance jusqu'à redécouvrir le plaisir du dessin méticuleux, de l'image familière et évocatrice qui supporte si parfaitement les revendications des citadins organisés.

Alors, finis les « zips », les « grouillots » informes, la « choucroute » griffonnée pour les arbres, les croquis aussi géniaux qu'incompréhensibles.

Toute une population de traceurs se retrouveraient bientôt sans travail, faute de savoir manier avec patience et obstination les crayons Derwent, de dessiner respectueusement les usagers, de distinguer un épicéa d'un chêne, de connaître les règles et les astuces du dessin perspectif.

Alors, pour se rassurer, ils lancèrent ce slogan qui fit le tour des technocrates de la profession, comme une traînée de poudre : *ceux qui dessinent seraient incapables de construire*. Ajoutez-y la peste et le choléra et vous aurez une idée de l'avenir que devaient nous réserver quelques inoffensifs dessins d'architecture.

Malheureusement (pour qui ?), d'autres professionnels, contraints de s'assurer la participation des futurs habitants, ont rapidement saisi l'opportunité et l'intérêt de s'adjoindre la collaboration de ces audacieux, capables de faire saisir l'image de leurs projets par leurs futurs usagers avant même leur réalisation.

Peut-être construiront-ils demain ces quartiers dont la vie quotidienne est parsemée d'anecdotes sympathiques qu'ils dessinent ? Personnellement, j'en doute encore aujourd'hui mais, quoiqu'il advienne, je continuerai à évoquer ces morceaux de ville et leur vie collective que les générations à venir ne connaîtront plus.

Je continuerai, quand le temps m'en sera laissé, à perfectionner inlassablement les techniques de réprésentation de la vie urbaine et de l'art de bâtir dans la tradition des peintures et gravures de Canaletto, de Schinkel et de Letarouilly qui ornent les salons de nos détracteurs de la place des Vosges à la Piazza Navona.

GILBERT BUSIEAU

UN MOYEN D'INVESTIGATION, UNE SOURCE DE PLAISIR, UN OUTIL AUTOBIOGRAPHIQUE...

J'ai toujours eu la conviction que le dessin d'architecture a comme fonction première de représenter, de tout représenter, depuis ce qui n'est pas clair jusqu'aux images les plus vraisemblables de la réalité physique. Moyen de représentation, le dessin d'architecture est aussi pour moi un moyen d'investigation et une source de plaisir. Et puis, l'architecte qui dessine facilement, qui aime ce qu'il dessine, n'est jamais seul. Cette intimité entre l'architecte et son dessin favorise une dynamique créative entre la projettation et la représentation et une interdépendance conflictuelle que le cerveau projectuel devra contrôler.

En tant que moyen de représentation, le dessin « parle » autant du projet que du projeteur. J'ai toujours pratiqué le dessin réaliste. Il est né de ma lutte avec le temps. Il permet de dominer un temps que l'on ne maîtrise pas, de voir tout de suite, d'exprimer les matières, d'apporter la lumière, de *donner vie*. Le plaisir que j'éprouve à dessiner des ciels provient de la prise de conscience que le rapport au ciel est la première dimension de l'architecture. Mon dessin m'a aussi permis pendant des années d'équilibrer l'impossibilité de construire. Comme moyen d'investigation, le dessin est pour moi indispensable. Je suis incapable de concevoir au travers du dessin des autres. Je ne peux déléguer que lorsque le projet est entièrement défini par mes dessins.

Cette recherche par le dessin s'accompagne toujours de plaisir. Au tout début, le plaisir vient lorsque l'angoisse de mal représenter est vaincue. Puis, jeune architecte, on dessine beaucoup, pour se connaître, pour découvrir ce que l'on veut faire; on apprend en dessinant. A cette époque, le dessin comporte une force qui précède l'imagination parce que c'est une période incertaine et parce que le cerveau projectuel ne s'appartient pas encore, il est en proie à toutes sortes d'influences, le dessin aussi.

Quelques vingt ans après, j'ai constaté qu'un accord s'était établi entre la nature du dessiné et celle du représenté. Le dessin ayant affirmé « sa » manière, le cerveau son autonomie, le dessin s'applique à rendre visibles les produits de l'imagination créatrice. Lorsque cette unicité sujet/objet est atteinte, on est pris par un nouveau plaisir, le dessin acquiert une autonomie équilibrante qui nous permet de dépasser l'utilitarisme contraignant de notre métier. Mais cette ivresse peut s'avérer néfaste : le dessin maîtrisé tend à supplanter la création, soit en privilégiant ce qui est totalement représentable, c'est-à-dire la partie extérieure du projet, soit en reproduisant un vocabulaire déjà assimilé. Ce n'est qu'en maintenant le dessin dans sa fonction instrumentale que l'on peut créer à chaque nouveau projet. Je m'aperçois, par exemple, que lorsque l'un ou l'autre de mes projets a représenté une avancée dans mon itinéraire projectuel — c'est le cas des concours d'Evry, de Bobigny et de l'Opéra — les dessins n'arrivaient pas à reproduire au rythme voulu les formes projetées dans mon imagination. Dans ces cas-là, le dessin peut être un frein à la création. Il nous empêche de prendre le recul nécessaire pour apprécier le projet, pour faire ressortir la clarté du propos projectuel, car à tout projet correspond une manière de le représenter et ce mode conditionne la lecture de sa clarté. Ceci explique peut-être qu'en situation de « charrette », un projet novateur ne trouve pas sa représentation ou, ce qui revient au même, que les projets « bien rendus » aux concours ne soient — à une exception près — jamais révolutionnaires.

J'évoquerai aussi une autre conséquence de l'interdépendance projet/dessin. Alors que j'étais tout jeune, ces deux compétences étaient encore dissociées et comme j'aimais beaucoup dessiner, je dessinais presque sans interruption. C'était autant mon passe-temps que mon moyen de subsistance, je n'éprouvais jamais du déplaisir à dessiner les projets des autres, cela m'amusait même. Mais au fur et à mesure que je développais mon mode de projeter, j'abandonnais le dessin « hors projet ». Au point qu'il ne m'arrive pratiquement plus de dessiner autre chose que mon architecture, et il m'est depuis longtemps impossible de dessiner ce que je n'ai pas projeté.

Mon dessin aujourd'hui me représente, il est la règle visible de ma rigueur projectuelle, de mon assurance aussi. Il est devenu autobiographique.

HENRI ÉDOUARD CIRIANI

LE DESSIN NE DOIT COMPORTER AUCUNE LIMITATION DE GOÛT OU DE BIENSÉANCE.

Pour moi, il y a une grande analogie entre un dessin et une conversation. Au bout du compte, c'est *l'idée* qui est essentielle, et c'est *ce qui se passe* qui importe. Discuter et dessiner sont donc deux façons d'élargir le champ des possibilités en laissant libre cours à l'imagination. Ainsi, les bonnes conversations sont celles où une personne intelligente brise, bouscule et renverse les barrières conventionnelles du bon goût, de la morale, de la vraisemblance et de la prudence et saute de façon imprévisible d'un enchaînement d'idées à l'autre. Je me fonde sur les mêmes critères pour juger qu'un dessin est bon. Il ne doit comporter aucune limitation de goût ou de bienséance, ni se borner à reproduire des enchaînements déjà connus.

La tendance actuelle, chez les jeunes architectes ambitieux, est de se faire une réputation de dessinateurs. Cette mode a des aspects positifs et négatifs. En dernière analyse, tout dépend de ce que chacun essaie de dire.

Quant à moi, si j'ai fait autant de dessins de mes constructions, c'est tout simplement parce que je ne pouvais pas attendre de voir si quelqu'un prendrait la peine d'examiner les projets, de les commanditer, de les faire réaliser, de les aimer, de leur consacrer des sommes d'argent durement gagnées [...]

Le dessin peut outrer les choses. Il peut nous faire penser que notre pavillon de banlieue est le germe, le générateur, le microcosme d'une banlieue tout entière, voire d'une ville tout entière... ou même d'un monde futur. De même, il peut nous faire penser que la façade de balcons est le miroir d'un monde nouveau, libéré et tranformé.

Il n'est peut-être pas inutile que je raconte comment je fais un dessin de « projet » (car je fais aussi des croquis de levés, des esquisses, des plans de travail et des gribouillages). Pendant des semaines, je vais, je viens en envisageant différentes possibilités et, comme beaucoup de gens, je tergiverse avant de *m'y mettre* vraiment, d'organiser mon travail [...]

Quand je commence, je suis impatient. Je voudrais que ça vienne tout de suite. Une image complète. Belle (bien sûr). Totale (bien sûr). En couleurs. Tangible au point qu'elle brouillerait les bruits de pas familiers et les pensées limpides des habitants qui vivent au jour le jour. Prégnante au point de créer une impression d'imminence, comme la scène vide au début d'un opéra, éclairée, emplie par la musique, les décors et un état d'esprit implicite.

Quand je fais un dessin, je rationalise après coup mes faiblesses, ma paresse et mes talents : le négatif et le positif [...]

Je ne fais que jeter sur le papier des armatures, des intervalles, des emplacements, des notes qui me remettent des idées en mémoire. Pour moi, il s'agit d'arriver aussi vite que possible à l'élaboration de l'image ou de l'objet.

Souvent, je me contente d'esquisser les grandes lignes d'une stratégie. « Deux tours, avec un *quelque chose* entre, un machin en toile d'araignée, l'impression que c'est le coucher du soleil plutôt que le milieu de la journée. » Je dessine une grille. A seule fin de pouvoir la démanteler. Je dessine un pylône de cent mètres de haut, uniquement pour qu'il puisse devenir un poteau de dix mètres. Je dessine un chemin sinueux, juste pour le transformer en marais, que je transformerai en escalier, que je transformerai en... Qu'est-ce que c'est ? C'est une façon d'avancer en tranchant dans le vif. Quelquefois je barbouille mes dessins à force de gommer le crayon et de gratter l'encre.

Entre parenthèses, j'aime l'encre parce qu'il me semble qu'il doit finir par y avoir une inscription bien nette, une assertion bien claire. Je ne peux pas prendre les choses au sérieux tant qu'il n'y a pas un peu d'encre. J'aime aussi le fait que l'encre peut camoufler les passages du dessin à main levée au dessin « assisté ». J'adore acheter des pochoirs, et les utiliser [...]

Tout compte fait, je dessine à cause de l'architecture. Je considère presque tous mes dessins comme des suggestions de constructions. Et pas des métaphores. Ni des exercices de composition ou des exercices artistiques.

PETER COOK
Traduit de l'anglais par Jeanne Bouniort

J'AIME DESSINER ET INTERPRÉTER AUTANT QUE J'AIME CONCEVOIR DES PROJETS ET LES VOIR CONSTRUITS.

J'imagine que c'est un mélange de plaisir et de nécessité qui guide le travail de la plupart des architectes dont j'admire les dessins. Plaisir, dans la mesure où les gratifications personnelles propres au dessin sont très importantes. Et nécessité, dans la mesure où les dessins de grand talent aident à obtenir des commandes architecturales.

J'aime dessiner et interpréter autant que j'aime concevoir des projets et les voir construits. Et je pense que ces deux aspects du métier d'architecte sont l'un et l'autre importants. Des dessins forts exécutés au cours d'un projet aident tous ceux qui sont impliqués à comprendre ce qui doit être mené à bien. Quand des dessins sont utilisés pour donner une idée d'un projet, les distinctions entre « informer » et « persuader » se brouillent. Mais je ne suis pas inquiet de cette confusion entre la pratique de la vente et celle du dessin. La valeur spéciale du dessin réside dans la possibilité d'illustrer des choses qui n'ont jamais existé, d'une façon à les rendre réelles, possibles et compréhensibles. Aussi longtemps qu'un projet est possible de fait, utiliser le pouvoir persuasif des dessins pour le réaliser semble tout à fait justifié. Les dessins sont un pont entre la vision des architectes et la confiance des clients. Les sujets de mes dessins sont importants; pas les dessins en eux-mêmes.

D'habitude, j'essaie de dessiner mes projets sans ambiguïté. Néanmoins, si je veux explorer la technologie derrière une idée, j'invente des points de vue dans lesquels je tente de présenter la cause et l'effet simultanément, en déformant la perspective afin de donner une importance égale aux petits détails mécaniques et à la configuration de l'ensemble. Pour ce type d'illustration, je travaille surtout en série à l'aide du rapidographe : je trouve que c'est un moyen très rapide d'exécution et qui rend bien en photographie. Autrement, dans les dessins où je veux illustrer des impressions d'humeur ou d'image, je travaille en couleurs ou en monochrome, à traits rapides ou soigneusement élaborés. Le choix de la technique est fait à partir de la nature du sujet et de la manière dont je veux le présenter.

MARK FISHER
Traduit de l'anglais par François Bouchard

JE M'EFFORCE DE NE JAMAIS LAISSER AUCUNE AUTONOMIE AU DESSIN LUI-MÊME...

Depuis son apparition comme *instrument nécessaire*, le dessin d'architecture (qui a une histoire relativement brève par rapport à l'architecture elle-même) présente une direction de recherche personnelle, autonome, une direction parallèle, parfois même franchement divergente vis-à-vis de l'architecture et de ses procédés [...]

Je considère avant tout le dessin comme un moyen directement adapté à la construction. Rendre visible, mesurable, vérifiable, en quelque sorte, le projet dans ses diverses phases, en anticiper les solutions avec, pour ainsi dire, un esprit de vérité : telle est, je crois, la fonction spécifique du dessin, quels que soient sa technique ou son moyen de représentation.

Du reste, l'architecture est un fait absolument concret, toujours affirmatif, qui ne possède pas de marges d'ambiguïté. C'est pourquoi — du jour où il est devenu un passage nécessaire — son moyen classique de représentation a toujours été le dessin constructif, le dessin technique; et il l'est encore. C'est pour cette raison que je m'efforce de ne jamais laisser aucune autonomie au dessin lui-même (même si la chose n'est pas aussi simple qu'elle semble l'être). Souvent, au cours de mon travail, pour essayer de prévoir et de choisir, je dessine volontairement mal, justement pour que, si quelque chose ne va pas, cela ne puisse pas rester caché, masqué par la représentation. Presque toujours, je m'efforce de dessiner avec précision, et de façon généralement scolaire, impersonnelle.

Affirmer cette fonction résolument subordonnée de mes dessins ne signifie naturellement pas que l'on ne puisse, par la suite, les voir et les évaluer en tant que dessins; mais cela veut dire en tout cas qu'on renonce alors délibérément à tenir compte de leur raison d'être. Je dois aussi reconnaître que je n'aime pas particulièrement mes dessins, sinon pour ce qu'ils représentent, même si ou peut-être, parce que, dans la majorité des cas, le dessin reste le stade définitif de mes projets [...]

Du reste, le dessin constructif est avant tout la base nécessaire à la réalisation du modèle à l'échelle. Et ce dernier présente des avantages indubitables sur le dessin en tant que tel : il nous donne par exemple une représentation beaucoup plus fidèle et globale de l'œuvre achevée. Et puis — et c'est cela qui est décisif à mes yeux — dans ce passage du dessin au modèle s'accomplit quelque chose de très semblable à l'imprévisible transformation qui se pro-duit dans le passage du dessin à l'œuvre construite. En réalité, c'est dans ce passage que réside la seule confirmation concrète et anticipée du projet comme architecture : dans un certain sens, ce passage est aussi un *moment de vérité* qui fait justice d'un bon nombre d'ambiguïtés et d'illusions. L'un réalise le modèle, l'autre construira l'édifice, et leur préoccupation commune est d'exécuter avec précision. Le modèle — et il faut bien se garder de se laisser prendre à son air de *Puppenhaus*, de jouet précieux — est impersonnel, détaché, ouvert, impitoyable, de même que l'édifice qui va le concrétiser. Peut-être est-ce cette prédilection que j'éprouve pour les modèles qui fait ressembler mes dessins à des tableaux de montage de modélisme [...] GIORGIO GRASSI

Traduit de l'italien par Michel Orcel

JE DOIS AVOUER QUE JE SUIS UN DESSINA-TEUR PARESSEUX...

L'architecte dessine pour toutes sortes de raisons... mais surtout pour communiquer. Il dessine pour lui, au dos d'une enveloppe, sur une nappe, sur un dessous de bouteille, sur du papier jauni ou, s'il est bien organisé, dans son carnet de croquis, pour creuser des idées, étudier des concepts, vérifier des détails et, bien souvent en désespoir de cause, pour résoudre un problème.

Il dessine pour communiquer avec les autres, qu'il s'agisse de clients, d'entrepreneurs, d'industriels, d'amis ou d'architectes. Il dessine, en utilisant les conventions de la communication architecturale, des plans, sections et élévations, pour expliquer ses intentions, les rapports entre les parties, les dimensions, l'échelle et les matériaux. Il utilise la perspective axonométrique, isométrique ou cavalière ou autre pour faire comprendre ses pensées; les modèles réduits, maquettes, collages, photomontages et graphiques d'ordinateurs pour donner corps à ses idées.

Ses dessins, dans le meilleur des cas, décrivent la méthode, la succession des opérations, l'espace, l'environnement, l'ambiance, la couleur et l'aspect de la surface. Ils représentent les surfaces brillantes, transparentes, réfléchissantes et mates. Ils situent dans la nuit, dans la journée, en été ou en hiver. Ils communiquent la réalité de la chose construite, une indication des possibilités ou la valeur potentielle des propositions architecturales qu'ils dépeignent.

Je dois avouer que je suis un dessinateur paresseux. Je me plais à faire un minimum de dessins (l'ajout imperceptible sur une image récupérée, l'image récupérée utilisée dans un contexte différent), pour exprimer une idée. Je ne dessine pas pour le plaisir de faire des dessins. Pour moi, ce sont des instruments de création, un abécédaire à deux dimensions, réalisé avec un minimum d'efforts pour une efficacité maximum.

J'ai été influencé par d'autres auteurs de dessins d'architecture, Le Corbusier, Mies van der Rohe, Van Doesburg et plus récemment les Smithson. Parmi les autres artistes qui m'ont influencé, je citerai Duchamp, El Lissitzki, Rodchenko, Moholy Nagy, Hannah Höch, Heartfield, Hamilton, Eduardo Paolozzi, Walt Disney et Foss.

Je trouve des idées et des techniques graphiques dans le monde de la publicité, dans les magazines de bandes dessinées, de science-fiction et autres, dans les industries automobile, aéronautique et spatiale et dans des films comme *La guerre des étoiles*, *Le retour du Jedi* ou *Tron*... surtout *Tron*.

Les dessins d'architecture actuels ne m'intéressent pas beaucoup, ni d'ailleurs l'architecture actuelle. Le retour à la tradition et au mode de présentation «beaux-arts», les ombres épaisses, les fonds «brouillés» et autres procédés historicisants me laissent froid... L'architecture donne le cafard.

Ma position est claire. J'envisage l'avenir avec optimisme; je trouve mon bonheur dans les idées de changement, de hasard, de ce qui pourrait être. Mes dessins, il me semble, reflètent tout cela et décrivent l'architecture.

RON HERRON

Traduit de l'anglais par Jeanne Bouniort

JE NE CHERCHE PAS À ILLUSTRER L'ARCHI-TECTURE, MAIS JE L'UTILISE POUR CRÉER UNE PEINTURE.

Depuis le moment où je suis entré à l'Ecole des beaux-arts, à l'âge de quinze ans, les images d'architecture m'ont toujours fasciné, d'abord parce qu'elles nous montrent des formes produites par l'homme qui ne sont pas seulement l'œuvre d'architectes, mais aussi d'ouvriers et d'ingénieurs du bâtiment... des symboles géants de l'homme créateur de son propre environnement et de l'homme bâtisseur.

Au cours de mes études d'histoire de l'art, ces images étaient généralement replacées dans un contexte historique mais, très souvent, celles qui se bornaient rigoureusement à représenter l'architecture me procuraient une satisfaction plus durable que les reproductions de peintures. Je ne pouvais voir dans les photographies de peintures autre chose que l'évocation falote de surfaces qui dépendent tellement d'un contact direct. Mais les photographes de constructions en trois dimensions ont une telle distance par rapport à leur sujet que cela donne un nouveau produit : l'image photographique, qui doit être appréciée pour elle-même. Il y a tant d'édifices que je n'ai pas envie de visiter... Je trouve tout ce dont j'ai besoin dans les vues qu'on en a prises.

Après être passée par l'abstraction objective du Bauhaus, ma peinture a évolué vers l'expressionnisme subjectif des Allemands, et notamment de Beckmann. Sous l'effet de mon admiration pour sa peinture, je me suis mis tout bonnement à illustrer des situations que je connaissais très mal. Et c'est ainsi que, durant une période de douze mois, j'ai laissé les figures se fondre et s'effacer dans l'arrière-plan des scènes de foule. Je me retrouvais avec la peinture d'une pièce vide et je ne savais pas comment poursuivre cette peinture surprenante.

Les deux années qui ont suivi, j'ai fait de nombreux dessins de constructions géométriques et des manipulations de la perspective, mais j'éprouvais le besoin de revenir à ma préoccupation essentielle : réaliser des peintures. Il me fallait un point de départ et je l'ai trouvé dans un cliché, publié dans la presse, d'un édifice que j'admirais (l'université de Leicester construite par James Stirling). Là, je pouvais prendre une image venue du monde extérieur à l'atelier et, par la peinture et le dessin, reconstruire une nouvelle réalité : une peinture.

Dès lors, je me suis tourné vers d'autres héros : Mies van der Rohe, Le Corbusier, Gropius, Owen Williams, Tatline, Rietveld. Certains me procuraient des bases de travail, d'autres le plaisir de regarder leurs œuvres. Mon goût tout à fait profane pour l'architecture s'est affiné, aidé en cela par le génie de Yukio Futagawa et de Richard Einzig, deux maîtres de la photographie d'architecture.

J'ai commencé à me trouver des édifices. Pour mieux maîtriser mon point de départ, j'ai dû prendre moi-même les photographies. Je me suis aperçu que l'on était en train de réaliser des constructions ambitieuses, puissantes et dynamiques, en Grande-Bretagne. J'ai fait des peintures d'après les œuvres si fortes de James Stirling. J'ai peint un bâtiment industriel extrêmement intéressant construit par le groupe Team Four (Norman et Wendy Foster et Richard et Sue Rogers). A dater de ce jour, j'ai voué une admiration grandissante au travail de Foster. A mes yeux, il incarne dans une très large mesure ce que j'admire chez les architectes. Les constructions de qualité sont l'œuvre d'une équipe, mais en fin de compte la réussite ou l'échec devrait être imputable à une seule personne. Si toutes les constructions étaient signées, nous saurions qui remercier ou accuser.

Dans mon intérêt pour l'architecture, sa fonction n'entre pas en ligne de compte. Je cherche égoïstement mon point de départ et, après plusieurs jours de prise de vues, il se peut que j'ai une image qui me convient. Elle aboutit dans mon atelier. Et je travaille sans autre considération pour son origine. Je possède déjà les renseignements d'ordre technique. Par le dessin, je reconstruis la composition, le plus souvent en apportant des modifications motivées par un sens instinctif des proportions compatibles entre elles dans le cadre défini par la surface du tableau. Quelquefois, je me sers d'un quadrillage pour agencer les éléments. Ce dessin une fois terminé doit être reporté sur la toile, et alors je dois songer à l'échelle de l'œuvre. Elle est souvent en étroite relation avec les proportions humaines.

Je considère la confrontation avec une peinture comme un moyen de s'orienter dans le monde. C'est parfois une image qui se prête à la contemplation, parfois un support à la concentration. On doit avoir l'impression que chaque forme, chaque ligne est juste comme il faut.

Sur cette armature de formes dessinées, je travaille à la peinture. Au début, il peut y avoir une certaine imprécision, et c'est l'utilisation des caches qui permet d'obtenir une aspect plus structuré. Je n'ai pas de méthode unique pour l'application de la peinture et si j'utilise fréquemment un pistolet, cet instrument autorise une grande diversité d'effets de surface. Il arrive que les propriétés intrinsèques du pigment m'incitent à employer une autre technique; par exemple le mélange optique au lieu du mélange physique des couleurs ou du glacis.

Je m'instruis encore au contact de peintres illustres (Seurat, Vermeer, Malevitch, Rothko, Léger) et je me sens stimulé par des peintres contemporains (Robert Ryman, Brice Marden). Je suis peintre. Je ne cherche pas à illustrer l'architecture, mais je l'utilise pour créer des peintures. Dernièrement, je suis passé dans une galerie admirablement proportionnée que le soleil animait d'un jeu d'ombres. C'était dans l'usine Inmos de Richard Rogers et, à cette expérience, j'espère répondre dans mon propre métier.

Je veux continuer à emprunter au monde extérieur dans l'atelier et, après avoir assimilé mes expériences, à lui livrer en retour les œuvres qui en sont issues. Notre cadre bâti est bien trop important pour être négligé par les artistes. La science, l'ingénierie, l'architecture peuvent offrir de merveilleux exemples de réalisations humaines. Je souhaite personnellement être mis en présence de ce qu'il y a de mieux, mais je réagirai en artiste.

BEN JOHNSON
Traduit de l'anglais par Jeanne Bouniort

L'IMAGE DE L'IMAGE.

L'édifice est une existence immobile et géométrique sous la lumière du temps qui s'y déroule.

Un projet d'édifice est une écriture que creusent des tracés, des ombres et des textes sur du papier.

L'un ou l'autre ne seront vécus que par leur représentation; l'image sera connaissance, fondement du réel, le discours supléera l'œuvre.

Un édifice n'est que rarement foulé, il est connu par ses cartes postales, ses livres, le cinéma et quelquefois au toucher de moulages touristiques; la photographie est universelle, l'image et le signe essentiel de l'architecture... le Tāj Mahal restera pour moi une fiction d'un tombeau photographique.

Le projet, œuvre théorique, concept, idée à édifier ou non, ne sera aussi que média, reproduction, image d'image. Il fut un temps où l'enseignement se faisait à l'aide des dessins *originaux* et des maquettes remarquables de l'histoire de l'architecture (ces dessins fondèrent en partie la collection de la bibliothèque de l'École des beaux-arts à Paris).

L'édifice, œuvre construite, se raconte lui-même, son temps est intégré dans son habitabilité, sa séduction est géographique, atmosphérique (la photographie et le cinéma en sont des témoins).

Le projet, l'œuvre d'un futur architectural, passe par l'élaboration d'écritures, de maquettes ou d'images (dessinées, peintes, « artificielles », etc.). Une seule image peut parfois évoquer la totalité de la proposition, en être le signe séducteur : le Chicago Tribune d'Adolf Loos, le Cénotaphe de Newton d'E.L. Boullée ou le Fireplug Column de C. Oldenburg.

Si en peinture ou en musique le texte ou le titre sont accessoires, l'image d'architecture est liée au commentaire ou au moins au titre, il n'y a pas d'architecture sans littérature, sans programme, sans pensée explicite, sans « architexte »; l'architecture n'est que le décor d'un cérémonial, l'autour d'une histoire, la bâtisse d'un livret comme au théâtre.

Pour définir un objet imaginaire, mais constructible, pour visionner une volumétrie, la multiplicité des vues est inévitable; en géométrie descriptive ou en stéréoscopie, un corps est défini par au moins deux vues.

Images multiples mais spécifiques : « Le dessin d'architecture se différencie du dessin d'art, de la peinture, de la gravure malgré une similitude formelle. Son artisanat est autre. Le dessinateur d'art ne s'embarrasse pas d'une organisation spatiale autre que celle de l'espace figuratif qui se circonscrit aux limites du tableau. Le dessin d'architecture suppose un présupposé, une création (le bâtiment) extérieure à la représentation dessinée. Avec l'architectonique le dessinateur ne se trouve pas seulement face à un pur problème de figuration spatiale mais d'inscription

figurative d'une temporalité, d'une durée. Il n'y a pas de derrière, d'autres, dans la peinture, si ce n'est, par un processus imaginaire, des connections électives, alors qu'en architecture il n'y a justement que des ailleurs, des fuites, des traversées, des blocages. Cet art du dessin architectural doit exhiber le conçu extérieur, saisir les ailleurs, les fuites, modeler les traversées; le perçu est double : dans le lieu de l'objet réside un objet, l'objet d'un autre lieu » (extrait de Tonka, « Déraisons de l'architecture », *in* : *L'Ivre de Pierres*, n° 3, 1980).

Les affinités du dessin d'architecture vont aux peintures des védutistes, au paysage, à l'illustration ou au dessin industriel; il intègre de tout temps les concepts picturaux de l'art moderne (comme toute image), mais toujours avec ce carcan de réalisme, fidélité à l'objet à représenter, les ombres et la lumière, les alentours, la perspective, etc.

Le projet est un genre artistique à part, la narration figurative et architecturale, narration d'une histoire ou d'un programme, un récit découpé en séquences de mots et d'images, l'introduction du temps dans l'espace du projet, le passage à une réalité par la puissance d'un cérémonial graphique; introduction des effets et artifices de l'iconicité, l'ambiguïté de l'image pour produire le spectacle d'une construction virtuelle, l'illusion d'un vécu futur, la surrection et le trouble de l'événement, mais toujours réalisme de l'objet.

A cet endroit, il nous sera reproché le simulacre, l'effet, l'illusion, une déviation malsaine à combattre au nom d'une *objectivité* qui serait propre à la représentation architecturale, alors que l'architecture n'est que le théâtre de la figuration, la sciences des effets, ces « effets produits par la disposition des corps ».

Au nom de cette même *objectivité* on imposera une axonométrie frontale stupide pour le Concours de l'opéra de la Bastille (1983). On ira même jusqu'à fabriquer des maquettes *blanches* pour le Concours de La Défense (1982) afin d'annuler des *effets* nuisibles à la lecture du projet... bêtise : un concurrent prévoit trois immeubles, un immeuble blanc et transparent, un autre noir et opaque et un troisième à bas-reliefs colorés... non : le projet sera réduit à

trois cubes blancs, lisses et propres.

Tout ce travail de projet se finalise dans des médias très définis : l'avant-projet, le concours, le dossier, le press-book, l'appel d'offre, le *prospectus* d'antan. Il reste un autre grand média traditionnel (très méconnu aujourd'hui), le *Livre d'architecture*, « image spéculaire de la création architecturale », la continuité de Palladio, Ledoux, Tony Garnier, Hénard, Wright, Archigram; livres à ne pas confondre avec les livres *sur* l'architecture, les revues d'information, analyses et essais historiques, méthodologies, biographies, monographies, catalogues et autres.

Le livre d'architecture tel que nous l'entendons est *œuvre*, le projet dans sa plénitude où la page imprimée n'est plus seulement de l'information sur une œuvre, mais l'œuvre elle-même.

Et dans ce contexte la reproduction de l'image, l'image de l'image (et ses mises en page) deviennent fondamentales, alors que l'original d'un dessin ne sera plus qu'objet de collection peut-être, mais accessoire dans le mouvement des idées.

JEAN-PAUL JUNGMANN

LE DESSIN EST DONC UN OBJET TOUT AUSSI FUTILE QUE PUISSANT.

L'architecte dira : « j'ai construit, cette ville, cette forteresse, cette maison ou cette centrale ».

Ainsi parlent le roi, le général ou l'artisan. Autant de façons de s'exprimer, car seul l'artisan ou l'artiste parle vrai quand il dit : « J'ai construit ceci et cela ».

Ce à quoi font référence l'architecte autant que le souverain ou l'entrepreneur, c'est qu'ils sont, à divers degrés, intervenus dans le dessin, qui est à la base d'une conception urbaine, militaire ou tectonique; c'est-à-dire dans ce dessin qui fait autorité en tant que document graphique, qu'il ait été esquissé, gravé ou tracé sur le papier, le bois, le métal ou dans le sable.

Dans la construction d'un monde proprement humain, le dessin est donc un objet tout aussi futile que puissant.

Tout comme la feuille écrite, le dessin a peu de valeur en soi, car tout son pouvoir et son autorité résident dans sa capacité de décrire, de suggérer, de diriger, de donner forme, de façonner des objets, des structures, des événements selon une volonté et une vision précises. Comme c'est le cas pour le billet de banque, l'autorité du dessin est toute morale. La même goutte d'encre permet de dessiner un camp de concentration ou une ville splendide, le simple gestion de l'architecte décide si une communauté d'hommes vit agréablement dans la ville faite à leur mesure et goût ou qu'ils soient entassés, se hâtent et se bousculent comme des misérables pour la durée de leur vie.

Dessiner est un exercice d'autorité et donc une activité éminemment morale qui engage la responsabilité et la conscience individuelles, le sentiment de vérité et de justice autant que le sens de la beauté et de la mesure. Tout comme c'est le cas pour les bonnes choses de la vie, que ce soit l'amour, les bonnes manières, la langue ou la cuisine, la *créativité* personnelle n'y est que rarement de mise. Le poète ne brille pas par sa capacité de créer des mots, mais celle de suggérer par des mots, des sons et des tournures bien familières, des valeurs universelles, des expériences ataviques qui par cela même nous touchent profondément.

Le dessin nous permet à peu près tout; comme l'écriture et la parole, il offre peu de résistance à l'excès et au caprice. Ce qui se dessine et se construit de nos jours est plein de fougue et d'une vitalité brutale, on y sent une folle volonté d'expression, les silhouettes de Marne, de Créteil ou de Beaubourg sont pleines de messages par trop évidents et leur contenu est généralement tout aussi banal que bruyant.

Des silhouettes urbaines dessinées selon des formes de camembert, d'artichauts, de fusées et de raffineries de pétrole ne signifient rien en tant qu'architectures, n'ajoutent rien non plus au prestige des produits agricoles ou des diverses technologies qui les ont si superficiellement inspirés. *Mes dessins,* au contraire, *parlent* de villes et de leur construction, de palais et de maisons, de charpentes et d'entablements, de toutes ces *idées immortelles qui me permettront un jour de construire une ville où il fera bon vivre;* façon de parler, bien sûr !

LÉON KRIER

J'INSTAURE SOUVENT DES RELATIONS ÉTRANGES ET PERTURBANTES ENTRE LES CHOSES ET MON TRAVAIL.

L'obligation de trouver une expression ou un image architecturale adéquate se révèle dans le dessin, et débouche sur un échange d'idées et l'examen de problèmes esthétiques ... l'action dramatique de la construction peut commencer.

Les images architectoniques sont les produits du temps, du lieu et de la tradition. L'architecture consiste à raccorder des images à notre environnement : elle est additive et reflète le monde le plus proche de nos désirs profonds. Ne jamais stagner... chaque jour de nouvelles exigences... de nouvelles images. Culture dominée par la machine, béton, pollution, chômage, animosité et aliénation sont des symboles du mode de vie actuel. Le langage des formes est à l'avenant : le design se confond avec l'objet, la construction architecturale avec le contenant et la machine... perception dénaturée des environs, dont le caractère cyniquement exclusif ne remplit qu'une fonction matérielle [...]

Pour ménager des espaces de stimulation qui permettent une large gamme d'expériences, j'instaure souvent des relations étranges et perturbantes entre les choses, dans mon travail. Une architecture complexe, ambiguë et paradoxale, où le sentiment d'être face à une énigme conduit l'œil et la pensée à chercher ailleurs la gratification et la compréhension. L'éclectisme accentué par les juxtapositions. Toutes les expériences qui dépassent le langage architectural traditionnel sont bonnes à prendre pour créer l'atmosphère voulue. C'est comme un album dans un système ouvert, où les expériences les plus fécondes ont la vertu d'attirer d'autres expériences émotionnelles, des espaces de joie et d'exaltation poétique. L'architecture doit apporter à ses habitants un élan vital renouvelé [...]

Sensation polychrome, le mouvement interne de la couleur procède de la forme et de l'ornement, et le tourbillon de la spiritualité et du cosmos traverse la forme. L'âme de la couleur introduit l'action dramatique dans la construction, une évocation de l'ineffable vérité aussi claire que celle qui est proposée dans les grandes cathédrales gothiques. La couleur et l'ornement sont des réalités essentielles dans mon architecture.

L'importance de la conscience historique et le maniement du langage architectonique, l'ancrage sur le temps présent et la prévision des innovations se fondent dans l'union du passé, du présent et de l'avenir opérée par un style résolument nouveau. Cela suppose des métaphores générales, une débauche d'exotisme futuriste ou un amour de la sensibilité nordique dans une exploration de la tradition de la construction courante. Un romantisme nordique, songe d'une nuit d'été plaisant et optimiste ou cri de détresse mélancolique à la Strindberg. L'un n'exclut pas l'autre.

On peut comparer ma façon d'assembler des images apparemment disparates dans un espace architectonique avec celle du poète qui fait la même chose en utilisant des mots. Une architecture littéraire dans un style épique, une langue vivante propre à la communication avec des individus. Un nouvel aspect, peut-être jamais vu dans l'architecture, une œuvre d'art qui recèle une infinité d'images possibles. Les titres fortement connotés désignent le contenu et la source d'inspiration : *Une histoire d'amour, La maison de Jacob au paradis, La maison de Narcisse, La maison de Lucifer aux enfers.* De violentes et grandioses impressions de nature donnent la *Maison pour Ossian,* des vies historiques engendrent des paraphrases de l'architecture viennoise et du régionalisme danois; un hommage à la ville de New York se traduit par une maison-colonne.

• A présent, tout est possible... si seulement on nous donne l'occasion de faire à nouveau de l'architecture.

ERNST LOHSE
Traduit de l'anglais par Jeanne Bouniort

... C'EST À TRAVERS DES CONNOTATIONS, DES IMPRESSIONS, UN ANGLE DE VUE, UN DÉTAIL QUE LE RAPPORT AU CONCEPT SERA ÉTABLI.

Le dessin d'architecture n'est qu'un relais. Un moyen. Un levier. La finalité de l'acte architectural c'est le réel. Le bâtiment concret, construit qui, toujours, synthétisera et dépassera les multiples représentations qui l'ont précédé.

Ici, dessiner — au-delà du travail permanent de recherche — est toujours une représentation préalable et, le plus souvent, un acte didactique. Faire comprendre à un commanditaire l'esprit d'une architecture : la fidélité n'est plus le problème essentiel, c'est à travers des connotations, des impressions, un angle de vue, une distance, un détail que le rapport du concept au réel sera établi.

Transmettre précisément des données à un constructeur : du code de représentation à la somme d'informations, tout concourt à objectiviser. C'est de la poésie mise en équation. De la recette de cuisine pour des concepts à concrétiser.

Dans les deux cas « le dessin » utilisera la potentialité d'une époque. A travers une technique et des référents. La séduction utilisera les pistes défrichées par les arts plastiques, les images — conscientes ou inconscientes — valorisées par les médias. L'efficacité imposera les techniques les plus avancées, de l'ordinateur à la table traçante, de la documentation référentielle aux essais de laboratoire.

Il reste le dessin sur l'architecture — à propos d'architecture — il renvoie, quant au jugement que l'on peut porter à son égard, à toute œuvre picturale thématique. Il est hors du champ architectural. Il nourrit le substrat à partir duquel le concept d'architecture s'élabore.

JEAN NOUVEL

RIGUEUR, INVENTION, IMAGINATION...

J'aime dessiner sur une table légèrement inclinée, devant une fenêtre, de préférence au nord, ou sur une grande planche recevant la lumière de gauche à droite. Je dessine le jour, debout : j'ai du recul, je me déplace. Je continue à travailler comme à l'école. Je n'ai jamais utilisé de technigraphe ou de pantographe. Lorsque je fais du croquis, je m'assieds sur un tabouret de bar. Je croise imperceptiblement les traits, à peine, à peine, pour donner au dessin un caractère construit.

Je ne procède jamais par superposition de feuilles transparentes pour rechercher un parti, une solution ou définir un détail. Au préalable, je pense longuement au programme, je réfléchis, je médite, j'imagine l'architecture dans l'espace, je me représente mentalement

le projet. Ensuite, après quelques études préliminaires, j'ai pris l'habitude de dessiner d'un seul jet et directement sur le calque, sur des papiers de première qualité ou des cartons de papier satiné réservés généralement aux aquarellistes. Pour cela, il faut que mon dessin, ainsi que la couleur, soient entièrement préconçus, prémédités et que chaque trait et chaque touche vienne à sa place naturellement au moment de l'exécution. Je m'arrange pour ne jamais effacer. Je dois savoir où aller, où je veux en venir. J'ajouterai encore que le dessin doit être parfait, mais cependant inférieur à l'objet réalisé, bien que, par rapport au projet, la construction marque parfois la fin du rêve, à cause de certaines réglementations et des multiples interventions provenant de l'extérieur et hostiles à la conception.

Du côté de l'art de bâtir, il se passe actuellement quelque chose de fort intéressant dans la mesure où le dessin d'architecture est le lieu d'une extraordinaire renaissance. Le dessin redevient peu à peu un merveilleux instrument d'expression. Ce renouveau, ce retour à l'image construite, au dessin imaginé, amène dans l'architecture un remarquable souffle d'utopies réalisables. L'utopie et le visionnaire constituant aussi des dimensions architectoniques fondamentales, des signes prometteurs s'ensuivent nécessairement et abondamment.

Quant à la portée réelle des théories, je crois à une architecture internationale, commune, universelle, mais diversifiée et personnifiée par des expressions nationales et régionales fondées sur des caractéristiques géographiques, territoriales, climatiques, historiques, religieuses, artistiques, culturelles et sociales tenant compte de la nature, de l'atmosphère, de l'ambiance et des matériaux du pays.

En ce moment, ma propre tendance est celle de l'invention, l'imagination devant toutefois rester sous le contrôle absolu de la rigueur. Mon idéal est d'assembler, dans un même problème, la splendeur géométrique des plans du baroque piémontais et romain, ainsi que l'éblouissement de l'expressionnisme constructif, en les soudant à l'harmonie néo-plastique et à la logique fonctionnelle, pour aboutir aux prolongements de l'architecture métaphysique. Par ailleurs, je ne fais aucune différence, par

exemple, entre l'architecte du Parthénon et Le Corbusier : leurs œuvres étaient à l'avant-garde en leur temps, elles le sont encore aujourd'hui et le seront toujours [...]

L'architecture nouvelle doit être avant tout une invite à l'espoir (qui est tant désiré), à la beauté (qui est gratuite) et à l'harmonie (qui ne coûte rien). Mais le rôle et la mission de l'architecte sont complexes et infinis. L'architecte crée la cité. Et la ville, ce n'est pas seulement des murs et des abris, c'est toute une vie.

Comment vois-je la cité ? Je longe les façades des édifices, je lève la tête, et je contemple la ville en axonométrie.

ALBERTO SARTORIS

LE DESSIN N'A PAS DE FIN EN SOI, PAS DE VALEUR ARTISTIQUE PROPRE...

J'aimerais préciser dès le départ que je ne suis ni un peintre; ni un illustrateur, ni un spécialiste graphique qui fait de la « représentation graphique » pour exprimer ses sentiments artistiques et ses idées. Dans la mesure où je suis concerné, je fais des dessins en tant qu'architecte dans le cadre de la réalisation de constructions, ce qui veut dire donner des directives et des instructions à l'aide de dessins sur la manière de concevoir une structure architecturale; autrement dit, comment construire. Le dessin (peu importe qu'il soit un dessin perspectif, un plan axonométrique, un plan d'étage, ou une section) n'a pas de fin en soi, pas de valeur artistique propre; c'est seulement un moyen pour réaliser une construction.

Il n'y a vraiment pas de différence dans la qualité, la culture, l'apparence, la conception d'un dessin, que ce soit pour la représentation d'une construction ou seulement pour des parties de celle-ci. La cohérence des dessins, comme le but pour lequel ils sont faits, demeure les mêmes. Les dessins, par conséquent, ont un caractère certain de neutralité comme c'était le cas à l'époque médiévale quand le « bâtisseur » faisait une épure [...] A la différence du dessinateur, du peintre ou du sculpteur, j'utilise l'habileté et la technique du dessin comme un métier.

C'est la raison pour laquelle seul le plan « montre » le concept, et ne pourrait « montrer » un milieu. Le plan, dans son sens traditionnel en architecture, fournit des instructions, pas des impressions. Ce sont des conseils pour faire quelque chose et ne pas se distraire du contexte [...]

Permettez-moi de poser une question : verriez-vous quelqu'un qui dessine les cartes d'une ville, d'un pays ou du monde comme étant impliqué dans une représentation graphique ? Pensez-vous que le monde pourrait avoir été découvert, si le tracé des plans et des cartes qui rendirent cela possible avait été une représentation graphique ?

Les cartes et les plans délivrent des messages à ceux qui les utilisent. Ils ne sont pas faits dans le but de décorer les murs et de plaire à qui les regarde. Ils sont faits pour apporter de la clarté dans une réalité désordonnée, pour donner un ordre au chaos. Ce sont des documents, documents de la pensée et de découverte.

Ils ne sont rien moins que l'expression d'un esprit de mise en ordre et ce sont des documents non pas d'images mais d'étapes de la pensée, de sa clarté ou, parfois peut-être, de sa totale confusion. Souvent aujourd'hui, on pense qu'il y a plus de confusion que de clarté et, en conséquence, l'architecte commet d'ordinaire des dessins pittoresques au lieu de plans précis. Ainsi la culture architecturale semble s'exprimer également dans la conception de plans d'architecture.

OSWALD MATTHIAS UNGERS
Traduit de l'anglais par François Bouchard

MON TRAVAIL EST DEVENU REFUS DE L'ARCHITECTURE STRICTEMENT PRAGMATIQUE ET RATIONNELLE.

L e dessin d'architecture n'a plus de caractère polémique, il en avait un dans les années soixante-dix. A cette époque, le dessin d'architecture en tant que forme d'ironie, métaphore ou manifeste graphique défiait les conventions. A présent, il est convention. Ce retournement est bien entendu nécessaire et profitable.

Pour l'architecture, le dessin est le vecteur des idées. Si l'on s'éloigne actuellement d'un modernisme essoufflé et galvaudé, cela correspond à une phase de régénération. Le modernisme a donné naissance à un certain nombre d'écoles de pensée différentes et antagonistes, chacune se servant de son style de dessin comme d'un manifeste. En répondant par une avalanche de publications, les revues d'architecture sont devenues des instruments de propagande. Maintenant, nous sommes dans une période de mise en pratique, avec une jeune génération cultivée, aussi avide de construire et de dessiner que ses maîtres, mais moins préoccupée par la pureté conceptuelle de ses idées.

Au milieu des années soixante-dix, mon travail est devenu refus de l'architecture strictement pragmatique et rationnelle. Cette recherche graphique s'est développée, à l'intérieur d'une série de projets, depuis un constat critique jusqu'à la redécouverte de l'aspect poétique et affectif de l'espace. Ces maisons constituaient des manifestes concernant les rituels et les simulacres, où le concept se substituait à l'usage. Les dessins très fouillés et évocateurs exprimaient de façon polémique l'idée que les relations des individus avec l'architecture ne sont pas fortuites ou éphémères, mais profondes, durables et émotionnelles.

Vers la fin des années soixante-dix, le moment vint de tester hors du laboratoire le langage de formes, de matériaux et de concepts qui se faisait jour, et ce, bien souvent dans le cadre de la compétition architecturale. L'invention s'allia alors à de meilleures connaissances historiques et à un raffinement corrélatif de la syntaxe.

A présent, mon travail est tout à fait différent. Je fais délibérément des dessins plus rudimentaires au stade des premières études, et des dessins plus sobres et linéaires quand j'approche de la réalisation. Le danger à éviter est le moyen terme, où les dessins deviennent apprêtés et académiques. Le dessin sert de pont entre le monde aléatoire du concept et le monde tangible de la forme.

PETER WILSON
Traduit de l'anglais par Jeanne Bouniort

VOCABULAIRE TRADITIONNEL
DES DESSINS D'ARCHITECTURE

(à l'exclusion des termes attachés aux instruments du dessin)

————— PATRICK CÉLESTE —————

Ce lexique a été établi à l'aide de différents dictionnaires de la langue française, à partir de manuels, traités et dictionnaires de l'architecture ou du dessin, et grâce aux conseils éclairés d'Henri Bresler.

ANAMORPHOSE *n. f.* (1751; du gr. *ana* « en remontant », et *morphé* « forme », *anamorphoun* « transformer »). **1°** Image déformée d'un objet, donnée par une perspective particulière, soit par une incidence oblique très forte des rayons perspectifs par rapport à l'objet et/ou le tableau, soit par une forme inhabituelle du tableau, p. ex. un cône. A l'aide d'un miroir de forme adapté et disposé convenablement, l'image normale peut être restituée. En peinture : effet d'optique consistant à déformer ce qui, vu sous un certain angle, reprend son aspect véritable. L'anamorphose en tant qu'image cachée/révélée a passionné le XVIIIᵉ siècle. **2°** Certaines architectures sont bâties suivant ces principes illusionnistes, en particulier dans l'art des jardins, des décors de théâtre et de leur scène où ce qui est construit ou peint échappe en partie à l'apparence ordinaire des choses.

AÉROGRAPHE *n. m.* (1923; du gr. *aeros* « air », et *graphein* « écrire »).
Pulvérisateur à air comprimé dont on se sert pour projeter de la couleur ou de l'encre. L'apparition de l'aérographe dans le dessin d'architecture est très récente, et reste tributaire des manières graphiques des métiers de l'illustration et de la publicité qui les premiers l'utilisèrent. Un rendu à l'aérographe fait à la fois « moderne », « branché », et « pro ». V. **Rendu au souffle en cul.**

AGRANDISSEMENT - RÉDUCTION
Agrandir et réduire sont deux opérations courantes de changement d'échelle dans le dessin d'architecture. Il s'agit dans l'un et l'autre cas, soit de reproduire l'original trait pour trait (ceci n'intéresse que le choix des formats et des mises en page) soit, et c'est la question la plus importante, de changer le niveau de lecture et celui des opérations projectuelles conduites sur les documents : un *plan d'ensemble* et un *plan de détail* ne se dessinent pas à la même échelle, chacun d'eux est porteur d'informations différentes : le plan d'ensemble fixe, p. ex. le rapport de l'édifice à son site d'insertion, le plan de détail : le rapport des éléments constructifs à l'édifice. On agrandit ou réduit un dessin suivant différentes méthodes. **1°** manuelles — par la *mise aux carreaux*, cette manière n'est pas très exacte et ne

convient p. ex., que pour les lignes isométriques du terrain ou en s'appuyant sur les règles mathématiques et géométriques des rapports de réduction : on peut, soit utiliser l'homothétie point par point, soit, et c'est la méthode la plus courante, reconstruire le dessin à une autre échelle à l'aide d'un compas réducteur ou d'une simple règle graduée, et en reportant les angles (lors d'un changement d'échelle ceux-ci ne varient pas). **2°** à l'aide d'instruments mécaniques ou optiques : — le **Pantographe,** (le mot remonte au milieu du XVIIIᵉ) instrument composé de tiges articulées, disposées suivant un parallélogramme; — la **Photographie,** (depuis la 1ʳᵉ moitié du XIXᵉ); — la **Xérographie,** plus communément appelée *photocopie,* (il existe depuis quelques années des machines qui permettent de réduire ou d'agrandir directement et instantanément sur le papier ou le calque toutes sortes de documents graphiques, cette technique révolutionne les méthodes de duplication et de variation d'échelle).

AQUARELLE *n. f.* (1791); it. *acquarella,* de *acqua* « eau »). Peinture légère sur papier avec des couleurs transparentes délayées dans de l'eau. Avant que ne s'impose le dessin sur calque, l'aquarelle était communément utilisée pour la codification (parties projetées, parties conservées, parties à détruire) et pour l'imitation par des effets plus ou moins naturalistes. V. **Lavis, rendu.**

AXE *n. m.* (1372; lat. *axis* «essieu»). C'est une ligne de construction généralement tracée par la succession régulière d'un trait et d'un point. « *L'axe est la clef du dessin et sera celle de la composition. Il importe de le bien définir. Vous savez ce qu'est un axe en géométrie : ce n'est qu'une ligne, la ligne de partage en deux parties égales d'une figure plane symétrique, ou la ligne des pôles dans une surface de révolution ou un solide régulier : tel qu'un prisme droit à base régulière. En architecture, l'idée d'axe est plus large : elle s'étend à tout l'ensemble d'un plan vertical séparant les deux moitiés d'une symétrie. Aussi, quoique sa représentation graphique se borne à une ligne droite, n'oubliez pas que ce n'est pas une simple ligne [...]. Si vous avez à dessiner une église, au plan symétrique, il vous faut, dans un dessin d'architecture, procéder avant tout par des axes* » (A. Guadet). Cette définition de la fin du XIXe appartient au système Beaux-Arts, Le Corbusier n'y voit qu'une recette critiquable et invite à limiter l'emploi des axes et à les utiliser judicieusement en raison de la « *hiérarchie des buts, et de la classification des intentions : il ne faut pas mettre les choses de l'architecture toutes sur des axes, car elles seraient comme autant de personnes qui parlent à la fois* ».

Désaxement. Jeu sur différentes axialités, sur des rattrapages ou des compositions de figures symétriques disposées de manière dissymétrique. **Entre-axe.** Intervalle entre deux axes fixant la disposition régulière des éléments de la structure porteuse d'un édifice. On parle de *l'entre-axe des voiles* pour désigner la distance entre les milieux respectifs de deux murs de béton armé. De cette distance et de l'épaisseur des murs dépendent, en particulier pour le logement, les capacités du plan à contenir une surface habitable donnée et différentes pièces.

BARBOT *n. m.* Tache sur le dessin; il existe un ensemble de procédés pour résorber ou effacer le barbot, pour une tache d'aquarelle, en la lavant à l'eau, pour l'encre, en grattant à l'aide d'un grattoir ou plus simplement avec une lame de rasoir. Pour restituer au papier

ses qualités il faut le poncer, ce qui lui redonne du lisse et réduit les risques de diffusion de l'encre au niveau des raccords. Il était de bon ton dans l'ancienne Ecole des beaux-arts de tirer parti de cet accident en développant, à partir du barbot, tout effet de rendu : arbre, personnage, etc.

CALQUE *n. m.* (1690; it. *calco,* de *calcare* «presser»). *Poser un calque* se dit de l'opération consistant, lors de l'élaboration d'un projet ou lors de toute correction, à dessiner sur un papier-calque laissant voir par transparence le dessin à corriger ou à améliorer, *le dessous.* L'accent est mis dans cette expression, sur l'aspect correctif d'un projet. Quoique le terme soit ancien (fin XVIIIe; les traités de dessin du XVIIIe ne font allusion qu'« *à un papier très mince que l'on nomme papier à la serpente, en sorte qu'étant appliqué sur l'écriture ou sur quelque dessin, il n'empêche pas d'en voir les traits; par conséquent ce papier est très propre pour tirer ou copier des desseins* [v. Dessin] *que l'on ne veut pas piquer, comme le paysage et autres. Il est encore propre pour copier ceux que l'on ne pourrait pas appliquer à la vitre* » (Buchotte). Cette définition met l'accent sur la production de copies à partir d'un original. L'usage s'est peu à peu répandu de dessiner principalement sur papier-calque depuis le milieu du XIXe, pour quatre raisons : l'une tenant aux progrès réalisés dans la fabrication et la diffusion de ce papier; une autre, à la pratique de l'élaboration du projet par superposition de calques successifs qui conduit de l'idée brute de l'esquisse à ses différents stades de mise au point; une autre encore est due à ses qualités de solidité car le calque se prête bien aux corrections (effacement des traits d'encre à la lame de rasoir); la dernière enfin, tient à ses qualités de transparence qui permet la reproduction par procédé héliographique. V. **Reprographie.** Le calque, à la différence du papier (en particulier les papiers anciens (XVIIe, XVIIIe siècles), se conserve très mal, il casse, jaunit, etc. Ce défaut, ajouté au fait qu'on lui attribue moins de valeur que le papier (lequel peut recevoir des applications de couleurs : aquarelle), a contribué à la quasi-absence de calques anciens dans les différentes archives, accentuant l'impression suivante : les dessinateurs des

siècles passés avaient une plus grande maîtrise du dessin, faisaient preuve de plus de rigueur dans leur projet et d'économie dans leur utilisation du papier. **Décalquer** ou **Calquer,** c'est dessiner sur calque. **Contre-calque.** Reproduction d'un dessin original dessiné sur un support transparent (généralement un calque), obtenue par tirage héliographique fournissant une épreuve transparente sur laquelle il est possible de travailler comme sur un calque et qui, comme celui-ci, se prête à d'autres tirages héliographiques.

CHAMEAU *n. m.* Terme d'atelier, un chameau est une erreur par manque de concordance entre les différents dessins se rapportant à un édifice, il s'apparente au « H.C. » mais, en fait, révèle non pas tant une étourderie qu'une divergence profonde des principes de composition ou de construction utilisés pour une étude. En ce sens, un chameau fait découvrir une impasse. Le mieux, si le temps presse ou si on ne veut ni camoufler ni remonter aux sources de l'erreur, est d'en tirer parti en l'affirmant pour lui donner un statut d'intention délibérée et, alors, de réaliser le projet « autour » du chameau. D'une certaine manière, la nouvelle architecture dite postmoderne, qui élève la contradiction au rang de principe fondamental afin de combler le vide théorique entre l'architecture classique et celle du Mouvement moderne, se rapporte à ce courant de prise de conscience des ressources qu'offre le chameau.

CHARRETTE *n. f.* 1° « *Pendant ce temps, c'est-à-dire à midi quand les étudiants doivent rendre impérativement leur panné à l'Ecole des beaux-arts, par l'entrée de la rue Bonaparte, arrivent les charrettes. Les élèves des ateliers extérieurs apportent leurs projets à l'École dans de petites voitures à bras, qu'ils traînent eux-mêmes, et auxquelles ils donnent le nom de charrettes, or, comme ils arrivent toujours pressés, et plutôt en retard qu'en avance, les élèves ont adopté aussi le mot pour désigner le branle-bas du rendu. La charrette constituant la dernière phase du projet, on dit qu'on est en charrette, quand on est attelé à un travail urgent* » (A. Lemaistre). **2°** On dit *un rendu charrette* pour qualifier un dessin à la facture trop enlevée qui laisse deviner l'état de presse dans lequel il a été réalisé. **3°** Ce terme caractérise une des formes de travail des agences professionnelles qui repose sur la pratique répandue d'engagement de dessinateurs ou d'architectes pour une période limitée auxquels il sera demandé de passer de nombreuses nuits blanches afin que le dossier soit déposé à l'heure fixée, on dit alors *faire une charrette*.

CHOUCROUTE V. **Tortillons.**

COUPE *n. f.* (1681) « *La coupe qui dans les vieux livres s'appelle aussi profil, est le dessin qui figure l'édifice tel qu'il s'offre à notre pensée quand nous l'imaginons coupé, scié verticalement, soit dans le sens de sa façade principale, soit parallèlement à ses côtés. En d'autres termes, la coupe représente le bâtiment comme si l'architecte, pour nous en montrer l'intérieur, avait enlevé une des façades. La coupe est dite transversale lorsqu'on suppose l'édifice coupé suivant la ligne qui en mesure la longueur; la coupe est dite longitudinale lorsqu'on suppose l'édifice coupé suivant la ligne qui en mesure la longueur* » (H. Blanc). Généralement la coupe est *géométrale* : les objets sont projetés sans perspective. Quelquefois on fait une *coupe perspective* qui, à partir du plan de coupe représenté en géométral par le trait de coupe cernant une sorte de cadre, laisse voir l'intérieur de l'édifice figuré en perspective. La coupe est le second terme de la trilogie : plan, coupe, élévation; selon A. Guadet, c'est l'ordre logique, il correspond à la manière de conduire un projet : tout d'abord on dispose horizontalement les parties d'un édifice, ensuite verticalement, enfin à partir du système spatial et géométrique ainsi défini, on élève le dessin des façades.

COUPE (EN) BAÏONNETTE Le plan de coupe peut subir quelques déformations afin de s'adapter à la forme de l'édifice, et d'emprunter de manière préférentielle l'axe des ouvertures, montrant ainsi le mode d'éclairement et le parcours privilégié. V. également **Profil, sciographie, trait de coupe.**

COTE *n. f.* (1390; lat. médiév. *quota*, de *quota pars* « pars qui revient à chacun ») 1799; en géométrie descriptive, chiffre indiquant une dimension). Pour le dessin d'architecture c'est également un chiffre donnant les dimensions de la construction représentée, soit d'un projet, on parle alors de *projet coté*, soit d'un relevé, on parle alors de *relevé coté*. Dans un dessin d'exécution les cotes doivent être placées judicieuse-

ment et correspondre à des éléments du plan ou de la construction de même nature. Chaque nature d'élément doit avoir sa propre *ligne de cotes* : celle de l'encombrement de l'édifice, celle des entre-axes des éléments porteurs, celle des épaisseurs de ces éléments, celle des percements des baies et de la dimension des trumeaux, celle enfin des dimensions des pièces et de l'épaisseur des cloisons. Pour les autres dessins, p. ex. un projet au stade de l'esquisse, « *il vous suffit [...] de vous assurer de quelques dimensions principales, dérivant des besoins matériels du programme, pour que, par le fait même de l'harmonie réalisée, toutes les autres dimensions en découlent inévitablement* » (M. E. Arnaud).

CROBARD *n. m.* Terme Beaux-Arts utilisé pour croquis, il accentue l'idée que les architectes se font de leur capacité à saisir de manière synthétique les grands traits d'une architecture ou d'un paysage, d'en garder une image graphique, de *voir dans l'espace* et de donner rapidement forme à l'idée. C'est pourquoi les instruments privilégiés du crobard seront le crayon gras, ou le feutre noir qui n'autorisent ni hésitation, ni correction du dessin. **Crobarder** c'est faire un crobard. V. **Esquisse.**

CROQUIS *n. m.* (1752; de *croquer*, 1650) terme de peinture qui signifie prendre rapidement sur le vif) « *Vous dessinerez [...] en croquis, et là vous ne devrez rien qu'à vous-même. Aussi le croquis sera-t-il le moyen le plus rapide de progresser dans votre art, car vous ne pouvez faire le croquis d'une chose quelconque sans l'avoir attentivement examinée, pénétrée en tous sens [...]. Ni compas, ni mètre, l'œil seul comme unique instrument de mesure, et d'évaluation proportionnelle. Vos croquis devront être faits en géométral, vous vous habituerez ainsi à voir en géométral, fussiez-vous placé obliquement [...]. Enfin si vous êtes courageux, je ne saurais trop vous recommander un exercice excellent, le croquis de mémoire* » (A. Guadet). V. **Crobard.**

DESSEIN *n. m.* (XIIIᵉ; empr. de l'it. *disignare*, à la fois « dessiner » et « former un plan »). La distinction de dessein et dessin dans leur acception moderne n'apparaît qu'à la fin du XVIIIᵉ, auparavant dessein était d'un emploi plus usuel que dessin, aussi bien dans le sens d'intention que dans celui de représen-

tation graphique : « *Les plans, les profils, les élévations et les façades sont nommés en général dessein* » (Buchotte). V. **Dessin.**

DESSIN *n. m.* (XVᵉ; de *dessigner*, d'après l'it. *disegno; dessein* jusqu'au XVIIIᵉ). « *Du dessin, une seule chose à dire vous ne serez jamais assez dessinateur [...]. Seule l'étude du dessin vous rendra sensible aux proportions, à des nuances extrêmement délicates qui défient le compas et que l'œil cependant perçoit; elle vous donnera la fécondité, l'imagination, la richesse artistique [...]. Et sachez-le bien, vous n'arriverez à bien dessiner l'architecture, à bien exécuter un dessin géométrique, que si vous êtes suffisamment dessinateur, au sens ordinaire du mot* » (A. Guadet). L'importance accordée à l'exercice du dessin pour la formation de la culture de l'architecte, et de sa capacité à contrôler les formes est une question sans cesse reposée. Tout ce que l'on sait, c'est qu'au cours de l'histoire bon nombre d'édifices furent bâtis sans la médiation du dessin, et qu'un beau dessin n'inaugure pas mécaniquement de la pertinence et de la beauté d'une architecture; « *Le dessin et l'architecture sont deux réalités différentes* » (J. N. L. Durand). V. **Dessein.**

DESSIN À LA VITRE Méthode de copie d'un dessin. « *Appliquer à la vitre le dessein que l'on veut copier, sur lequel on attache pour cet effet le papier blanc avec des épingles fines, ou des pinces à coulans, alors le jour passant à travers la vitre, fait voir tous les traits de l'original que l'on trouve sur le papier blanc avec le crayon noir, en appuyant légèrement, afin que, la copie étant faite, l'on puisse effacer les traits de crayon. Pour tracer commodément à la vitre il faut avoir un châssis. Cette méthode est meilleure pour les cartes, pour l'accompagnement d'un plan, pour le paysage, pour l'ornement de l'Architecture [...], pour les parterres et autres, comme les figures, que pour les plans et profils des ouvrages* » (Buchotte). On dit aussi **Dessin à la lampe.** Actuellement ce procédé s'est renouvelé grâce aux projections de diapositives sur un écran translucide permettant d'arrêter l'image et de la reproduire à la main par transparence.

DESSIN GÉOMÉTRAL Géométral adj. (1665), on dit aussi *un géométral*, celui-ci représente un objet avec ses dimensions relatives exactes, suivant une projection orthogonale, i. e. perpendiculaire au tableau de projection disposé parallèlement, soit à la façade de l'objet, c'est alors une **élévation,** soit au plan de coupe horizontale de l'objet, c'est alors ce qu'on nomme généralement un **plan,** soit au plan de coupe verticale de l'objet, c'est alors ce qu'on nomme généralement une **coupe.** *« Le dessin d'architecture est le dessin géométral, le dessin géométral est le dessin exact, on peut dire le dessin par excellence. Tandis que le dessin pittoresque représente seulement l'aspect des objets, tels qu'ils apparaissent, le dessin géométral les représente tels qu'ils sont [...]. Seul ce mode de dessin permet la réalisation à l'identique d'une conception ou la reproduction identique d'une conception ou la reproduction identique d'une chose réalisée [...]. Sa qualité première sera donc l'exactitude absolue, la précision parfaite »* (A. Guadet). L'importance du dessin géométral (qui applatit l'objet et n'affirme aucun relief) tient à l'isomorphisme de la structure géométrique des édifices (généralement établie sur des plans horizontaux et verticaux orthogonaux) et du système de projection orthogonale. V. **Orthographie.**

DÉVELOPPÉ *n. m.* Un développé est un dessin qui réunit diverses vues qui normalement sont réalisées suivant des directions projectives différentes, p. ex. la juxtaposition de l'ensemble des élévations des murs intérieurs d'une pièce est un développé. Son emploi est principalement attaché à la stéréotomie pour la représentation de toutes les faces d'une pierre et l'exécution de sa taille. Par découpage, pliage et collage d'un développé on peut obtenir une maquette, à la manière des planches d'Epinal où sont reproduites la gare, la maison, la ferme...

ÉCHELLE *n. f.* (1175; lat. *scala*). **1°** Du sens général attaché à l'objet composé de deux montants parallèles, reliés par des barreaux régulièrement espacés et servant à monter et à descendre, celui-ci s'est étendu au domaine du dessin : c'est le rapport entre la représentation d'une longueur et sa dimension réelle. L'échelle peut être : *graphique,* elle est alors dessinée et ressemble plus ou moins à l'objet dont elle reprend le nom; ou *métrique,* et s'écrit, p. ex. pour une représentation du mètre réelle par 1 cm sur le dessin, soit par un rapport,

1/100ᵉ, soit par un nombre rationnel 0,01, alors qu'il est plus commun de dire *un centimètre par mètre.* Quand l'objet et son dessin sont de mêmes dimensions on dit et on écrit *échelle réelle, grandeur nature* ou *échelle 1.* Il est courant de trouver de nombreux dessins du début du XIXᵉ où figurent à la fois l'échelle métrique et celle construite à partir de la toise. *« Les échelles les plus simples doivent être préférées : un centimètre, un décimètre par mètre. La proportion purement décimale prête peu aux erreurs. Mais des raisons matérielles peuvent exiger d'autres échelles, elles seront en général double ou moitié de celles-là »* (A. Guadet). Les différents dessins d'architecture s'exécutent à des échelles appropriées : *les plans d'ensemble, de masse,* à 1,2 ou 5 mm par mètre — les plans tels que *les permis de construire,* à 1 cm par mètre, cette échelle permet de comprendre les grands agencements et les dimensions en particulier de la structure constructive — 2 cm par mètre est l'échelle des *plans d'exécution,* et de mise au point d'un projet, elle permet d'introduire dans le dessin les tracés schématiques du second œuvre (électricité, plomberie...) et de rendre compte des différentes épaisseurs des matériaux mis en œuvre — 5 cm par mètre (et au delà, 10 cm...) sont les échelles des *détails d'exécution.* **2°** **Echelle.** (*d'un édifice* ou *échelle relative*). *« En architecture, on dit l'échelle d'un monument... cet édifice n'est pas à l'échelle. L'échelle d'une cabane à chien est le chien, c'est-à-dire qu'il convient que cette cabane soit en proportion avec l'animal qu'elle doit contenir. Une cabane à chien dans laquelle un âne pourrait entrer et se coucher ne serait pas à l'échelle. Ce principe, qui paraît si naturel et si simple au premier abord, est cependant un de ceux sur lesquels les diverses écoles d'architecture [de notre temps] s'entendent le moins »* (E. Viollet-le-Duc).

ÉCLATÉ *n. m.* Figuration qui décompose l'objet et en disperse les parties dans le plan de l'image. Un éclaté se dessine à partir d'un canevas perspectif (axonométrie, isométrie) et demande, tout en séparant les éléments, de suggérer leur réunion. A la différence de l'écorché qui coupe les éléments, l'éclaté les distingue. Dans un même dessin, éclaté et écorché peuvent coexister.

ÉCORCHÉ *n. m.* Dessin analytique d'un édifice ou d'une machine dont sont

omises certaines parties de l'enveloppe pour en montrer l'organisation intérieure. L'écorché est généralement une représentation plane des trois dimensions de l'espace; de ce fait elle s'exécute à partir des différentes formes de perspective — classique, axonométrique ou isométrique — soit à l'aide de déchirures fictives, soit à l'aide de divers plans de coupe. En vue géométrale l'écorché convient bien pour révéler sur les plans la superposition des éléments constructifs, p. ex. d'un plancher, d'une toiture, du tablier ou des piles d'un pont.

ÉLÉVATION *n. m.* **1°** Projection géométrale sur un plan vertical placé parallèlement à une des faces de l'objet. *« L'élévation ou façade est la projection de l'édifice sur un plan vertical extérieur. Elle peut comprendre des parties très éloignées les unes des autres, p. ex. la façade principale d'une église, et plus loin les bras de la croix ou transept. Sauf le cas d'une architecture uniforme partout, il faut plusieurs élévations pour rendre compte des extérieurs de l'édifice : façade principale, façade latérale, façade postérieure. Ces termes s'expliquent d'eux-mêmes »* (A. Guadet). Le terme d'élévation s'applique également aux vues géométrales des intérieurs, *élévation intérieure.* **2°** Au XVIIIᵉ, chez certains auteurs, l'élévation n'est pas une vue géométrale, mais une sorte de perspective : *« Les desseins qui représentent un édifice élevé sur son plan, en sorte qu'on en voit toujours deux faces s'appellent Elévation et la Perspective dont on se sert pour ces sortes de dessein, est nommée Perspective cavalière »* (Buchotte). V. **Façade, orthographie.**

ESQUISSE *n. f.* (v. 1550; it. *schizzo* « dessin », *schizzare* signifie d'abord « jaillir » et la tache que produit un liquide en éclaboussant, ensuite il prend le sens de « dessin provisoire »). Première opération consistant à faire jaillir les grands traits du projet pour la mise en place du programme et du parti. Dans l'ancienne Ecole des beaux-arts la pratique de l'esquisse est institutionnalisée, c'est une épreuve en temps limité (12 h), c'est aussi *l'esquisse (d')-esquisse,* préalable aux concours d'émulation. Le **crobard** est de même nature, le terme **ébauche** appartient plus au vocabulaire de la peinture qu'à celui de l'architecture. V. **Crobard.**

FAÇADE *n. f.* (XVIᵉ; *facciate,* 1611; it.

facciata, de *faccia* «face»). Générale-ment face antérieure d'un édifice où s'ouvre l'entrée principale, donnant le plus souvent sur la rue. Mais on parle aussi de *façade latérale* et de *façade arrière*, et même de *façade intérieure* et communément de *façades* au pluriel pour désigner l'ensemble des élévations des enveloppes verticales d'un édifice, et leur dessin. « *On applique le nom de façade aujourd'hui à toute sorte d'ordon-nance d'architecture donnant sur les dehors, sur la voie publique, sur une cour, sur un jardin. Mais ce n'est qu'au XVI*, *en France, qu'on a élevé des façades comme on dresserait une décoration devant un édifice, sans trop se soucier du plus ou moins de rapport de ce plan avec les dispositions intérieures* » (Viollet-le-Duc). A l'Ecole des beaux-arts on accorde moins d'importance à la façade qu'au plan ou même à la coupe, la raison en serait la veulerie des ensei-gnants qui, lors des jugements des concours, préfèrent limiter leur débat à la composition des plans; la façade qui, pour sa part, est une sorte de portrait de l'édifice et non sa structure, serait révélatrice d'un goût particulier, dès lors « *tout le monde n'étant pas d'accord sur ce qui est de l'architecture et ce qui n'en est pas, en trop parler aviverait les querelles* » (A. Gromort). V. **Élévation, géométral, orthographie.**

H. C. l'expression *H. C.*, i.e. «hors concours», s'applique au manque de concordance entre le plan, la coupe et l'élévation d'un projet, sanctionné dans l'ancienne Ecole des beaux-arts par la mise à l'écart des projets présentant ce défaut. Aucune notation, ni aucun jugement n'est alors formulé si ce n'est par la formule lapidaire : «projet H.C.». Le non-respect du programme, ainsi que toute différence trop marquée entre l'esquisse réalisée en loge et le projet achevé en atelier, étaient égale-ment soumis à la même mise hors concours. L'attention toute particulière portée à la nécessité de concordance entre les différentes vues renforce le primat du trio plan-coupe-élévation, tout comme l'obligation de poursuivre au niveau du projet le premier jet de l'esquisse souligne les bases idéologi-ques de l'Ecole et de la profession qui accordent aux premières images-idées la fraîcheur du génie.

ICHNOGRAPHIE *n. f.* (du gr. *ichnos* «empreinte du pied» et *graphein* «écrire»). « *Les grecs avaient ingénieu-sement comparé le plan d'un édifice à l'empreinte que laisse par terre le pied d'un homme* » (Ch. Blanc). On ne rencontre ce terme que dans les traduc-tions de Vitruve, dans les dictionnaires et traités d'architecture soulignant l'ana-logie entre l'empreinte au sol et la trace que laisse les vestiges d'un édifice au niveau de ses fondations. V. **Plan.**

JUS Expression Beaux-Arts, *passer un jus*, c'est exécuter un lavis, on dit aussi et plus cavalièrement «juter». V. **Lavis, laver.**

LAVIS *n. m.* (1676; de *laver*). « *On dit laver un plan ou un profil et non peindre ni encore moins enluminer, parce que les couleurs étant aussi liquides que de l'eau, lorsqu'on les emploie, il semble effective-ment qu'on lave le papier, et de là vient le mot lavis, pour signifier l'emploi des couleurs.* » (Buchotte); ou encore des teintes noires, grises ou brunes utilisées pour les ombres ou les camaïeux. V. **Jus, juter.**

ORGANIGRAMME *n. m.* (1953). Gra-phique de la structure hiérarchique du programme dont chaque élément est dessiné sous la forme d'un cercle (ou d'un rectangle) de surface censée corres-pondre à celle de l'élément qu'elle représente; chaque cercle est relié à un ou plusieurs autres en fonction de la plus ou moins exigence de leur proximité. L'organigramme est un procédé relati-vement récent d'autant plus actuel que les procédés automatiques d'aide à la conception sont en plein essor et que l'étude du projet se pare ainsi de scientificité; le terme d'organigramme est, dans le domaine de l'informatique, celui qui nomme le graphique représen-tant les opérations et leur ordre interne au sein d'un «programme» introduit dans un calculateur. Le développement des organigrammes correspond à la période pendant laquelle les règles de composition classique et le recours aux formes et aux types architecturaux éprouvés sont plus ou moins tombés en discrédit; lié au souci récent d'invention systématique de nouvelles formes, l'or-ganigramme comme procédé de compo-sition appartient aux avatars du Mouve-ment moderne. D'une certaine manière il sous-tend l'idée que l'architecture

d'un édifice est le résultat de la mise en volume de son programme indépendam-ment de toute forme préétablie.

ORTHOGRAPHIE *n.f.* (XVII*; du gr. *orthos* «droit», *fig.* «correct», et *gra-phein* «écrire»). Pour Cl. Perrault c'est une « *élévation géométrale* », elle appar-tient à la série vitruvienne des espèces de dessin, *ichnographie, scénographie, sciographie.* V. **Élévation, façade, géo-métral.**

PANORAMA *n.m.* (1799; mot angl. du gr. *pan* «tout» et *orama* «vue»). Perspective d'ensemble d'un paysage obtenue par déplacement du tableau, ou sur une surface cylindrique. C'est aussi, au XVIII* et au début du XIX*, une vaste peinture circulaire destinée à être regar-dée du centre, « *tableau magique dont le spectateur est environné, et dont l'illusion prodigieuse n'a rien de comparable* » (A.D. Vergnaud).

PERSONNAGE (S) *n.m.* On dit aussi **Grouillot (s),** (1913). Dans les différents dessins d'architecture (élévation, coupe, perspective), ils contribuent à donner l'échelle et figurent les pratiques au sein de l'édifice tout en contribuant à combler les vides du dessin dans une certaine idée de l'animation. La facture de ces personnages s'est pliée aux différents modes graphiques et a suivi l'évolution de l'architecture : pendant la période néo-classique, personnages an-tiquisants dessinés au trait, puis histori-cistes pendant la période néo-gothique et les éclectismes où leur dessin est devenu plus chargé, ils ont évolué jusqu'à une période récente vers une figuration désincarnée et linéaire qui les fait ressembler à des sortes d'ecto-plasmes. Actuellement le cinéma, la photo et la bande dessinée fournissent aux «grouillots» toute une palette de modèles que les planches de figurines adhésives ont stéréotypée. V. **Zip.** *Le Modulor,* sous sa forme de nouvel homme vitruvien que Le Corbusier a introduit dans ses dessins et parfois reproduit dans ses bâtiments, veut à la fois contenir le système de mesure, les proportions de l'édifice et les relations humaines à l'espace.

PERSPECTIVE *n.f.* (1547; de *perspi-cere* «apercevoir». Il existe plusieurs sortes de perspectives qui toutes se proposent de restituer en deux dimen-sions les trois dimensions de l'espace, soit en approchant la perception du réel telle que la fournit la vision, soit en donnant une vue plus abstraite et géométrique. La perspective est une projection qui met en jeu trois éléments (l'objet réel à représenter, le tableau, l'observateur) et une relation réunissant ces trois éléments, le rayon visuel ou perspectif. La perspective (ou trace) est l'ensemble des points de rencontre sur le tableau des rayons appuyés sur chaque point de l'objet et joignant l'observateur.

1° PERSPECTIVE CONIQUE. Quand l'observateur est à distance finie par rapport à l'objet, l'ensemble des rayons visuels forme un faisceau de droites convergeant vers l'observateur (réduit à un point). C'est la perspective conique, ou classique, découverte à la Renaissance. L'enveloppe de l'objet est généralement constituée de plans se coupant orthogonalement; selon la position du tableau par rapport à ces plans la perspective conique se présente sous différents formes : — **Perspective frontale**, ou dite **à un point de fuite**, le tableau est placé parallèlement à une des faces de l'objet — **perspective à deux points de fuite**, le tableau est placé verticalement et obliquement par rapport à l'objet — **Perspective à trois ou N points de fuite**, le tableau est incliné, si l'observateur est situé au-dessus de l'objet, la perspective est plongeante. 2° PERSPECTIVE PARALLÈLE. Si l'observateur est rejeté à l'infini, l'ensemble des rayons visuels forme un faisceau de droites parallèles, la perspective est dite *cylindrique*, plus généralement *axonométrique* (1866; du gr. *axôn, axonos* «axes» et *métriques*). Cette forme de projection comprend : — **Les perspectives cavalières**, le tableau est parallèle à l'une des faces de l'objet, les rayons sont obliques par rapport au tableau. La face parallèle à celui-ci se projette sans déformation, ce qui revient pour la construction du dessin à faire une translation de cette face (soit le plan, soit la façade), par commodité on effectue cette translation suivant des angles 30°, 45° ou 60° et de valeur égale à celle de l'échelle de la face non déformée — **Les axonométries orthogonales**, les rayons projectifs sont orthogonaux au tableau, c'est celui-ci qui s'incline par rapport à l'objet, les projections sont alors innombrables. En réalité les dessins d'architecture ne font couramment appel qu'à l'une d'entre elle, *l'isométrie*

orthogonale pour laquelle un trièdre rectangle se projette suivant trois directions faisant entre elles et deux à deux un angle de 120°, les rapports de réduction d'échelle sont égaux pour les trois directions projetées. Ce dessin s'effectue à l'aide d'une équerre à 60°. L'axonométrie connue depuis longtemps sous la forme de *perspective militaire* s'est développée au XVIII° pour le dessin des machines telles qu'elles apparaissent dans les planches de l'*Encyclopédie*. A. Choisy, à la fin du XIX°, l'a actualisée pour montrer la structure spatiale des édifices exemplaires de l'histoire de l'architecture, en adoptant un point de vue insolite : le plan sur lequel est monté l'élévation est vu par en dessous comme si le sol était transparent. En rejetant l'observateur à l'infini, les axonométries, en fait, l'escamote. Leur développement a accompagné celui de la nouvelle perception de l'espace que réclamait le Mouvement moderne.

PERSPECTIVE AÉRIENNE La plupart des traités et manuels de perspective du XIX° siècle se développent en deux parties : l'une consacrée à la perspective linéaire, l'autre à la perspective aérienne. La première ne s'applique qu'à l'épure du dessin des objets alors que l'aérienne «*doit saisir la couleur même [des] objets, avec toutes les modifications que leur font subir les accidents de la lumière et les couches plus ou moins épaisses de l'air atmosphérique qui les séparent les uns des autres; [...] on ne peut espérer d'en attendre la sublimité, si l'on n'est pas doué de cette sensibilité exquise et de cette chaleur d'imagination, étincelle du feu sacré sans lequel il ne peut exister de véritable artiste*» (A.D. Vergnauld).

PARTI *n.m.* C'est le caractère dominant d'un projet qui doit organiser tout l'ensemble de l'édifice et de ses représentations. Dans le système Beaux-Arts, le choix et l'expression graphique du parti sont les points essentiels du projet. La plupart des programmes donnés à l'école était situé dans un contexte imaginaire ou inexistant, le parti de ce fait était strictement interne à l'édifice; cette pratique, lourde de conséquences pour le développement de l'architecture française, a contribué à l'absence de pertinence d'un nombre considérable de constructions et d'aménagements urbains.

PERSPECTIVE CURVILIGNE En

réaction aux déformations introduites par la perspective par rapport à la vision, la perspective curviligne se propose d'énoncer de nouvelles règles de projection plus conformes à notre appréhension du monde extérieur et capables de susciter de nouvelles images. A la différence de la perspective classique qui projette l'objet à représenter sur un plan (tableau), la perspective curviligne le projette sur une calotte sphérique ou une demi-sphère dont la convexité se rapproche de celle de la rétine oculaire, les lignes s'y tracent suivant des portions de courbes. Cette perspective n'est pas sans rejoindre les divers procédés de corrections optiques des édifices utilisés par les Grecs, ou ceux que les peintres ont adaptés dès lors qu'ils recherchaient à dépasser l'inadéquation à la vision de la perspective albertienne jugée trop rigide et irréaliste. Elle a été théorisée, mathématisée et vulgarisée récemment par A. Barre et A. Flocon dans leur ouvrage *La Perspective curviligne, de l'espace visuel à l'image construite.*

PERSPECTIVE LINÉAIRE C'est une perspective réalisée au trait, c'est-à-dire en ne représentant que le contour apparent des objets et les arêtes des différents plans qui en constituent l'enveloppe : «*C'est une science positive où l'on est guidé rigoureusement par les principes de la géométrie*» (Vergnaud).

PIQUAGE *n.m.* Mode de duplication des dessins; avant que ne soient abondamment diffusés et utilisés le papier-calque et les moyens modernes de reproduction (photo, tirage, photocopie...), obtenir la copie d'un dessin était une opération fastidieuse. Parmi les différentes méthodes utilisées, celle du piquage était sans doute la plus courante : «*La méthode est de piquer l'original avec une aiguille fine, après l'avoir attaché sur le papier blanc avec des épingles assez fines, ou avec des pinces à coulans. Quand je dis piquer, j'entends seulement les extrêmités des lignes du plan, ensuite l'on met la copie au crayon noir, toujours légèrement [...], enfin on tire ces lignes au carmin ou à l'encre de la Chine, selon qu'il convient; mais pour faciliter à voir les points, il faut noircir un des côtés du carton sur lequel on dessine avec de bonne encre bien noire. Cette [...] méthode est très juste pour les plans, profils, coupes, etc., mais elle n'est pas propre pour les cartes ni pour les paysages, non plus que pour* *l'ornement de l'Architecture»* (Buchotte).

PETITS POINTS Le *rendu aux petits points* s'effectue à l'aide d'un rapidographe en piquant le papier par une multitude de petits points très rapprochés et en évitant soigneusement d'effectuer de disgracieuses petites virgules. Il convient bien pour l'expression des dégradés, des surfaces courbes ou gauches. Comme toute forme de rendu, il est historiquement daté; cher aux années 1950, 1960 et 1970 il mime l'effet de surface du béton. Lors d'une des dernières grandes fêtes des Beaux-Arts, à la fin des années 60, les étudiants en architecture avaient réalisé un char magnifiant une machine à faire les petits points, machine que tous *rendeurs* auraient espéré posséder afin de se décharger du fastidieux travail que demande ce mode de rendu moderniste.

PHOTOGRAMMÉTRIE *n.f.* (1876; du gr. *phôs, phôtos* «lumière», gr. *gramma* «dessin», *metron* «mesure»). Etude des méthodes permettant de mesurer sur une perspective photographique, les dimensions, les objets qui y figurent. Utilisée pour les relevés topographiques militaires et pour la cartographie, on l'emploie également pour les relevés de bâtiment; actuellement cette technique est automatisée aussi bien au niveau de la lecture de la photographie qu'à celui de sa retranscription graphique en dessin géométral. *« Les images photographiques étant soumises dans leur formation aux règles de la géométrie permettront à l'aide d'un petit nombre de données de remonter aux dimensions exactes des parties les plus élevées, les plus inaccessibles de l'édifice »* (F. Arago, 1839, à l'occasion de l'invention et des applications du daguerréotype). Une **Photogrammétrie** est un dessin obtenu par ce procédé. V. **Restitution.**

PLAN *n.f.* (1560). 1° Représentation (d'une construction, d'un ensemble de constructions, d'un terrain...) en projection orthogonale sur un tableau horizontal. *« Le plan est le tracé de toutes les lignes que représenterait l'édifice s'il était scié horizontalement [...]. Il indique la distribution du bâtiment en faisant distinguer au constructeur les pleins des vides et en marquant ainsi la place que chaque partie occupera dans la construction »* (Ch. Blanc). *« Le plan est une coupe ou section d'un édifice faite à une hauteur variable par un plan horizontal qui coupe les murs, piliers, cloisons, etc. On suppose le plan passant à une hauteur convenable pour faire voir toutes les particularités de la construction »* (A. Guadet). Pour rendre le plan intelligible, soit on cerne les murs coupés par un trait plus épais que celui figurant les parties vues, soit on marque ces massifs d'un poché noir ou de hachures qui donnent un aspect plus solide à la maçonnerie et aux cloisons d'un édifice. Longtemps il fut d'usage, et ce jusqu'à la fin du XIXe, de distinguer les augmentations ou les réparations à faire, des parties existantes, détruites ou à démolir par différentes teintes ou lavis. Le rose était la couleur la plus généralement utilisée pour figurer les parties coupée de la maçonnerie. Pour suggérer les parties au-dessus du plan de coupe on peut les projeter au sol et les représenter par un trait interrompu (trait-tireté) ou par un trait fin quand, tel le dessin d'un tapis, il montre les moulures du plafond d'une pièce ou d'une salle. *« Le plan d'un édifice doit être le principal objet d'étude d'un bon architecte »* (E. Bosc); en effet, beaucoup d'architectes s'accordent à reconnaître sa primauté d'une part, sur l'organisation des rapports de l'édifice au terrain et de l'édifice à ses parties et d'autre part, sur les autres dessins, coupe, élévation et perspective. Par extension, on nomme plan tout dessin qui, à une échelle quelconque, représente les élévations, les coupes horizontales et verticales d'un édifice, ce sont alors tous les documents graphiques d'un dossier établi pour la réalisation d'un édifice. 2° Parce que le plan est une coupe horizontale «sciant» un étage, celui-ci ressemble à l'état qu'il présenterait si la construction des murs s'était arrêtée à une même hauteur; on peut alors donner de cet état un dessin en perspective. V. **Ichnographie.**

PLAN (DE) MASSE C'est un dessin simplifié à petite échelle montrant l'emprise au sol des corps de bâtiment, il permet d'évaluer leurs rapports mutuels et les vides qu'ils définissent (cour, jardin...). On préfère parfois donner une vue du dessus montrant la géométral des toitures, et ombrer l'ensemble du dessin afin de suggérer les volumes bâtis et les mouvements du sol.

PROFIL *n.m.* (début XVIIe). *« C'est le contour d'un Membre d'architecture comme d'une base, d'une corniche, etc. C'est pourquoi on dit profiler, pour contourner à la règle, au compas, ou à la main le Membre, ou tout autre Saillie. Profil de bâtiment : c'est le Dessein d'un bâtiment coupé sur sa longueur, ou sa largeur, pour en voir les dedans et les épaisseurs des murs, voûtes, planchers, combles, etc., ce qu'on nomme Coupe, Sciographie »* (d'Aviler). Ce terme tombé en désuétude (on lui préfère celui de coupe) renvoie directement à la pratique du dessin de détail, et de celui du relevé. L'habitude de tracer en géométral la façade d'un édifice qui, en aplatissant tout relief, en donne l'ordonnance générale et s'accompagne de celle de figurer les différentes parties, corniches, moulures, etc., non pas en perspective (trop long), ni en géométral (sans relief), mais en dessinant leur «profil» en supposant qu'un plan fictif coupe perpendiculairement la longueur de ces corniches et moulures. *« Une coupe limitée à la section d'un mur de façade, pour servir de point de départ à l'étude de l'élévation, se nomme plutôt profil »* (A. Guadet). V. **Coupe, sciographie, trait de coupe.**

PROJET *n.m.* (1549, *pourget*, de *projeter*, XVe). Etudes et documents (généralement graphiques) préparatoires à l'exécution d'un bâtiment, d'un groupe de bâtiments, ou du tracé d'un jardin, d'un lotissement, d'un aménagement urbain ou autre. Le domaine du projet est aussi étendu que celui de tout ce qui peut être fabriqué, édifié et préfigurer une modification de l'espace. La loi sur l'ingénierie a codifié le projet d'architecture et arrêté le contenu et le taux de rémunération attachés à chacune de ses phases, Aussi un projet se décompose en : *avant-projet sommaire, avant-projet détaillé, en projet d'exécution des ouvrages.* L'enseignement de l'architecture a de tous temps accordé une place prépondérante à l'apprentissage de la maîtrise du projet.

RENDU *n.m.* Le mot s'applique à partir du XVIIIe au domaine des arts : c'est l'exécution restituant fidèlement l'impression donnée par la réalité. En architecture le sens est plus large, il s'étend à toutes les possibilités expressives des divers procédés graphiques, de projection, et de mise en page qu'utilise le dessin d'architecture. Le rendu peut être réaliste, mais ne l'est pas toujours, préférant jouer du décalage entre la représentation de la réalité et le caractère abstrait des différents modes de représentation architecturale. Il y a loin du rendu réaliste, cher au XIXᵉ, qui repose sur l'étude des variations d'éclat et de couleur selon l'éclairage et l'éloignement des corps, à la convention établie depuis le milieu du XVIIIᵉ d'ombrer les dessins à 45°; comme il y a loin de l'impression de rigueur que suggère un dessin aux traits, à l'affirmation d'un espace « moderne » par des vues axonométriques, sans citer les courants expressionnistes qui disloquent les codifications les plus établies. V. **Jus, lavis, tortillons, petits points, zip.**

RENDRE *Rendre un dessin* c'est, à partir de son épure géométrique, en donner l'expression.

RENDU AU SOUFFLE EN CUL Le souffle en cul est un vaporisateur se présentant sous la forme d'un petit tube d'une quinzaine de centimètres comportant trois extrémités, l'une trempe dans le liquide, par une autre le dessinateur souffle, son souffle produit une dépression qui fait remonter le liquide, et le projette sur le dessin en un fin brouillard par la troisième extrémité. La difficulté de maîtrise des points où se dépose le nuage de gouttelettes nécessite l'utilisation de caches, et réduit l'emploi du souffle en cul aux surfaces relativement importantes du dessin : les fonds. On se sert également de cet appareil pour fixer les dessins au crayon et au fusain; l'apparition des bombes aérosol et de l'**aérographe** l'a relégué parmi les ustensiles dépassés.

REPROGRAPHIE Ensemble des procédés de duplication d'un dessin. Outre les procédés manuels qui reviennent en fait à le redessiner (piquage, calque, vitre...), il existe depuis la fin du XIXᵉ des techniques dérivées de l'héliographie qui font appel aux réactions de certaines substances à la lumière. Ce sont bien sûr la photographie, (dont l'emploi est réservé à des opérations précises, p. ex. le changement d'échelle) et les procédés les plus courants qui permettent d'obtenir sur papier ou sur contre-calque de nombreux doubles : il y eut tout d'abord les **bleus** (ce sont en fait des négatifs, le trait paraît blanc sur fond bleu), puis les **tirages** (procédé *diazo* par voie sèche ou semi-humide, l'épreuve est fixée à l'ammoniaque), la **gélatine** (ou photocollographie) est une forme de gravure obtenue à partir d'une épreuve sur de la gélatine sensible à la lumière. On l'utilise principalement pour obtenir des contre-épreuves sur papier à dessin sur lequel il est possible d'effectuer un rendu à l'aquarelle ou au lavis. V. **Photocopie** (agrandissement, réduction).

RESTITUTION *n.f.* Représentation par le dessin (ou par une maquette) de l'aspect présumé d'un édifice mutilé ou détruit. C'est aussi l'opération inverse de la perspective à partir de laquelle on cherche à définir l'emplacement, la forme et les dimensions représentés. L'exercice de la restitution effectué sur des tableaux ou gravures représentant des architectures réalistes ou imaginaires (comme les œuvres de Piranèse), révèle souvent des « espaces impossibles » et les écarts entre représentation et réalité. V. **Photogrammétrie.**

SCÉNOGRAPHIE *n.f.* (1545; lat. *scenographia*, gr. *skênographia*, de *skênê* « tente », à cause de la construction édifiée sur la scène des théâtres grecs, et de *graphein* « écrire »). C'est l'art de représenter en perspective. Le terme de « *Perspective convient tout à fait au mot Scénographie qui signifie la représentation d'une tente, c'est-à-dire la représentation entière d'un édifice, laquelle est mieux faite par la perspective que par l'ichnographie qui ne trace que le plan, ni par l'orthographie qui ne donne que l'élévation d'une des façades; la scénographie ou perspective en faisant voir plusieurs côtés à la fois [...] sert à représenter l'effet de l'exécution parfaite de tout l'édifice* » (Cl. Perrault). V. **Perspective.**

SCHÉMA *n.m.* (du gr. *skhêma* « manière d'être, figure »). « *Je conseillerais volontiers avant d'exécuter une esquisse qui, même imprécise, indiquerait tout de même un commencement préparatoire de 'décision', de tracer pour le groupement des éléments une sorte de graphique auquel, pour le distinguer du croquis, je donnerai le nom barbare de schéma* » (A. Gromort).

SCHIOGRAPHIE ou **SCIOGRAPHIE** *n.m.* (du gr. *scotos* « ombre » et *graphein* « écrire »). On ne rencontre guère ce terme que chez les traducteurs et exégètes du traité *De Architectura* de Vitruve (1ᵉʳ s. av. J. C.). Pour Cl. Perrault, la sciographie est une coupe ombrée, elle « *pourrait avec beaucoup de raison être ajoutée aux trois espèces de dessin que Vitruve a décrites* » (**Ichnographie, orthographie, scénographie**), c'est « *l'élévation des dedans que l'on appelle profil et on pourrait dire qu'elle est ainsi appelée à cause qu'elle représente les lieux plus ombragés que le sont les dehors, ce que le mot Sciographie semble signifier* »; Cl. Perrault est conscient du fait que les « *espèces de dessin* » de Vitruve sont incomplètes et omettent la coupe, c'est pourquoi il donne à ce mot le sens de « coupe » et apporte ainsi un correctif à la définition donnée par Barbaro dans son édition critique de Vitruve publiée en 1556 : « *La sciographie qui, selon Barbaro, n'est autre que l'élévation en tant qu'elle est ombrée avec le lavis* », (celui-ci ne semblait réserver la sciographie qu'à l'orthographie ou élévation extérieure). V. **Tracé des ombres.**

STÉRÉOGRAPHIE *n.f.* (1721; du gr. *stéréos* « solide » et *graphein* « écrire »). Représentation de la coupe des pierres (*stéréotomie*) par projection et rabattement sur un plan; c'est une application de la géométrie descriptive. « *Plus un architecte est versé dans cette science plus il a de facilité à résoudre des problèmes très difficiles qui se présentent dans la construction des trompes, des voûtes biaisées, des berceaux rampants, des voussures et arrière-voussures* » (E. Bosc). La connaissance de la stéréographie s'est peu à peu atténuée, jusqu'à être pratiquement oubliée; on ne l'enseigne plus dans les écoles d'architecture depuis la disparition de la pierre de taille dans la plupart des constructions.

TORTILLONS *n.m.* Mode de rendu des grisés réalisé par de petites spirales aléatoires. *Le rendu aux tortillons* convient à l'expression des masses végétales, il est également utilisé pour les ombres ou remplace le poché quand on cherche à donner un aspect naturaliste au dessin, p. ex. pour un théâtre de verdure. Dans le même ordre d'idée, **choucroute, persil, nouilles, vermicelles**... sont autant de formes particulières de graphisme qui, imitant l'objet dont ils tirent leur nom, le font cependant oublier dans l'effet d'ensemble du dessin. Un rendu **au poil de cul** est obtenu par de rapides applications de l'extrémité d'un pinceau appelé *poil de cul*, là encore il s'agit d'obtenir un effet de grisé ou de matière.

TRACÉ DES OMBRES 1° Ombre au soleil, les rayons lumineux sont parallèles et inclinés par rapport au tableau

---

Bibliographie consultée : Arnaud (M.E.), *Cours d'architecture et de construction civile*, Paris : S.d. vers 1925, Imp. des arts et manufactures — Barre (A.) et Flocon (A.), *La perspective curviligne de l'espace visuel à l'image construite*, Paris : Flammarion, 1968 — Blanc (Ch.), *La grammaire des arts du dessin*, Paris : v. ed. 1880 — Laurens (H.), Blosc (E.), *Dictionnaire d'architecture et des arts qui s'y attachent*, Paris : Lib. impr. réunies, 1883 — Boutereau (C.), *Le dessinateur*, Paris : Encycl. Roret, 1884 — Buchotte, *Les règles du dessin et du lavis*, Nlle. éd. Paris : « Revue et corrigée et augmentée de la moitié par l'auteur », Paris : Jombert, 1743 — Chabat (P.), *Dictionnaire des* termes employés dans la construction, Paris : A. Morel et Cie, 1875 — d'Aviler, *Explication des termes d'architecture*, Paris : Langlois, 1661 — Dubois (J.) et Lagane, *Dictionnaire de la langue française classique*, Paris : Belin, 1960, 2ᵉ éd. — Gromort (G.), *Essai sur la théorie de l'architecture*, Paris : Vincent Fréal et Cie, 1946 — Guadet

de telle sorte qu'ils se projettent selon un angle de 45° sur les vues géométrales (en plan ou en élévation). « *L'architecte, dont l'art est tout mathématique [...] imagina que les ombres produites par les corps saillants sur les arrière-corps devaient être soumises à la même règle mathématique [...], l'ombre portée sous l'angle de 45 degrés lui a paru la plus convenable, en ce qu'elle exprime la saillie même qui la motive, et en donne la juste valeur* » (Ch. Normand). Ainsi une seule projection suffit pour donner l'idée complète des objets qu'on y a représentée, et qu'on ne pourrait décrire autrement qu'en composant deux projections. C'est au cours du XVIIIᵉ siècle que les élèves de l'Académie d'architecture en offrirent les premiers exemples dans leurs projets destinés aux concours. La netteté, la précision qu'ils y apportèrent ensuite la fit généralement adopter en même temps que se développait la maîtrise de la géométrie descriptive de G. Monge à partir de 1794. Auparavant le tracé et le lavis des ombres étaient, selon Ch. Normand, plus ou moins arbitraires, vagues, mous et sans effet. On distingue, l'**ombre propre** (c'est celle qu'un objet porte sur lui-même) de l'**ombre portée** (qui est celle de l'objet sur un autre ou sur le sol). 2° **Ombre au flambeau**, la source lumineuse est un point, les rayons sont alors divergents, le tracé des ombres qu'ils engendrent est un exercice scolaire de descriptive. V. **Schiographie**. **TRAIT** *n.m.* (XIIᵉ, lat. *tractus*). (XIIIᵉ). Action de dessiner une ligne ou un ensemble de lignes. *Dessin au trait*, sans ombres ni modelé, constitué uniquement par des lignes. Il existe plusieurs sortes de traits. 1° **Traits vus**, ce sont ceux qui figurent les contours ou les arêtes vues des objets réels (ou imaginaires), i.e. les intersections des surfaces les enveloppant. Tout trait suppose d'autres traits cernant les surfaces projetées des enveloppes. Ce qui conduit à poser en règle générale qu'un trait ne peut être que rattaché à d'autres traits afin de constituer les périmètres des

surfaces enfermant les différents volumes et éléments de l'édifice. Le dessin d'architecture est une discipline du trait cernant des figures fermées qui se trouvent ainsi distinguées et, pour ainsi dire, désignées et nommées : la porte, la fenêtre, le mur, la corniche... Les traits vus sont à dessiner d'un trait fin et homogène, la disposition des éléments ainsi définis suffit généralement à la compréhension de leur éloignement relatif. 2° **Trait de coupe**, ce trait est la représentation de la frontière, prise sur un plan fictif coupant verticalement l'édifice, séparant une série de dichotomies : le plein/le vide, l'infranchissable/l'espace..., i.e. l'épaisseur opaque des murs, opposée à l'espace où peuvent se déplacer des corps et que le regard peut parcourir. Le trait de coupe sert également à distinguer l'inconnu du connu, ce que l'on veut cacher de ce que l'on veut montrer. Il met en quelque sorte entre parenthèses le volet négatif de ces oppositions afin de porter toute l'attention sur le second volet. Le trait de coupe, par le système d'oppositions simples sur lequel il repose, permet d'articuler un mode de raisonnement, de modelage et d'analyse propre à l'art de figurer l'espace, les édifices et les objets. Pour se différencier des traits vus, le trait de coupe se dessine souvent par une ligne plus épaisse. 3° **Tireté**, Trait interrompu composé de petits tirets régulièrement espacés, il sert principalement à représenter la projection des parties de l'édifice (ou de la pièce) situées au-dessus du plan de coupe horizontal, et qui intéressent généralement le système porteur : linteau, poutraison. Il a ainsi à charge de suggérer sur une figuration plane la troisième dimension et la structure spatiale. Il est également utilisé pour le dessin du « fantôme » de certaines parties de l'édifice, p. ex. dans les vues axonométriques, au même titre que le **pointillé**. 4° **Trait d'axe** (V. **axe**) *n.b.* En fait, si le code peut être ainsi présenté, dans la pratique du dessin celui-ci n'est pas stable, il s'établit plutôt de manière

interne à chaque figuration en jouant sur la facture propre à chaque « école », à chaque dessinateur. Le dessin d'architecture n'a pas de code strict alors que le dessin indutriel a le sien.
TRAIT (ART DU...) (XIVᵉ) Tracé préparatoire (d'une taille de pierres, d'une construction, d'un assemblage...). « *C'est ainsi qu'on désigne l'opération qui consiste à dessiner, grandeur d'exécution sur une aire, les projections horizontales et verticales, les sections, les rabattements des diverses parties d'une construction, de telle sorte que l'appareilleur puisse découper les panneaux d'appareil, le 'gacheur' faire tailler les pièces de bois qui constituent une œuvre de charpenterie, le menuisier, les membrures et assemblages des lambris, portes, croisées [...]. Le trait est une opération de géométrie descriptive, une décomposition des plans multiples qui composent les solides à mettre en œuvre dans la construction* » (Viollet-le-Duc).
TRAME *n.m.* V. **Zip**.
TUBARD *n.f.*, terme Beaux-Arts. Le tubard est un dessin qui sert de modèle à l'esquisse, le tubard est de ce fait toujours qualifié de « *bon tubard* », avoir « *un bon tubard* » c'est lors d'une épreuve (p. ex. une esquisse en 12 heures dans l'ancienne Ecole des beaux-arts) s'être muni de cet indispensable petit document qui fixe les principales dispositions et le *parti*; il permet à son possesseur de « *toucher* », i.e. réussir l'épreuve, avoir « *sa valeur* », éventuellement une médaille. **Tubarder**, c'est copier.

ZIP *n.m.* Terme d'agences professionnelles et d'écoles pour les adhésifs utilisés dans le dessin. On les désigne également par le nom de *Zipaton* ou par celui de leur principal fabricant, Letraset, qui propose toute une gamme de lettres, de personnages et d'éléments du second œuvre (évier, baignoire...) ainsi que différentes couleurs et trames (points, hachures...) qui, collées ou tranférées sur le papier ou le calque, remplacent le lavis ou l'aquarelle.

(A.), *Eléments et théories de l'architecture*, Paris : Lib. de la construction moderne, 1909, 3ᵉ éd. — Le Corbusier et Saugnier, *Le Modulor*, Paris : éd. l'Architecture d'aujourd'hui, 1949 — Le Corbusier, *Vers une architecture*, Paris : G. Gres, 1923 — Lemaistre (A.), *L'Ecole des beaux-arts, dessinée et racontée par un élève*, Paris : lib. Firmin-Didot et Cie, 1889 — *Le Littré*, Monte-Carlo : éd. du Cap, 1973 — *Le Lexis*, Paris : Larousse, 1975 — *Le Petit Robert*, édit. 1978 — Ministère de la Culture, *Principes d'analyse scientifique, méthode et vocabulaire*, Paris : Imp. Nationale, 1982 — *Nouveau Larousse illustré*, Paris, s.d. vers 1925 — Perrault (CL.), *Les dix Livres d'architecture de Vitruve, corrigés et traduits...*, Paris : J.B. Coignard, 1684, — Reynaud (L.), *Traité d'architecture*, Paris : Corilian-Gœuvry et Dalmont, 1850 — Toussaint (M.), *Manuel d'architecture ou traité de l'art de bâtir*, Paris : Encycl. Roret, 1828 — Vergnaud (A.D.), *Manuel de perspective du dessinateur et du peintre*, Paris : Encycl. Roret, 1825.

ICONOGRAPHIE

TOUTES LES ŒUVRES RETENUES ONT ÉTÉ CONÇUES ENTRE 1826 ET 1984. LA DATE INITIALE DE CE PARCOURS CHRONOLOGIQUE A ÉTÉ CHOISIE POUR CORRESPONDRE AVEC LA NAISSANCE DE LA PHOTOGRAPHIE QUI VA IMPLIQUER UN NOUVEAU REGARD SUR L'ARCHITECTURE. LES ŒUVRES RETENUES NE CONCERNENT QUE DES REPRÉSENTATIONS PLANES DE L'ARCHITECTURE. AINSI EST POSÉE LA QUESTION SUIVANTE : COMMENT PEUT-ON REPRÉSENTER EN DEUX DIMENSIONS UNE CRÉATION QUI SE DÉVELOPPE, ELLE, EN QUATRE DIMENSIONS ? LE THÈME PRÉCIS DE LA REPRÉSENTATION DE L'ARCHITECTURE EXCLUT ICI CELUI DE LA REPRÉSENTATION DE LA VILLE QUI RELÈVE D'UNE AUTRE LOGIQUE BEAUCOUP TROP LARGE POUR POUVOIR ÊTRE APPRÉHENDÉE SIMULTANÉMENT. TOUTEFOIS, LA RÉALITÉ ARCHITECTURALE EST ABORDÉE DANS LE SENS LE PLUS LARGE POSSIBLE. SEULES LES ARCHITECTURES CONÇUES POUR L'EUROPE FIGURENT ICI POUR ÉVITER UNE TROP GRANDE DISPERSION GÉOGRAPHIQUE DU THÈME ET POUR CRISTALLISER LE PROPOS SUR LES SPÉCIFICITÉS CULTURELLES EUROPÉENNES. LES ŒUVRES RASSEMBLENT AUSSI BIEN DES PROJETS, DES UTOPIES OU DES FANTASMES D'ARCHITECTURE QUE LES INTERPRÉTATIONS LES PLUS DIVERSES D'ARCHITECTURE DÉJÀ ÉDIFIÉES; DANS CE DERNIER CAS, CELLES-CI DOIVENT AVOIR ÉTÉ CONSTRUITES AU XIXe OU AU XXe SIÈCLE, AFIN DE CENTRER LE PROPOS SUR LES DIVERSES MODERNITÉS EN PRÉSENCE. ON NE TROUVERA DONC PAS ICI DE REPRÉSENTATIONS DES TEMPLES GRECS OU ROMAINS, DES CHÂTEAUX DE LA RENAISSANCE, DES CATHÉDRALES GOTHIQUES OU DEMEURES BAROQUES. PAR CONTRE LA FLORAISON DES STYLES NÉO-HISTORIQUES PENDANT LA PÉRIODE CONCERNÉE RÉVÉLERA L'ATTIRANCE DE DIVERS CRÉATEURS DES TEMPS MODERNES POUR LES RÉFÉRENCES AUX TRADITIONS ALORS QUE D'AUTRES EXPLORENT DES VOIES NOUVELLES OU CELLES DE L'UTOPIE. ON S'EST FIXÉ COMME RÈGLE DE MONTRER LA DIVERSITÉ DU REGARD ET DE LA PRODUCTION DES CRÉATEURS DE TOUTES TENDANCES SUR LES DIVERSES ARCHITECTURES POSSIBLES ET IMAGINABLES DURANT L'ÈRE INDUSTRIELLE EN UTILISANT SOIT LES RESSOURCES DES ARTS TRADITIONNELS (PEINTURE, DESSIN, THÉÂTRE, OPÉRA, ETC.), SOIT CELLES D'ARTS NOUVEAUX (PHOTOGRAPHIE, CINÉMA, BANDE DESSINÉE...). BIEN QUE L'EXPOSITION NE PUISSE ÊTRE EXHAUSTIVE DANS UN DOMAINE AUSSI VASTE, ELLE CHERCHE À CONFRONTER LES ŒUVRES ISSUES DES COURANTS CULTURELS ET DES MOUVEMENTS ARTISTIQUES LES PLUS DIVERS.

NICÉPHORE NIEPCE
physicien et photographe français (1765-1833)
Paysage architectural à Saint-Loup-de-Varennes, vers 1826; collection Gernsheim
Texas Museum, Austin, États-Unis.

1 8 2 6 / 1 8 3 9

ICI DÉBUTE LE PANORAMA CHRONOLOGIQUE QUE PROPOSE NOTRE MUSÉE IMAGINAIRE DE L'ARCHITECTURE DES TEMPS MODERNES EN EUROPE. IL COMMENCE EN 1826 AVEC L'IRRUPTION D'UNE NOUVELLE TECHNIQUE DE LA REPRÉSENTATION DE NOTRE ENVIRONNEMENT : LA PHOTOGRA-PHIE — LITTÉRALEMENT « ÉCRIRE AVEC LA LUMIÈRE » — QUI PROCURE DÉSORMAIS LES MOYENS D'UNE NOUVELLE FIGURATION DE L'ARCHI-TECTURE. LES PHOTOGRAPHES S'Y INTÉRESSENT D'EMBLÉE POUR DES RAISONS ESTHÉTIQUES, MAIS AUSSI TECHNIQUES : L'IMMOBILITÉ DU SUJET. AUSSI LA PREMIÈRE ŒUVRE PHOTOGRAPHIQUE CONNUE REPRÉSENTE-T-ELLE UNE VUE D'ARCHITECTURE DUE À NIEPCE. PAR AIL-LEURS, DANS LES AUTRES DOMAINES DE LA REPRÉSENTATION ARCHITECTURALE, L'HÉRITAGE DU XVIIIe SIÈCLE EST ENCORE BIEN PRÉSENT : IL RESTE PORTEUR DES RÈGLES CLASSIQUES QUE LES THÉORICIENS ACADÉMIQUES NE CESSENT DE VOULOIR FIGER, PORTEUR D'UN GOÛT POUR LE SUBLIME ET LES EFFETS DRAMATIQUES OÙ SE REFLÈTE L'ESPRIT DU ROMANTISME. CERTAINS ARTISTES, TEL SCHINKEL, RÉALI-SENT UNE SYNTHÈSE DE CET HÉRITAGE DANS UNE PRATIQUE UNIFICATRICE DE LA PEINTURE, DE LA SCÉNOGRAPHIE ET DE L'ARCHITECTURE. CE SIÈCLE EST AUSSI MARQUÉ DÈS SES DÉBUTS PAR DIVERS COURANTS : NÉO-CLASSIQUE, NÉO-POMPÉIEN, NÉO-GREC, NÉO-GOTHIQUE... L'ARCHITECTURE S'OUVRE PROGRESSIVEMENT AUX NOUVELLES RÉFÉRENCES QUE LES ARCHÉOLOGUES ET LES VOYAGEURS, LES « ANTIQUAIRES » OU LES LETTRÉS VONT GLANER TOUT AUTOUR DU BASSIN MÉDITERRANÉEN. ELLE SE LAISSE TENTER PAR LES CHARMES DE LA POLY-CHROMIE QUI PEUVENT DÉSORMAIS S'EXPRIMER LARGEMENT AU TRAVERS DES TECHNIQUES NOUVELLES DE REPROGRAPHIE, TELLE LA CHROMOLITHOGRAPHIE. ELLE S'OUVRE ÉGALEMENT AUX PREMIÈRES APPLICATIONS DU MÉTAL QUI CHANGENT PROFONDÉMENT LES FORMES DE LA CONSTRUCTION. L'ENSEMBLE DES DONNÉES QUI, TOUT AU LONG DU SIÈCLE, MARQUENT LES DÉBATS AUTOUR DE LA QUESTION DE L'ARCHITECTURE SONT DÉJÀ EN PLACE : LE RENOUVELLEMENT DES IMAGES ET DU REGARD QU'AUTORISENT LA PHOTOGRAPHIE ET LA REPROGRAPHIE, LA MODIFICATION DU CADRE DE PRODUCTION PAR LES TECHNIQUES MANUFACTURÉES, L'ÉLARGISSEMENT DES RÉFÉRENCES QUE LA THÉORIE CLASSIQUE NE PEUT CONTENIR. LA CONFRONTATION DE CES DONNÉES SUSCITERA, QUELQUES DÉCENNIES PLUS TARD, LES AMALGAMES ARCHITECTURAUX LES PLUS DIVERS QUI DONNERONT NAISSANCE À CE QU'ON APPELLERA « L'ÉCLECTISME ».

Appareil de prise de vue photographique
conçu et signé par Jacques Louis Daguerre, 1839
Collection du Science Museum, Londres.

KARL FRIEDRICH VON SCHINKEL
architecte allemand (1781-1841)
Perspective intérieure de l'église Saint-Gertrauds à Berlin
39 × 53 cm, 1828
Cabinet des Dessins de la Technische Universität, Munich.

KARL FRIEDRICH VON SCHINKEL
Perspective intérieure du portique et du hall d'entrée
du Altes Museum à Berlin
gravure, 39 × 53 cm, 1828
Cabinet des Dessins de la Technische Universität, Munich.

THÉODORE DRIOLLET
architecte français (1805-1863)
Élévation et plan d'un piédestal pour l'éléphant de la Bastille
projet d'étudiant dans l'atelier Duban à l'École des beaux-arts de Paris, 1833
Bibliothèque de l'École nationale supérieure des beaux-arts, Paris.

THÉODORE LABROUSTE
architecte français (1799-1885)
Élévation centrale de la façade d'un tribunal de cassation
projet d'étudiant à l'École des beaux-arts de Paris, Prix de Rome, 1824
Bibliothèque de l'École nationale supérieure des beaux-arts, Paris.

JAKOB IGNAZ HITTORFF
architecte allemand naturalisé français (1792-1867)
Projet d'un nouveau théâtre municipal sur la Augustinerplatz à Cologne
façade principale et coupe transversale vers la scène
crayon et aquarelle, 31 × 42 cm, 1828
Wallraf-Richartz-Museum, Cologne.

MICHAEL GOTTLIEB BINDESBØLL
architecte danois (1800-1856)
Avant-projet pour la façade du musée Thorvaldsen à Copenhague
aquarelle, 1837; cabinet des Dessins
de la Kunstakademiets Bibliotek, Copenhague.

THÉODORE LABROUSTE
architecte français (1799-1885)
Plan de la toiture d'un tribunal de cassation
projet d'étudiant à l'École des beaux-arts de Paris, Prix de Rome, 1824
Bibliothèque de l'École nationale supérieure des beaux-arts, Paris.

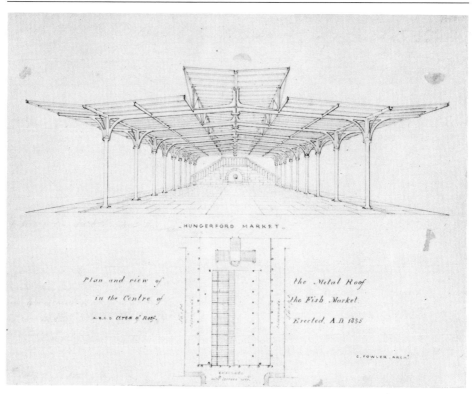

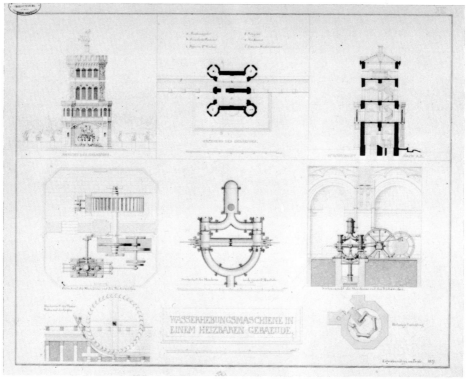

CHARLES FOWLER
architecte britannique (1791-1867)
Plan et perspective de la charpente métallique du marché aux poissons
de Hungerford à Londres, dessin à la plume, 1835
Cabinet des Dessins du Royal Institute of British Architects, Londres.

CARL FERDINAND BUSSE
architecte allemand (1802-1868)
Élévation, plans, coupes et détails techniques d'un bâtiment
abritant une machinerie hydraulique
plume et aquarelle, 1827
Cabinet des Dessins de la Technische Universität, Berlin-Ouest.

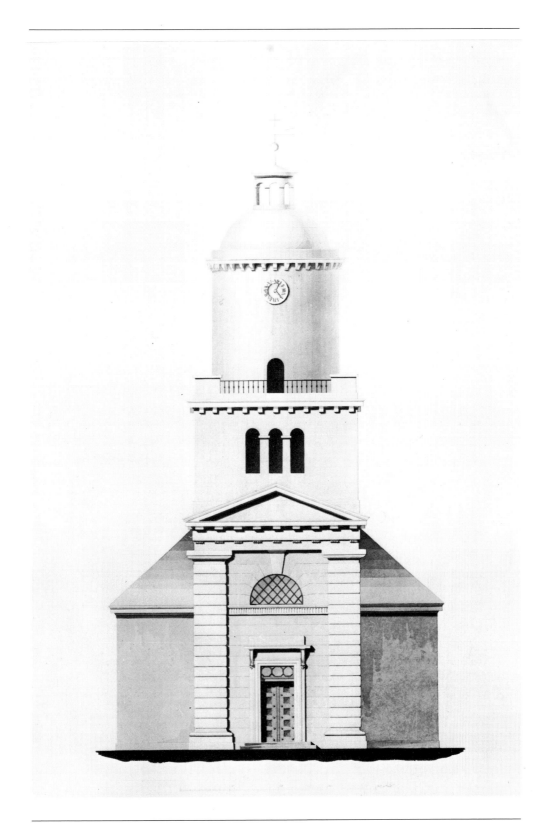

CHRISTIAN FREDERICK HANSEN
architecte danois (1756-1845)
Élévation de la façade ouest de l'église de Krempe en Allemagne
encre de Chine et aquarelle, 1828
Cabinet des Dessins de la Kunstakademiets Bibliotek, Copenhague.

LANCELOT THÉODORE TURPIN DE CRISSÉ
peintre français (1782-1859)
Messe à la Chapelle expiatoire, 74 × 99 cm, huile sur toile, 1835
Musée Carnavalet, Paris.
(La chapelle a été édifiée entre 1820 et 1826 rue Pasquier à Paris
par Pierre Fontaine [1762-1853].
Elle a été commandée en 1815 par Louis XVIII pour être consacrée à
la mémoire de Louis XVI et de Marie-Antoinette.)

JACQUES LOUIS DAGUERRE
photographe, peintre et décorateur de théâtre français (1787-1851)
Personnages visitant une ruine médiévale
huile sur toile, 102 × 154 cm, 1826; galerie Gérard Lévy, Paris.

HEINRICH ADAM
peintre allemand
Das Neue Munchen (le nouveau Munich), 81 × 98 cm, huile sur toile, 1839
Stadtmuseum, Munich.
(Les quatorze vues périphériques de la composition évoquent diverses architectures
édifiées à Munich au début du XIXe siècle.
La composition centrale représente la place Max-Joseph, au centre de la ville,
avec le théâtre reconstruit en 1825 par l'architecte
Leo Von Klenze [1784-1864] d'après les plans de Karl von Fischer.)

EUGÈNE EMMANUEL VIOLLET-LE-DUC
architecte français (1814-1879)
Souper aux Tuileries, huile sur toile, 26 × 35 cm, 1835; musée Carnavalet, Paris.

FRANZ VON KOBELL (1803-1875), CARL AUGUST STEINHEIL (1801-1870)
physiciens et photographes allemands
La Glyptothèque à Munich, 1838-1839; Deutsches Museum, Munich.

FRANZ VON KOBELL et CARL AUGUST STEINHEIL
Maison à la Ludwigstrasse à Munich, vers 1838; Deutsches Museum, Munich.

JACQUES LOUIS DAGUERRE
photographe, peintre et décorateur français de théâtre (1787-1851)
Le pavillon de Flore du palais du Louvre à Paris, daguerréotype, 1839
Conservatoire national des Arts et Métiers, Paris. (Cette partie du palais
a été transformée par Hector Lefuel [1810-1880] sous Napoélon III
entre 1860 et 1870, puis restaurée entre 1871 et 1876.)

WILLIAM HENRY FOX TALBOT
physicien et photographe britannique (1800-1877)
Fenêtre à Lacock Abbey, calotype, 1835
Science Museum, Londres.

SIR JOHN HERSCHELL
astronome et photographe britannique (1792-1871)
Construction non identifiée, ambrotype, 1839
Science Museum, Londres.

Anonyme
Colonne en trompe-l'œil
papier peint édité en France vers 1830
Musée des Arts décoratifs, Paris

Anonyme
Avers et revers d'une médaille
Vue intérieure et extérieure du temple de la « Walhalla »
édifié en Allemagne par l'architecte von Klenze
vers 1830; Collection de l'Académie d'architecture, Paris

FABRIZIO SEVESI
décorateur italien (1773-1837)
Décor pour le ballet *Arsinoe, regina di Cassandra* (scène de bal), 1836, lithographie
Musée de la Scala, Milan.

KARL FRIEDRICH VON SCHINKEL
architecte, peintre et décorateur allemand (1781-1841)
Décor pour l'Opéra *Die Vestalin (le temple de Vesta)*, lithographie, 1831
Deutsches Architekturmuseum, Francfort-sur-le-Main.

CHARLES ANTOINE CAMBON
décorateur français (1802-1875)
Décor de la salle de bal pour l'opéra historique *Gustave III* ou *Le bal masqué,*
plume, 1833; bibliothèque de l'Opéra, Paris.

PIERRE LUC CHARLES CICERI
décorateur français (1782-1868)
Décor de la salle des chevaliers pour le ballet-pantomime *Alfred le Grand,* (acte III)
lithographie d'après Ciceri, 1822; bibliothèque de l'Opéra, Paris.

1 8 4 0 / 1 8 4 9

DANS CETTE DÉCENNIE, DOMINÉE EN FRANCE PAR L'USAGE DU PROCÉDÉ DU « DAGUERRÉOTYPE », LES PHOTOGRAPHES ENTREPRENNENT UNE REPRÉSENTATION PLUS MÉTHODIQUE DE L'ARCHITECTURE QUI S'ÉLARGIT PARFOIS À DES VUES URBAINES PANORAMIQUES. L'ARCHITECTURE TENTE DE DONNER ELLE-MÊME UNE IMAGE COHÉRENTE OÙ SE RASSEMBLENT EN UNE VISION UNIVERSELLE ET SYNTHÉTIQUE, LES OBJETS LES PLUS REMARQUABLES DE SON ART, QUEL QUE SOIT LEUR STYLE, LEUR ÂGE OU LEUR PROVENANCE. SEUL UN PRINCIPE UNIFICATEUR EST CAPABLE DE FIXER UN ORDRE À CETTE COLLECTION DE MODÈLES : SOUS LES APPARENCES DIVERSES DES ÉDIFICES EXISTE UN ENSEMBLE DE RÈGLES QUI RÉGIT LEUR COMPOSITION ET QUI PEUT ÊTRE ÉRIGÉ EN SYSTÈME RATIONNEL. FORT DE CETTE CONVICTION, IL SUFFIT ALORS, DANS UNE RELECTURE GÉNÉRALE DE L'ARCHITECTURE, D'IDENTIFIER LES IMPLICATIONS PARTICULIÈRES DE CE SYSTÈME, DE LE TRANSMETTRE PAR DES EXERCICES, ET DE L'APPLIQUER POUR TOUS PROJETS OU PROGRAMMES NOUVEAUX. D'OÙ LA FACILITÉ DE CE TEMPS, ET CE JUSQU'À LA FIN DU SIÈCLE, À ASSIMILER AUSSI BIEN LES INNOVATIONS TECHNOLOGIQUES, LES ORIENTALISMES, LES ARCHITECTURES POLYCHROMES, QUE LES RÉMINISCENCES ANTIQUES OU GOTHIQUES. AVEC COMPLAISANCE, LE LANGAGE CLASSIQUE FÉDÈRE LES VARIATIONS STYLISTIQUES, QUITTE À SE DÉFORMER, À SE MÉTAMORPHOSER, QUITTE PEU À PEU À ENTRER EN CRISE POUR EN VENIR À ÉCLATER À LA FIN DU SIÈCLE. EN ATTENDANT IL RÈGNE ENCORE SUR LA SCÉNOGRAPHIE DES DÉCORS DE THÉÂTRE. LE VOCABULAIRE CLASSIQUE S'APPLIQUE MÊME AUX GARES DE CHE-MIN DE FER, CES NOUVEAUX PROGRAMMES QUI BOULEVERSENT TOUT À LA FOIS LA VILLE, LA PRATIQUE ET LA VISION DU TERRITOIRE.

FRIEDRICH VON MARTENS
photographe allemand (1809-1875)
Vue du Pont Neuf avec la pointe du Vert-Galant à Paris
daguerréotype panoramique
(réalisé avec un objectif pivotant sur un axe vertical devant une plaque courbe et mobile), 1842
Collection du musée national des Techniques, conservatoire national des Arts et Métiers, Paris.

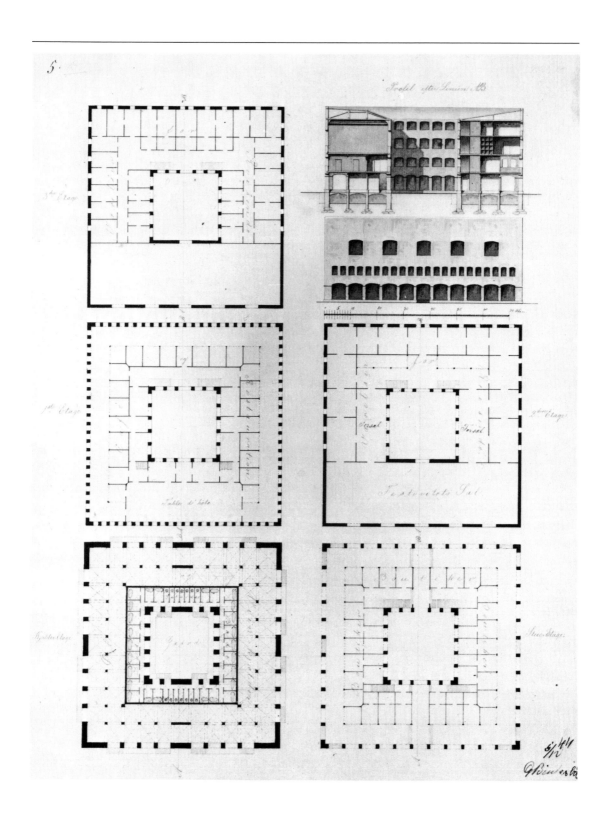

MICHAEL GOTTLIEB BINDESBØLL
architecte danois (1800-1856)
Plan et élévation pour un hôtel à Saint-Annae Plads à Copenhague, encre de Chine et aquarelle, 1844
Cabinet des Dessins de la Kunstakademiets Bibliotek, Copenhague.

CHARLES ROBERT COCKERELL
architecte anglais (1788-1863)
The Professor's Dream (le rêve du professeur), plume et aquarelle, 1849
Royal Academy of Arts, Londres.

JAKOB IGNAZ HITTORFF
architecte allemand naturalisé français (1792-1867)
Église Saint-Vincent-de-Paul à Paris
élévation de la façade principale avec ses fresques polychromes, chromolithographie
Wallraf-Richartz-Museum, Cologne.

PHILIP HARDWICK
architecte britannique (1792-1870)
Perspective du portique central (propylées) d'accès à la gare de Euston à Londres
crayon et aquarelle, 1841
Royal Academy of Arts, Londres.
(Édifié de 1836 à 1839, ce bâtiment a été détruit en 1961.)

M. GODEFROJ
architecte hollandais
Perspective de la cour intérieure de la Bourse d'Amsterdam, crayon et lavis, 1842
Cabinet des Dessins du Nederlands Documentatiecentrum voor de Bouwkunst,
Stichtung Architectuur Museum, Amsterdam.

HENRI LABROUSTE
architecte français (1801-1875)
Perspective intérieure de la grande salle de lecture de la Bibliothèque Sainte-Geneviève à Paris
plume et encre noire sur traits à la mine de plomb, 1843; cabinet des Dessins du musée du Louvre, Paris.

MICHAEL GOTTLIEB BINDESBØLL
architecte danois (1800-1856)
Projet de façade pour un musée zoologique à Copenhague, aquarelle, 1844
Cabinet des Dessins de la Kunstakademiets Bibliotek, Copenhague.

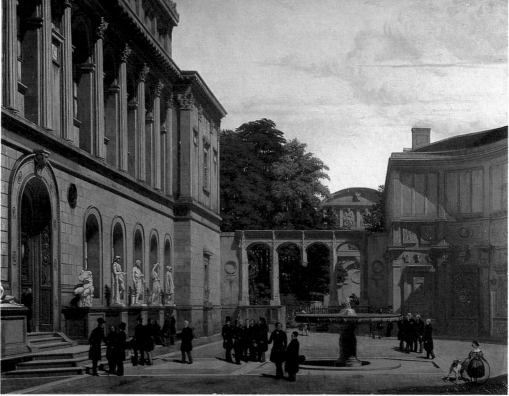

LEO VON KLENZE
architecte et peintre allemand (1784-1864)
Les propylées à Munich
huile sur toile, 87 × 130 cm, 1848
Stadtmuseum, Munich.
(Portique conçu par l'architecte dès 1846 et achevé en 1863
sur la Königsplatz à Munich dont il a assuré la conception globale.)

CHARLES LÉON VINIT
peintre et architecte français (1802-1862)
La cour de l'École des beaux-arts en 1840
huile sur toile, 91 × 115 cm, 1840-1845
Collection de l'École nationale supérieure des beaux-arts, Paris.

WILLIAM HENRY FOX TALBOT
physicien et photographe britannique (1800-1877)
Le pavillon royal à Brighton, vers 1840
Science Museum, Londres.
(Cette résidence royale fut remaniée de 1817 à 1823, selon le goût exotique de l'époque,
par l'architecte John Nash [1752-1835].)

WILLIAM HENRY FOX TALBOT
Construction d'une maison à Londres, 1844
Science Museum, Londres.

WILLIAM HENRI FOX TALBOT
physicien et photographe britannique (1800-1877)
The Royal Exchange, London, vers 1845
Science Museum, Londres.
(Ce bâtiment situé Threadneedle Street à Londres a été conçu vers 1840
et construit entre 1841 et 1844 par Sir William Tite.)

JEAN-BAPTISTE LOUIS GROS (baron)
diplomate et photographe français (1793-1870)
La gare de Strasbourg à Paris, vers 1849
Musée d'Orsay, Paris.
(La gare de l'Est a été construite par l'architecte
François Alexandre Duquesney (1790-1849) et l'ingénieur Pierre de Sermet.)

1 8 5 0 / 1 8 5 9

LE DEMI-SIÈCLE S'OUVRE DANS UN EFFET D'APOTHÉOSE AVEC L'EXPOSITION UNIVERSELLE DE LONDRES. SOUS LA GIGANTESQUE HALLE DE VERRE DU CRYSTAL PALACE SONT RÉUNIS POUR LA PREMIÈRE FOIS « LES PRODUITS DE TOUTES LES NATIONS ». MODÈLE D'ARCHITECTURE, MODÈLE DE CONSTRUCTION INDUSTRIELLE, ELLE TRANSFORME NOTRE VISION. ELLE EST PARCOURUE PAR DES RUES, ABRITE D'AUTRES CONSTRUCTIONS ET COUVRE UNE PORTION DE TERRITOIRE. S'ÉLÈVE ALORS UN NOUVEL ESPOIR : LA FOI DANS LE PROGRÈS, LA FOI DANS LE COMMERCE ET L'INDUSTRIE, LA FOI DANS LA CONQUÊTE DU MONDE. LA PHOTOGRAPHIE CONNAÎT ALORS, GRÂCE AU PROCÉDÉ DU CALOTYPE (QUI PERMET À PARTIR DU MÊME CLICHÉ D'OBTENIR PLUSIEURS ÉPREUVES), UNE DE SES GRANDES PÉRIODES D'ÉPANOUISSEMENT. ELLE REND COMPTE DE LA DIVERSITÉ DE LA PRODUCTION ARCHITECTURALE CONTEMPORAINE ET EN PARTICULIER DE L'ESSOR DE LA CONSTRUCTION INDUSTRIELLE. CETTE DERNIÈRE PROPOSE UNE IMAGE DE L'ARCHITECTURE OÙ LA LUMIÈRE PÉNÈTRE LIBREMENT PAR DES VERRIÈRES QUE PORTENT DES OSSATURES TRÈS LÉGÈRES. CETTE IMAGE S'OPPOSE RADICALEMENT À CELLE DE L'ARCHITECTURE TRADITIONNELLE FAITE DE LOURDES MAÇONNERIES, ET QUI SERT DE MODÈLE AUTANT AUX DÉCORS DE THÉÂTRE QUE DE CADRE À LA PEINTURE D'INTÉRIEUR. LES CHARPENTES MÉTALLIQUES PEUVENT FRANCHIR DE VASTES ESPACES, LIBRES DE TOUT SUPPORT, ET PEUVENT ABRITER AUSSI BIEN UNE GARE, UN MARCHÉ, UNE BIBLIOTHÈQUE QUE DES MANUFACTURES. A CETTE OCCASION LE CHANTIER LUI-MÊME EST TRANSFORMÉ : IL DEVIENT LE LIEU DU MONTAGE RAPIDE DE COMPOSANTS INDUSTRIALISÉS. TOUT CONTRIBUE À MARQUER QUE LES TEMPS ONT CHANGÉ, DE LÀ CE SOUCI DE VOULOIR CONSERVER TRACE DE CE QUI SE TRANSFORME OU DISPARAÎT : AINSI NAÎT UNE SENSIBILITÉ NOUVELLE ENVERS LES MONUMENTS HISTORIQUES ET LES FOLKLORISMES. DU PITTORESQUE DE LA CONSTRUCTION RUSTIQUE AUX VUES D'ENSEMBLE DE LA CITÉ MODERNE, TOUS LES REGISTRES DU PAYSAGE BÂTI SONT DÉSORMAIS COUVERTS.

Le monde entier accourt pour visiter la grande exposition de 1851
gravure, 1851, collection Josette Javaux, Bruxelles.
(Dominant le monde géographique et culturel,
le célèbre *Crystal Palace* sera bientôt considéré comme la première
manifestation accomplie de l'architecture des temps modernes;
sa représentation suscitera notamment
un véritable engouement iconographique.)

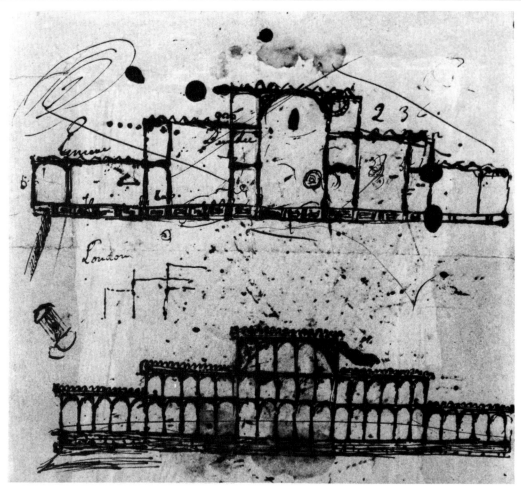

SIR JOSEPH PAXTON
paysagiste et architecte britannique (1801-1865)
Esquisse du Crystal Palace
plume sur papier buvard (fac-similé du XIXe siècle), 1850
Victoria and Albert Museum, Londres.
(Inauguré en 1851, démonté et reconstruit entre 1852 et 1854 à Sydenham, dans la banlieue,
où il a été ravagé par le feu en 1936 puis totalement détruit en 1945.)

CHARLES BURTON
architecte britannique
Perspective de la façade principale du Crystal Palace
édifié par Joseph Paxton à Londres, lithographie, 1851
Victoria and Albert Museum, Londres.

VINCENT BROOKS
dessinateur britannique
Perspective du transept nord du Crystal Palace, lithographie aquarellée, 1852
Victoria and Albert Museum, Londres.

MAX BERTHELIN
architecte français (1811-1877)
Coupe en perspective du palais de l'Industrie
de l'Exposition universelle de 1855 à Paris, 31 × 67 cm, 1854
Musée d'Orsay, Paris.
(Bâtiment édifié de 1853 à 1855 par les architectes Victor Viel et Alexis Cendrier,
en collaboration avec l'ingénieur Alexis Barrault.)

MAXIMILIEN AUGUST NOHL
architecte allemand (1830-1863)
Perspective intérieure du palais des Expositions de Munich (Glaspalast)
aquarelle, 35 × 22 cm, 1854; Cabinet des dessins de la Technische Universität, Munich.

VICTOR BALTARD
architecte français (1805-1874)
Vue perspective à vol d'oiseau des halles centrales de Paris, 1853
Bibliothèque historique de la ville de Paris.
(Bâtiment conçu dès 1844,
construit de 1851 à 1866 en collaboration avec Félix Callet et César Jolly,
détruit en 1971.)

LEWIS CUBITT
architecte britannique
Perspective extérieure de la gare de King's Cross à Londres, aquarelle, vers 1850
National Railway Museum, York.
(Conçue en 1850, cette gare a été achevée en 1852.)

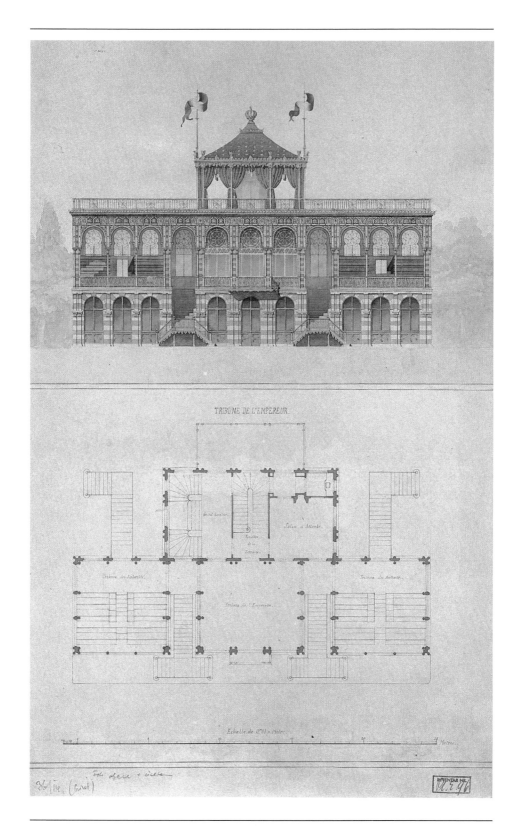

JAKOB IGNAZ HITTORFF
architecte allemand naturalisé français (1792-1867)
Plan et élévation des tribunes pour le nouvel hippodrome de Longchamp
au bois de Boulogne à Paris
crayon et aquarelle, 32 × 37 cm, vers 1855
Wallraf-Richartz-Museum, Cologne.

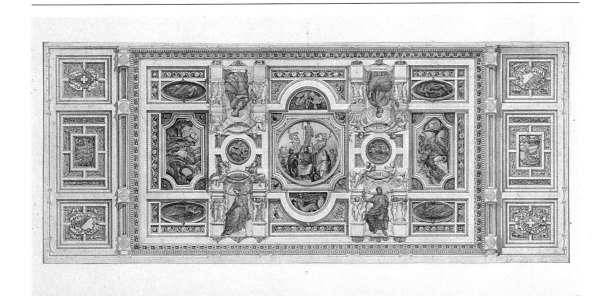

GOTTFRIED SEMPER
architecte allemand (1803-1879)
Projet de décoration du plafond du bâtiment principal de l'École polytechnique à Zurich,
encre et aquarelle, 57 × 85 cm, vers 1858
Institut für Geschichte und Theorie der Architektur, Zurich.
(Le bâtiment a été construit entre 1859 et 1864.)

GOTTFRIED VON NEUREUTHER
architecte allemand (1811-1887)
Perspective d'un *Château idéal* au bord d'un lac
aquarelle, 85 × 57 cm, vers 1858
Cabinet des Dessins de la Technische Universität, Munich.

HIPPOLYTE BAYARD
photographe français (1801-1887)
Le péristyle de l'église de la Madeleine à Paris, vers 1850
Bibliothèque nationale, Paris.

JOSEPH ALBERT
photographe allemand (1825-1886)
Le château de Hohenschwangau en Bavière, 1858
Deutsches Museum, Munich.

LOUIS DÉSIRÉ BLANQUART-ÉVRARD
photographe français (1802-1872)
La remise, vers 1855
Bibliothèque nationale, Paris.

ÉDOUARD DENIS BALDUS
photographe français (1820-1882)
Fronton du pavillon de la bibliothèque
planche d'assemblage de cinq épreuves photographiques avec mentions
manuscrites relatives à divers éléments architectoniques, vers 1855
Bibliothèque nationale, Paris.

FÉLIX NADAR
photographe français (1820-1910)
*Premiers essais de photographies aérostatiques
de la place de l'Étoile à Paris, vers 1858*
Bibliothèque nationale, Paris.

ÉDOUARD DENIS BALDUS (attribué à)
photographe français (1820-1882)
Façade d'un hôtel particulier à Paris, épreuve à l'albumine ou à la gélatine
à partir d'un négatif sur verre au collodion humide, vers 1855
Collection André Jammes, Paris.

FRANZ HANFSTAENGL
photographe allemand (1804-1877)
La nouvelle Pinacothèque de Munich, vers 1855; Fotomuseum Stadtmuseum, Munich.
(Ce musée a été construit entre 1846 et 1853 par l'architecte
August von Voit [1801-1871].)

BENJAMIN BRACKNELL TURNER
photographe britannique (1815-1894)
Le Crystal Palace de Londres, 1851; collection André Jammes, Paris.

ÉDOUARD DENIS BALDUS
photographe français (1820-1882)
Détail de la façade du nouveau Louvre à Paris, vers 1858
Collection André Jammes, Paris.
(Le nouveau Louvre de Napoléon III, situé de part et d'autre du square du Carrousel
a été construit entre 1852 et 1857 sur
les plans de Ludovico Visconti [1791-1853] et Hector Lefuel [1810-1880].)

JOSEPH WIERTS
peintre et sculpteur belge (1806-1865)
Hommage à la reine Louise-Marie, huile sur toile, 1856;
Musée d'Art moderne, Bruxelles.

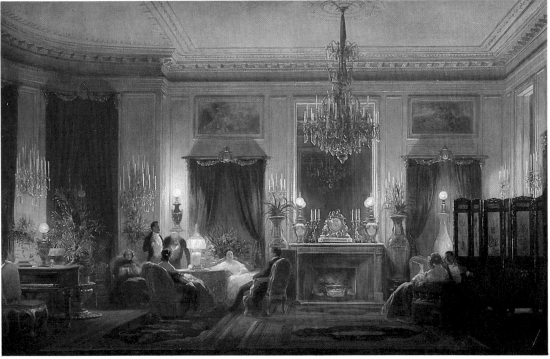

SÉBASTIEN CHARLES GIRAUD
peintre français (1819-1892)
La salle à manger de la princesse Mathilde, huile sur toile, 83 × 107 cm, 1854
Musée national du château de Compiègne.
(Intérieur de l'hôtel particulier édifié rue de Courcelles, à Paris
et concédé par l'Empereur à sa cousine en fin 1852.)

SÉBASTIEN CHARLES GIRAUD
Le salon de la princesse Mathilde, huile sur toile, 63 × 100 cm, 1859
Musée national du château de Compiègne.

Anonyme
Décor de palais pour un opéra non identifié,
milieu du XIXe siècle, dessin à la plume sur papier rehaussé d'aquarelle, 21 × 27 cm;
musée de la Scala, Milan.

CALISTO ZANOTTI CAVAZZONI
décorateur italien (1825-1857)
Projet de décor pour le temple de Salomon, destiné à un opéra non identifié
sépia rehaussée d'aquarelle
et d'encre blanche sur papier, 26 × 34 cm, 1857
Musée de la Scala, Milan

1 8 6 0 / 1 8 6 9

SELON UN MOUVEMENT AMORCÉ DANS LA DÉCENNIE PRÉCÉDENTE, LES PHOTOGRAPHES PROFESSIONNELS, TRAVAILLANT SUR COMMANDE, MONTRENT LA NOUVELLE ARCHITECTURE INDUSTRIELLE AVEC UNE PRÉCISION DOCUMENTAIRE. ILS COMMENCENT À SUIVRE SYSTÉMATIQUEMENT L'ÉLABORATION MÊME DE L'ARCHITECTURE, EN RENDANT COMPTE DE LA PROGRESSION DES GRANDS CHANTIERS ET DE LA PRÉSENCE DES OUVRIERS DU BÂTIMENT. PLUS QUE JAMAIS, L'ÉQUILIBRE ENTRE RAISON CONSTRUCTIVE ET RAISON D'APPARENCE EST AU CENTRE DES PRÉOCCUPATIONS DE CE TEMPS PÉTRI DE L'IDÉE DE PROGRÈS, D'HISTOIRE ET D'ARCHÉOLOGIE. L'ÉMERGENCE DE L'IMMEUBLE À LOYER COMME THÈME MAJEUR DU TRAVAIL D'ARCHITECTURE CONTRIBUE, AVEC LES TRANSFORMATIONS DU CADRE DE PRODUCTION, À ACCENTUER LE CARACTÈRE UTILITAIRE ET MARCHAND DE L'ART DE BÂTIR. PARALLÈLEMENT À CE MOUVEMENT, LES RECHERCHES CRITIQUES ENTAMÉES DÈS LE DÉBUT DU SIÈCLE METTENT LES THÈMES GRECS AU CENTRE DU DÉBAT ET RÉVÈLENT AU GRAND JOUR LES INEXACTITUDES DES FONDEMENTS THÉORIQUES DE L'ARCHITECTURE CLASSIQUE. AINSI, CELLE-CI NE DEVIENT PLUS QU'UNE CONVENTION MISE AU SERVICE DE LA THÉÂTRALITÉ DES EFFETS. LORS DE CETTE DÉCENNIE COMMENCE À ÉCLATER UNE ÉVIDENCE : À CHAQUE TYPE DE BÂTIMENT ET DE COMMANDITAIRE CORRESPONDENT UN STYLE ET SES MATÉRIAUX. LA CATHÉDRALE SERA GOTHIQUE ET DE PIERRE CAR LE DIOCÈSE ADHÈRE À L'ÉCOLE DE VIOLLET-LE-DUC. LE MARCHÉ MUNICIPAL SERA UNE STRUCTURE MÉTALLIQUE. LA GARE, PARTAGÉE ENTRE LES NÉCESSITÉS DE S'INSCRIRE PARMI LES BÂTIMENTS MARQUANTS DE LA VILLE ET DE MAGNIFIER L'INDUSTRIE, EXPRIME SA PERSONNALITÉ À LA FOIS À TRAVERS L'HISTORICISME ET LE TOUR DE FORCE TECHNOLOGIQUE. DES DEUX ESSAIS ANTÉRIEURS DE RÉUNIFICATION DE LA THÉORIE ARCHITECTURALE, AUCUN NE RÉSISTE : LE NÉO-CLASSICISME QUI PRÉTEND DESSINER TOUT ÉDIFICE SUIVANT UN MÊME CODE ÉPURÉ N'A DÉJÀ PLUS COURS; ET LE STYLE « BEAUX-ARTS » — QUI TENTE DE DÉPASSER LA MULTIPLICATION DES RÉFÉRENCES EN Y APPLIQUANT UN SYSTÈME UNIQUE DE COMPOSITION — S'ESSOUFFLE PROGRESSIVEMENT.

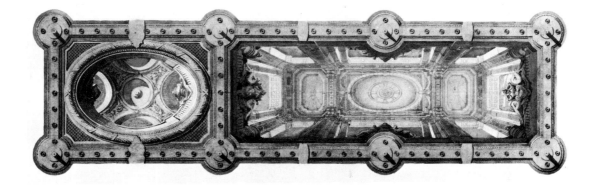

CHARLES GARNIER
architecte français (1825-1898)
Projet de plafond en trompe-l'œil architectural pour le grand salon
de l'Opéra de Paris, aquarelle 32 × 122 cm, vers 1869
Bibliothèque de l'Opéra, Paris.

VINCENT STATZ
peintre et aquarelliste allemand
Vision idyllique de l'achèvement des deux tours de la cathédrale de Cologne
aquarelle, 67 × 49 cm, 1861; Wallraf-Richartz-Museum, Cologne.
(Les tours de la cathédrale de Cologne ont été édifiées de 1824 à 1880.
Les architectes chargés des travaux d'achèvement ont été successivement :
F.A. Ahlert [1788-1833], E.P. Zwirner [1802-1861],
Richard Voigtel [1829-1902] et Friedrich von Schmidt [1825-1891].)

FERDINAND MELDAHL
architecte danois (1827-1908)
Élévation d'un pignon du château de Frederiksborg à Hillerød
projet de reconstruction après l'incendie de 1859
aquarelle, 75 × 58 cm, 1860
Cabinet des Dessins de la Kunstakademiets Bibliotek,
Copenhague.

M. BENARD
architecte français
Élévation de la façade d'un palais pour l'Exposition des beaux-arts
projet d'étudiant à l'École des beaux-arts de Paris, Prix de Rome, 1867
École nationale supérieure des beaux-arts, Paris.

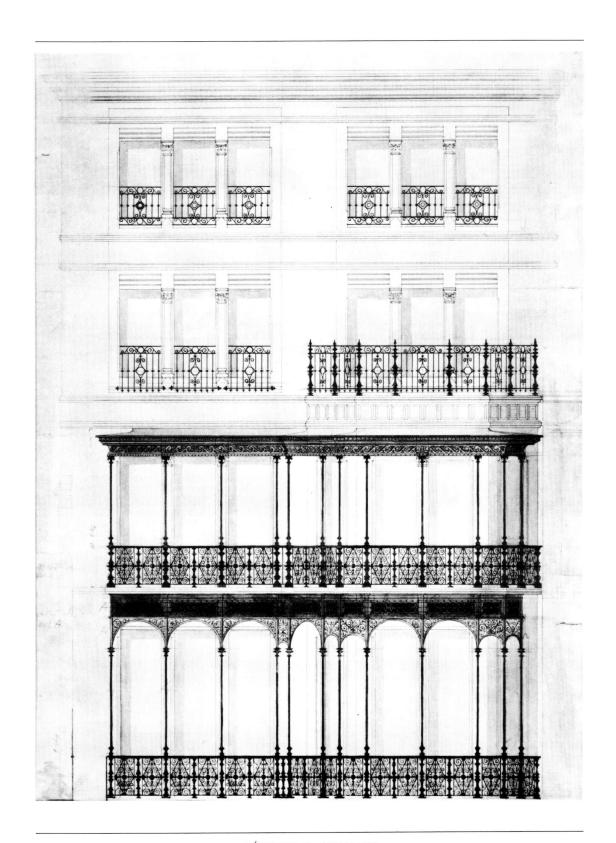

LÉONARD W. COLLMANN
architecte britannique
Projet de façade en fonte pour l'hôtel particulier
de la marquise de Salisbury à Londres
crayon, encre et aquarelle, 83 × 60 cm, 1869
Victoria and Albert Museum, Londres.

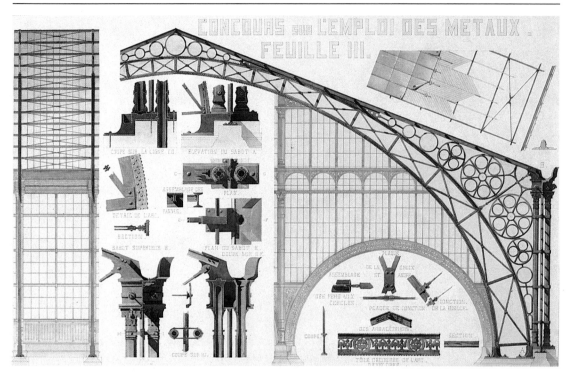

EMIL LANGE
architecte allemand (1841-1925)
Concours sur l'emploi des métaux
projet d'étudiant réalisé à l'atelier Questel à l'École des beaux-arts de Paris
aquarelle sur papier, 59 × 91 cm, vers 1861
Cabinet des Dessins de la Technische Universität, Berlin-Ouest.

GOTTFRIED VON NEUREUTHER
architecte allemand (1811-1887)
Coupe en perspective de la gare de Würzburg en Allemagne
plume et aquarelle, 54 × 72 cm, 1862
Cabinet des Dessins de la Technische Universität, Munich.
(Bâtiment édifié entre 1853 et 1856, détruit en 1945.)

JOHN GREGORY CRACE
architecte britannique (1809-1889)
Projet de décoration du dôme de la structure édifiée pour
l'Exposition internationale de 1862 à Londres
aquarelle, 65 × 51 cm, 1862
Victoria and Albert Museum, Londres.

CHARLES MARVILLE
photographe français (1816-1880)
La nouvelle flèche de Notre-Dame de Paris, 1865; Bibliothèque
du musée des Arts décoratifs, Paris.

CHARLES MARVILLE
Galerie du tribunal de commerce à Paris, vers 1860
Bibliothèque du musée des Arts décoratifs, Paris.
(Le bâtiment a été édifié entre 1858 et 1865 par l'architecte Théodore Ballu [1817-1885].)

DELMAET et DURANDELLE
photographes français
Ouvriers sur le toit de l'Opéra de Paris pendant sa construction, 1864
École nationale supérieure des beaux-arts, Paris.

Photographe non identifié
Essai expérimental de résistance d'un nouveau ciment
par le capitaine Henry Scott, 1861
Science Museum, Londres.

F. ALBERT SCHWARTZ
photographe allemand
Reportage sur les diverses phases de la construction de la gare
Niederschlesich-Märkische à Berlin, 1864-1869
Collection de la Technische Universität, Berlin-Ouest.
(La gare a été réalisée d'après les plans de l'architecte Édouard Römer.)

J. MARTINEZ SANCHEZ
photographe espagnol
Phare de la Punta del Fangar en Espagne dans la province de Tarragone, 1867
École nationale des ponts et chaussées, Paris.

CARLO FERRARIO
décorateur italien (1833-1907)
Décor pour le premier acte du drame lyrique *Esmeralda*
aquarelle sur papier, 23 × 33 cm, 1886
Musée de la Scala, Milan.

PIERRE LUC CHARLES CICERI
décorateur français (1782-1868)
Décor de palais grec ayant servi pour plusieurs tragédies
aquarelle, 27 × 41 cm, vers 1868
Bibliothèque de la Comédie française, Paris.

EUGÈNE DESHAYES
peintre français (1828-1890)
Paysage romantique
seconde moitié du XIXe siècle, huile sur toile, 116 × 89 cm
Musée du Louvre, Paris.

SÉBASTIEN CHARLES GIRAUD
peintre français (1819-1892)
La galerie Campana, huile sur toile, 90 × 140 cm, 1866; musée du Louvre, Paris.

GUSTAVE CLARENCE RODOLPHE BOULANGER
peintre français (1824-1888)
Répétition du « Joueur de flûte » et de « La femme de Diomède »
chez S.A.I. le prince Napoléon dans l'atrium de sa maison, avenue Montaigne
huile sur toile, 83 × 130 cm, 1861
Musée national du château de Versailles.
(Résidence construite au n° 28 avenue Montaigne entre 1856 et 1860
par l'architecte Alfred Normand [1822-1909], décorée par le peintre Sébastien Cornu.
Cette propriété du prince Napoléon fut vendue en 1866 et démolie en 1891.)

1 8 7 0 / 1 8 7 9

LES ARCHITECTES SE SAISISSENT DES NOUVEAUX MATÉRIAUX MIS À LEUR DISPOSITION. AVEC OPPORTUNISME ILS SAVENT COMBINER LE FER LAMINÉ, LA FONTE, LES BRIQUES, LES ÉMAUX, TERRES CUITES, CÉRAMIQUES, GRÈS AVEC LA PIERRE ET LE BOIS. CES COMBINAISONS TRANSGRESSENT MAINTENANT LARGEMENT LE VOCABULAIRE CLASSIQUE DONT LES ÉLÉMENTS SE TROUVENT REDESSINÉS, RÉARRANGÉS. AINSI AUX SYSTÈMES MÉTALLIQUES DE RÉALISATION DES OSSATURES QUI INVITENT À UNE REDISTRIBUTION DES FORMES ET DES FORCES S'AJOUTE, AVEC LES MATÉRIAUX USINÉS, UN MODE DE MISE EN ŒUVRE DES DÉTAILS QUI RENOUVELLE LE DÉCOR ARCHITECTURAL. CERTES, CE RENOUVEAU PEUT SEMBLER EMPRUNTER LES APPARENCES DE LA TRADITION; CEPENDANT DANS LA PROFUSION REDONDANTE DES DÉTAILS DE FACTURE CLASSIQUE CE QUI EST EN JEU TIENT ESSENTIELLEMENT À L'INTRUSION MASSIVE DES MOYENS MODERNES DE L'ÉCONOMIE DU BÂTIMENT. TECHNIQUEMENT, L'ÉDIFICE DE CE DERNIER QUART DE SIÈCLE N'A PLUS GRAND-CHOSE À VOIR AVEC CELUI DES ANNÉES 1820. DERRIÈRE LE DÉCOR DES FAÇADES SE DISSIMULE MAINTENANT TOUT UN APPAREILLAGE TECHNIQUE DE CALORIFÈRES À AIR CHAUD ET DE TUYAUTERIES. ON VIENT JUSTE D'INVENTER LE SYPHON QUI CONSTITUE UNE RÉVOLUTION DOMESTIQUE ! LA PRÉCISION DE L'ENRE- GISTREMENT PHOTOGRAPHIQUE PERMET AUX MEILLEURS PHOTOGRAPHES, TELS DELMAET ET DURANDELLE, D'ATTEINDRE À UN VÉRITABLE MODERNISME DANS LA REPRÉSENTATION QU'ILS DONNENT DE L'ARCHITECTURE CONTEMPORAINE. ILS ACCENTUENT L'ABSTRACTION DES FORMES ET DES ESPACES, AINSI QUE L'ÉTRANGETÉ DES DÉTAILS. EN PEINTURE LE CADRAGE FRONTAL ET SYMÉTRIQUE D'UN MEISSONIER SUR LES RUINES DES TUILERIES AU LENDEMAIN DE LA COMMUNE, S'OPPOSE AU CADRAGE OBLIQUE ET IMPRESSIONNISTE D'UN CAILLEBOTTE SUR UN PONT FERROVIAIRE. C'EST ENTRE CES POINTS DE VUE CONTRADICTOIRES QUE SE CHERCHENT LES VOIES NOUVELLES DE LA FIGURATION ARCHITECTURALE.

ANTONIO GAUDI Y CORNET (attribué à)
architecte espagnol (1852-1926)
Détail d'un portique néo-gothique du monastère de Montserrat
projet d'école, plume sur papier, 124 × 50 cm, 1876;
Archivo Historico del Colegio Official d'Arquitectes de Catalunya,
Barcelone.

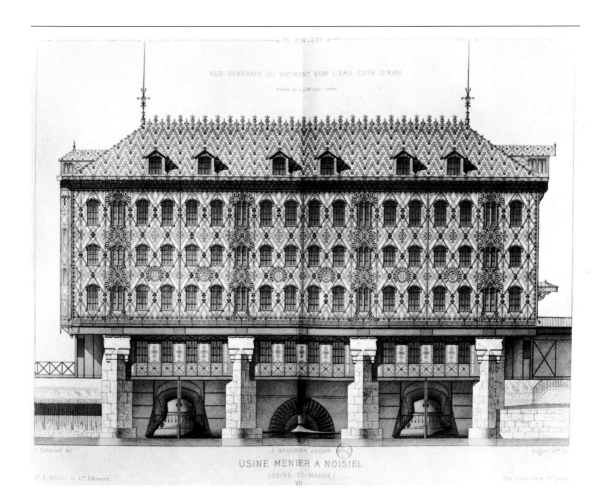

JULES SAULNIER
architecte français (1828-1900)
Élévation de la façade principale de l'usine Menier
édifiée de 1871 à 1873 à Noisiel (Seine-et-Marne).
Collection François Folliot.

ERNEST GEORGES COQUART
architecte français (1831-1902)
Projet d'installation du musée des Antiques
dans la cour couverte de l'École des beaux-arts de Paris
coupe longitudinale à travers la grande salle
encre de Chine et aquarelle, 48 × 88 cm, 1872
Cabinet des Dessins de l'Académie d'architecture, Paris.

AUGUSTE MAGNE
architecte français (1816-1885)
Élévation de la façade du théâtre du Vaudeville à Paris
aquarelle, 81 × 50 cm, 1870
Cabinet des Dessins du musée du Louvre, Paris.

FRIEDRICH VON THIERSCH
architecte allemand (1852-1921)
Élévation intérieure d'une section du mur et du plafond de la salle dite « les palmiers » à Francfort
plume et aquarelle sur calque, 110 × 50 cm, 1879
Cabinet des Dessins de la Technische Universität, Munich.

JEAN-CAMILLE FORMIGÉ
architecte français (1845-1926)
Détail ornemental de la façade d'une gare de chemin de fer
projet d'étudiant à l'École des beaux-arts de Paris
aquarelle, 90 × 61 cm, 1876
Bibliothèque de l'École nationale supérieure des beaux-arts, Paris.

JEAN-CAMILLE FORMIGÉ
architecte français (1845-1926)
Élévation de la façade d'une gare de chemin de fer, projet d'étudiant
à l'École des beaux-arts de Paris
aquarelle, 70 × 210 cm, 1876
Bibliothèque de l'École nationale supérieure des beaux-arts, Paris.

ED. J.-B. PAULIN
architecte français (1848-1915)
Élévation de la façade d'un palais de justice, projet d'étudiant
à l'École des beaux-arts de Paris
aquarelle, 145 × 190 cm, Prix de Rome, 1875
Bibliothèque de l'École nationale supérieure des beaux-arts, Paris.

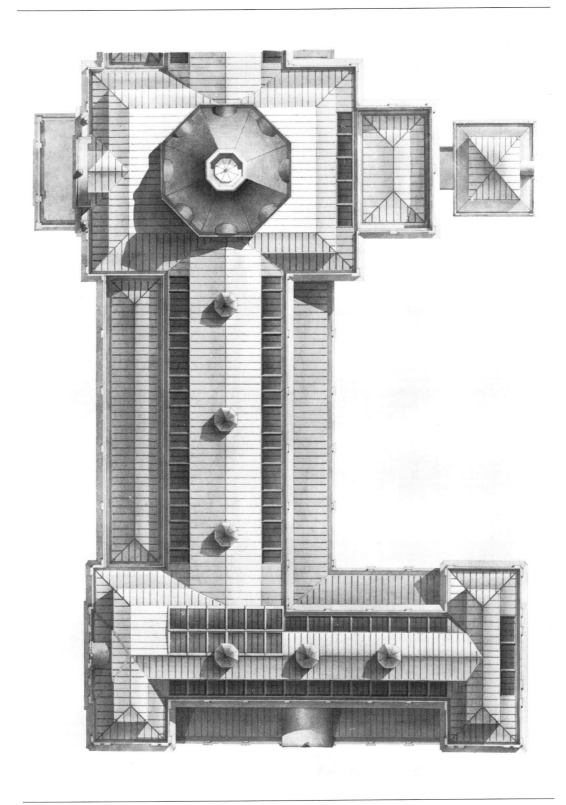

M. EBERSON
architecte hollandais
Projet de concours pour le Rijsksmuseum d'Amsterdam, plan de la toiture vitrée
dessin aquarellé, 85 × 73 cm, 1875
Cabinet des Dessins
du Nederlands Documentatiecentrum voor de Bouwkunst,
Stichtung Architectuur Museum, Amsterdam.

GUSTAVE CAILLEBOTTE
peintre français (1848-1894)
Le pont de l'Europe, huile sur toile, 56 × 46 cm, 1876
Famille de l'artiste, Paris.

ERNEST MEISSONIER
peintre français (1815-1891)
Ruines des Tuileries, huile sur toile, 136 × 96 cm, 1871
Musée national du château de Compiègne.
(Résidence royale commandée par Catherine de Médicis à Philibert de l'Orme,
commencée en 1563 et terminée en 1853 par Pierre Fontaine [1762-1853].
Charles-Léon Vinit y participa après 1830 alors qu'il travaillait chez Pierre Fontaine.
Les Tuileries furent incendiées sous la Commune en 1870 et détruites en 1882.)

JULIUS PERGER
photographe hollandais
Binnen Rotte, vue d'un pont ferroviaire en construction à Rotterdam, 1873
École nationale des ponts et chaussées, Paris.

ÉDOUARD DURANDELLE
photographe français
Détail de la frise de l'Opéra de Paris durant sa réalisation,
vers 1870; musée d'Orsay, Paris.
(Le projet de l'architecte Charles Garnier pour l'opéra de Paris est adopté en 1861;
commencé en 1862, il sera inauguré en 1875.)

M. PANCKOW
photographe allemand
Maison mitoyenne au n° 6 de la Landgrafenstrasse à Berlin, 1872
Berlinische Galerie, Berlin-Ouest.

1 8 8 0 / 1 8 8 9

ALORS QUE L'EXPOSITION UNIVERSELLE DE LONDRES PROPOSAIT EN 1851 LA PREMIÈRE STRUCTURE RECOUVRANT UNE TRÈS VASTE ÉTENDUE, À PARIS, CELLE DE 1889 EXPLORE AVEC LA TOUR EIFFEL ET L'APPLICATION DES ASCENSEURS LE MONDE DES GRANDES HAUTEURS. MAIS ELLE FAIT PLUS QU'OFFRIR UNE AUTRE DIMENSION À L'ARCHITECTURE, ELLE EN BOUSCULE TOUS LES DOGMES ET DÉRANGE LES CANONS DE LA BEAUTÉ. LE TEMPS EST À LA FASCINATION POUR LE GIGANTISME ET LES PROUESSES TECHNIQUES : LES 115 MÈTRES DE PORTÉE DE LA GALERIE DES MACHINES STUPÉFIENT AUTANT QUE LA TOUR. CES PROUESSES FONT BON MÉNAGE AVEC LE GOÛT PERSISTANT POUR LE DECORUM. AU PREMIER ORIENTALISME DES GRANDS VOYAGEURS DU DÉBUT DU SIÈCLE SUCCÈDENT DES PHÉNOMÈNES BIEN PLUS LARGES ET INFLUENTS : L'EXOSTISME ET LE COLONIALISME. LA PHOTOGRAPHIE CONNAÎT UNE LARGE DIFFUSION DEPUIS L'ALLÈGEMENT DES APPAREILS ET L'INDUSTRIALISATION DE LEUR FABRICATION. DANS UNE VISÉE CINÉTIQUE ELLE RESTITUE LES PHASES SUCCESSIVES DE LA CONSTRUCTION DES MONUMENTS. LE REGARD QUI TENTE DE TOUT ENGLOBER S'ÉLÈVE AU-DESSUS DE CES ARCHITECTURES, PÉNÈTRE DANS L'INTÉRIEUR DES ÉDIFICES, S'INTRODUIT AU TRAVERS DE LEUR « ÉPIDERME » ET TENTE D'EN RÉVÉLER LA STRUCTURE ET LA TEXTURE. À PARTIR DE VISIONS FRAGMENTAIRES, À L'AIDE DES COUPES OU DES « ÉCORCHÉS », IL S'AGIT DE RÉUNIR EN UN MÊME REGARD AUSSI BIEN LE VU QUE LE CACHÉ, LA MATIÈRE QUE L'ESPACE.

Auteur non identifié
Foulard en soie commémorant l'inauguration de la tour Eiffel
lors de l'Exposition universelle
à Paris, 1889; fonds Eiffel, musée d'Orsay, Paris.

ALFRED BÜRDE
architecte allemand
Projet de façade pour un atelier de peintre à Florence
plume et aquarelle, 96 × 64 cm, 1880
Cabinet des Dessins de la Technische Universität,
Berlin-Ouest.

BERNARD SEHRING
architecte allemand (1855-1932)
Détail de l'élévation de la façade principale d'un musée
projet d'étudiant à l'Académie royale des beaux-arts de Berlin
encre et lavis, 99 × 65 cm, 1883
Cabinet des Dessins de la Technische Universität,
Berlin-Ouest.

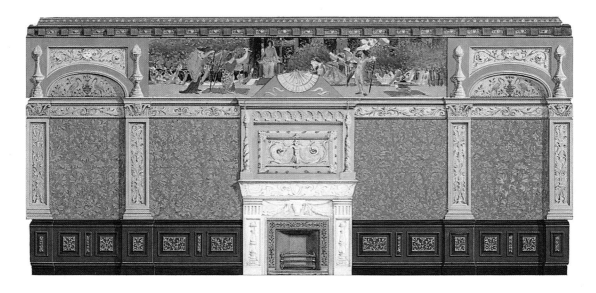

ÉDOUARD NIERMANS
architecte français (1859-1928)
Composition décorative avec luminaires pour le plafond d'une brasserie
aquarelle rehaussée à l'or sur papier fort,
48 × 65 cm, vers 1887; Institut français d'architecture, Paris.

GEORGE AITCHISON
architecte britannique (1825-1910)
Projet de décoration murale d'un salon, aquarelle, vers 1880
Cabinet des Dessins du Royal Institute of British Architects, Londres.

GEORGE AITCHISON
architecte britannique (1825-1910)
Élévation et ornementation d'un mur du hall arabe *(Arab Hall)* de l'hôtel
particulier du peintre Lord Leighton, édifié à Holland Park Road à Londres de 1866 à 1880
aquarelle, 63 × 43 cm, vers 1880
Cabinet des Dessins du Royal Institute of British Architects, Londres.

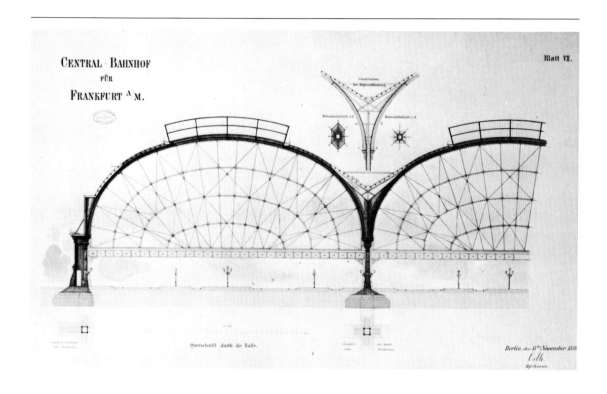

AUGUST ORTH
architecte allemand (1828-1901)
Coupe et détail d'assemblage de la structure métallique
pour la grande halle de la gare centrale de Francfort
encre et aquarelle, 70 × 114 cm, 1880
Cabinet des Dessins de la Technische Universität, Berlin-Ouest.

M. SPRINGER
architecte hollandais
Perspective intérieure d'une brasserie pour l'Exposition internationale d'Amsterdam
crayon et aquarelle sur papier, 35 × 56 cm, vers 1883
Cabinet des Dessins du Nederlands Documentatiecentrum voor de Bouwkunst,
Stichting Architectuur Museum, Amsterdam.

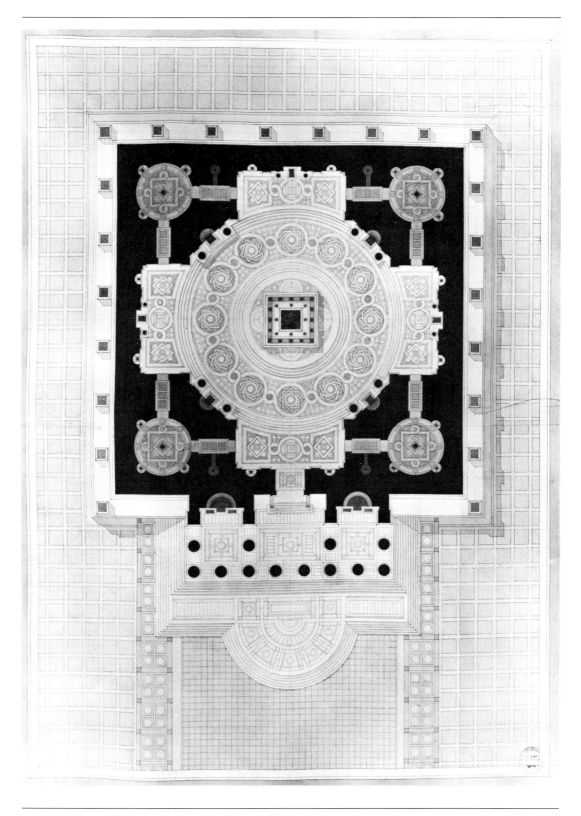

LÉON EUGÈNE QUATESOUS
architecte français (1855-1890)
Plan pour une nécropole, projet d'étudiant
à l'École des beaux-arts de Paris; Prix de Rome, 1883
École nationale supérieure des beaux-arts, Paris.

ÉDOUARD DURANDELLE
photographe français
Vue intérieure entre les deux verrières du siège du *Comptoir d'escompte de Paris*, 1882
Bibliothèque historique de la ville de Paris.

FRANCIS FRITH
photographe britannique (1822-1898)
La jetée de Brighton, 1881
Bibliothèque nationale, Paris.

Photographe danois non identifié
Façade ouest de Notre-Dame à Copenhague, vers 1880
Kunstakademiets Bibliotek, Copenhague.
(Cette église , conçue en 1811,
a été réalisée entre 1817 et 1829 par l'architecte
Christian-Frederick Hansen [1756-1845].)

ÉDOUARD DURANDELLE
photographe français
Visite des journalistes sur le chantier de la tour Eiffel le 4 juillet 1888
Musée d'Orsay, Paris.

STUDIO CHEVOJON
famille de photographes français
Structure de la « Galerie des machines » à Paris, 1889; collection Chevojon, Paris.
(La Galerie des machines a été édifiée dès 1887
pour l'Exposition universelle de 1889 par l'architecte Ferdinand Dutert
et les ingénieurs Contamin, Pierron et Charton.)

ALEX VERDEL
La tour de 300 mètres, construite en 300 vers,
calligraphie et poème en hommage à la tour Eiffel, vers 1889
Fonds Eiffel, musée d'Orsay, Paris.

LOUIS BÉROUD
peintre français (1852-1930)
Dôme central de l'Exposition universelle de 1889, huile sur toile,
198 × 165 cm, 1890; musée du Petit Palais, Paris.
(Ce palais provisoire des expositions, appelé aussi « pavillon des Beaux-Arts »,
a été réalisé par l'architecte Jean-Camille Formigé [1845-1926].)

1 8 9 0 / 1 8 9 9

DEPUIS L'AVÈNEMENT DU CHEMIN DE FER, BANLIEUES ET MAISONS SUBURBAINES SE DÉVELOPPENT TOUT AUTOUR DES VILLES. LES ARCHITECTES SE SONT SAISIS DU NOUVEAU MARCHÉ QUE REPRÉSENTE L'HABITATION. DES MODÈLES D'IMMEUBLES À LOYER, VILLAS, MAISONS, COTTAGES SONT REGROUPÉS SYSTÉMATIQUEMENT DANS DES RECUEILS AFIN DE GUIDER LE CHOIX DES CLIENTS ET LE TRAVAIL DES ARCHITECTES. « TOUS LES STYLES, TANT ANCIENS QUE MODERNES, Y SONT REPRODUITS; TOUS LES MATÉRIAUX SANS AUCUNE EXCEPTION Y SONT MIS EN ŒUVRE ». LE DESSIN D'ARCHITECTURE SE FAIT INTIMISTE, MET EN SCÈNE LES INTÉRIEURS, LE CADRE DE LA VIE DOMESTIQUE. C'EST PRINCIPALEMENT AUTOUR DU THÈME DE L'HABITATION QUE SE DÉVELOPPE L'ART NOUVEAU. DES COURBES S'ÉLANCENT LÉGÈRES COMME DES VOLUTES DE FUMÉE. CÉRAMIQUE, VERRE, MÉTAL NE SONT PLUS TANT LES REPRÉSENTANTS DE L'ÂGE INDUSTRIEL QUE LES MATÉRIAUX SOUPLES DE CET ART, ATTENTIF À L'EXPRESSION DES SENTIMENTS ET VOLONTIERS PSYCHOLOGIQUE. IL VEUT INTRODUIRE VIE ET ÉMOTION DANS LA FORME. LA PEINTURE DEVIENT SYMBOLISTE, ET LA PHOTOGRAPHIE AFFIRME, DEPUIS QU'ELLE PEUT SAISIR LES COULEURS, SES PROPRES VALEURS PICTURALES. LE CINÉMA EST INVENTÉ. AVEC MÉLIÈS, D'EMBLÉE IL PRÉSENTE DEUX ASPECTS : L'UN, PRESQUE DOCUMENTAIRE, CHERCHE À RENDRE COMPTE DE LA RÉALITÉ, L'AUTRE ENGENDRE SON PROPRE IMAGINAIRE CINÉMATOGRAPHIQUE, FANTASTIQUE ET ONIRIQUE. QUE CE SOIT POUR L'UN OU L'AUTRE DE SES ASPECTS, LE CINÉMA APPELLE UN NOUVEAU GENRE DE RECONSTITUTIONS D'ARCHITECTURE EN STUDIO, DONT LE PREMIER EST ÉDIFIÉ DANS LA BANLIEUE DE PARIS AVANT LA FIN DU XIXe SIÈCLE.

RALPH KNOTT
architecte britannique (1878-1929)
Détail supérieur de l'élévation de la travée centrale
de la façade principale
du Victoria and Albert Museum à Londres, 1891
Cabinet des dessins du Royal Institute of British Architects, Londres.

RALPH KNOTT
architecte britannique (1878-1929)
Élévation, plan et coupe de la travée centrale de la façade
du musée Victoria et Albert à Londres, 1891, encre sur papier
Cabinet des Dessins du Royal Institute of British Architects, Londres.
(Le musée Victoria et Albert fait l'objet d'un concours en 1891;
sa réalisation a été confiée de 1899 à 1909
aux architectes Sir Aston Webb et Ingress Bell.)

WILLEM CORNELIS BAUER
architecte hollandais (1862-1904)
Élévation de la façade principale d'une église, projet de concours,
encre et aquarelle sur papier, 100 × 65 cm, 1892
Cabinet des Dessins du Nederlands Documentatiecentrum voor de Bouwkunst,
Stichtung Architecktuur Museum, Amsterdam.

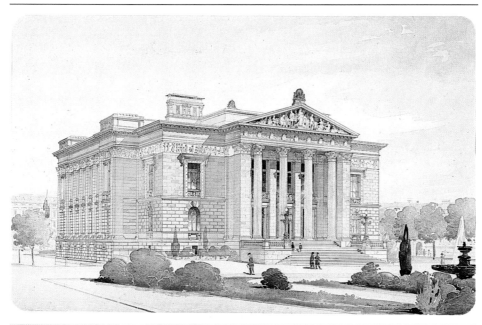

GUSTAF NYSTRÖM
architecte finlandais
Projet d'édifice gouvernemental, aquarelle, 55 × 88 cm, 1892
Musée finlandais d'Architecture, Helsinki.

JOSEPH MARIA OLBRICH
architecte autrichien (1867-1908)
Perspective de deux maisons groupées à Darmstadt, aquarelle,
27 × 39 cm, vers 1890; Kunstbibliothek, Berlin-Ouest.

ARTHUR GOEBEL
architecte allemand (1835-1913)
Élévation des façades d'une villa dans la banlieue de Berlin
encre et aquarelle, 71 × 51 cm, 1891
Cabinet des Dessins de la Technische Universität, Berlin-Ouest.

ALFONS MUCHA
illustrateur tchèque (1860-1939)
Premier projet pour l'installation du pavillon de l'Homme
à l'emplacement de la tour Eiffel, crayon, 1897
Cabinet des Dessins du musée du Louvre, Paris.

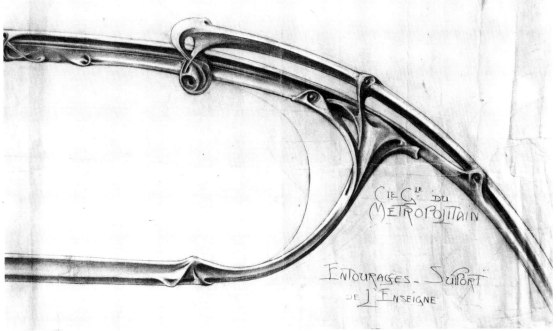

AUGUSTE PERRET
architecte français (1874-1954)
Perspective d'un puits dans un cloître
projet d'étudiant dans l'atelier Guadet à l'École des beaux-arts de Paris
crayon et encre, 49 × 63 cm, 1892
Conservatoire national des Arts et Métiers, Paris.

HECTOR GUIMARD
architecte français (1867-1942)
Élévation partielle du support de l'enseigne d'une entrée de métro à Paris
crayon et fusain sur papier, 75 × 132 cm, 1899
Musée des Arts décoratifs, Paris.

FRANCIS FRITH
photographe britannique (1822-1898)
Grande roue hydraulique à Laxey, 1897; agence Photogram, Paris.
(Construite par Robert Casement en 1854
sur l'île de Man, Grande-Bretagne,
cette machinerie géante était connue aussi
sous le surnom de « Lady Isabella Waterwheel ».)

PAUL GRAAF
photographe allemand
Ouvrier sur les échafaudages du palais du Reichstag à Berlin
pendant sa construction, 1892; Berlinische Galerie, Berlin-Ouest.
(Le Reichstag fut conçu en 1882 et construit
entre 1884 et 1894 par Paul Wallot [1841-1912].
Il fut endommagé en 1933,
détruit durant la Deuxième Guerre mondiale
et reconstruit à partir de 1959.)

LUCIEN LÉVY (attribué à)
photographe français
Le grand pont routier sur l'Elbe à Hambourg, vers 1890
Collection Roger-Viollet, Paris.

LUCIEN LÉVY (attribué à)
Une galerie du palais de l'Industrie à Amsterdam, vers 1890
Collection Roger-Viollet, Paris.

LES FRÈRES ALINARI
photographes italiens
La galerie Umberto à Naples, vers 1890
Collection Alinari, Florence.
(Cette galerie couverte a été conçue en 1890
par l'architecte Ernesto de Mauro.)

LES FRÈRES ALINARI
photographes italiens
Ouvriers célébrant la fin du gros œuvre d'un bâtiment en chantier,
vers 1895; collection Alinari, Florence.

WILLIAM DEGOUVE DE NUNCQUES
peintre belge (1867-1935)
La maison rose, huile sur toile, 63 × 43 cm, 1892
Musée national Kröller-Müller, Otterlo, Pays-Bas.

PHILIPPE CHAPERON
décorateur français (1823-1907)
Décor pour la tragédie *Athalie* de Jean Racine
aquarelle, 21 × 25 cm, 1892; musée Carnavalet, Paris.

RICCARDO FONTANA
décorateur italien (1840-1915)
Décor de salon pour un opéra non identifié
fin du XIXe siècle, aquarelle, 22 × 31 cm
Musée de la Scala, Milan.

GEORGES MÉLIÈS
inventeur, décorateur et réalisateur de cinéma français (1861-1938)
Esquisse pour la construction de son *Théâtre de prises de vues*
(studio de cinéma) édifié en 1897 à Montreuil
encre et plume sur papier, 46 × 51 cm, 1897; Cinémathèque française, Paris.

GEORGES MÉLIÈS
Projet de décor pour le film *Robinson Crusoé,* plume et crayon, 46 × 51 cm,
1899-1902; Cinémathèque française, Paris.

1900/1909

SI LA LITHOGRAPHIE, DÈS LE DÉBUT DU XIXe SIÈCLE, A PERMIS DE DIFFUSER LES NOUVELLES IMAGES D'UNE ARCHITECTURE POLYCHROME, LA CARTE POSTALE, POUR SA PART, ÉLABORE AU DÉBUT DU XXe SIÈCLE UNE SORTE DE PREMIER INVENTAIRE DU PATRIMOINE ARCHITECTURAL INTERNATIONAL. PAR LE BIAIS DE LA PHOTOGRAPHIE DOCUMENTAIRE, LA CARTE POSTALE ÉLARGIT CONSIDÉRABLEMENT LA NOTION MÊME D'ARCHITECTURE EN ILLUSTRANT AUSSI BIEN LES ŒUVRES DE LA TRADITION SAVANTE QUE LES CRÉATIONS INDUSTRIELLES POPULAIRES OU ÉPHÉMÈRES. EN PHOTOGRAPHIE, LE « PICTORIALISME » S'AFFIRME AVEC SES THÈMES TRADITIONNELS; COBURN RÉALISE DES VUES D'ARCHITECTURE QUI PRÉPARENT LES RECHERCHES AVANT-GARDISTES DES DÉCENNIES À VENIR. POUR MONET L'ARCHITECTURE EST LE SUPPORT MONUMENTAL DES FLUCTUATIONS DE LA LUMIÈRE; À CE PROPOS IL POURSUIT SES RECHERCHES, NOTAMMENT DANS LES BRUMES DE LONDRES FACE AU NOUVEAU PARLEMENT DONT LA MASSE NÉO-GOTHIQUE LUI INSPIRE DE NOMBREUSES VARIATIONS PICTURALES. EN MATIÈRE SCÉNOGRAPHIQUE, LA REPRÉSENTATION ARCHITECTURALE SE TRADUIT DÉSORMAIS PAR DEUX EXPRESSIONS RADICALEMENT DIFFÉRENTES : D'UNE PART, UNE PRATIQUE TRADITIONNELLE ET ACADÉMIQUE AUX TRUCAGES ÉCULÉS; D'AUTRE PART, UNE RÉVOLUTION SCÉNIQUE QUI SE MET EN PLACE AVEC APPIA. ELLE RÉGÉNÈRE VIGOUREUSEMENT L'USAGE SCÉNIQUE DE L'ARCHITECTURE EN ÉLIMINANT TOUT UN FATRAS ORNEMENTAL DÉSORMAIS TRÈS POUSSIÉREUX. L'ARCHITECTURE, EXALTÉE DANS LA FORCE ET LA SÉRÉNITÉ DE SES RYTHMES ET DE SES LIGNES DE FORCE ESSENTIELLES, DEVIENT LE SUPPORT D'UNE NOUVELLE DRAMATURGIE. AU CINÉMA, MÉLIÈS GÉNÉRALISE POUR SES FILMS DES DÉCORS OSCILLANT, SELON LES BESOINS DU SUJET, ENTRE UNE VOLONTÉ D'HYPERRÉALISME POUR SIMULER LES ÉVÉNEMENTS DE L'ACTUALITÉ, ET UNE PRATIQUE DE LA FÉERIE OÙ L'ARCHITECTURE PARTICIPE D'UNE NOUVELLE QUÊTE DU FANTASTIQUE. CHEZ LES ARCHITECTES, LE LANGAGE GRAPHIQUE SUBIT UNE MÉTAMORPHOSE CONSIDÉRABLE EN SE LIBÉRANT DES CONVENTIONS DU XIXe SIÈCLE, MAIS SE TRADUIT SELON DES THÉORIES ET DES PRATIQUES ESTHÉTIQUES TRÈS DIFFÉRENTES. UNE NOUVELLE LINÉARITÉ DU DESSIN D'ARCHITECTURE EST MISE AU SERVICE AUSSI BIEN DE LA RIGUEUR DES SÉCESSIONNISTES QUE DU LYRISME D'INSPIRATION VÉGÉTALE DES PIONNIERS DE L'ART NOUVEAU. INVERSEMENT, LES EXPRESSIONNISTES PRIVILÉGIENT DANS LEURS IMAGES ARCHITECTURALES UN GOÛT POUR LA DRAMATISATION DES VOLUMES AUX SURFACES VIOLEMMENT CONTRASTÉES. ON EST DÉJÀ EN PRÉSENCE D'UN LANGAGE PLASTIQUE QUE LE MOUVEMENT MODERNE RECONNAÎTRA BIENTÔT POUR SIEN.

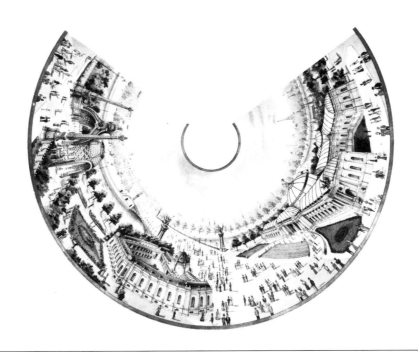

Auteur non identifié
Divers pavillons de l'Exposition universelle de Paris
esquisse pour la décoration d'un éventail, 1900
Collection privée, Paris.

ALBAN CHAMBON
architecte français (1847-1928)
Élévation de la tour Est du Kursaal d'Ostende, aquarelle et gouache, 143 × 54 cm, 1904
Archives d'architecture moderne, Bruxelles.
(Bâtiment construit à partir de 1901 et détruit en 1945.)

PETER VILHELM JENSEN KLINT
architecte danois (1853-1930)
Projet pour un monument national, élévation des façades
et plan des toitures, mine de plomb et aquarelle, 40 × 27 cm, 1907
Cabinet des Dessins de la Kunstakademiets Bibliotek,
Copenhague.

HENRY VAN DE VELDE
architecte belge (1863-1957)
Perspective d'étude pour un musée des Beaux-Arts à Weimar
en Allemagne (second projet), encre indienne et lavis sur carton, 51 × 72 cm, 1905
École nationale supérieure des arts visuels de la Cambre, Bruxelles.

ANTOINE POMPE
architecte belge (1873-1980)
Vue nocturne d'un manoir imaginaire, 21 × 31 cm, 1905
Archives d'architecture moderne, Bruxelles.

HERMANN BILLING
architecte allemand (1867-1946)
Fantaisie architecturale dans un paysage rocheux, plume sur papier, 47 × 34 cm, 1903
Cabinet des Dessins de la Technische Universität, Munich.

WÄINÖ G. PALMQUIST
architecte finlandais
Etude de façade pour un pavillon d'exposition, aquarelle, 33 × 48 cm, 1903
Musée finlandais d'Architecture, Helsinki.

ELIEL SAARINEN
architecte finlandais (1873-1950)
Perspective intérieure du salon de la villa Bobrinsky (projet non réalisé)
aquarelle, 19 × 41 cm, 1903
Musée finlandais d'Architecture, Helsinki.

SIGFRID ERISSON et ARVID BJERKE
architectes suédois
Étude pour la porte monumentale de l'Exposition des arts et de l'industrie de Gotheburg
26 × 18 cm, 1909; Architekturmuseet, Stockholm.

DOUVILLE-sur-ANDELLE (Eure). - Les Ruines de la Filature et l'Andelle

RESTAURANT DE LA RÉSERVE

52. NICE. — La Réserve.

EDMOND LAVERGNE
photographe français
Les ruines de la filature à Douville-sur-Andelle, vers 1900
carte postale; collection Blondel, Paris.

Photographe non identifié
le *Restaurant de la Réserve* à Nice, vers 1900
carte postale, collection Blondel, Paris.

2. - PERNES-en-ARTOIS. - L'Usine à Ciment

HAUTERIVES (Drôme)
Palais idéal (Façade Sud-Ouest

Le soir à la nuit close,
Quand le genre humain repose
Je travaille à mon palais.
De mes peines nul ne le saura jamais.

L'Auteur du Palais.

Photographe non identifié
Cimenterie à Pernes-en-Artois (France)
carte postale éditée par la librairie Bourgois-Gilbert à Pernes, vers 1900
Collection Blondel, Paris.

Photographe non identifié
« Palais idéal » du Facteur Cheval à Hauterives (Drôme, France) vers 1900
Collection Blondel, Paris.
(Le facteur-architecte pose devant la façade sud-ouest
de son œuvre et a fait imprimer sur la carte postale une de ses sentences :
*« Le soir à la nuit close, quand le genre humain repose,
je travaille à mon palais. De mes peines nul ne saura jamais ».)*

C.G. RÖDER
photographe allemand
Détail de la rampe et de la décoration murale de l'escalier de l'hôtel particulier de M. Tassel à Bruxelles
planche extraite du portfolio *Neubauten in Brüssel,* édité par Ernst Wasmuth à Berlin, vers 1900
Archives d'architecture moderne, Bruxelles.
(Cet hôtel particulier a été réalisé en 1893 par l'architecte Victor Horta [1861-1947].)

JEAN-EUGÈNE ATGET
photographe français (1857-1927)
Entrée d'une ménagerie à Paris, vers 1905
Fotomuseum / Stadtmuseum, Munich.

M. NEURDEIN
photographe français
Escalier du palais de justice de Bruxelles, vers 1900
Collection Roger-Viollet, Paris.

GEORGES MÉLIÈS
inventeur, décorateur et réalisateur de cinéma français (1861-1938)
Esquisse pour le décor du film *Cendrillon,* crayon sur papier, 24 × 32 cm, 1912
Cinémathèque française, Paris.

GEORGES MÉLIÈS
Projet de décor pour le film *Le palais des mille et une nuits*
crayon sur papier, 25 × 18 cm, 1905; Cinémathèque française, Paris.

ADOLPHE APPIA
scénographe suisse (1862-1928)
Espace rythmique, étude d'escalier pour un décor de ballet non réalisé, 1909-1910
Clara Ziegler Stiftung, Deutsches Theatermuseum, Munich.

CARLO SONGA
décorateur italien (1856-1911)
Décor pour le premier tableau (le Panthéon) du ballet *Rolla*
dessin à la plume rehaussé d'aquarelle, 26 × 37 cm, 1903
Musée de la Scala, Milan.

CLAUDE MONET
peintre français (1840-1926)
Londres, le Parlement, huile sur toile, 81 × 92 cm, 1905
Musée Marmottan Paris.
(Le concours pour la reconstruction du Parlement de Londres a eu lieu en 1836,
après sa destruction par un incendie;
Sir Charles Barry [1795-1860] en assura la construction avec Augustus Pugin [1812-1852]
puis Edward Middleton Barry [1830-1880] compléta l'œuvre de son père jusqu'en 1868.)

CLAUDE MONET
Londres, le Parlement, trouée de soleil, huile sur toile, 1905
Musée du Louvre, Paris.

1 9 1 0 / 1 9 1 9

DANS TOUS LES DOMAINES CETTE ÉPOQUE DE CRÉATION FÉCONDE, PARFOIS TUMULTUEUSE JUSQU'À LA CONTRADICTION, EST PROFONDÉMENT MARQUÉE PAR DES INNOVATIONS MULTIFORMES : PÉRIODE DE RUPTURE ESTHÉTIQUE, MAIS AUSSI DE PERSISTANCE DES FORMES ANTÉRIEURES, MÊME APRÈS LA VIOLENTE RUPTURE DE 1914-18. CEPENDANT PLUS RIEN NE SERA DÉSORMAIS COMME AVANT; LES ARTS DE FIGURATION DE L'ESPACE ÉCLATENT EN DIVERS COURANTS ANTAGONISTES ET AUTONOMES. DU CÔTÉ DES MOUVEMENTS AVANT-GARDISTES ON EST EXPRESSIONNISTE, MÉTAPHYSIQUE, CUBISTE, FUTURISTE...; DU CÔTÉ DE LA TRADITION ON DEMEURE ENCORE RÉGIONALISTE VOIRE MÊME NÉO-CLASSIQUE. CE QUI EST NOUVEAU ET CE QUI RÉUNIT LES MOUVEMENTS LES PLUS CRÉATIFS TIENT À LEUR INTERROGATION SUR LE POUVOIR DE CERTAINES FORMES DE PORTER EN ELLES-MÊMES LEUR SIGNIFICATION. DE LÀ LES RUPTURES RADICALES ENVERS LES RÉFÉRENCES DU PASSÉ CHARGÉES DU SENS DE LEUR HISTOIRE; DE LÀ LA MULTIPLICATION DES COURANTS ET LE DÉVELOPPEMENT DE CHACUN D'EUX SUR DES VOIES EXPÉRIMENTALES AUTONOMES; DE LÀ ENFIN, L'IMPORTANCE PLUS FORTE DU GÉOMÉTRISME ET DES JEUX PLASTIQUES COMME BASES DE CES RECHERCHES À PARTIR DES VOLUMES SIMPLES ET DE LEURS DÉFORMATIONS. DE CE TUMULTE CRÉATIF SURGIT UN COURANT RATIONALISTE QUE LE CORBUSIER RÉSUME EN UN DESSIN RÉVÉLANT SUBITEMENT LA VRAIE NATURE D'UNE STRUCTURE DE BÉTON : L'ÉDIFICE N'EST PLUS QU'UNE BOÎTE VIDE FAITE DE PLANS HORIZONTAUX ET DE POTEAUX. LE CINÉMA DÉPASSE DÉJÀ LE STADE DU DIVERTISSEMENT ET CELUI DE LA COPIE PLUS OU MOINS TRANSPOSÉE DU RÉEL; IL DEVIENT UNE VÉRITABLE RÉCRÉATION QUI REJOINT LES RECHERCHES PLASTIQUES DU PEINTRE ET DU SCÉNOGRAPHE. DANS L'ESPACE THÉÂTRAL, ACTEURS ET SPECTATEURS TENDENT À VIVRE DANS UN VOLUME UNIFIÉ, OÙ LE GESTE RENOUVELLE SES SIGNIFICATIONS DANS DES DÉCORS DÉBARRASSÉS DES EFFETS DU TROMPE-L'ŒIL : SOIT DANS L'ESTHÉTIQUE PURISTE DE CRAIG OU D'APPIA, SOIT DANS CELLE FLAMBOYANTE DES BALLETS RUSSES. DANS LE DOMAINE DE LA PHOTOGRAPHIE, TANDIS QUE LE MOUVEMENT PICTORALISTE S'ÉPANOUIT, EUGÈNE ATGET — RENOUANT AVEC LA TRADITION DOCUMENTAIRE — PRÉFIGURE DE NOMBREUX COURANTS DU XXe SIÈCLE, EN RÉVÉLANT NOTAMMENT LA PRÉCARITÉ DE L'HABITAT DES PROLÉTAIRES À LA PÉRIPHÉRIE DES GRANDES MÉTROPOLES.

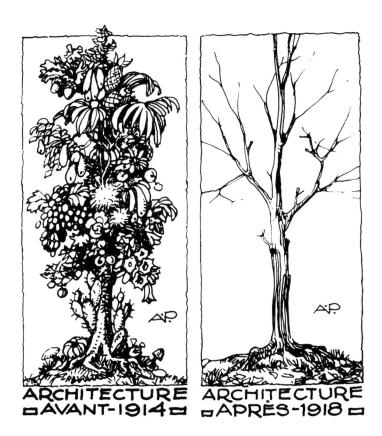

ANTOINE POMPE
architecte belge (1873-1980)
Vignette satirique sur l'évolution de l'architecture au début du siècle
encre de Chine sur papier, 12 × 12 cm,
vers 1918; Archives d'architecture moderne, Bruxelles.

VIRGILIO MARCHI
architecte italien (1895-1960)
Esquisse pour une tour, aquarelle sur papier, 24 × 17 cm, 1919
Galerie Fischer Fine Art, Londres.

CARL PETERSEN (1874-1923), IVAN BENTSEN (1876-1943)
architectes danois
Perspective d'un complexe de bureaux dans le vieux quartier de la gare à Copenhague
projet de concours, mine de plomb et aquarelle,
80 × 60 cm, 1919; collection privée, Copenhague.

ANTONIO SANT'ELIA
architecte italien (1888-1916)
Esquisse d'étude pour un immeuble, 30 × 15 cm, vers 1914
Collection Paride Accetti, Milan.

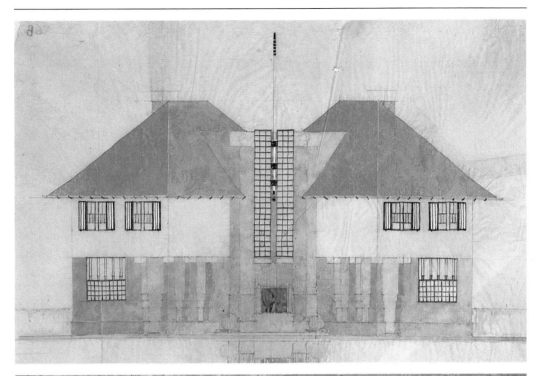

LOUIS HERMAN DE KONINCK
architecte belge (né en 1896, vit à Bruxelles)
Élévation de la façade de deux maisons jumelées dans la cité-jardin de Dour
dans la province du Hainaut
mine de plomb, encre et aquarelle sur calque, 35 × 50 cm, vers 1919
Archives d'architecture moderne, Bruxelles.

LUCIEN FRANÇOIS
architecte belge (1894-1983)
Villa du Prince Petroulla à Mondello au Lido de Palerme
héliographie rehaussée à l'aquarelle,
57 × 71 cm, 1919; Archives d'architecture moderne, Bruxelles.

269

AAGE RAFN
architecte danois (1890-1953)
Élévation de la façade d'un asile de vieillards à Frederiksberg (Copenhague)
projet de concours, aquarelle, 50 × 50 cm, 1919-1925
Cabinet des Dessins de la Kunstakademiets Bibliotek, Copenhague.

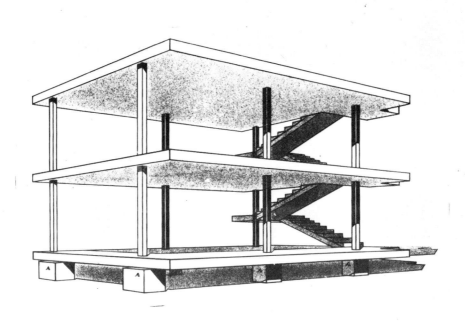

MONOLYTHE-OSSATURE DE BÉTON ARMÉ
COULÉE SANS COFFRAGE
SUR SIX POINTS D'APPUI FOURNIS A.

30266

CHARLES ÉDOUARD JEANNERET dit LE CORBUSIER
architecte et peintre suisse naturalisé français (1887-1965)
Ossature en béton armé de la maison « Domino »
encre de Chine, crayon noir et couleur sur papier tirage, 47 × 57 cm, 1914
Fondation Le Corbusier, Paris.

LE CORBUSIER
Perspective extérieure de la villa Jeanneret-Perret à La Chaux-de-Fonds en Suisse
crayon noir et fusain sur calque, 58 × 80 cm, 1912; Fondation Le Corbusier, Paris.

JAN WILS, architecte hollandais (né en 1891)
ZWART, décorateur hollandais
Perspective intérieure pour une école de danse à La Haye
crayon et aquarelle sur papier, 17 × 45 cm, vers 1919
Cabinet des Dessins du Nederlands Documentatiecentrum voor de Bouwkunst,
Stichtung Architectuur Museum, Amsterdam.

B. BIJVOET (né en 1889), JOHANNES DUIKER (1890-1935)
architectes hollandais
Perspective d'étude pour l'Académie royale des beaux-arts d'Amsterdam
crayon noir et crayons de couleur, 200 × 120 cm, 1917-1918
Cabinet des Dessins du Nederlands Documentatiecentrum voor de Bouwkunst,
Stichtung Architectuur Museum, Amsterdam.

HENDRIK PETRUS BERLAGE
architecte hollandais (1856-1934)
Perspective du salon d'une maison de campagne, 50 × 60 cm, 1919
Galerie Luce Van Rooy, Amsterdam.

M. LAUWERIKS
architecte hollandais
Perspective d'étude pour la décoration intérieure de l'exposition
du « Deutsche Werkbund » à Cologne, aquarelle, 34 × 36 cm, 1914
Cabinet des Dessins du Nederlands Documentatiecentrum voor Bouwkunst,
Stichting Architectuur Museum, Amsterdam.

GEORGES BRAQUE
peintre français (1882-1963)
Les maisons du Rio Tinto à l'Estaque, huile sur toile, 72 × 60 cm, 1910
Musée national d'Art moderne, Centre Georges Pompidou, Paris.

LYONEL FEININGER
peintre et dessinateur américain (1871-1956)
Gaberndorf IV, dessin à la plume et encre de Chine sur papier, 24 × 31 cm, 1916
Musée national d'Art moderne, Centre Georges Pompidou, Paris.

PIET MONDRIAN
peintre hollandais (1872-1944)
Composition XV, huile sur toile, 1913
Stedelijk Museum, Amsterdam.

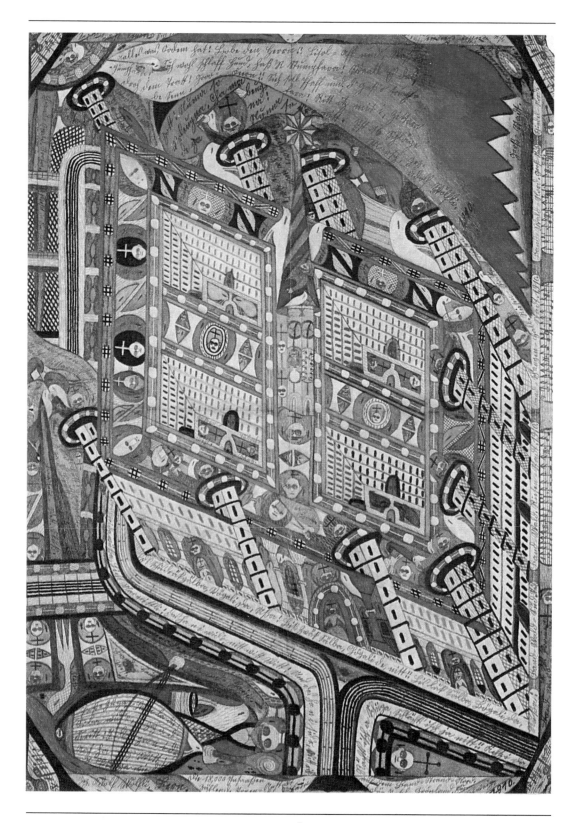

ADOLF WÖLFLI
peintre suisse (1864-1930)
Asile d'aliénés de Band-Hain, crayons de couleur, 105 × 76 cm, 1910
Fondation Adolf Wölfli, Kunstmuseum, Berne.

GIORGIO DE CHIRICO
peintre italien (1888-1978)
Cité métaphysique, huile sur toile, 64 × 50 cm, 1914-16
Collection privée, Milan.

JEAN-EUGÈNE ATGET
photographe français (1857-1927)
Habitations précaires aux abords de la Porte d'Ivry à Paris, vers 1910
Bibliothèque historique de la Ville de Paris.

Photographe non identifié
Portail ouest de l'église Notre-Dame de Copenhague, vers 1915
Kunstakademiets Bibliotek, Copenhague.

Photographe non identifié, reporter à l'agence Camera Press
Intérieur d'une usine de munitions en Angleterre, 1918
Collection Parimage, Paris.

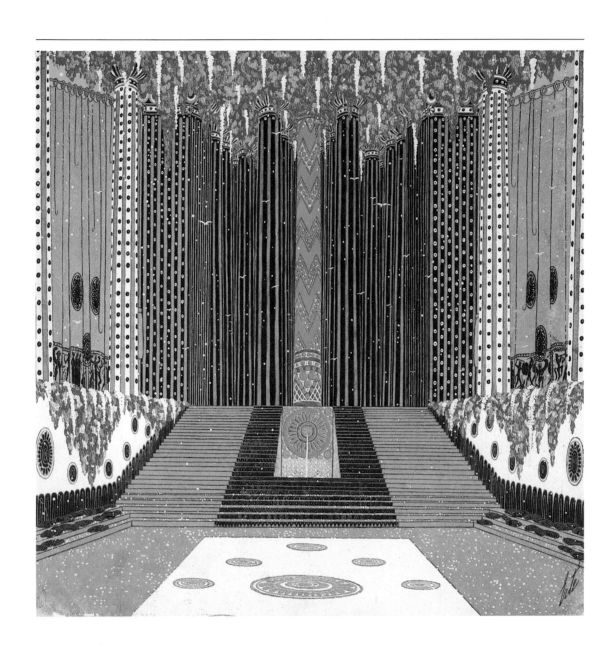

ROMAIN DE TIRTOFF dit ERTÉ
peintre, illustrateur et décorateur d'origine russe, né en 1892
Projet de décor d'une salle de bal pour le film *The Restless Sex*, gouache rehaussée d'or,
40 × 38 cm, 1920; Kunstbibliothek, Berlin-Ouest.

LUDWIG HOHLWEIN
architecte et illustrateur allemand (1874-1949)
Affiche pour la promotion immobilière d'une cité-jardin dans la banlieue de Munich,
vers 1919; Kunstbibliothek, Berlin-Ouest.

F. BERENGUER
Étiquette de vin représentant le bâtiment central de l'exploitation vinicole
attribué à l'architecte Gaudí et édifié à Garraf dans la banlieue de Barcelone, vers 1915
Archivio Historico del·Colegio de Arquitectos de Catalunya, Barcelone.

Photographie de plateau (anonyme)
d'un décor conçu par Herman Warm (né en 1889) et Walter Röhring (né en 1893)
pour le film *Das Kabinett des Doktor Caligari (Le cabinet du Docteur Caligari)*
réalisé par Robert Wiene, 1919
Stiftung Deutsche Kinemathek, Berlin-Ouest.

Photographie de plateau (anonyme)
d'un décor conçu par Camillo Innocenti pour le film *Cabiria*
réalisé par Giovanni Pastrone (dit Piero Fosco), 1914
Collection Kobal, Londres.

1920 / 1929

L'USINE ET LA VILLE S'OFFRENT COMME ESPACES MODERNES, À LA FOIS THÈMES ET RENOUVELLEMENT DE LA FIGURATION. ELLES SONT PRÉTEXTE À UNE DÉCOMPOSITION DE LA RESSEMBLANCE QUI CONDUIT À DES RECOMPOSITIONS ET DISLOCATIONS CUBISTES, VOIRE ABSTRAITES. LE NOUVEL IMAGINAIRE DE L'ESPACE SE PEINT DANS LES TEXTURES ARCHITECTURALES OU URBAINES DE PAUL KLEE, DANS LES MULTIPLES RÉINTERPRÉTATIONS PICTURALES DE LA TOUR EIFFEL PAR DELAUNAY. CETTE DÉCENNIE EST POUR LA PHOTOGRAPHIE D'ARCHITECTURE UNE PÉRIODE EXCEPTIONNELLE DANS LAQUELLE SE RETROUVENT TOUTES LES TENDANCES DE L'ART CONTEMPORAIN, DEPUIS LA « NOUVELLE OBJECTIVITÉ » JUSQU'AUX FORMES LES PLUS EXPÉRIMENTALES. L'ŒUVRE DE WERNER MANTZ, ENTIÈREMENT CONSACRÉE À L'ARCHITECTURE CONTEMPORAINE, EST LA MEILLEURE ILLUSTRATION DES FORMIDABLES POSSIBILITÉS EXPRESSIVES PERMISES PAR LA DESCRIPTION DOCUMENTAIRE. LE PHOTOGRAPHE S'ATTACHE À SAISIR, GRÂCE À LA LUMIÈRE ARTIFICIELLE, LES MÉTAMORPHOSES NOCTURNES DES ÉDIFICES; IL INCLINE SON OBJECTIF ET SUGGÈRE, PAR UN CADRAGE BASCULÉ, UNE VISION NOUVELLE ET DYNAMIQUE DU DÉCOR QUOTIDIEN. IL REJOINT PAR LÀ MÊME LES RECHERCHES DES ARCHITECTES QUI DÉTACHENT LES ÉDIFICES DE LEUR CONTEXTE DANS UNE PERSPECTIVE NOUVELLE : L'AXONOMÉTRIE. L'ARCHITECTURE, À SA MANIÈRE, SE VEUT PARLANTE EN RAPPORTANT L'ÉCRITURE PUBLICITAIRE SUR SES FAÇADES. L'ÉDIFICE SE FAIT AFFICHE, ET LE MAÎTRE D'ŒUVRE, POLÉMISTE : LE CORBUSIER COMMENCE UNE CARRIÈRE D'ARCHITECTE ET D'ESSAYISTE POUR LAQUELLE LE CROQUIS, LE DISCOURS ET L'ÉCRITURE SONT AUTANT DE FORMES ARGUMENTAIRES DE PROMOTION DU MOUVEMENT MODERNE. CEPENDANT, QUELQUE SOIT L'IMPORTANCE DE CE DERNIER, L'ÉCLATEMENT DES ARTS DE LA FIGURATION DE L'ESPACE NE CESSE DE SE CONFIRMER. IL Y A LOIN DE L'EXPRESSIONNISME HOLLANDAIS (ET DE SA DOMESTICATION DES DÉTAILS) À L'EXPRESSIONNISME DRAMATIQUE DE POELZIG; COMME IL Y A LOIN DE LA RÉSISTANCE DES DERNIERS « CLASSIQUES », À LA PERMANENCE D'UN COURANT NÉO-RURAL HÉRITIER DES « ARTS AND CRAFTS » OU DES RÉGIONALISMES. IL Y A LOIN, ENCORE, DES DÉCORS MODERNISTES ET SOPHISTIQUÉS DE MALLET-STEVENS POUR LES FILMS DE MARCEL L'HERBIER AU FUTURISME TARDIF DE CERTAINS DÉCORS DE THÉÂTRE, OU À L'EXPRESSIONNISME DE *METROPOLIS*. LES FONDEMENTS PRÉCAIRES DE LA VILLE SONT MIS EN SCÈNE. UN KRACH FINANCIER, UN SURSAUT DE CONSCIENCE PEUVENT À TOUT INSTANT LES BOUSCULER.

V. HUSZNAR
Vignette manifeste pour le groupe et la revue *De Stijl,* Pays-Bas.

J.C. VAN EPEN
architecte hollandais
Esquisse pour un gratte-ciel, fusain et lavis, 38 × 20 cm, 1921
Cabinet des Dessins du Nederlands Documentatiecentrum voor de Bouwkunst,
Stichtung Architectuur Museum, Amsterdam.

CAMILLE VAN EESTEREN, architecte hollandais
et THEO VAN DOESBURG, peintre et architecte hollandais
Étude pour une maison particulière
vue axonométrique, gouache sur papier, 41 × 33 cm, 1922-23
Cabinet des Dessins du Nederlands Documentatiecentrum voor de Bouwkunst,
Stichtung Architectuur Museum, Amsterdam.

HANS POELZIG
architecte allemand (1869-1936)
Perspective intérieure d'une salle de théâtre *(Festspielhaus)* pour Salzbourg
premier projet (non réalisé), crayon sur calque marouflé sur carton, 55 × 71 cm, 1920
Cabinet des Dessins de la Technische Universität, Berlin-Ouest.

HANS POELZIG
Perspective intérieure d'une salle de théâtre *(Festspielhaus)* pour Salzbourg
troisième projet (non réalisé)
crayon sur calque marouflé sur carton, 63 × 94 cm, 1920
Cabinet des Dessins de la Technische Universität, Berlin-Ouest.

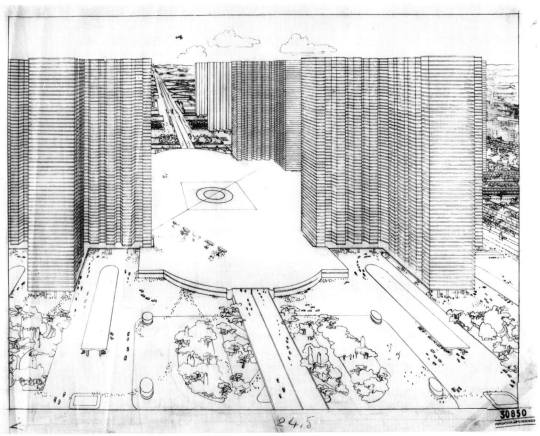

GIOVANNI MUZIO
architecte italien (né en 1883)
Élévation de la façade de l'immeuble dit *Ca Brutta*
sur la Via Turati dans le quartier Moscova à Milan
encre sur calque, 65 × 120 cm, 1922
Collection privée, Milan.

CHARLES-ÉDOUARD JEANNERET, dit LE CORBUSIER
architecte et peintre suisse naturalisé français (1887-1965)
Perspective aérienne du projet de *Gare centrale flanquée de quatre gratte-ciel*
pour le *Plan Voisin* de Paris, dessin à l'encre, 50 × 67 cm, 1925
Fondation Le Corbusier, Paris.

287

HENRI SAUVAGE
architecte français (1873-1932)
Projet d'hôtel géant sur le front de Seine à Paris, gouache, 56 × 76 cm, 1928
Institut français d'architecture, Paris.

MICHAEL DE KLERK
architecte hollandais (1884-1923)
Projet (non réalisé) pour une villa à Wassenaar, aquarelle sur papier, 65 × 100 cm, 1923
Cabinet des Dessins du Nederlands Documentatiecentrum voor de Bouwkunst,
Stichting Architectuur Museum, Amsterdam.

CHARLES COLASSIN
architecte belge (1893-1942)
Perspective extérieure de l'hôtel particulier de M. et Mme Lubin-Dambreme
boulevard Van Haelen à Forest (Bruxelles)
gouache sur tirage rehaussé à l'encre de Chine, 42 × 31 cm, vers 1925
Archives d'architecture moderne, Bruxelles.

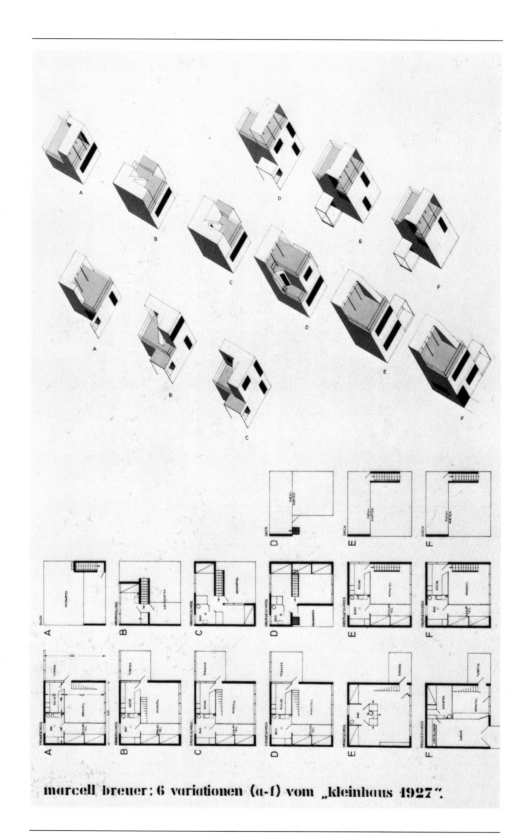

marcell breuer: 6 variationen (a-f) vom „kleinhaus 1927"

MARCEL BREUER
architecte hongrois nationalisé américain (1902-1981)
Six variations pour *La petite maison 1927 (Kleinhaus 1927)*
présentées en plan et en vue axonométrique
crayon et encre noire sur papier, 77 × 55 cm, 1927
Bauhaus Archiv - Museum für Gestaltung, Berlin-Ouest.

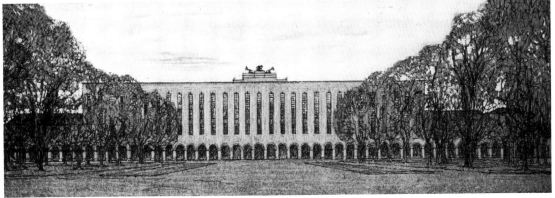

PAULI E. BLOMSTEDT
architecte finlandais (né en 1906)
Perspective extérieure du siège de l'Union Bank édifié
à Helsinki à partir de 1929, crayon noir sur calque, 37 × 28 cm, 1929
Musée finlandais d'Architecture, Helsinki.

RICHARD RIEMERSCHMID
architecte allemand (1868-1957)
Projet pour un palais de la Musique à Munich
crayon sur calque rehaussé de pastel et monté sur carton, 43 × 14 cm, 1926
Cabinet des Dessins de la Technische Universität, Munich.

AUGUSTE HERBIN
peintre français (1882-1960)
sans titre, huile sur toile, 116 × 81 cm, 1926
Galerie Waddington, Londres.

ROBERT DELAUNAY
peintre français (1885-1941)
La tour Eiffel, huile sur toile, 169 × 86 cm, 1926
Musée national d'Art moderne,
Centre Georges Pompidou, Paris.

LASZLO MOHOLY-NAGY
sculpteur, peintre et photographe hongrois (1895-1946)
Étude pour *Architecture* nᵒ 1, gouache, 25 × 18 cm, 1920
Galerie Gmurzynska, Cologne.

BERNARD BOUTET DE MONVEL
peintre français (1881-1949)
L'usine, huile sur toile, 65 × 49 cm, 1928
Musée national d'Art moderne, Centre Georges Pompidou, Paris.

GEORGES GROSZ
peintre allemand naturalisé américain (1893-1959)
Diabolo Spieler, 43 × 46 cm, 1920
Collection particulière, Murrhardt, RFA.

FRANZ RADZIWILL
peintre allemand (né en 1895, vit à Dangast)
La rue, huile sur toile, 81 × 87 cm,
1928; Wallraf-Richartz-Museum, Cologne.

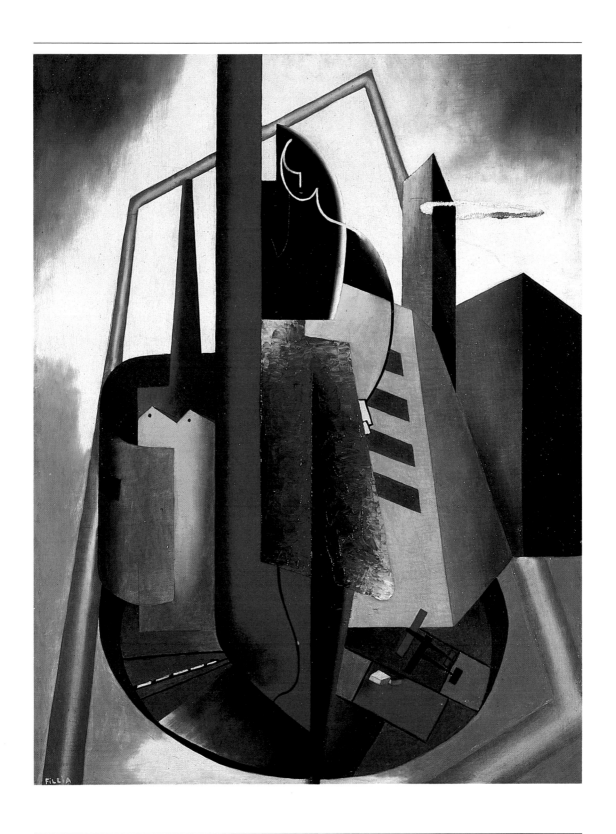

LUIGI COLOMBO, dit FILLIA
peintre italien (1904-1936)
Les constructeurs, huile sur panneau en masonite
65 × 50 cm, 1929; Galerie Daverio, Milan.

FRÉDÉRIC GADMER
photographe français
Chantier de la voûte parabolique du hangar des dirigeables
de l'aérogare d'Orly (France), autochrome, 1923
Collection Albert Kahn, Boulogne-sur-Seine.
(Le bâtiment a été achevé en 1924 et détruit durant la Deuxième Guerre mondiale.)

WERNER MANTZ
photographe allemand (né en 1901, vit à Cologne)
Tours de refroidissement des installations minières de Hoensbroek en Hollande, 1928
Collection Michèle Chomette, Paris.

WERNER MANTZ
photographe allemand (né en 1901, vit à Cologne)
Entrée d'un immeuble de logements à Cologne - Kalkerfeld, vers 1920
Musée Ludwig, Cologne.

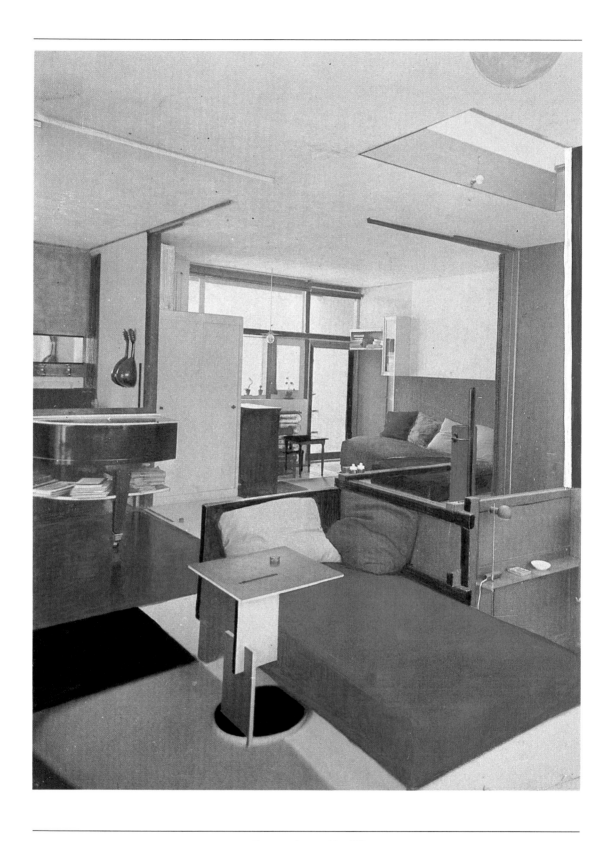

Photographe non identifié
Intérieur de la maison Schröder à Utrecht, photographie rehaussée à la gouache, 1925
Collections du Dienst Verspreide Rijkskollekties, La Haye.
(La maison Schröder a été édifiée par l'architecte hollandais
Gerrit Thomas Rietveld [1888-1964]).

ALBERT RENGER-PATZSCH
photographe allemand (1897-1966)
Viaduc ferroviaire dans la Ruhr, 1929
Musée national d'Art moderne
Centre Georges Pompidou, Paris.

Photographe non identifié
Chilehaus (Maison du Chili) à Hambourg, vers 1923
Deutsches Museum, Munich.
(L'immeuble a été édifié par l'architecte allemand
Fritz Höger [1877-1949]).

LUCIANO BALDESSARI
architecte italien (1896-1982)
Décor pour l'acte II de l'opéra *Giulano,* aquarelle sur papier,
6 × 9 cm, 1927; Musée de la Scala, Milan.

MARIO CHIATTONE
architecte italien (1891-1957)
Décor pour le deuxième acte du poème symphonique *Die Strasse und der Garten*
crayon et aquarelle sur papier, 33 × 42 cm, 1921
Musée de la Scala, Milan.

OTTO HUNTE (né en 1883),
ERICH KETTELHUT (né en 1893), KARL VOLLBRECHT (né en 1896)
décorateurs de cinéma allemands
Projet de décor pour le film *Die Nibelungen* réalisé en Allemagne par Fritz Lang
crayon de couleur, 30 × 40 cm, 1924
Stiftung Deutsche Kinemathek, Berlin-Ouest.

HENRI MÉNESSIER
décorateur de cinéma français
Projet de décor pour le film *L'assassin chantait,* aquarelle, 25 × 31 cm, vers 1925
Cinémathèque française, Paris.

OTTO HUNTE (né en 1883)
ERICH KETTELHUT (né en 1893), KARL VOLLBRECHT (né en 1896)
décorateurs de cinéma allemands
Esquisse pour un décor du film *Metropolis* réalisé en Allemagne par Fritz Lang
crayon pastel, 34 × 44 cm, 1926; Cinémathèque française, Paris.

Photographie de plateau (anonyme)
d'un des décors réalisés par l'architecte et réalisateur Alberto Cavalcanti (né en 1897)
pour le film *L'inhumaine* réalisé en France par Marcel L'Herbier, 1924
Collection des *Cahiers du cinéma*.

1930 / 1939

LA RICHESSE ET LA VARIÉTÉ DE LA CRÉATION PHOTOGRAPHIQUE DE LA DÉCENNIE ANTÉRIEURE SE CONFIRMENT, NOTAMMENT DANS L'ABSTRACTION, TANDIS QU'APPARAISSENT DE NOUVELLES TENDANCES POÉTIQUES OU CLASSICISANTES, SOUVENT À L'INTÉRIEUR MÊME DES AVANT-GARDES. DEPUIS L'ÉCLATEMENT DE L'ARCHITECTURE EN DIVERS COURANTS, CHACUN D'EUX SEMBLE VOULOIR SE DÉVELOPPER SUIVANT SES PROPRES RÈGLES. CÔTÉ « MOUVEMENT MODERNE », LE CODE MAINTENANT EST BIEN EN PLACE, ET LE SYSTÈME CUBISTE DE LA REPRÉSENTATION NE PARAÎT PLUS SUFFISANT. LE DESSIN NE S'ATTACHE PLUS TANT AUX VOLUMES QU'À LA RETRANSCRIPTION DES EFFETS DE SURFACE. DE LÀ CES PERSPECTIVES SAVANTES QUI VEULENT SAISIR DANS LE TRAIT OU DANS DES APLATS COLORÉS, LES ÉCLATS LUMINEUX DE MURS POLIS ET COMME MÉTALLISÉS. À TROP RECHERCHER LES EFFETS D'APPARENCE, LE DESSIN EN ARRIVE À NE PLUS SAVOIR QUOI RETENIR : LE VERRE, LA TRANSPARENCE, LE LISSE NE SE LAISSENT PAS FIXER. ON EST AINSI PROGRESSIVEMENT CONDUIT VERS UN DESSIN D'ARCHITECTE MINIMALISTE. DE LÀ LE RECOURS AUX PHOTOMONTAGES DONT LE PAPIER GLACÉ PARE SI BIEN L'ÉDIFICE D'UN HABIT DE LUMIÈRE. TANDIS QUE SE METTENT EN PLACE LE DÉCOR DRAMATIQUE DES CIVILISATIONS DE L'ORDRE, LE FASCISME ET SES HAUTES COLONNES, SES EMMARCHEMENTS DE PARADE ET SES « CATHÉDRALES DE BOMBES », D'AUTRES POURSUIVENT AU SON DU FOX-TROT UN IDÉAL FESTIF ET MONDAIN. LES SALONS DES PAQUEBOTS QUE PROJETTENT LES ARCHITECTES DÉCORATEURS S'HARMONISENT AUX FONTAINES DE JOUVENCE DES COMÉDIES MUSICALES. AU NOM DU SURRÉALISME, MAGRITTE MANIPULE L'IMAGE PAISIBLE DE L'ARCHITECTURE DOMESTIQUE POUR LA FAIRE BASCULER DANS UNE COMPOSITION DITE « EN ABÎME » QUI MET EN DOUTE LE RÉALISME DE L'IMAGERIE ET RÉVÈLE AINSI LES MÉCANISMES DE L'IMAGINAIRE.

HENDRIK PETRUS BERLAGE
architecte hollandais (1856-1934)
Perspective de l'ossature en béton du hall du nouveau musée (Stedelijk Museum) à La Haye
20 × 16 cm, 1934; Nederlands Documentatiecentrum voor de Bouwkunst,
Stichting Architectuur Museum, Amsterdam.

ALBERTO SARTORIS
architecte italien (né en 1901, vit à Lausanne)
Vue axonométrique intérieure du cercle de l'Ermitage à Epesses dans le Vaud (Suisse)
encre et gouache sur papier, 75 × 61 cm, 1933
Collection particulière, Milan.

FÉLIX JACOB
architecte allemand (né en 1900)
Vue intérieure de l'escalier en béton armé édifié pour l'exposition
d'Architecture allemande à Berlin en 1931
Kunstbibliothek, Berlin-Ouest.

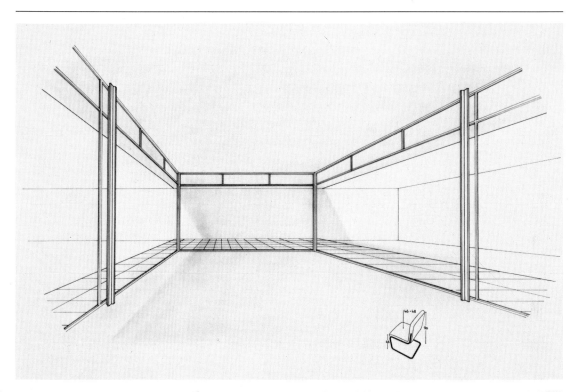

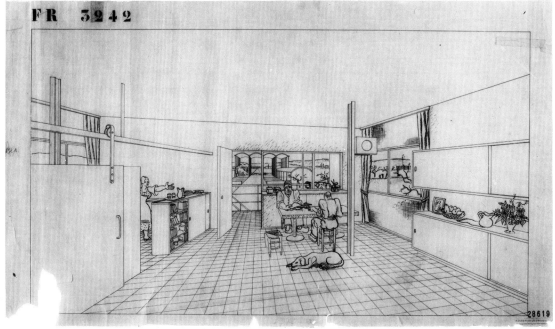

RUDOLF ORTNER
architecte allemand
Perspective intérieure d'une habitation
projet d'étudiant au Bauhaus dans l'atelier de Mies van der Rohe
40 × 50 cm, 1932
Bauhaus Archiv - Museum für Gestaltung
Berlin-Ouest.

CHARLES-ÉDOUARD JEANNERET, dit LE CORBUSIER
architecte et peintre suisse naturalisé français (1887-1965)
Perspective intérieure pour un logement rural du *Village radieux*
crayon et encre de Chine sur calque, 38 × 71 cm, 1938
Fondation Le Corbusier, Paris.

AARNE HYTÖNEN, RISTO-VEIKKO LUUKKONEN
architectes finlandais
Siège et halle d'exposition de la *Finnish Fair Corporation* à Helsinki,
projet de concours (non réalisé), encre noire sur carton blanc, 42 × 35 cm, 1934
Musée finlandais d'Architecture, Helsinki.

SIR EDWIN LUTYENS, (1869-1944), architecte anglais
CYRIL FAREY (1888-1954), perspectiviste anglais
Vue à vol d'oiseau d'une taverne, de ses abords et annexes à Cockington dans le Devon en Angleterre
crayon et aquarelle, 50 × 75 cm, 1935
Galerie Fischer Fine Art, Londres.

FÉLIX BOUTERON
architecte français
Décor tropical pour un cabaret conçu à l'occasion de l'Exposition coloniale internationale à Paris
aquarelle, 55 × 72 cm, 1931; cabinet des Dessins de l'Académie d'architecture, Paris.

LA PADULA
architecte italien
Palais de la Civilisation romaine, tempera sur contreplaqué, 1939
galerie Antonia Jannone, Milan.
(Bâtiment édifié dans la banlieue de Rome [Cité EUR] pour l'Exposition universelle de 1942.)

ALBERT LAPRADE
architecte français
Perspective de la façade principale du musée des Colonies à Paris
plume et aquarelle, vers 1930
Cabinet des Dessins de l'Académie d'architecture, Paris.

AUGUSTE PERRET
architecte français (1874-1954)
Perspective extérieure du hall des torpilleurs à Toulon, projet non réalisé
crayon rehaussé de gouache sur calque, 1932
Conservatoire national des Arts et Métiers, Paris.

UNO AHRÉN
architecte suédois
Perspective d'étude pour un groupe de logements mitoyens, encre de Chine et photocollage, 1930
Architekturmuseet, Stockholm.

RAYMOND MYERSCOUGH-WALKER, CHARLES HOLDEN
architectes britanniques
Vue nocturne de l'université de Londres, perspective des nouveaux bâtiments vus du sud-ouest
plume et aquarelle sur papier, 1936
Collection Adams, Holden et Pearson, Londres.

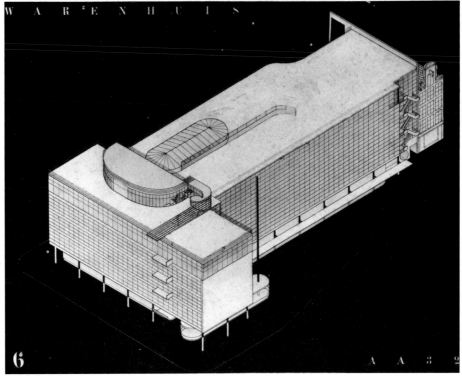

KAARE KLINT
architecte danois (1888-1954)
Élévation de la façade de l'église Bethleem édifiée à Copenhague
mine de plomb, 24 × 37 cm, 1935-1937
Cabinet des Dessins de la Kunstakademiets Bibliotek, Copenhague.

A. STAAL
architecte hollandais
Vue isométrique d'un grand magasin, projet de concours
47 × 61 cm, 1931; cabinet des Dessins
du Nederlands Documentatiecentrum voor de Bouwkunst,
Stichtung Architectuur Museum, Amsterdam.

JACOBUS JOHANNES PIETER OUD
architecte hollandais (1890-1963)
Perspective d'un immeuble d'habitation du quartier Blijdorp à Rotterdam
aquarelle sur papier, 45 × 29 cm, 1931
Cabinet des Dessins du Nederlands Documentatiecentrum voor de Bouwkunst,
Stichtung Architectuur Museum, Amsterdam.

WILLY ZIELKE
photographe allemand
Chantier, vers 1932; collection Michèle Chomette, Paris.

M. VASARI
photographe italien
Chantier de construction d'un hangar d'avions à Orvieto (Italie), 1939
Collection du Centro Studio e Archivio della Comunicazione de l'université de Parme.

JONATHAN JONALS
photographe danois
La nef centrale de l'église de Grundtvig à Copenhague, vers 1929
Kunstakademiets Bibliotek, Copenhague.
(L'église a été édifiée selon les plans de l'architecte
Peter Vilhelm Jensen-Klint à partir de 1921.)

Photographe non identifié
Le plafond lumineux du Salon de l'automobile à Paris, 1932
Collection du conservatoire national des Arts et Métiers, Paris.

Photographe non identifié
Station-service Texaco à Copenhague, vers 1938
Kunstakademiets Bibliotek, Copenhague.
(La station-service a été édifiée en 1938 par l'architecte danois
Arne Jacobsen [1902-1971]).

ALBERT RENGER-PATZSCH
photographe allemand (1897-1966)
Usine à Dresde, 1929
Galerie Wilde, Cologne.

Photographe non identifié
Grève des locataires dans une arrière-cour d'immeuble de la Koepenickerstrasse à Berlin, 1932
Landesbildstelle, Berlin-Ouest.

WALTER HEGE
photographe allemand (1893-1955)
Le portique du « temple d'honneur » sur la Königsplatz à Munich, 1939
Galerie Wilde, Cologne.
(Le pavillon a été construit par l'architecte Paul Ludwig Troost, durant les années 1930
et détruit pendant la guerre.)

EDWARD ALEXANDER WADSWORTH
peintre britannique, *Pen Pits,* huile sur toile, 76 × 91 cm, 1936
Collection Lady Bliss, Londres.
(Villa édifiée en 1934 pour M. et Mme Bliss par l'architecte P.J.B. Harland.)

ALBERT CAREL WILLINK
peintre hollandais (1900-1983)
Stadtsgezicht, huile sur toile, 75 × 100 cm, 1934
Van Abbemuseum, Eindhoven.

RENÉ MAGRITTE
peintre belge (1898-1967)
L'éloge de la dialectique, aquarelle sur papier, 38 × 32 cm, 1936
Musée communal d'Ixelles, Bruxelles.

LÉO DEVERED
décorateur français (1878-1941)
Décor pour le deuxième acte de la comédie *Carmosine* d'Alfred de Musset
esquisse aquarellée, 31 × 47 cm, 1936
Bibliothèque de la Comédie française, Paris.

ANDRÉ BOLL
décorateur français (1896-1983)
Décor du forum pour *Coriolan* de William Shakespeare, aquarelle, 21 × 27 cm, 1933
Bibliothèque de la Comédie française, Paris.

ERICH KETTELHUT
décorateur allemand de cinéma (né en 1883)
Projet de décor pour le film *Voruntersuchung* réalisé en Allemagne par Robert Siodmak
dessin à la plume, 21 × 31 cm
Stiftung Deutsche Kinemathek, Berlin-Ouest.

Photographie de plateau (anonyme)
d'un décor du film français *Les as du turf*, vers 1930
Collection Roger-Viollet, Paris.

Auteur non identifié
Projet de décor pour le film allemand *Sensation in San Remo,* vers 1930
aquarelle, 24 × 32 cm
Stiftung Deutsche Kinemathek, Berlin-Ouest.

FECTE
décorateur de cinéma
Projet de décor d'un appartement parisien pour le film *Design for Living*
(Sérénade à trois) réalisé par Ernst von Lubitsch (1892-1947)
aquarelle, 22 × 30 cm, vers 1933
Cinémathèque française, Paris.

GEORGES RÉMI dit HERGÉ
illustrateur belge de bande dessinée (1907-1983)
Vignette finale de l'album *Tintin au pays des Soviets,* 1929-1930
Représentation de la gare du Nord en 1928 à Bruxelles
Éditions Casterman, Tournai, Paris.

ALAIN SAINT OGAN
illustrateur français de bande dessinée (1895-1974)
Paris en l'an 2000, vignette pour l'album *Zig et Puce au xxie siècle,* 1934
Représentation de la gare du Nord en l'an 2000 à Paris
Éditions Hachette, Paris.

JOHN HEARTFIELD
illustrateur allemand (1891-1968)
Photomontage satirique pour la revue allemande *A.I.Z*, 1934.

1 9 4 0 / 1 9 5 9

UN PROJET DE L'ARCHITECTE OTTO KOHTZ ILLUSTRE EN DEUX DESSINS UN SYMBOLE : L'UN RÉALISÉ PENDANT LA PÉRIODE NAZIE, L'AUTRE AU LENDEMAIN DE LA GUERRE; SUR LA MÊME BASE PERSPECTIVE, ON PASSE DE L'UN À L'AUTRE, EN GOMMANT LES EMBLÈMES NAZIS ET EN REMPLAÇANT LE SÉVÈRE GRAPHISME NOIR ET BLANC PAR DES TRAITS DE COULEURS CLAIRES ET OPTIMISTES. UNE PAGE EST TOURNÉE. SITÔT TOURNÉE, LE CINÉMA ET LA PHOTOGRAPHIE (ENCORE IMPRÉGNÉS D'UN CLASSICISME MODERNISTE DES ANNÉES TRENTE) AFFIRMENT LA POÉSIE DU DÉCOR QUOTIDIEN ET LES NOUVELLES PRÉOCCUPATIONS RÉALISTES ET SOCIALES. CELLES-CI S'ÉNONCERONT BIENTÔT EN UN PARADOXE : « LES DÉSASTRES MATÉRIELS DE LA GUERRE NE SONT RIEN EN COMPARAISON DES DESTRUCTIONS DE L'URBANISME D'APRÈS-GUERRE. » CAR IL N'EST PLUS QUESTION QUE D'UNE CHOSE : RECONSTRUIRE, « RÉNOVER », RÉSOUDRE QUANTITATIVEMENT LA CRISE DU LOGEMENT, ET PRO-DUIRE MASSIVEMENT, INDUSTRIELLEMENT. SUR LA BASE DES NOUVELLES VALEURS DE LA CONSOMMATION, CHACUN EST INVITÉ À PROFITER, ENFIN, DU PLAISIR DE VIVRE. C'EST ALORS QU'EXPLOSE CE QUE CERTAINS APPELLERONT « LE STYLE SPIROU » AU MOMENT OÙ S'IMPOSE LA BANDE DESSINÉE COMME NOUVEAU MOYEN DE COMMUNICATION, COMME TREMPLIN DE L'IMAGINAIRE QUI COMMENCE À RENDRE COMPTE DES ARCHITECTURES DE L'ÉPOQUE. LES COULEURS VIVES, LE FORMICA, LES CANAPÉS, LE PICK-UP ET LA TÉLÉVISION, SE RÉUNIS-SENT AUTOUR DU « LIVING » DANS UN NOUVEL ART DU « CONFORT MÉNAGER ». LA MAISON SERA RÉSOLUMENT PROPRE ET PRATIQUE, « TOUT COMMUNIQUE », TOUT EST AUTOMATIQUE. TATI TOURNE EN DÉRISION DANS *MON ONCLE* CET UNIVERS MATÉRIEL INSOUCIANT OÙ TOUT CHERCHE À RASSURER. L'ATOME DOMESTIQUE NE FAIT PLUS PEUR : BRUXELLES PROMÈNE LES VISITEURS DE L'EXPOSITION UNI-VERSELLE DE 1958 DANS DES ARCHITECTURES QUI SE VEULENT LES BANCS D'ESSAI DE LA NOUVELLE MÉGALOMANIE DES ARCHITECTES NOURRIS D'UN OPTIMISME SOUVENT BÉAT. FACE À L'*ATOMIUM,* QUI SERA PLUS TARD PROMU AU RANG DE SYMBOLE « KITCH » DES ANNÉES CINQUANTE, LE CORBUSIER DRESSE POUR LE PAVILLON PHILIPS UNE TENTE EN BÉTON OÙ IL CHERCHE, AVEC LA COLLABORATION DE XENAKIS, À PROMOUVOIR UN NOUVEAU LYRISME CULTUREL ET TECHNOLOGIQUE FONDÉ SUR UNE SYMBIOSE DE LA SCULPTURE, DE L'AR-CHITECTURE ET DE LA MUSIQUE. SUBMERGÉE PAR LE COURANT PUISSANT DE L'ABSTRACTION, LA PEINTURE ABANDONNE PRESQUE TOTALEMENT LE CONCEPT MÊME DE LA FIGURATION DE NOTRE ENVIRONNEMENT BÂTI. TOUTEFOIS, UNE SURVIVANCE DE L'ARCHITECTURE SUBSISTE CHEZ QUELQUES PEINTRES : PAR LES APLATS LUMINEUX CHEZ DE STAËL OU PAR DES JEUX OPTIQUES DE FIGURES GÉOMÉTRIQUES CHEZ VASARELY. L'IMAGE ARCHITECTURALE VACILLE...

Photographe non identifié
Les ruines de la chambre de commerce du IIIᵉ Reich à Berlin, vers 1945
Landesbildstelle, Berlin-Ouest.

Photographe non identifié
Les ruines de la bibliothèque de la « Holland House » dans le quartier de Kensington
à Londres, vers 1940
National Monuments Records, Londres.

OTTO KOHTZ
architecte allemand
Cité universitaire à Berlin, projet de concours (non réalisé)
crayon sur calque marouflé, 84 × 119 cm, 1938-40
Cabinet des Dessins de la Technische Universität, Berlin-Ouest.

OTTO KOHTZ
Projet de reconstruction d'une grande ville allemande (probablement Berlin)
crayon de couleur sur papier marouflé, 69 × 150 cm, avril 1945
Cabinet des Dessins de la Technische Universität,
Berlin-Ouest.

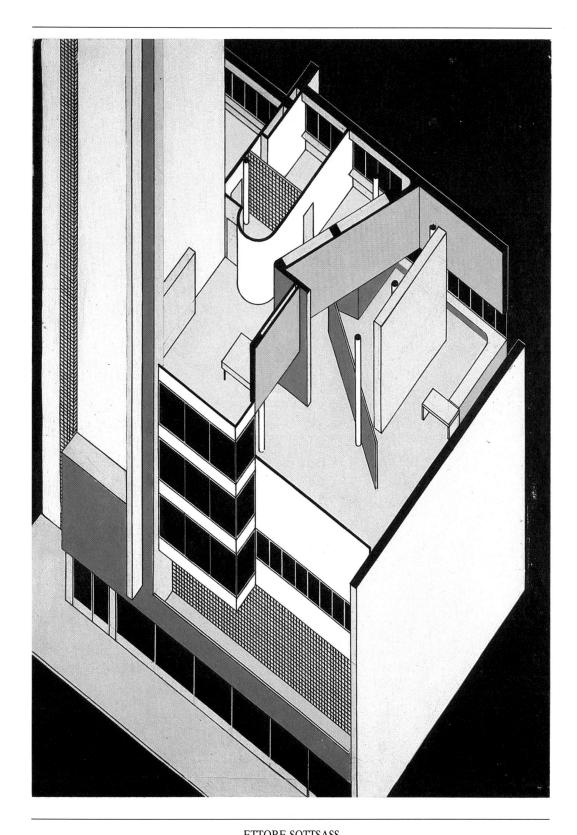

ETTORE SOTTSASS
architecte et designer italien (né en 1917, vit à Milan)
Étude pour un immeuble d'habitation, vue axonométrique, 1950
Cabinet des Dessins du Centro Studie Archivio della Comunicazione de l'université de Parme.

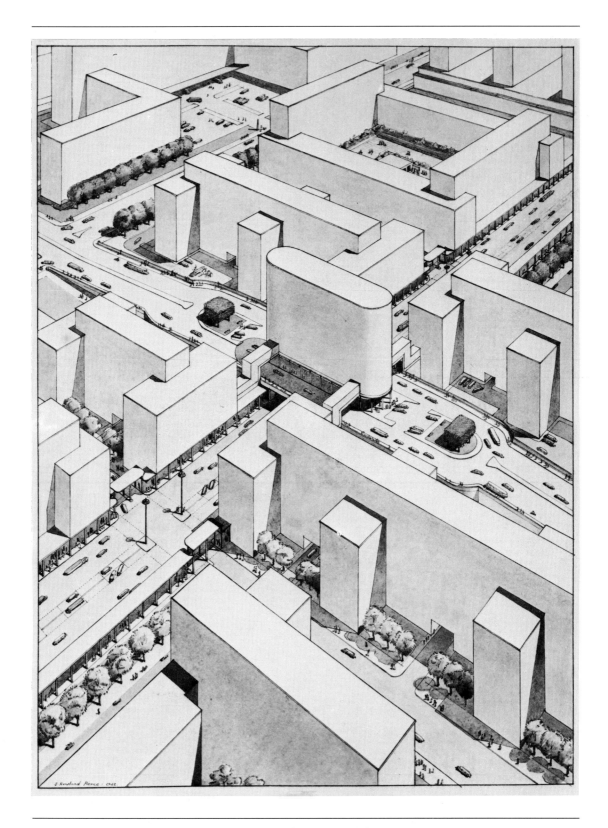

STEPHEN ROWLAND PIERCE
architecte britannique (1896-1966)
Projet de reconstruction urbaine en Angleterre, 1942; cabinet des Dessins
du Royal Institute of British Architects, Londres.

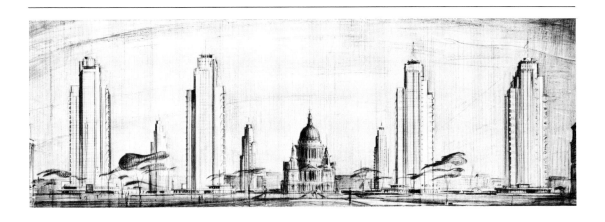

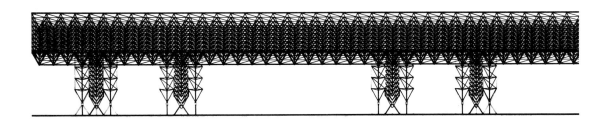

JOSEPH EMBERTON architecte britannique
Esquisse pour la reconstruction de Londres aux abords de la cathédrale Saint-Paul, 1946
Cabinet des Dessins du Royal Institute of British Architects, Londres.

F. NEBOT architecte espagnol
Esquisse pour l'aménagement de la cité universitaire à Barcelone, 1949-1953
Archivio Historico del Colegio de Arquitectos, Barcelone.

KONRAD WACHSMANN
architecte et ingénieur allemand (né en 1901)
Structure expérimentale pour un hangar géant, encre de Chine sur calque, 1953
Deutsches Architekturmuseum, Francfort-sur-le-Main.

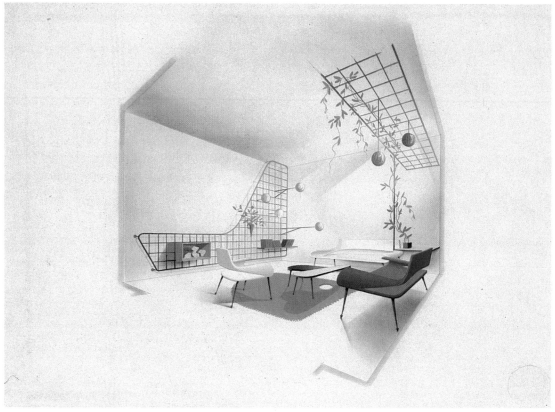

ETTORE SOTTSASS
architecte italien (né en 1917, vit à Milan
Perspective extérieure d'une maison préfabriquée en bois, 1948
Cabinet des Dessins
du Centro Studie Archivio della Comunicazione de l'université de Parme.

J. ROYÈRE
architecte français
Perspective d'un salon, vers 1955, 51 × 68 cm
Musée des Arts décoratifs, Paris.

E.D. LYONS perspectiviste et architecte britannique
M. JOSEPH, architecte britannique
Perspective extérieure du club et de l'hôtel Naafi à Catterick en Angleterre, crayon de couleur, 1947
Cabinet des Dessins du Royal Institute of British Architects, Londres.

RENAAT BRAEM
architecte belge (né en 1910, vit à Anvers)
Perspective intérieure de la salle d'exposition des matériaux de construction de la Société Haentjens à Anvers
gouache sur carton, 50 × 70 cm, 1951
Archives d'architecture moderne, Bruxelles.

JOHN ARMSTRONG
peintre britannique (1893-1973)
Coggeshall Church, Essex, tempera sur bois, 57 × 38 cm
Tate Gallery, Londres.

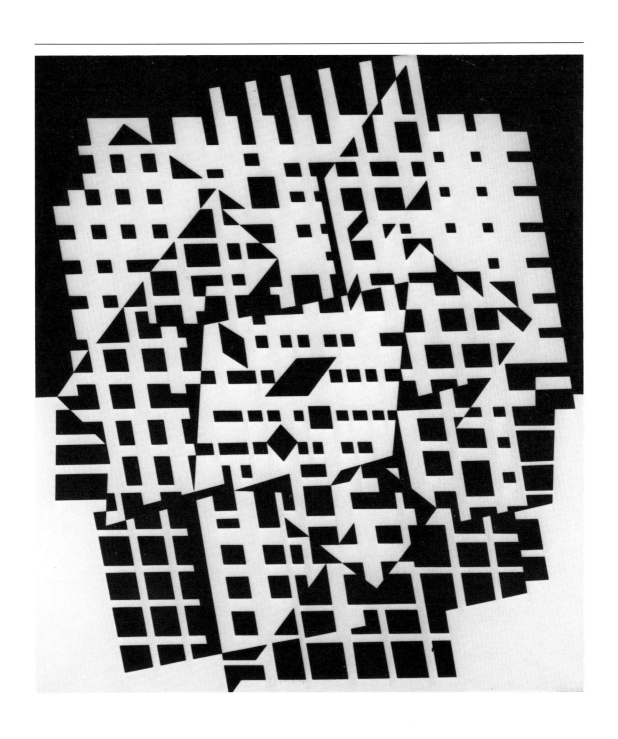

VICTOR VASARELY
peintre français d'origine hongroise (né en 1908, vit à Paris)
Ixion, huile sur toile, 110 × 100 cm, 1956
Galerie Juda, Londres.

JEAN CARZOU
peintre et décorateur français (né en 1907, vit à Paris)
Décor pour la tragédie *Athalie* de Jean Racine
dessin à la plume rehaussé d'aquarelle, 50 × 64 cm, 1954; bibliothèque de la Comédie française, Paris.

ADOLPHE JEAN-MARIE MOURON dit CASSANDRE
peintre, illustrateur et décorateur français (1901-1968)
Décor pour le troisième acte de la comédie *Amphytrion 38* de Jean Giraudoux
au théâtre de la Comédie française, gouache, 42 × 63 cm, 1946
Musée des Arts décoratifs, Paris.

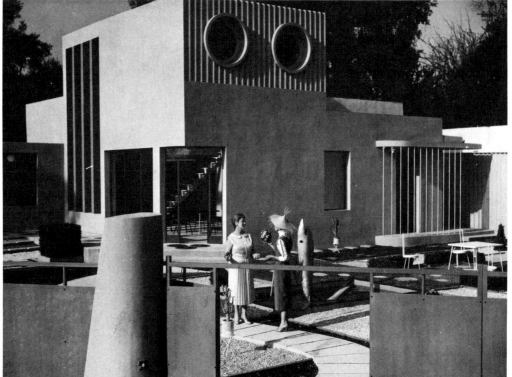

PIERO FILIPPONE
décorateur de cinéma italien
Projet de décor pour le film *Toto a Colori* réalisé par Mario Mattoli
gouache, 51 × 72 cm, 1952; Cinémathèque française, Paris.

Photographie de plateau (anonyme) d'un décor de Henri Schmitt,
pour le film *Mon oncle* réalisé en France par Jacques Tati, 1958
Collection des *Cahiers du cinéma*, Paris.

BILL BRANDT
photographe anglais (1904-1983)
Vue nocturne d'immeubles dans le quartier de Buyswater à Londres, vers 1940
Galerie Marlborough Fine Art, Londres.

ROBERT DOISNEAU
photographe français (né en 1912, vit à Paris)
Cour d'usine, 1945.

LENNART OLSON
photographe suédois (né en 1925, vit à Stockholm)
Le pavillon Philips à l'Exposition universelle de Bruxelles, 1958
Collection de l'auteur.
(Le pavillon a été conçu par l'architecte Le Corbusier
en collaboration avec l'architecte et compositeur Iannis Xenakis.)

ERIC DE MARE
photographe britannique
La travée centrale du pont sur le Forth en Écosse, vers 1950
Bibliothèque nationale, Paris.

JEAN-PHILIPPE CHARBONNIER
photographe français (né en 1921, vit à Paris)
Les usines de la Régie Renault à Flins, 1957
Collection de l'auteur, Paris.

JEAN-PHILIPPE CHARBONNIER
photographe français (né en 1921, vit à Paris)
Et la Défense commença d'avaler la Défense, le Palais des expositions du CNIT
au quartier de la Défense, à Paris, vu depuis la banlieue de Puteaux, vers 1959
Collection de l'auteur.

CARL GUSTAV ROSENBERG
photographe suédois (1883-1957)
Cité de logements dans la banlieue de Hjorthagen, vers 1940
Architekturmuseet, Stockholm.

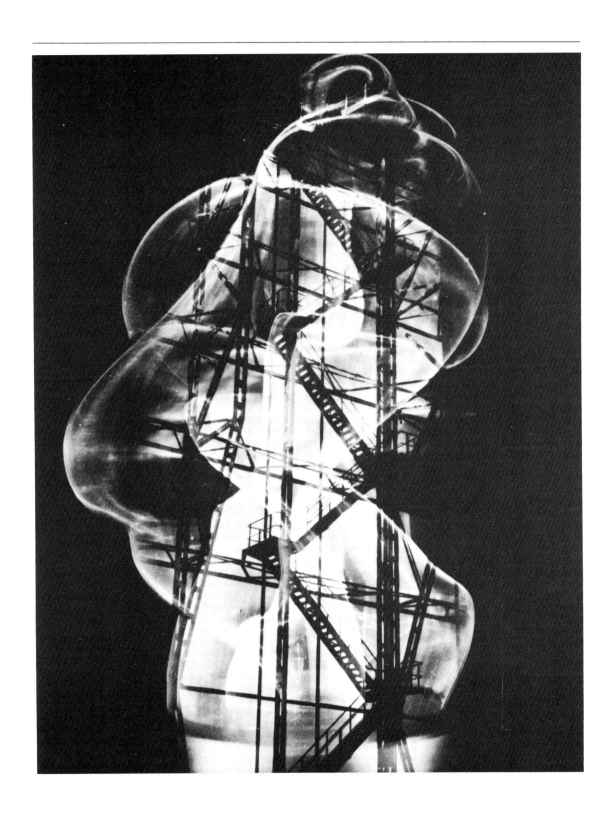

HEINZ HAJEK-HALKE
graphiste et photographe allemand (1898-1983)
Monument scintillant, 1946
Berlinische Galerie, Berlin.

VANDERSTEEN
illustrateur belge de bande dessinée
Vignette des aventures de Bob et Babette pour l'album *Le Sampan mystérieux,* vers 1959
Éditions Érasme, Bruxelles.

CHRISTO
illustrateur français de bande dessinée
Vignette finale des aventures de Domino pour l'album *Le démon vert,* 1946
Éditions du Cicéron belge, Bruxelles.

EDGAR P. JACOBS
illustrateur belge de bande dessinée (vit à Bruxelles)
Vignette des aventures de Blake et Mortimer pour l'album *Le piège diabolique,* 1959-1962
Éditions du Lombard, Bruxelles et Éditions Dargaud, Neuilly-sur-Seine, France.

1 9 6 0 / 1 9 6 9

LES ARCHITECTES CONSTRUISENT, MAIS ILS SAVENT DE MOINS EN MOINS SE FAIRE COMPRENDRE, OU ALORS FONT APPEL À DES SPÉCIALISTES DE LA PROMOTION GRAPHIQUE DE L'IMMOBILIER. C'EST L'ÂGE D'OR DES PROMOTEURS. LE DESSIN D'ARCHITECTURE SUBIT UNE RÉELLE ÉPURATION QUI DÉBOUCHE SUR UNE EXPRESSION VIDE DE SENS OÙ LA LIGNE EST PRIVÉE DE SUBSTANCE QUAND IL LUI FAUT FIGURER LES FORMES DES ÉDIFICES. IL EMPRUNTE À LA PUBLICITÉ UNE RHÉTORIQUE BAVARDE ET SURCHARGÉE QUAND IL LUI FAUT SUGGÉRER L'ANIMATION URBAINE. DANS CE DOUBLE MOUVEMENT, LA REPRÉSENTATION DE L'ÉDIFICE N'EST PLUS ASSURÉE PAR LE DESSIN. LE DESSIN D'ARCHITECTURE, COMME MODE D'INFORMATION ET DE TRAVAIL, SEMBLE ALORS EN PÉRIL DE MORT. SEULS QUELQUES INDIVIDUS ÉCHAPPENT À CE DÉMANTÈLEMENT DU LANGAGE DE LA COMMUNICATION VISUELLE DE L'ARCHITECTURE TELS PAR EXEMPLE, JAMES STIRLING OU, DANS UN GENRE TRÈS DIFFÉRENT, LE GROUPE ARCHIGRAM DANS LEQUEL ON A PU RECONNAÎTRE LES PIONNIERS DU « HIGH-TECH ». MAI 68 EST VÉCU INTENSÉMENT DANS LES ÉCOLES EUROPÉENNES D'ARCHITECTURE. ELLES VEULENT DÉSORMAIS ÊTRE AU SERVICE DE LA « COMMUNAUTÉ DES USAGERS ». C'EST ALORS QU'APPARAISSENT LA NOTION DES « LUTTES URBAINES » ET LA MISE EN PRATIQUE DU « DROIT À LA VILLE » PRO-CLAMÉ PAR LE PHILOSOPHE HENRI LEFÈBVRE. BIDONVILLES ET PAVILLONS DE BANLIEUE SONT AUTANT DE SUJETS QUE TRAITENT QUEL-QUES PEINTRES AVEC UN REGARD CRITIQUE ET, PARFOIS HYPERRÉALISTE. DANS SON FILM *PLAY-TIME*, TATI POURSUIT LA DÉNON-CIATION DE L'ESPACE MODERNE ET DE SES BUREAUX DITS « PAYSAGERS ». LES PHOTOGRAPHES QUI RENDENT COMPTE DE L'ARCHITECTURE MODERNE PERPÉTUENT DES FORMULES INVENTÉES PAR LES GÉNÉRATIONS PRÉCÉDENTES POUR RÉUNIR, DANS UN ESPRIT CLASSIQUE, DOCUMENT ET CRÉATION. LA DESCRIPTION TYPOLOGIQUE EST REPRISE PAR LES BECHER AVEC UNE LOGIQUE CONCEPTUELLE.

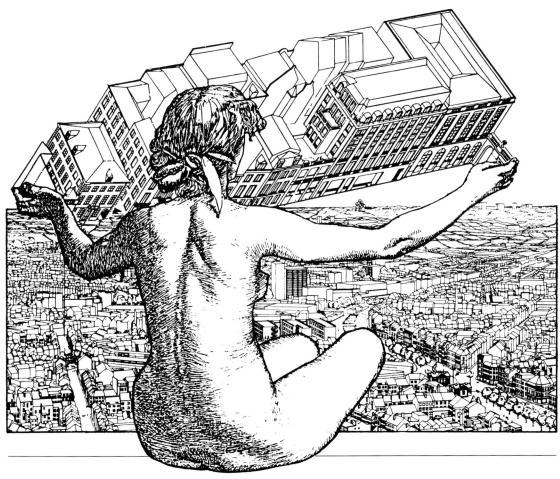

MARC GIERST
architecte belge (né en 1951, vit à Bruxelles)
Manifeste illustré en faveur des luttes urbaines
pour l'Atelier de recherche et d'action urbaines (ARAU) à Bruxelles, collage
Archives d'architecture moderne, Bruxelles.

ROBERT FARMAN
architecte britannique
Perspective de l'hôtel Hilton à Park Lane (Londres)
conçu par les architectes Soloman, Kaye et associés, 80 × 80 cm, 1961
Cabinet des Dessins du Royal Institute for British Architects,
Londres.

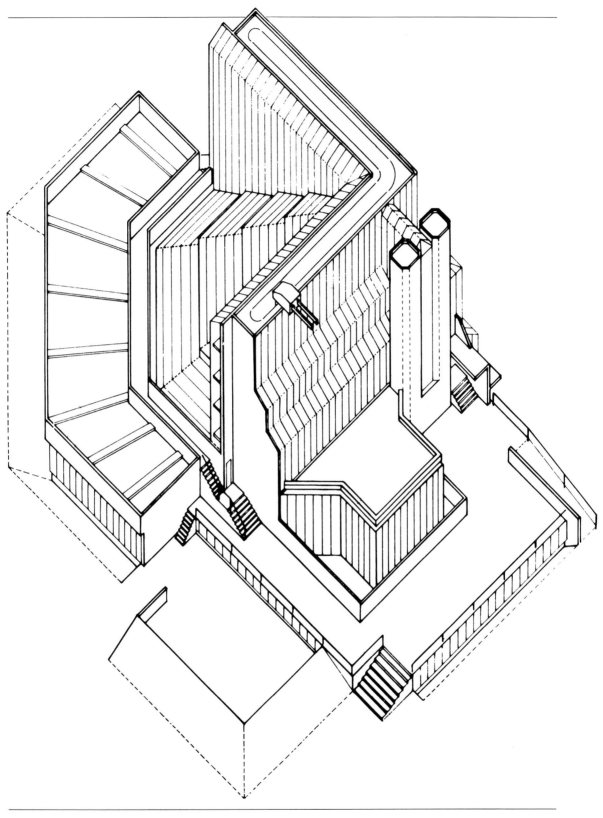

JAMES STIRLING
architecte britannique (né en 1926, vit à Londres)
Bibliothèque universitaire de la faculté d'Histoire de Cambridge, vue axonométrique
Projet de concours suivi de réalisation entre 1964 et 1967, dessin à l'encre, 1964
Collection de l'auteur.

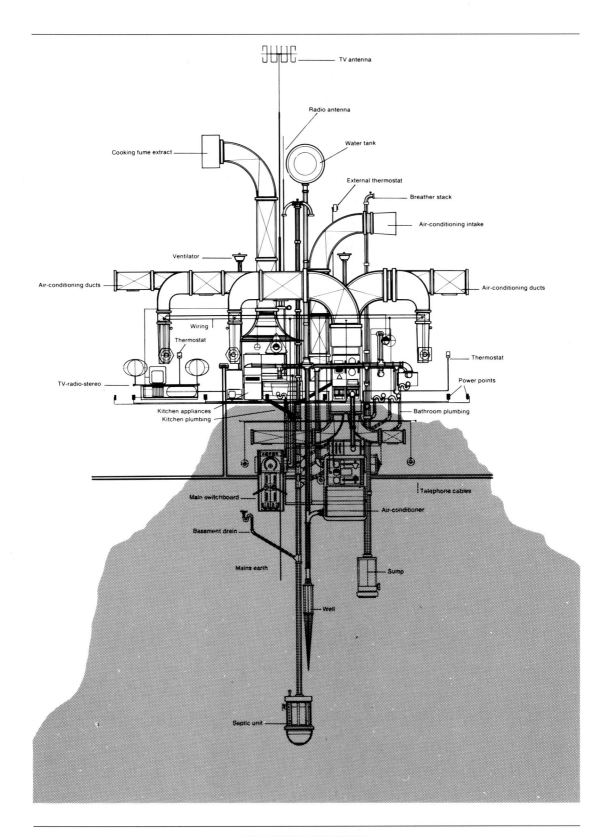

FRANÇOIS DALLEGRET
architecte français (vit à Montréal)
Anatomie d'une habitation, coupe à travers l'infrastructure technique des équipements et services du logement
encre noire sur acétate, 70 × 50 cm, 1965
Collection de l'auteur.

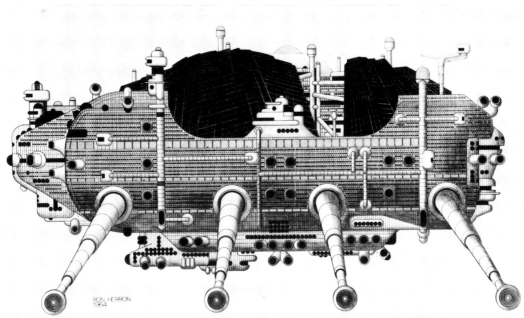

RON HERRON
architecte britannique (né en 1930, vit à Londres)
Cities : moving, encre de Chine et crayon de couleur sur carton, 54 × 84 cm, 1964
Deutsches Architekturmuseum, Francfort-sur-le-Main.

RON HERRON
Projet de galerie ouverte à Bournemouth en Angleterre
encre de Chine et trame colorée adhésive sur carton, 41 × 55 cm, 1969
Deutsches Architekturmuseum, Francfort-sur-le-Main.

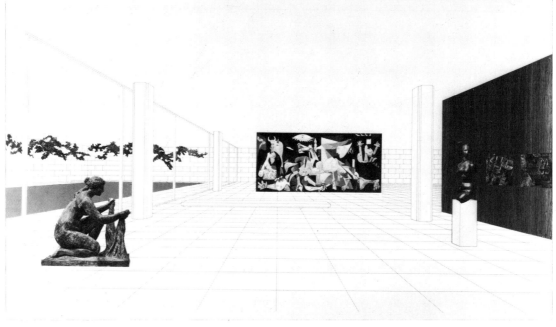

SUPERSTUDIO
groupe italien établi à Florence
Un bonjour de Coketown, photomontage, 62 × 74 cm, 1969
Deutsches Architekturmuseum, Francfort-sur-le-Main.

LUDWIG MIES VAN DER ROHE
architecte allemand naturalisé américain (1886-1969)
Perspective intérieure des salles d'exposition pour la Galerie nationale à Berlin
dessin et photocollage, vers 1960
Neue Nationale Galerie, Berlin-Ouest.

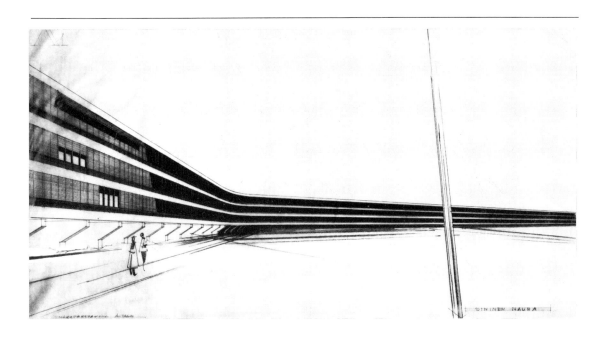

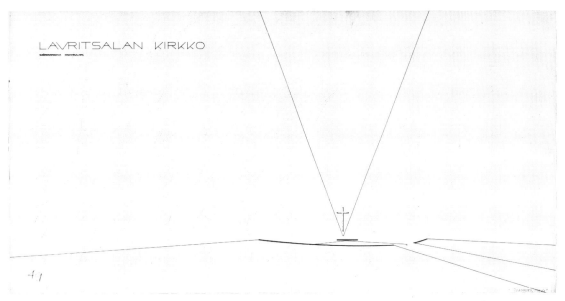

VILJO REVELL
architecte finlandais
Perspective extérieure d'un immeuble, vers 1965
Musée finlandais d'Architecture, Helsinki.

KORHONEN et LAAPOTTI
architectes finlandais
Perspective intérieure de l'église de Lauristsalan en Finlande,
encre, vers 1960
Musée finlandais d'Architecture Helsinki.

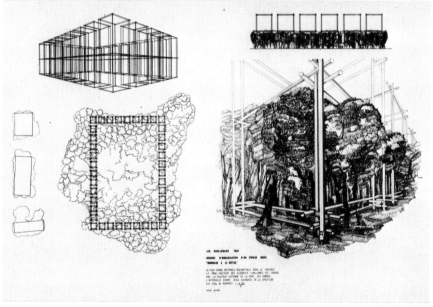

ANTHONY GREEN
peintre britannique (né en 1939, vit à Londres)
Casimir Dupont, huile sur carton, composition en cinq éléments, 218 × 218 cm, 1969
Tate Gallery, Londres.

JEAN-MICHEL SANNEJOUAND
artiste français (né en 1934, vit à Paris)
Schéma d'organisation d'un espace boisé : hommage à Le Nôtre
encre sur papier, 75 × 105 cm, 1967
Musée national d'Art moderne, Centre Georges Pompidou, Paris.

CLAUDE YVEL
peintre français (né en 1930, vit à Paris)
Bidonville à Nanterre, huile sur toile, 80 × 116 cm, 1973
Galerie Alain Blondel, Paris.

THÉO CHRISTIAN BABOULÈNE dit BABOU
peintre français (né en 1946, vit à Paris)
Grand standing, acrylique sur toile, 130 et 97 × 164 cm, 1973
Galerie Alain Blondel, Paris.

BERND et HILLA BECHER
photographes allemands (nés en 1931 et 1934, vivent en Allemagne et à New York)
Chevet de mine dans le nord de la France, vers 1969
Bibliothèque nationale, Paris.

JEAN-CLAUDE GAUTRAND
photographe français (né en 1932, vit à Paris)
Metalopolis, échafaudage du chantier de construction d'un château d'eau, 1965
Collection de l'auteur, Paris.

JACQUES WINDENBERGER
photographe français (né en 1935, vit à Aix-en-Provence)
Complexe de logements sociaux à Sarcelles, 1966
Collection Rapho, Paris.

HEINRICH HEIDESBERGER
photographe allemand (vit à Wolfsburg)
Bâtiment à Munich, 1966
Collection de l'auteur.

HEINRICH HEIDESBERGER
Bâtiment administratif de la firme Osram à Munich, 1966
Collection de l'auteur.

ANDRÉ FRANQUIN
illustrateur belge de bande dessinée
Quatre vignettes des aventures de Spirou et Fantasio pour les albums
Les pirates du silence et *Spirou et les hommes-bulles*
publiés en 1960 et 1964 par les Éditions Dupuis, Charleroi/Paris.

JACQUES MARTIN, illustrateur belge de bande dessinée
Vignette des aventures d'Alix pour l'album *Le tombeau étrusque*
publié en 1968 par les Éditions Casterman, Tournai/Paris.

EDGAR P. JACOBS, illustrateur belge de bande dessinée
Vignettes des aventures de Mortimer pour l'album *La marque jaune*, 1960 et pour l'album
L'Énigme de l'Atlantide, 1966, publiés à Bruxelles par les Éditions du Lombard
et réédités récemment aux Éditions Dargaud, Neuilly-sur-Seine.

WILL, illustrateur belge de bande dessinée
Vignette des aventures de Tif et Tondu pour l'album *Le retour de choc* (scénario de Rosy)
publié par les Éditions Dupuis, Charleroi/Paris.

Photographie de plateau (anonyme) d'un décor
de Jean-Claude Forest et de Mario Garbuglia
pour le film français *Barbarella* réalisé par Roger Vadim, vers 1968
Collection Bouteiller, Paris.

Photographie de plateau (anonyme) d'un décor d'Eugène Roman
pour le film français *Play-Time* réalisé par Jacques Tati, 1965
Collection des *Cahiers du cinéma*, Paris.

1 9 7 0 / 1 9 8 4

C'EST UN ÉVÉNEMENT : LES ARCHITECTES SE SONT REMIS À DESSINER ET DÉVELOPPENT ACTIVEMENT UNE NOUVELLE PRODUCTION DES IMAGES : AUTANT POUR LEURS PROPRES VALEURS DE REMISE EN CAUSE DE L'ESPACE CONTEMPORAIN QUE POUR LEURS CAPACITÉS DE PRÉFIGURATION DES FORMES ARCHITECTURALES ET URBAINES À VENIR. LE DESSIN, MIS AU SERVICE DE L'UTOPIE CRITIQUE, ACCÈDE À UN STATUT D'ŒUVRE AUTONOME QUI DÉPASSE LE SIMPLE CARACTÈRE INSTRUMENTAL QUE LE MÉTIER ET LES ARCHITECTES LUI ACCORDENT. CERTAINS D'ENTRE EUX SE VEULENT PEINTRES, ALORS QUE PEINTRES OU SCULPTEURS ÉLABORENT DES PROJETS DE BÂTIMENTS AVEC L'AMBITION APPARENTE OU RÉELLE DE CONSTRUIRE : ARCHITECTES ET ARTISTES ENTRETIENNENT DÉSORMAIS UN ÉTRANGE CHASSÉ-CROISÉ OÙ SE MANIFESTENT LES PRÉOCCUPATIONS, VOIRE LES INQUIÉTUDES, DE NOTRE SOCIÉTÉ ENVERS SON ENVIRONNEMENT. ON ASSISTE CHEZ LES PEINTRES COMME CHEZ LES ARCHITECTES À UNE VÉRITABLE RENAISSANCE DE LA FIGURATION ARCHITECTURALE QUI, APRÈS UNE LONGUE PÉRIODE DE DIS-GRÂCE (DUE À L'EMPRISE D'UN FONCTIONNALISME DÉVOYÉ EN « STYLE INTERNATIONAL » ET À CELLE DE L'ART ABSTRAIT) REDÉCOU-VRENT AVEC DES DÉLECTATIONS, DES MOTIVATIONS ET DES EXPRESSIONS TRÈS DIVERSES L'INTÉRÊT DE CETTE FILIÈRE DE LA CRÉATION. HYPERRÉALISTE, ONIRIQUE, CRITIQUE, HISTORICISTE OU BIEN ENCORE CONCEPTUELLE : MULTIPLES SONT LES FACETTES DE CE RENOU-VEAU DE L'IMAGE ARCHITECTURALE. LES CRÉATEURS DE BANDE DESSINÉE ET LES ILLUSTRATEURS S'EMPARENT EUX AUSSI DU THÈME DE L'ARCHITECTURE URBAINE COMME CADRE OU SUPPORT DE LEURS IMAGERIES. CETTE PRODUCTION IMAGINAIRE RENCONTRE UN TEL SUCCÈS QUE LE CINÉMA LUI-MÊME FAIT PARFOIS APPEL À SES RESSOURCES CRÉATIVES POUR CONCEVOIR LES DÉCORS DE FILMS : AINSI ALAIN RESNAIS CONFIE CE TRAVAIL DE « CONSTRUCTION » À ENKI BILAL. DEVONS-NOUS Y DÉCELER LA QUÊTE D'UNE ARCHITECTURE QUI NE SERAIT PLUS TANT ATTACHÉE À L'ÉDIFICE QU'À UN ENSEMBLE PLUS VASTE : CELUI OÙ SE REFLÈTENT AUSSI BIEN LA NOSTALGIE DE TOUS LES ÉDIFICES PERDUS ET DE TOUS LES ESPACES ET LIEUX QUI CHAQUE JOUR SONT DÉTRUITS ? CELUI QUE SUSCITE LE DÉSIR DE S'OUVRIR AUX VOIES OFFERTES PAR TOUT L'ARSENAL DES TECHNIQUES MODERNES, EN PARTICULIER CELLES DE LA COMMUNICATION ? EN CE SENS, PRÈS DE CENT TRENTE ANS APRÈS L'ÂGE D'OR DES ÉCLECTISMES, NOUS RENOUONS AVEC CETTE PHASE DE TRANSITIONS, D'HÉSI-TATIONS ET DE MÉLANGES. NOTRE ÉPOQUE EST VOLONTIERS HISTORICISTE. ELLE SORT D'UNE LONGUE AMNÉSIE : ELLE REDÉ-COUVRE AVIDEMENT QUANTITÉ DE PATRIMOINES ANCIENS ET MÊME MODERNES, ET CECI AVEC D'AUTANT PLUS D'ARDEUR QUE L'ON FIT IMPUNÉMENT « TABLE RASE DE L'HISTOIRE » À PARTIR DES ANNÉES VINGT. QU'IL LUI FAILLE RÉSISTER AUX POUSSÉES TROP AGRESSIVES DES PARTISANS DE LA « FUITE EN AVANT » ET ELLE RÉINVENTE LA COLONNE ET L'ARCATURE; QU'IL LUI FAILLE DÉPASSER LE MOUVEMENT MODERNE ET ELLE S'ATTACHE À UN DESSIN MANIÉRISTE DES SIGNES DE LA MODERNITÉ; QU'IL LUI FAILLE PRÉFIGURER L'ÂGE D'OR DE DEMAIN ET ELLE ÉLABORE UNE MACHINE MAGIQUE, ÉTRANGE ET CYBERNÉTIQUE. CHACUN À SA MANIÈRE SEMBLE VOULOIR DONNER UNE LEÇON QUI TIENT À LA MAÎTRISE DU DESSIN. LA PHOTOGRAPHIE D'AUTEUR EST RECONNUE POUR ELLE-MÊME ET S'ÉPANOUIT EN DÉVELOP-PANT DES MOYENS D'EXPRESSION AUTONOMES, QUITTE À RENOUER AVEC SA PROPRE TRADITION ET À REVENIR AUX MODÈLES DU PASSÉ, QUE CEUX-CI APPARTIENNENT AU RÉALISME DOCUMENTAIRE OU À L'ABSTRACTION PLASTIQUE. A TRAVERS TOUTES LES FORMES ET EXPRESSIONS CULTURELLES ON ASSISTE DÉSORMAIS EN EUROPE À UNE SAISISSANTE RENAISSANCE DES IMAGES ET DES IMAGINAIRES D'ARCHITECTURE.

GERD NEUMANN
architecte allemand (né en 1935, vit à Berlin)
Le vent de l'histoire souffle sur les ordres de l'architecture
crayon de couleur sur papier, 1979
Collection de l'auteur.

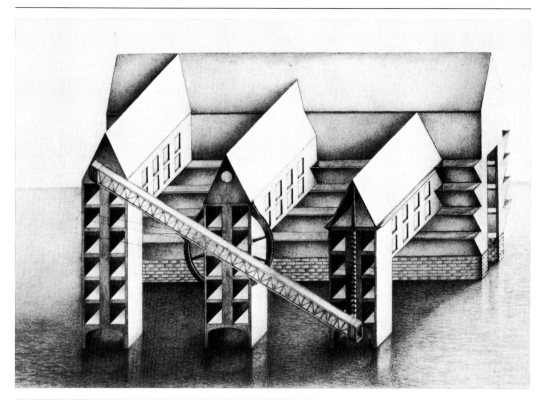

MASSIMO SCOLARI
architecte et peintre italien (né en 1943, vit à Milan)
Architecture lagunaire, aquarelle, 1980
Collection de l'auteur, Milan.

ALDO ROSSI
architecte italien (né en 1931, vit à Milan)
Scena per uno teatrino scientifico, huile sur carton,
73 × 103 cm, 1978
Collection Robert et Trix Haussmann, Zurich.

MARIE-CLAUDE BÉTRIX, ERALDO CONSOLASCIO
BRUNO REICHLIN, FABIO REINHART
architectes suisses
Étude de façade pour un immeuble de logements situé Friedrichstrasse
et Kochstrasse à Berlin-Ouest
Projet de concours organisé par l'IBA à Berlin, 1981
Collection de l'Internationale Bauausstellung,
Berlin-Ouest.

RICARDO BOFILL
architecte espagnol (né en 1939, vit à Barcelone et à Paris)
L'Ellipse de cristal,
esquisse de façade pour une place elliptique dans le XIVe arrondissement à Paris, 1979
Collection Taller de Arquitectura, Paris.

SÉFIK BIRKIYE, architecte turc
GILBERT BUSIEAU, PATRICE NEIRINDK, architectes belges
Perspective du portique des maîtres carriers devant l'église de la Chapelle à Bruxelles
Projet d'étudiants dans l'atelier de Maurice Culot à l'École de la Cambre, à Bruxelles
crayon de couleur sur papier, 1978
Archives d'architecture moderne, Bruxelles.

REM KOOLHAAS
architecte hollandais (vit à Londres)
Immeuble à Rotterdam, perspective intérieure
Projet réalisé en collaboration
Stefano de Martino et Kees Christiaanse, 1982
Collection des auteurs.

LÉON KRIER
architecte luxembourgeois (né en 1946, vit à Londres)
Perspective des nouveaux quartiers de l'Europe encore endormis, mais éclairés par la lumière froide du matin
Projet de reconstruction de la ville de Luxembourg
dessin à l'encre rehaussé au crayon de couleur par l'architecte Gilbert Busieau, 20 × 30 cm, 1978
Collection Gilbert Busieau, Bruxelles.

RITA WOLFF
peintre luxembourgeoise (vit à Londres)
Le rêve d'Anne, aquarelle sur carton, 24 × 31 cm, 1981
Collection particulière.

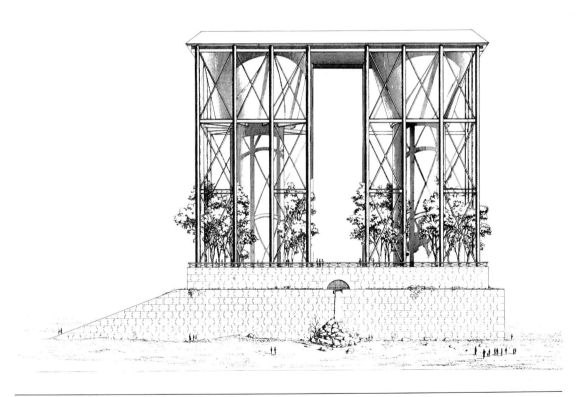

ICO PARISI
architecte et peintre italien (né en 1916, vit à Côme)
Utopia realizzabile, architettura antropomorfa
encres de couleur sur papier, 70 × 100 cm, 1976
Collection de l'auteur, Côme.

CHRISTIAN DE PORTZAMPARC
architecte français (vit à Paris)
Élévation latérale d'un château d'eau à Saint-Quentin-en-Yvelines
Premier projet, encre sur calque, 1979
Collection de l'auteur, Paris.

CHRIS SAUNDERS
architecte britannique
Rooms II, projet d'étudiant réalisé à l'Architectural Association School de Londres
sous la direction de Michael Gold
dans le cadre du projet « people in architecture », 1980
Collection de l'auteur, Londres.

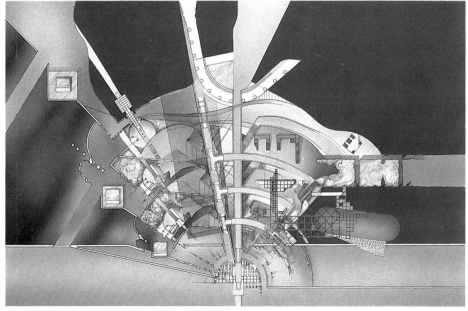

ERNST LOHSE
architecte danois (né en 1944, vit à Copenhague)
Demeure de Mythra en Utopie, aquarelle, 1982
Collection de l'auteur, Copenhague.

CHRISTINE HAWLEY
architecte britannique (née en 1949, vit à Londres)
Shadow house (La maison des ombres), crayon, encre de Chine
et aquarelle sur carton, 1980
Deutsches Architekturmuseum, Francfort-sur-le-Main.

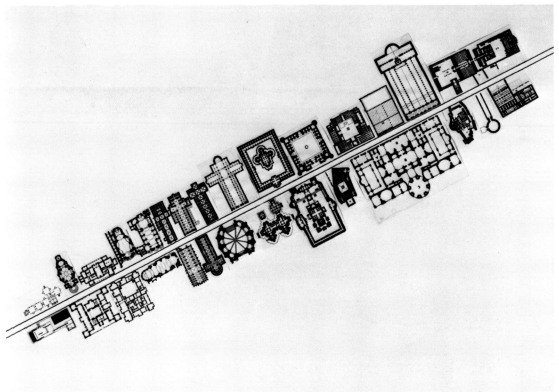

GIORGIO GRASSI
architecte italien (né en 1935, vit à Milan)
Perspective de l'allée centrale de la maison des étudiants à Chieti
Projet lauréat du concours réalisé avec A. Monestiroli et en collaboration avec R. Conti et E. Guazzoni
aquarelle, 50 × 80 cm, 1976; collection de l'auteur, Milan.

HANS DIETER SCHAAL
architecte allemand
Le chemin de l'histoire de l'architecture, encre sur calque, 75 × 100 cm, vers 1970
Deutsches Architekturmuseum, Francfort-sur-le-Main.

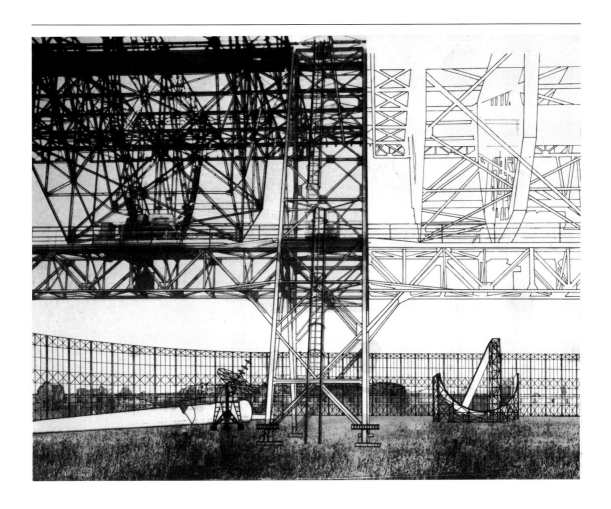

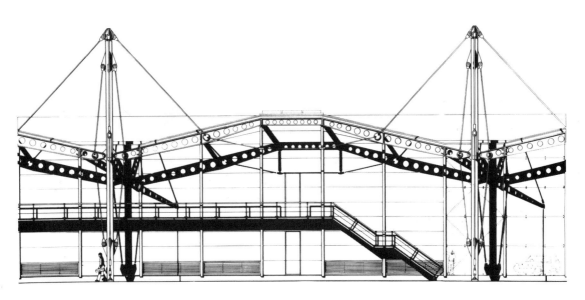

JEAN NOUVEL
architecte français (né en 1945, vit à Paris)
Projet de concours pour l'aménagement du parc de La Villette à Paris
(en association avec Pierre Soria et Gilbert Lezenes)
encre de Chine, rhodoïds surrapportés avec trames de couleur et collages photographiques, 1982
Collection de l'auteur, Paris.

NORMAN FOSTER
architecte britannique (vit à Londres)
Élévation partielle d'une façade du centre Renault édifié à Swindon en Angleterre
encre sur calque, vers 1980; collection de l'auteur.

NILS OLE-LUND
architecte danois
Gratte-ciel parachuté, photocollage,
90 × 30 cm, 1976; Deutsches Architekturmuseum, Francfort-sur-le-Main.

MARK FISHER
architecte britannique
Projet d'aménagement provisoire de l'esplanade du palais de Buckingham à Londres
pour un concert nocturne de Jean-Michel Jarre, 1983
Collection de l'auteur, Londres.
(Le projet a été élaboré avec la collaboration de l'ingénieur Jonathan Park.)

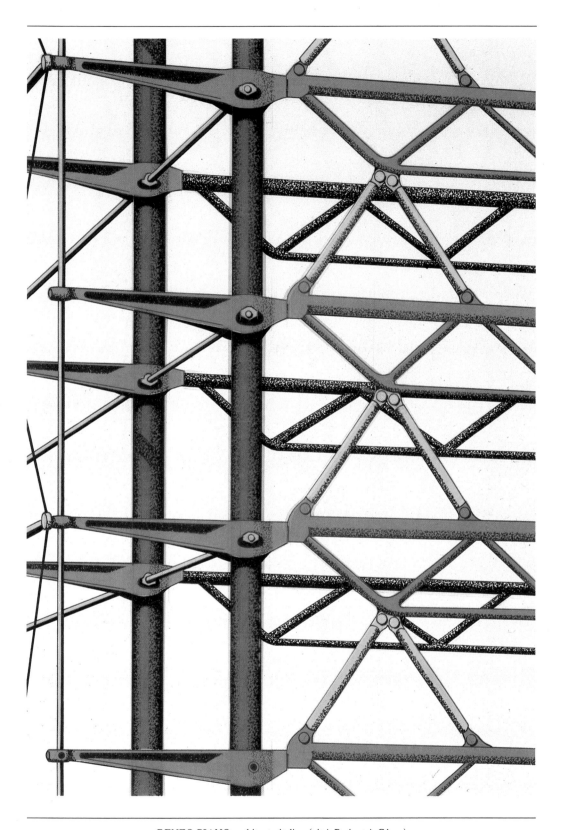

RENZO PIANO architecte italien (vit à Paris et à Gênes)
RICHARD ROGERS architecte britannique (vit à Londres)
Structure du Centre Georges Pompidou, édifié de 1971 à 1977
Perspective dessinée dans le studio de Jean-Pierre Thérond, encre et trames colorées, vers 1976
Collection de l'Office technique pour l'utilisation de l'acier.

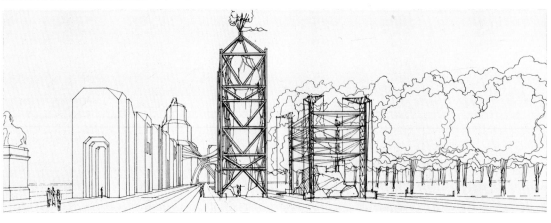

CHARLES VANDENHOVE
architecte belge (né en 1927, vit à Liège)
Réhabilitation d'un îlot de maisons anciennes dans le quartier Hors-Château, au centre de Liège
avec insertion de bâtiments nouveaux
Projet de 72 logements sociaux réalisés entre 1979 et 1983, encre sur calque
Collection de l'auteur.

JEAN-PIERRE JUNGMAN
architecte français (né en 1935, vit à Paris)
Le temps de l'édification des alignements attenants aux six piliers d'Abondance et de Cocagne
Projet pour « la place de la Concorde - les nouveaux tracés d'une place fondatrice »
conçus pour *L'Ivre de Pierres,* n° 4, 1983; encre brune sur papier, 75 × 108 cm
Collection de l'auteur.

FRANCO PURINI
architecte italien
La maison romaine, 1979
Collection de l'auteur,
Milan.

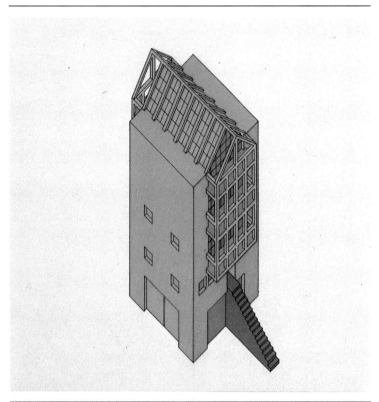

OSWALD MATHIAS UNGERS
architecte allemand (vit à Cologne),
Petit immeuble d'habitation à insérer dans le centre historique de la ville de Marburg en Allemagne,
encre de Chine et trames colorées adhésives sur calque, 20 × 20 cm
vers 1976; Deutsches Architekturmuseum, Francfort-sur-le-Main.

ALAIN SARFATI, architecte français (né en 1937, vit à Paris)
DAHLIETTE SUCHEYRE, photographe française (vit à Paris)
Variations picturales et chromatiques sur le thème des portiques dans le quartier Saint-Christophe
édifié dans la ville nouvelle de Cergy-Pontoise au nord de Paris
aérographe sur tirage au trait d'une photographie, 30 × 30 cm, 1983
collection des auteurs.

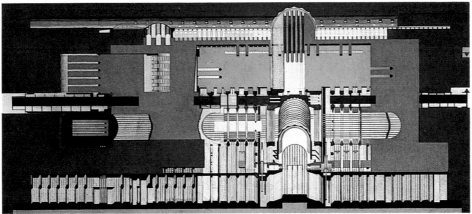

RODRIGO PEREZ DE ARCE
architecte chilien (né en 1948, vit à Londres)
The stones of Runcorn crayon de couleur sur papier et collage photographique
1978; collection de l'auteur.

WILLIAM TAYLOR
architecte américain
Ré-interprétation architectonique de la gare d'Helsinki
(édifiée en 1910 par l'architecte Eliel Saarinen)
plume et aquarelle, 1982; musée finlandais d'Architecture, Helsinki.

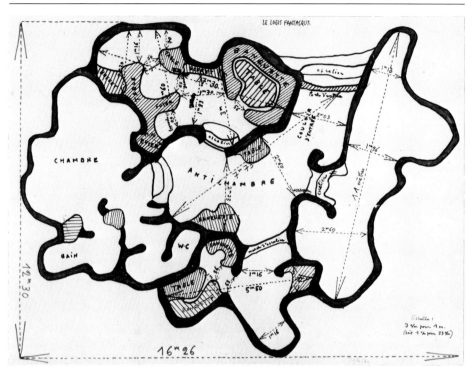

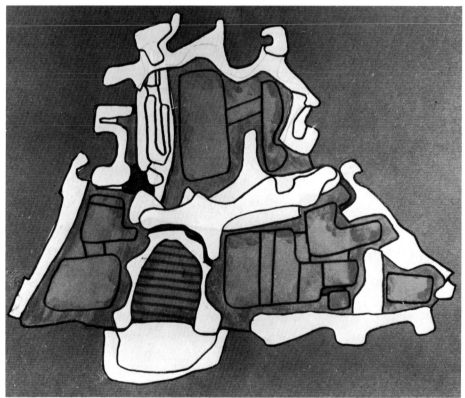

JEAN DUBUFFET
peintre et sculpteur français (né en 1901, vit à Paris)
Le logis fantasque, feutres de couleur sur papier, 21 × 27 cm, 1970
Fondation Jean Dubuffet, Paris.

JEAN DUBUFFET
Villa trapèze
feutre noir sur papier découpé et collé sur calque, 33 × 39 cm, 1970
Fondation Jean Dubuffet, Paris.

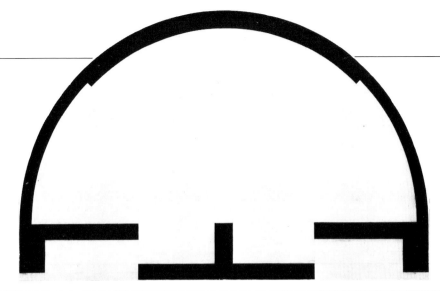

GIANFRANCO PARDI
peintre et sculpteur italien (né en 1933, vit à Milan), *Abside*, acrylique sur masonite,
80 × 100 cm, 1981; studio Marconi, Milan.

ANNE MAHIAS
architecte française (née en 1954, vit à Paris et à Lyon)
Châteaux de sable, crayon de couleur sur papier, 21,5 × 65 cm, 1981
Collection de l'auteur, Paris.

BEN WILLIKENS peintre allemand (né en 1939, vit à Stuttgart)
La dernière cène, ré-interprétation de l'espace scénique de l'œuvre de Léonard de Vinci
crayon et aérographe gris sur carton, 73 × 100 cm
1979; Deutsche Architekturmuseum, Francfort-sur-le-Main.

JACQUES MONORY
peintre français (né en 1933, vit à Cachan)
Hommage à Caspar David Friedrich, acrylique sur toile, 160 × 230 cm, 1975
Collection de l'artiste, Cachan.

BEN JOHNSON
peintre britannique (né en 1946, vit à Londres)
Renault Center, sérigraphie, 30 × 40 cm, 1983
Collection de l'auteur, Londres.
(Ce bâtiment a été conçu par l'architecte Norman Foster et ses associés
et édifié à Swindon, en Angleterre
entre 1980 et 1982
avec la collaboration des ingénieurs du groupe Ove Arup.)

JAVACHEFF CHRISTO
sculpteur et dessinateur bulgare (né en 1935, vit à New York)
Le Reichstag emballé, projet pour Berlin
tissu, pastel, fusain, crayon, 56 × 71 cm, 1978
Collection particulière, Paris.

ARDUINO CANTAFORA
architecte et peintre italien (né en 1945, vit à Milan)
Capriccio Veneziano, huile sur toile, 1980
Galerie Antonia Jannone, Milan.

YVAN THEIMER
peintre et sculpteur français (né en 1944, vit à Paris)
Projet pour un temple à Saint-Hubert sur la place du Châtelet à Paris
sépia sur papier, 24 × 32 cm, 1977
Musée des Arts décoratifs, Paris.

DEANNA PETHERBRIDGE
dessinatrice britannique (née en 1939, vit à Londres)
Desert Chatris, crayon et encre sur papier, 70 × 100 cm, 1979
Collection Deanna Petherbridge.

JEAN CRITON
peintre français (né en 1930, vit à Paris),
Le temple du puits sud, fusain sur papier marouflé, 130 × 97 cm, 1980
Collection Ph. Lechien, Knokke-le-Zoute.

HELMUT BARUTH, KLAUS STEINKE
photographes allemands
Petits immeubles roses et verts dans les blés à Dautphe
photographie rehaussée de crayon de couleur,
1980, Deutsche Architekturmuseum, Francfort-sur-le-Main.

ELISABETH LENNARD
photographe américaine (née en 1953, vit à Paris)
Night wall, la Croisette à Cannes, photographie rehaussée à l'huile, 1976
Collection de l'auteur.

KEICHI TAHARA
photographe japonais (vit à Paris)
Coupole de l'église Saint-Léopold du sanatorium Am Steinhof à Vienne, 1980
Collection de l'auteur
(Église édifiée de 1905 à 1907 par l'architecte autrichien
Otto Wagner [1841-1918].)

MANFRED HAMM
photographe allemand (né en 1944, vit à Berlin)
Le château d'eau de Charlottenburg à Berlin, 1977
Collection de l'auteur.

YANNIG HEDEL
photographe français (vit à Lyon)
Cité d'habitation à Villeurbanne, vers 1980
Collection de l'auteur.

MIMMO JODICE
photographe italien (né en 1934, vit à Naples)
Villa communale à Naples, 1980
Galerie Diaframma - Canon, Milan.

HEINRICH HEIDESBERGER
photographe allemand (vit à Wolfsburg)
L'usine des automobiles Volkswagen à Wolfsburg, 1971
Collection de l'auteur.

ANNE GARDE
photographe française (née en 1946, vit à Paris)
Vestiges de la base des sous-marins
édifiée à Bordeaux par les troupes allemandes, 1980
Collection de l'auteur.

GABRIELE BASILICO
photographe et architecte italien (né en 1944, vit à Milan)
Palais de la Poste à Naples, 1982
Galerie Diaframma - Canon, Milan.

FRANÇOIS XAVIER BOUCHART
photographe français (né en 1946, vit à Paris)
Hall d'entrée de l'hôtel Régina à Nice, 1983
Collection de l'auteur.

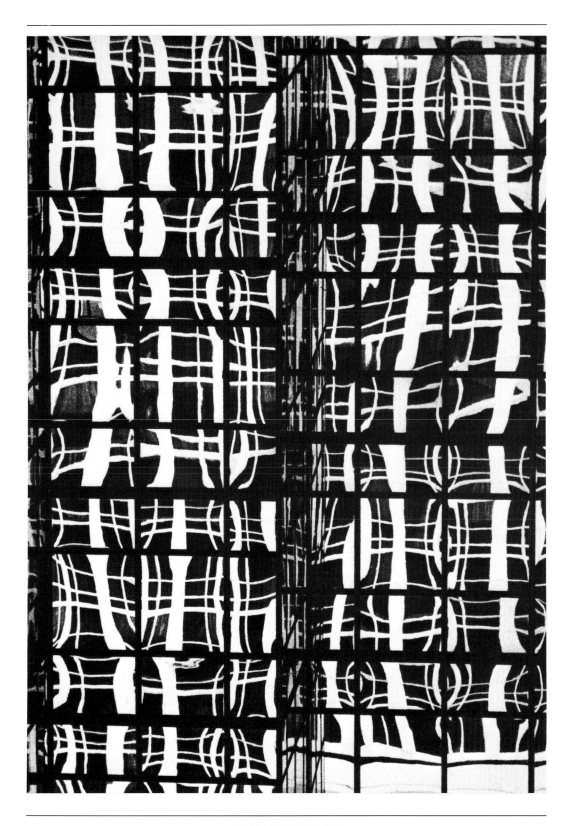

ROSINE NUSIMOVICI
photographe française (vit à Paris)
Immeuble rue de Rennes à Paris, 1980
Collection de l'auteur.

PATRIZCIA DELLA PORTA
photographe italienne (née en 1954, vit à Milan)
Le centre directionnel et commercial « Milano-Fiori », effets de miroirs en façade, 1981
Galerie Il Diaframma-Canon, Milan.

PIER LUIGI PIZZI
architecte et metteur en scène (né en 1930, vit à Rome et Paris)
Trois séquences des décors pour l'opéra *Aïda* de Verdi, crayon sur calque,
45 × 100 cm, 1973
Collection de l'auteur, Paris.

EZIO FRIGERIO
metteur en scène italien (né en 1930, vit à Milan)
Deux séquences des décors pour l'opéra *I Troiani* (Les troyens)
mis en scène par Luca Ronconi au théâtre de la Scala à Milan, 1981
Galerie Antonia Jannone, Milan.

Photographie de plateau du décor conçu par Max Bignens (né en 1912, vit à Zurich)
pour l'opéra *Faust* mis en scène par Jorge Lavelli au théâtre de l'Opéra de Paris, 1976
Photographie de Marc Enguerand, Paris.

Photographie de plateau du décor conçu par Alain Batifoulier (né en 1943, vit à Paris)
pour la comédie de Molière *Les fourberies de Scapin*
mise en scène par Marcel Maréchal au Théâtre national de Marseille
La Criée, 1981, photographie de Marc Enguerand, Paris.

Photographie de plateau de la mise en scène conçue par Bob Wilson (né en 1941, vit à New York)
pour le spectacle *Edison*, créé au Théâtre national populaire de Villeurbanne, 1979
Photographie de Marc Enguerand, Paris.
(L'architecture de la maison est, à la scène, le support sur lequel
sont projetées les images fixes ou mobiles
choisies pour susciter l'univers imaginaire du spectacle.)

Photographie de plateau du décor conçu par Roberto Platé
(né en 1940, vit à Paris)
pour *Grand et petit* de Botho Strauss, au Théâtre national de l'Odéon à Paris, 1982
Collection de l'auteur, Paris.

ENKI BILAL
illustrateur français de bande dessinée (né en 1951, vit à Paris)
Illustration pour l'affiche du film d'Alain Resnais, *La vie est un roman*
plume et gouache, 1981; collection de l'auteur.

Illustration pour un décor en « glass painting » dans le film d'Alain Resnais, *La vie est un roman*
plume et gouache, 1981; collection de l'auteur.

PAUL GRIMAULT
réalisateur français de films d'animation (né en 1905, vit à Paris)
Décor pour le dessin animé de long métrage *Le roi et l'oiseau*, 1980
Collection des *Cahiers du cinéma*.

Photographie de maquette du film de science-fiction *Alien*
réalisé par Ridley Scott en Grande-Bretagne, 1979
Collection National Film Archive, Londres.

Photographie de tournage d'une scène du film français *Passé-Simple*
réalisé par Michel Drach, 1977
Collection des *Cahiers du cinéma*, Paris.

Photographie de plateau (anonyme) d'un décor de Tomassi Italo
pour le film italien *Cité des femmes* réalisé par Federico Fellini, 1979
Collection des *Cahiers du cinéma*, Paris.

Photographie de plateau (anonyme) d'un décor de Danilo Donatti et L. Scaccianocce
pour le film italien *Satyricon* réalisé par Federico Fellini, 1969
National Film Archive, Londres.

L'usage des technologies nouvelles issues de la révolution informatique
et des méthodes de Conception assistée par ordinateur (CAO)
devient progressivement la source d'une nouvelle imagerie de l'architecture. Certains travaux entrepris dans ce sens,
avec des options techniques ou artistiques,
débouchent ainsi sur un nouvel imaginaire architectural.

En haut, une création de David Em intitulée «Orojo» (software par le Dr James Blinn), 1979.
En bas, une recherche menée par Dan McCoy et Richard Feldmann
du groupe Rainbow.

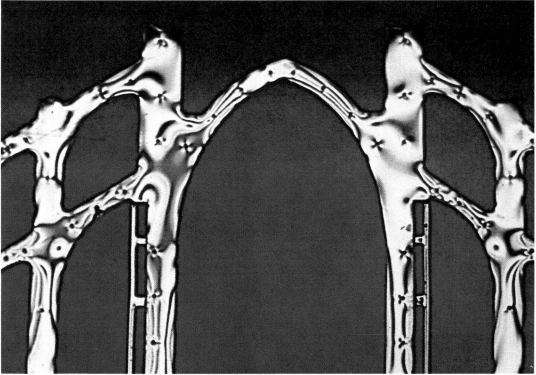

En haut une « équidensité colorée » réalisée en 1980 par Alain Constans
(du Groupe d'analyse d'images de l'université de Paris V)
produite d'après une image prise grâce à une caméra infrarouge par M. Royet
architecte au Centre d'études techniques de l'Équipement à Strasbourg.
Cette image architecturale met en évidence,
à travers le crépi de la façade
d'une maison alsacienne, l'état de la charpente en bois.
Le document du bas (communiqué par Renzo Piano) illustre
le résultat d'une analyse photo-élastique de la maquette
en matière synthétique translucide de la coupe transversale d'une cathédrale
soumise à des effets de polarisation qui mettent en évidence,
selon diverses couleurs, l'intensité des contraintes subies
par la structure de l'édifice et la résistance de ses matériaux.

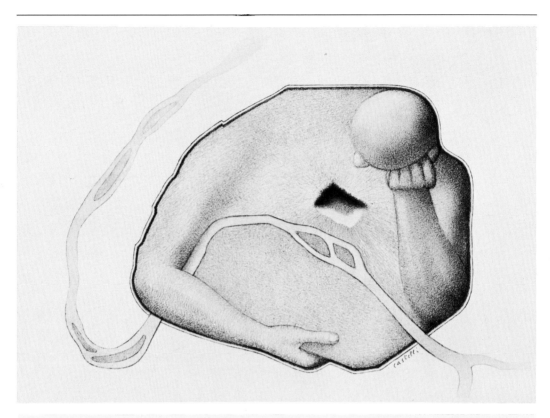

JEAN-CLAUDE CASTELLI
illustrateur français (né en 1932, vit à Paris)
Illustration-manifeste pour le concours international d'architecture et d'urbanisme
organisé à l'initiative du Syndicat de l'architecture
afin de proposer des alternatives pour l'aménagement du quartier des Halles au cœur de Paris
mine de plomb sur papier, 16 × 20 cm, 1979
Collection de l'auteur.

JEAN YVES HAMMEL dit JYH
illustrateur français (vit à Versailles)
Illustration satirique d'un article sur la production de l'architecture publié dans le Monde
plume sur papier Canson, 40 × 60 cm, 1980; collection de l'auteur.

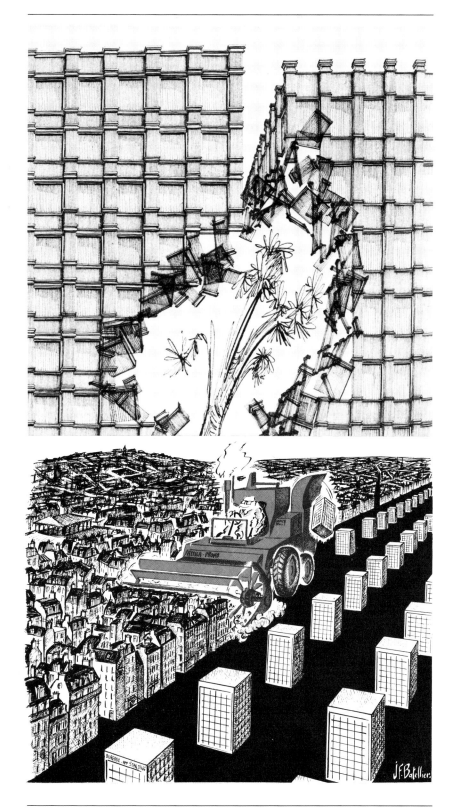

HANS GEORG RAUCH
illustrateur allemand (né en 1939)
Architecture, encre de Chine sur carton, 1979; galerie Lahumière, Paris.

J.F. BATELLIER
illustrateur français (vit à Paris)
Dessin satirique sur la production de l'architecture
dans le cadre des opérations dites de «rénovation urbaine», 1979
Collection de l'auteur.

DOMINIQUE DE NOUAILLE
illustrateur français (né en 1953, vit à Aubervilliers)
L'Opéra, encre et gouache, 60 × 80 cm, 1980
Collection de l'auteur.

MICHEL DUBRÉ
peintre français (né en 1942, vit à Paris)
Toiles sous influence, huile sur bois, 73 × 100 cm, 1983
Collection B. Sancerni, Paris.

PHILIPPE COLLIER
illustrateur français (né en 1950, vit à Lille)
Le Capoulié à Montpellier, acrylique, 42 × 56 cm, 1981
Collection de l'auteur.

COLIN HAY
illustrateur britannique de science-fiction (vit à Londres)
Survival Kit, gouache, 32 × 55 cm
Young Artists, Londres.

PHILIPPE DRUILLET (en haut), illustrateur français de bande dessinée
Architecture de science-fiction.

JOOST SWARTE (au milieu, à gauche), illustrateur hollandais de bande dessinée
Vignette pour l'album *L'art moderne,* édité par les Humanoïdes Associés, Paris.

FOURNIER (au milieu, à droite), illustrateur français
Vignette pour l'album *La vie des gens,* publié en 1971 par les Éditions du Square, Paris.

DANIEL TORRES (en bas), illustrateur de bande dessinée
Vignette pour « Triton. Les aventures d'un héros spatial », récit publié en feuilleton en 1983
dans le magazine *A Suivre* édité par les Éditions Casterman, Tournai/Paris.

MOEBIUS (en haut), illustrateur français de bande dessinée
Vignette pour le récit « Le garage hermétique », publié en 1977 dans *Le major fatal* aux Éditions des Humanoïdes Associés, Paris.

JEAN-CLAUDE FLOC'H (au milieu, à gauche), illustrateur français de bande dessinée
Vignette pour l'album *Le rendez-vous de Seven Oaks* (textes de Jacques Rivière)
publié en 1977 par les Éditions Dargaud, Neuilly-sur-Seine.

SERGIO MACEDO (au milieu, à droite), illustrateur italien de bande dessinée
Vignette pour l'album *Téléchamp* édité en 1978 par les Humanoïdes Associés, Paris.

TRAMBER (en bas), illustrateur français de bande dessinée
Vignette des aventures de Jo Jaguar (scénario de Jano) pour l'album *Kebra chope les boules*
publié en 1981 par les Humanoïdes Associés, Paris.

TARDI (en haut, à gauche), illustrateur français de bande dessinée
Vignette pour l'album *Adieu Brindavoine* publié en 1979 par les Éditions Casterman, Tournai/Paris.

PHILIPPE DRUILLET (en haut, à droite), illustrateur français de bande dessinée de science-fiction
Vignette pour l'album *Les six voyages de Lone Sloane* publié en 1973 par les Éditions Dargaud, Neuilly-sur-Seine.

COMES (en bas, à gauche), illustrateur de bande dessinée
Vignette des aventures d'Ergun l'Errant pour l'album *Le Maître des Ténèbres*
publié en 1974 en feuilleton dans la revue *A Suivre,* Tournai/Paris.

TED BENOIT (en bas, à droite), illustrateur français de bande dessinée
Vignette des aventures de Ray Banana pour l'album *Berceuse électrique,* publié en 1982 par les Éditions Casterman.

SCHUITEN, illustrateur belge de bande dessinée
Deux vignettes pour l'album *Les murailles de Samaris* (scénario de Peeters) édité en 1983 aux éditions Casterman, Tournai/Paris
Si l'architecture a depuis près de trente ans progressivement investi l'imaginaire de la bande dessinée
surtout chez les auteurs belges et français
elle se déploie désormais avec une créativité remarquable dans des récits où elle joue un rôle de plus en plus important.
Avec Schuiten et Peeters on assiste à Bruxelles à une véritable apothéose :
l'architecture accède au statut privilégié de héros central de plusieurs récits de bande dessinée.
L'illustrateur tend désormais à dépasser le stade de la simple figuration architecturale pour accéder à celui
de la création architecturale où il oscille entre les pôles du réalisme et de l'onirisme.

CLAUDE AUCLAIR, illustrateur suisse de bande dessinée
Vignette pour l'album *Les Esclaves* (en haut, à gauche) édité en 1977 aux Éditions Dargaud, Neuilly-sur-Seine,
et vignette pour l'album *Jason Müller : récit des temps postatomiques* (en haut, à droite)
publié en 1979 par les Éditions des Humanoïdes Associés, Paris.
EVER MEULEN (au milieu, à gauche), illustrateur belge
Affiche pour *Mallemunt 81*, 1981, Bruxelles.
MOEBIUS (au milieu, à droite), illustrateur français de bande dessinée
Vignette pour le récit « Le garage hermétique » publié en 1977 dans l'album *Le major fatal* aux Éditions des Humanoïdes Associés,
Paris.
DANIEL TORRES (en bas, à gauche), illustrateur de bande dessinée
Vignette pour l'album *Opium* publié en 1983 aux Éditions des Humanoïdes Associés, Paris.
GOFFIN (en bas, à droite), illustrateur belge de bande dessinée
Vignette pour l'album « *Le réseau Madou* (scénario de Jacques Rivière) publié en 1982 par les Éditions Casterman, Tournai/Paris.

FRANCIS MASSE, illustrateur de bande dessinée
Vignette pour l'album *On m'appelle l'Avalanche,* publié en 1983 par les Éditions des Humanoïdes Associés, Paris.

JEAN-CLAUDE CLAEYS, illustrateur de bande dessinée
Vignette pour le récit «Magnum Song» édité en feuilleton en 1980 dans la revue *A Suivre*
publié par les Éditions Casterman, Tournai/Paris.

ALEX VARENNE, illustrateur français de bande dessinée
Vignette pour l'album *Berlin-Strasse* (scénario de Daniel Varenne) publié en 1982 aux Éditions Albin Michel, Paris.

TRIX et ROBERT HAUSSMANN
architectes suisses (nés en 1933 et 1931, vivent à Zurich)
Étude n° 2 : le trouble de la forme par la fonction
Deux dessins à l'encre de Chine sur papier, 60 × 42 cm, 1977; collection des auteurs, Zurich.
Étude n° 5 : hommage à Vinzenz Nussbaumer
bois peint et miroirs, 320 × 320 cm, 1978-1981; collection des auteurs, Zurich.

ALFRED HABLÜTZEL
architecte et photographe suisse (vit à Will)
Photographie des tissus en trompe-l'œil architectural
(collection « H-design ») créés par Trix Haussmann, Robert Haussmann et Alfred Hablützel
édités à Suhr par la société suisse Mira-X et imprimés par la société allemande Taunus-textildrück
à Oberuzsel, 1982.

A N N E X E S
DOCUMENTAIRES

IL Y A LONGTEMPS QUE LA REPRÉSENTATION ARCHITECTURALE SERT D'IMAGE DE MARQUE OU DE FAIRE-VALOIR À DE MULTIPLES PRODUITS DE CONSOMMATION, QU'ILS SOIENT INDUSTRIELS OU ARTISANAUX. DANS CE REGISTRE, LES VINS FRANÇAIS OCCUPENT UNE PLACE PARTICULIÈREMENT RÉVÉLATRICE. LES MEILLEURS CRUS ONT MAINTENU LA TRADITION DE S'ENROBER DE VIGNETTES AU GRAPHISME SOPHISTIQUÉ QUI ILLUSTRENT LES CHÂTEAUX DES PRESTIGIEUX DOMAINES VINICOLES SOUVENT ÉDIFIÉS OU REMANIÉS AU XIXe SIÈCLE. À GAUCHE UN MARGAUX (MÉDOC), MIS EN BOUTEILLE AU CHÂTEAU-PALMER EN 1977; À DROITE UN SAINT-JULIEN, MIS EN BOUTEILLE AU CHÂTEAU DUCRU-BEAUCAILLOU EN 1980 CHEZ JEAN-EUGÈNE BORIE. À LA SANTÉ DES IMAGES ET DES IMAGINAIRES D'ARCHITECTURE...

CHOIX BIBLIOGRAPHIQUES

Cette bibliographie n'a nullement l'ambition de couvrir les diverses disciplines abordées par cet ouvrage et par l'exposition à travers le XIXe et le XXe siècles à l'échelle de l'Europe. Une telle liste, si elle existait, se déploierait sur des dizaines — voire des centaines — de pages. Très modestement, nous nous sommes limités à évoquer essentiellement un choix de livres et catalogues récemment publiés. Nous avons cherché à grouper ces références par rubriques et, dans chacune d'elle, à ordonner les titres par ordre chronologique d'édition.

OUVRAGES GÉNÉRAUX SUR LE DESSIN D'ARCHITECTURE

REILE (Adolf), *Die Neue Perspektive des Architekten von Adolf Reile*, Stuttgart : Julius Hoffman, s.d.

FAREY (C.A.), EDWARDS (A.T.), *Architectural Drawing Perspective and Rendering*, Londres : B.T. Batsford, 1931, 96 p., 56 pl. N/B et coul., 32 fig.

FREESE (E.I.), *Perspective Projection : a Simple and Exact Method of Making Perspective Drawings*, New York : The Pencil Points Press, 1938, 43 p., 10 pl., ill. N/B.

CULLEN (Gordon), *Townscape*, Londres : The Architectural Press, 1961, 315 p., ill.

COULIN (Claudius), *Architekten Zeichnen : Ausgewählte Zeichnungen und Skizzen vom 9. Jahrhundert bis zur Gegenwart*, Stuttgart : Julius Hoffmann Verlag, 1962 (Édition anglaise, New York : Reinhold, 1962).

VAGNETTI (Luigi), *Il Linguaggio grafico dell'Architetto, Oggi*, Genève : Vitali e Ghianda, 1965, 230 p., 219 ill.

PILE (John), *Drawings of Architectural Interiors*, New York : Whitney Library of Design, 1967, 144 p., ill. N/B.

« Futurismo Architettura » *in : Controspazio*, n° 4-5, avril-mai 1971, 127 p., ill. N/B.

BURDEN (Ernest), *Architectural Delineation : a Photographic Approach to Presentation*, New York : Mc Graw Hill Co, 1971, 310 p., ill. N/B.

Architecture art du dessin ? Architectuur Tekenkunst ? Exposition, Bruxelles, Bibliothèque royale Albert 1er, 2-23 décembre 1972. Exposition organisée par Jacques Aron, Robert Courtois, Maurice Culot, 118 p., ill. N/B.

The Age of Neo-Classicism. Exposition, Londres, Royal Academy, Victoria and Albert Museum, 1972, 160 p., ill.

Marble Halls : Drawings and Models for Victorian Secular Buildings. Exposition, Londres, Victoria and Albert Museum, août-octobre 1973. Textes de John Physick et Michael Darby, 220 p., ill. N/B et coul.

BOUDON (Ph.), GUILLERME (J.), TABOURET (R.), *Figuration graphique en architecture*, Paris : DGRST (AREA), 1974, 124 p., 26 pl. N/B.

Cinque Secoli di Architettura nel Disegno dell' Edificio e dell'Ornamento. Exposition, Milan, Stampa della Stanza del Borgo, 1975.

Fünf Architekten ans fünf Jahrhunderten, Berlin : Kunstbibliothek, 1976.

Il Razionalismo e l'Architettura in Italia durante il Fascismo. Exposition, Venise, la Biennale, 14 juillet-10 octobre 1976. Exposition organisée par Silvia Danesi et Luciano Patteta. Textes de V. Castronovo, G. Giucci, S. Danesi, 205 p., 298 ill. N/B.

GEBHARD (D.), HEVINS (D.), *200 Years of Architectural Drawing*, New York : Watson-Guptill Publications, 1977.

DREXLER (Arthur), *The Architecture of the École des Beaux-Arts*, Londres : Secker and Warburg Museum, 1977. Textes de Richard Chaffee, Arthur Drexler, Neil Levine, David Van Zanten, 585 p., 401 ill. dont 24 en couleur, 12 dépliants.

Arquitectura para después de una Guerra 1939-1949. Exposition, Barcelone : Colegio de Arquitectos de Cataluña y Baleares, 1977, 85 p., ill. N/B.

« Groupe 107 : Sémiotique des plans en architecture », *in : Sémiotique de l'espace*. Centre d'études et de recherches architecturales. Notes méthodologiques en architecture et en urbanisme, École nationale des beaux-arts, Paris, 1978, 158 p., ill. N/B.

DELEVOY (R.), VIDLER (A.), KRIER (L.), *La reconstruction de la ville européenne : architecture rationnelle.*, Bruxelles : Archives d'architecture moderne (AAM), 1978, 213 p. ill. en N/B et en coul.

CABLE (Carole), *The Architectural Drawing : its Development and History 1300-1950*, Monticello : Vance bibliographies, 1978.

Designs for the Dream King : the Castles and Palaces of Ludwig II of Bavaria. Exposition, Londres, Victoria and Albert Museum, 1978, 78 p., 57 ill. N/B et coul.

CHING (Frank), *Handbuch der Architekturzeichnung*, Stuttgart : Verlag Gerd Hatje, 1978, 128 p., ill. N/B.

DE HERDT (Anne), *Dessins anciens d'architecture et de décoration.* Exposition, Genève, musée d'Art et d'Histoire, cabinet des Dessins, 1979.

RUDEL (Jean), *Technique du dessin*, Paris : Presses universitaires de France (*Que Sais-je ?*), 1979, 128 p.

COLLINS (G.), *Visionary Drawings of Architecture and Planning, 20th Century through the 1960 s*, Cambridge : MIT Press, 1979.

BOIS (Yve-Alain), BONNEFOI (Christian), CLAY (Jean) DAMISCH (Hubert), *Architecture,*

Arts plastiques : pour une histoire interdisciplinaire des pratiques de l'espace, Paris : Direction de l'architecture et DGRST, 1979, 392 p., ill. N/B.

Utopia e Crisi dell'Antinatura. Momenti delle Intenzioni architettoniche in Italia : Immaginazione megastrutturale dal Futurismo a oggi. Exposition, Biennale de Venise, 1978. Sous la direction de Enrico Crispolti. Milan : Electa, 1979, 105 p., 194 ill.

Centre national d'art et de culture Georges Pompidou, Centre de Création Industrielle, *Prévoir pour mieux décider : la visualisation des projets d'aménagement et du paysage*, Paris : CNAC-GP/CCI, collection Culture au quotidien, 1979, 80 p., ill. N/B.

Le « Gothique » retrouvé avant Viollet-le-Duc. Exposition, Paris, Hôtel de Sully, 1979-1980, organisée par la Caisse nationale des monuments historiques et des sites, 168 p., 381 ill.

SAVIGNAT (J.M.), *Dessin et Architecture du Moyen Age au XVIIIe siècle*, Paris : École nationale supérieure des beaux-arts, 1980, 204 p., ill.

Six Houses. Exposition, Londres, Architectural Association, 1980. Textes de P. Cook et Ch. Hawley, 48 p., ill.

AUBERT (Jean), *Cours de dessin d'architecture à partir de la géométrie descriptive à l'usage des élèves de première année des écoles d'architecture*, Paris : Ed. de la Villette (UPA 6), 1980, 165 p., ill.

A la recherche de l'urbanité : savoir faire la ville, savoir vivre la ville. Exposition, Biennale de Paris, Centre national d'art et de culture Georges Pompidou, 1980, Londres/Paris : Academy Editions, 176 p., ill. N/B et coul.

CHITHAM (Robert), *Measured Drawing for Architects*, Londres : The Architectural Press, 1980, 119 p., ill. N/B.

« Architekturmuseen » *in : Kunstforum International*, n° 38, février 1980.

La présence de l'histoire : l'après modernisme. Exposition, Paris, Festival d'automne et Biennale de Venise, Ed. de l'Équerre, Paris, 1981, 304 p.

KRAUSE (Carl), *Das Zeichnen des Architekten*, Berlin : VEB Verlag für Bauwesen, 1981, 232 p., 271 ill.

ALLEN (G.), OLIVER (R.), *Architectural Drawing : the Art and the Process*, New York : Whitney Library of Design, 1981, 199 p. ill.

British and European Architectural Drawings, 18th-20th Century : an Anthology. Exposition, Londres, Fischer Fine Art Gallery, févier-mars 1981, s.p., 49 ill. N/B.

FORGIA (A.), *Les nouveaux systèmes de représentation en architecture.* Exposition, Paris, UPA 6, 1981, 75 p., ill. N/B.

Inventionen : Piranesi und Architektur Phantasien in der Gegenwart. Exposition, Hanovre -

Kunstverein Hannover, 1982, 168 p., ill. N/B et coul.

De Stijl : 1917-1931 : Visions of Utopia. Exposition, Minneapolis, Walker Art Center, 1982. Édité par Phaidon, Oxford. Textes de Manfred Bock, Kees Broos, Martin Filler.

PROVOYEUR (Pierre et Catherine), *Le temple : représentations de l'architecture sacrée,* Paris : Éditions de la Réunion des musées nationaux, 1982, 252 p., ill.

LAMPUGNANI (Vittorio Magnago), *L'architecture du xxᵉ siècle en dessins : utopie et réalité,* Paris : Philippe Sers, 1982, 195 p., 153 ill N/B et 15 coul.

MIDDLETON (R.), *The Beaux-Arts and Nineteenth-Century French Architecture,* Londres : Thames and Hudson, 1982. 280 p., 202 ill. dont 11 en coul.

Spirit and Invention : Themes 2. Exposition, Londres, the Architectural Association School, 1982, et catalogue par Peter Cook, 96 p., ill. N/B.

RENIER (Alain), *Espace, représentation et sémiotique de l'architecture,* Paris : les Éditions de la Villette, 1982, 350 p., ill.

La Laurentine et l'invention de la villa romaine. Exposition, Paris, Institut français d'architecture, 1982. Éditions du Moniteur, Paris, 254 p., ill. N/B.

POWELL (Helen), LEATHERBARROW (David), *Masterpieces of architectural drawing,* Londres : Orbis Publishing, 1982, 192 p., ill. N/B.

FUCHS (Ernst), *Architectura Caelestis : die Bilder des verschollenen Stils,* Munich : Deutscher Taschenbuch Verlag, 1983, 222 p., 55 ill. N/B et coul.

Carlo Scarpa et le musée de Vérone. Exposition, Paris, Institut culturel italien, 1983, 48 p., ill.

« Nouveaux outils : nouvelles images architecturales » in : *Techniques et Architecture* (n° spécial), n° 349, septembre 1983, p. 47-80.

Art et Architecture : A Series of exhibitions at the Institute of Contemporary Art. Exposition, Londres, ICA, 1983. 179 p., ill. N/B.

The Discourse of Events : Theme 3. Exposition, Londres, Architectural Association School, 1983, 96 p., ill. N/B et coul.

Disegni del xix et xx Secolo : Catalogo di Vendita n° 5, Architettura, Scenografia, Decorazione. Exposition, Rome : Galleria Carlo Virgilio, 1983, s.p., 43 ill.

« *Look, Stranger, at this Island now* » : *English Architectural Drawing of the 1930 Century.* Exposition, Londres, The Architectural Association School, 14 janvier-12 février 1983, 48 p., ill.

De Stijl : De nieuwe Beelding in der architectuur. Exposition, Delf Gemeentemuseum, 1983, 179 p.

SANDEVOIR (Gonzague), *Statut de l'image architecturale : proximité et distance à l'image picturale,* Paris : Troisième cycle sous la direction de Philippe Louguet, 1983, 99 p., ill.

OUVRAGES MONOGRAPHIQUES SUR LA PRODUCTION GRAPHIQUE D'ARCHITECTES

L'Opera di Mario Chiattone, architetto. Exposition, Pise, Istituto di Storia dell'Arte, Cabinetto Disegni e Stampe, 1965. Texte de Giulia Veronesi, 27 p., 50 ill. N/B.

HAMMER (Karl), *Jacob Ignaz Hittorff. Ein pariser Baumeister, 1792-1867,* Stuttgart : Anton Hiersemann, 1968, 386 p., 147 ill. N/B.

Charles Rennie Mackintosh (1868-1928). Architecture, Design and painting. Exposition, Londres, Victoria and Albert Museum, 1968. Catalogue sous la direction de Andrew Mc Laren Young, 104 p. dont 32 illustrées.

KING (Susan), *The Drawings of Erich Mendelsohn.* Exposition, Berkeley, University of California, University Art Museum, 1969, 120 p., ill. N/B.

Perret. Exposition, Paris, Conservatoire national des arts et métiers, 1959, 22 p. Texte de Henri Poupée.

L'œuvre d'Henri Prost. Architecture et urbanisme. Paris : Académie d'architecture, 1960, 245 p., ill.

Carl Ludwig Engel. Exposition, Berlin, Kunstbibliothek der Staatlichen Museen Preussischer Kulturbesitz, octobre 1970, s.p., 54 ill. N/B et coul.

Tony Garnier. Exposition, Lyon, musée des Beaux-Arts, 1970, s.p., 26 ill. N/B.

GERETSEGGER (H.), PEINTNER (M.), *Otto Wagner, 1841-1918. The Expanding City, the Beginning of Modern Architecture,* Londres : Pall Mall Press, 1970, 276 p. ill. N/B et coul.

BOUDON (Françoise), « Recherche sur la pensée et l'œuvre d'Anatole de Baudot, 1834-1915 », *in : Architecture, mouvement/continuité,* Paris, n° 28, mars 1973, p. 1 à 66, ill. N/B.

CULOT (Maurice), DELEVOY (Robert-Louis), *Antoine Pompe ou l'architecture du sentiment,* Bruxelles : Archives d'architecture moderne, 1974, 90 p., ill. N/B.

AMBASZ (Emilio), *Walter Pichler : Projects,* New York : Museum of Modern Art, 1975. 12 p.

BRUNHAMMER (Yvonne), *Guimard (Hector) 1867-1942.* Exposition, Münster, Landesmuseum, 1975, s.p., ill.

Yona Friedman : une utopie réalisée. Exposition, musée d'Art moderne de la ville de Paris, 1975. Texte de Jacques Lassaigne, en français et en anglais, 82 p., ill. N/B.

Frederik Kiesler, Architekt : 1890-1965. Exposition, Vienne, Galerie nächst St Stephan, 1975, 87 p., ill. en N/B.

Giuseppe Samona : 1923-1975, Cinquant'Anni di Architetture, Rome : Officina Edizioni, 1975. Textes de Carlo Aymonino, Giogio Giucci,

Francesco Dal Co et Manfredo Tafuri, 173 p., 65 ill. en N/B.

CULOT (Maurice), GRENIER (Lise), *Henri Sauvage : 1873-1932,* Bruxelles : Archives d'architecture moderne, 1976, 254 p., ill. N/B et couleurs.

James Stirling. Exposition, Naples, Castel Nuovo, 1975. Exposition organisée par Camillo Gubitosi et Alberto Izzo. Textes de M. Angrisani, R. de Fusco et C. de'Seta, Rome : Officina Edizioni, 1976, 179 p., 201 ill. N/B.

COLLINS (George R.), *The Drawings of Antonio Gaudi.* Exposition, New York, The Drawing Center, 1977, s.p., 131 ill. en N/B.

Dortmunder Architekturausstellung 1977. Fünf Architekten des Klassizismus in Deutschland : Friedrich Gilly, Karl Friedrich Schinkel, Friedrich Weinbrenner, Leo von Klenze, Georg Ludwig Friedrich Laves. Exposition, Dortmund, Museum am Ostwall, 1977. Catalogue édité par le département d'architecture de l'université de Dortmund sous la direction de J.P. Kleihues, 294 p., 87 ill. N/B.

JACOBY (Helmut), *Architectural Drawings 1968-1976,* Londres : Thames and Hudson, 1977, s.p., 94 ill. dont 3 en couleurs.

Fritz Höger : Baumeister-Zeichnungen. Exposition, Berlin, Kunstbibliothek, Staatliche Museen Preussischer Kulturbesitz et Elmshorn, 1977. Texte de E. Berckenhagen, 60 p., 86 ill. en N/B.

NERDINGER (Winfried), *Friedrich von Thiersch, ein Münchner Architekt des Späthistorismus, 1852-1921.* Exposition, Münich, Architektursammlung der Technischen Universität Stadmuseum, 1977. Munich : Verlag Karl M. Lipp. 1977, 177 p., 245 ill. N/B et couleurs.

SADDY (Pierre), *Henri Labrouste, architecte 1801-1875,* Paris : Caisse nationale des monuments historiques et des sites, 1977, 96 p., ill. N/B.

Théo van Doesburg : projets pour l'Aubette. Exposition, Paris, Centre national d'art et de culture Georges Pompidou, musée national d'Art moderne, 1977, 48 p., 30 ill. N/B.

ARNDT (Karl), KOCH (Georg Friedrich), LARSSON (Lars Olof), *Albert Speer Architektur : Arbeiten 1933-1942,* Francfort : Ullstein (Propylaen), 1978, 183 p., ill. N/B.

GUBLER (Jacques), *Alberto Sartoris.* Exposition, Lausanne, École polytechnique, 1978, 175 p., ill. N/B.

Gottfried von Neureuther : Architekt der Neorenaissance in Bayern 1811-1887. Exposition, Münich, Architektursammlung der Technischen Universität. Verlag Karl M. Lipp, München, 1978, 185 p., ill. N/B et couleurs.

Giovanni Michelucci. Exposition, Londres, RIBA, Heinz Gallery, 1978 (édité par Modulo Books). Textes de Fabio Naldi, 153 p., ill. N/B.

The Original Drawings of J.J.P. Oud : 1890-1963. Exposition, Londres, Architectural Association School, 1978. 32 p., ill. N/B.

Victor Baltard. Projets inédits pour les halles centrales. Exposition, Paris, Bibliothèque historique de la ville de Paris, 1978.

BILLCLIFE (Roger), *Mackintosh Watercolours*, Londres : J. Murray, 1978, 144 p., 128 ill.

Conception asssistée par ordinateur. Exposition, Paris, Centre national d'art et de culture Georges Pompidou/Centre de Création Industrielle, 1978.

Sir Gilbert Scott (1811-1878) : Architect of the Gothic Revival. Exposition, Londres, Victoria and Albert Museum, 1978. Texte de C.M. Kauffmann, s.p. ill. N/B.

BATTISTI (Emilio), FRAMPTON (Kenneth), *Mario Botta : architetture e progetti negli anni'70*, Milan : Electa, 1979, 119 p., ill. N/B.

Gae Aulenti. Exposition, Milan. Padiglione d'Arte Contemporanea, 1979. (Electa Editrice). Textes de V. Gregotti, E. Battisti. et F. Quadri, 71 p., ill. N/B.

BANHAM (Reyner), *Foster Associates*, Londres : RIBA Publications, 1979, 72 p., ill. N/B.

« Hector Horeau :1801-1872 », *supplément aux Cahiers de la recherche architecturale*, n° 3, (Exposition présentée à Paris au musée des Arts décoratifs en 1979), 192 p., ill. N/B. Textes de Françoise Boudon et François Loyer.

IZZO (A.), GUBITOSI (C.), *Le Corbusier : dessins*, Paris : éditions de l'Équerre, 1979, 380 p., 374 ill. N/B et couleurs.

Giovanni Muzio : Architetture civile 1921-1940. Exposition, Milan, Galleria del Levante, novembre 1979, s.p., ill. N/B.

Paolo Portoghesi : Progetti e Disegni, 1949-1979. Exposition, Innsbruck, faculté d'Architecture, 1979, 182 p., 125 ill. Texte de Francesco Moschini en italien et en anglais.

Gottfried Semper zum 100. Todestag. Exposition, Dresde, Albertinum, 1979, sous la direction de M. Bachmann. 355 p, 649 ill. N/B et couleurs.

Alvaro Siza. architetto 1954-1979. Exposition, Milan, Padiglione d'Arte Contemporanea, 1979. Edizioni Padiglione d'Arte Contemporanea di Milano e Idea Editions, s.p., ill. N/B. Exposition organisée par Vittorio Gregotti et Italo Rota.

Viollet-le-Duc : centenaire de sa mort à Lausanne. Exposition, Lausanne, musée historique de l'Ancien Évêché, 1979. Catalogue sous la direction de Jacques Gubler, 293 p., 239 ill. N/B et 39 pl. en couleurs.

Centre de recherche et de documentation d'histoire moderne de la construction, *A. et G. Perret*, Paris : Conservatoire national des arts et métiers, s.d., 84 p., ill. N/B.

Raimondo d'Aronco : 1857-1932, Disegni d'Architettura. Exposition, Rome, Galleria Nazionale d'Arte Moderna, 1980. Catalogue sous la direction de Livia Carloni (Éditions de Luca, Rome), 48 p., 50 ill. N/B et couleurs.

Rob Mallet-Stevens, architecte. Bruxelles : Ed. des Archives d'architecture moderne, 1980. Textes en français et en anglais, 399 p., ill. N/B et coul.

Viollet-le-Duc en Auvergne. Exposition, Clermont-Ferrand, musée Bargoin, 13 octobre 1979-2 janvier 1980, 81 p., ill. N/B.

DELEVOY (R.L.), CULOT (M.), GIERST (M.), *L.H. de Koninck, architecte,* Bruxelles : Archives d'architecture moderne, 1980, 371 p., ill. N/B et couleurs.

Giorgio Grassi. Exposition, Chieti, Galleria d'Arte della Camera di Commercio, 1980, 63 p., ill. N/B et couleurs.

Amancio Guedes. Exposition, Londres, The Architectural Association School, 1980, 48 p., ill. N/B.

W. Hablik : 1881-1934, Designer, Utopian Architect, Expressionist Artist. Exposition, Londres, The Architectural Association School, 1980, 48 p., ill. N/B.

Ron Herron : 20 Years of Drawings. Exposition, Londres, The Architectural Association School, 1980, s.p. ill. N/B.

LATHAM (Ian), *Joseph Maria Olbrich,* Londres : Academy Editions, 1980, 156 p., 200 ill. dont 16 couleurs.

Lluis Domenech i Montaner, architetto : 1850-1923. Exposition, Milan, Padiglione d'Arte Contemporanea, 1980. (Éditions Silvana, Milan), s.p., 76 ill. N/B.

Barry Parker and Raymond Unwin, architects. Exposition, Londres, The Architectural Association School, 1980. 47 p., ill. N/B.

Urban Transformation : Rodrigo Perez de Arce. Exposition, Londres, The Architectural Association School, 1980, 36 p., ill. N/B.

Poelaert et son temps. Exposition, Bruxelles, palais de Justice, 1980. Catalogue sous la direction de Richard Vandendaele, 319 p., ill. N/B.

Le Voyage en Italie d'Eugène Viollet-le-Duc : 1836-1837. Exposition, Paris, École nationale supérieure des beaux-arts, 1980, Commissaires de l'exposition : Geneviève Viollet-le-Duc, Jean-Jacques Aillagon, 251 p., 257 ill. N/B et coul.

Viollet-le-Duc. Exposition, Paris, galeries nationales du Grand Palais, 1980. Éditions de la Réunion des musées nationaux, Paris. Ouvrage sous la direction de Bruno Foucart, 415 p., 635 ill. N/B et coul.

The Villa Auto — Peter Wilson. Exposition, Londres, Architectural Association School, 1980, 27 p., ill. N/B.

Ico Parisi : Apocalisse Gentile. Exposition, Bruxelles, Musée d'Ixelles, 17 octobre 1980-18 janvier 1981. Texte de Pierre Restany, en français, néerlandais et italien, 132 p. ill. N/B.

.*The Strange Genius of William Burges « Art-Architect », 1827-1881.* Exposition, Londres, Victoria and Albert Museum, 1981. Catalogue par Mary Axon et Virginia Glenn, 155 p., 52 ill. N/B.

Taller de Arquitectura : Ricardo Bofill. Exposition, Londres, The Architectural Association School, 1981. Catalogue par Pedro Guedes, Peter Hodgkinson et Charles Jencks, 48 p., ill. N/B.

BOGA (Thomas), *Carl Zehnder, Maler-Architekt : 1859-1938, Ideal-Architekturen.* Exposition, Zurich, Eidgenössischen Technischen Hochschule, 1981, 163 p., 232 ill. N/B.

CISLAGHI (G.), de BENEDETTI (M.), MARABELLI (P.), *Giuseppe de Finetti : Progetti 1920-1951,* Milan, CLUP Edizioni, 1981, 151 p., 54 ill. N/B.

Peter Cook, Christine Hawley, Ron Herron : Scenarios. Exposition, Berlin, Galerie Aedes Für Architektur und Raum, 1981, 48 p., ill. N/B et coul.

Giorgio Grassi : Projekte und Entwürfe, 1960 bis 1980. Exposition, Berlin, Galerie Aedes Für Architektur und Raum, 1981, s.p. ill. N/B.

GRAU : Isti Mirant Stella, Architetture 1964-1980, Rome : Edizioni Kappa, 1981, 398 p., 394 ill. N/B.

Great British architects. Exposition, Londres, The Architectural Association School, 1981, 48 p., ill. N/B.

HOLMDAHL (G.), LIND (S.I.), ÖDEEN (K.), *Gunnar Asplund : Architect 1885-1940,* Stockholm : Byggförlaget, 1981, 240 p., ill. N/B.

HUART (Annabelle d'), *Ricardo Bofill, Taller de Arquitectura : projets français 1978-1981,* Paris : Éditions de l'Équerre, 1981, 156 p., ill. N/B.

JACOBY (Helmut), *Neue Architekturdarstellung,* Stuttgart : Verlag Gerd Hatje, 1981, s.p., ill. N/B et coul.

Rem Koolhaas, Stefano de Martino et Kees Christiansee. Exposition, Berlin, Galerie Aedes für Architektur und Raum, 1981, s.p., ill. N/B.

Lluis Domenech i Montaner, Arquitecto, 1850-1923. Exposition, Madrid, Colegio oficial de Arquitectos, 1981, 53 p., ill N/B.

MOSCHINI (Francesco), *Massimo Scolari, Watercolors and Drawings : 1965-1980,* Londres : Academy Editions, 1981, 243 p., 208 ill N/B et coul.

Giovanni Muzio, Tre Case a Milano : 1922-1930-1936. Exposition, Rome, 1981. Edizione Clear, Rome, s.p., ill. N/B.

F.P.J. Peutz, architekt : 1916-1966. Exposition, Eindhoven, Technische Hogeschool, 1981, 383 p., ill. N/B.

Paolo Portoghesi : Il Progetto della Città Vallo di Diano. Exposition, New York, Italian Institute of Culture, 1981. Edizioni Kappa, Rome. 149 p., ill. N/B et coul. Textes en italien et en anglais.

QUILICI (Vieri), *Adalberto Libera : l'Architettura come Ideale,* Rome : Officina Edizioni, 1981, 238 p., 570 ill. N/B et coul.

DUFOURNET (Paul), Horeau précurseur, Paris : Ch. Massin (Collection Académie d'Architecture Actualités), 1981, 239 p., 114 ill.

RUSSELL (Frank), *Quinlan Terry,* Londres : Academy Editions, 1981, 48 p., ill. N/B.

Alberto Sartoris : dessins et aquarelles, projets

d'architecture. Exposition, Genève, Marie-Louise Jeanneret-Art moderne, 1981. Texte de Sonja Calzi, 23 p., planches N/B et coul.

Karl Friedrich Schinkel : Architektur Malerei Kunstgewerbe. Exposition, Berlin, Orangerie des Schlosses Charlottenburg, 1981. Exposition et catalogue sous la direction de Helmut Börsch-Supan et Lucius Grisebach, 373 p., 332 ill. N/B et coul.

STREY (W.), *Die Zeichnungen von Heinrich Tessenow : der Bestand in der Kunstbibliothek,* Berlin : Dietrich Reimer, 1981, 92 p., 80 ill. N/B.

Kar Friedrich Schinkel : Architektur Malerei Kunsgewerbe. Exposition, Berlin, Orangerie des Schlosses Charlottenburg, 13 mars-13 septembre 1981, Nicolaische Verlagsbuchhandlung, 373 p., 332 ill.

TSCHUMI (B.), *The Manhattan Transcripts,* Londres : Academy Editions, 1981, 63 p., ill. N/B.

O.M. Ungers, Works in progress : 1976-1980. Exposition, New York, The Institute of Architecture and Urban Studies, 1981. Éditions Rizzoli International à New York, 110 p., ill. N/B.

Urbain Vitry, architecte : 1802-1863. Exposition, Toulouse, palais des Arts, 1981. Association des Amis de l'École des beaux-arts de Toulouse. Texte en français et en anglais, 94 p., 120 ill. N/B.

William Butterfield, 1814-1900. Exposition, Londres, Fischer Fine Art Gallery, 1982. Texte de Tyrone Landau, 24 p. ill.

DU PREY (Pierre de la Ruffinière), *John Soane, the Making of an Architect,* Chicago : The University of Chicago Press, 1982, 408 p., ill. N/B.

Albert Cüppers : Palladianische Anlässe Aquarelle. Exposition, Kassel, Gesamthochschule, juin 1982.

Giorgio Grassi, Progetti e disegni. Exposition, Garda, 1982. s.p. ill. N/B et couleurs.

FLORES (C.), *Gaudi, Jujol y el Modernismo Catalan,* Madrid : Aguilar, 1982. Tome 1 : 373 p., 274 ill. N/B et 224 coul. Tome 2 : 307 p., 250 ill. N/B et 138 coul.

Joseph Michael Gandy (1771-1843). Exposition, Londres, Architectural Association School, 1982, 48 p., ill. N/B.

Michael Gold, Architect : Drawings 1975-1982. Exposition, Londres, Architectural Association School, 1982, 48 p., ill. N/B.

Jasper Halfmann und Clod Zillich : Projekte 76-82. Exposition, Berlin, Galerie Aedes für Architektur und Raum, 1982, s.p., ill. N/B.

The Work of the English Architect Sir Edwin Lutyens (1869-1944). Exposition, Londres, Hayward Gallery, 1982, (Éditions du Arts Council), 200 p., ill. N/B et coul.

RAEV (S.), *Gottfried Böhm; Bauten und Projekte : 1950-1980,* Cologne : Walter König, 1982, 228 p., ill. N/B.

Richard Riemerschmid : vom Jugendstil zum Werkbund; Werke und Dokumente. Exposition,

Münich, Architektursammlung der Technischen Universität, 1982. Munich, Prestel Verlag. Ouvrage sous la direction de Winfried Nerdinger, 545 p., ill. N/B et couleurs.

Progetti e assonometrie di Alberto Sartoris. Exposition, Naples, Museo diego Aragona Pignatelli Cortes, juin 1982. Édité à Rome : Officina Edizioni, 1982, 102 p., ill. N/B et coul.

Javier Goerlich Lleó Arquitecto. Exposition, Valence, Colegio oficial de Arquitectos de Valencia, 1982, 149 p., 57 ill. N/B.

TAYLOR (William), *Arkkitehtuurigrafükka : Instrumental Associations.* Exposition, Helsinki, Suomen Rakennustaiteen Museo (Museum of Finnish Architektur), 1982, 24 p., ill. N/B et coul.

SCHILDT (G.), *Det Vita bordet : Alvar Aaltos ungdomoch grundläggande Konstnärliga idéer,* Helsinki : Architektur Förlag, 1982, 292 p., 278 ill. N/B et coul.

1781-1841 : Schinkel l'Architetto del Principe. Exposition, Venise, Museo Correr et Rome, Plazzo dei Conservatori in Campidoglio, 1982. Catalogue édité par Albrizzi Editore et Cluvia Libreria Editrice, 185 p., 164 ill. N/B et coul.

TAFURI (M.), *Vittorio Gregotti : Buildings and Projects,* New York : Rizzoli International Publications et Milan : Electa, 1982, 149 p., 142 ill. N/B.

BOFILL (Ricardo), *El Jardi del Turia : Metamorfosi della Citta'tra Natura e Cultura, un Esempio Spagnolo,* Rome : Clear, 1983 s.p., ill. N/B et coul.

Gaetano Pesce : a Yale School of Architecture Exhibition. Exposition, Yale School of Architecture, New Haven, 31 octobre-2 décembre 1983, 24 p., ill. N/B.

COLLINS (G.R.), BASSEGODA NONELL (J.), *The Designs and Drawings of Antonio Gaudi,* Princeton : Princeton University Press, 1983, 218 p., 70 pl. N/B.

Roger-Henri Expert : 1882-1955. Exposition, Paris, Institut français d'architecture, 1983, Paris : Éditions du Moniteur, ouvrage sous la direction de Maurice Culot, 239 p., ill. N/B et coul.

H. Finsterlin, Architekturen 1917-1924. Exposition, Stuttgart, Technischen Hochschule, s.d., s.p., ill. N/B.

Josef Paul Kleihues, Vier Projekte : 1969 bis 1980. Exposition, Berlin, Galerie Aedes für Architektur und Raum, 1983, s.p., ill. N/B.

DINI (Massimo), *Renzo Piano : projets et architectures, 1964-1983,* Paris : Electa/Moniteur, 1983, 246 p., 410 ill. N/B et coul.

Aldo Rossi, Opere Recenti. Exposition, Modène, Palazzina dei Giardini, 1983, s.p., 77 ill. coul.

Hans Dieter Schaal, 1971-1982 : Architekturen, Projekte, Zeichnungen, Objekte, Collagen. Exposition, Stuttgart, Architekturgalerie am Weisenhof, 1983, s.p. ill. N/B.

VAN STRAATEN (Evert), *Theo Van Does-*

burg : 1883-1931. Exposition, La Haye, 1983, (Staatsuitgeverij, La Haye). 191 p., ill. N/B.

STRAUVEN (F.), *Renaat Braem, architecte : les aventures dialectiques d'un fonctionnaliste flamand,* Bruxelles : Archives d'architecture moderne, 1983, 233 p., ill. N/B et coul.

OUVRAGES RELATIFS AUX COLLECTIONS DE DESSINS D'ARCHITECTURE CONSERVÉS DANS DIVERSES INSTITUTIONS

Architectural Drawings from the Witt Collection. Exposition, Londres, Courtauld Institute of Art, University of London, 1961. Catalogue, 28 p. (sans iconographie).

Monumenta Architecturae Danicae, Copenhague : C. Elling et K. Fisker, 1961.

« Anatole de Baudot. Plans et projets conservés dans les archives des Monuments historiques et au Conservatoire national des arts et métiers,» in : « *Les Monuments historiques de la France,* n° 3, 1965 p. 171-175.

HALL (H.), *Architectural and Ornament Drawings of the 16th to the Early 19th Centuries in the Collection of the University of Michigan Museum of Art,* Michigan : University of Michigan, 1965.

André Lurçat architecte, trois études sur son œuvre : Inventaire des œuvres, Paris : Conservatoire national des arts et métiers, 1967, 95 p., 37 ill.

TAYLOR (Nicholas), *Monuments of Commerce : The RIBA Drawings Series,* Londres : Country Life Books, 1968, 64 p., 36 ill. N/B.

BERCKENHAGEN (Ekhart), *Die Französischen Zeichnungen der Kunstbibliothek Berlin,* Berlin : Verlag Brune Hessling, 1970, 476 p., 1045 ill.

MONNIER (Geneviève), *Dessins d'architecture du XVᵉ au XIXᵉ siècle.* Exposition, Paris, musée du Louvre, cabinet des Dessins, mars-juin 1972, 47 p., 19 ill.

SCHREYL (K.H.), NEUMEISTER (D.), *Joseph Maria Olbrich : die Zeichnungen in der Kunstbibliothek Berlin,* Berlin : gebr. Mann Verlag, 1972, 359 p.

BERCKENHAGEN (Ekhart), *Hans Grisebach, Architeckt der Gründerjahre. Seine Zeichnungen in der Kunstbibliothek Berlin,* Berlin, 1974, 56 p., 31 ill.

BERCKENHAGEN (Ekhart), *Von Schinkel bis Mies van der Rohe : Zeichnerische Entwürfe europäischer, Raum - und Formgestalter 1789-1969,* Berlin, 1974, 304 p., 243 ill.

FRÖHLICH (Martin), *Gottfried Semper : Nachlass an der ETH Zürich.* Bâle : Birkhäuser Verlag, 1974, 312 p., 400 ill.

MARCONI (Paolo), CIPRIANI (Angela) et VALERIANI (Enrico), *I Disegni di Architettura dell'Archivio Storico dell'Academia di San Luca a Roma*, Rome : De Luca Editore, 1974. Volume I : 554 p. : notes méthodologiques (p. IX-XX), index des dessins n° 1 à 2097 (p. 3-79) et reproduction N/B (p. 80 à 550) de chacun d'eux. Volume II : 336 p. : index des dessins n° 2098 à 3364 (p. 7-47) et reproduction N/B (p. 50 à 336) de chacun d'eux.

JACOB (Sabine), *Italienische Zeichnungen der Kunstbibliothek Berlin : Architektur und Dekoration 16. bis 18. Jahrhundert*, Berlin : Gebr. Mann Verlag, 1975, 237 p., 1171 ill.

DREXLER (A.), VAN ZANTEN (D. et A.), *The Architecture of the École des Beaux-Arts*. Exposition, New York, The Museum of Modern Art, 29/10/1975-4/01/1976, 40 p., ill. N/B.

Exposició Commemorativa del Centenari de l'Escola d'Arquitectura de Barcelona 1875-76/1975-76. Exposition, Barcelone, Escuela Técnica Superior de Arquitectura, 1977, 366 p., nombreuses ill. N/B.

CHAFFEE (R.), DREXLER (A.), LEVINE (N.), The Architecture of the École des Beaux-Arts, Londres : Secker and Warburg, 1977, 528 p., 401 ill. dont 36 coul.

FISCHER (Marianne), *Katalog der Architektur und Ornamentstichsammlung. Teil 1 : Baukunst England*, Berlin : Verlag Bruno Hessling, 1977, 183 p., 43 ill.

SUMMERSON (Sir John), STROUD (Dorothy), *A New Description of Sir John Soane's Museum*, Londres : Soane Museum, 1977, 82 p.

Werkstadt Sonderband. Berliner Bauzeichnungen aus Zwei Jahrhunderten 1683-1876 : Two Centuries of Architectural Design, Berlin : Abakon Verlag, Ed. Lichterfelde, 1977, 130 p., 96 ill. N/B.

TAYLOR (L.), *Crosscurrents : French and Italian Neoclassical Drawings aud Prints from the Cooper-Hewitt Museum*, Washington : Smithsonian Institution Press, 1978, 143 p., 135 ill. N/B.

ARNOLD (Dr. Matthias), *Architektur des 19. Jahrhunderts in Augsburg : Zeichnungen vom Klassizismus bis zum Jugendstil*. Exposition, Augsbourg, Städt. Kunstsammlungen, 10 mars-27 mai 1979, 209 p., 96 ill. N/B.

REUTHER (Hans), *Die Zeichnungen aus dem Nachlass Balthasar Neumanns : der Bestand in der Kunstbibliothek Berlin*, Berlin : Gebr. Mann Verlag, 1979, 144 p., 125 ill.

BERCKENHAGEN (E.), *Architektenzeichnungen 1479-1979*, Berlin : Verlag Volker Spiess, 1979, 317 p., 431 ill. N/B.

DE HERDT (Anne), *Dessins anciens d'architecture et de décoration de la donation Gustave Heutsch*, Genève : musée d'Art et d'Histoire, 1979. Catalogue d'exposition, 68 p. avec essai (p. 5-9) et 71 notes et reproductions (N/B).

MANG (K. et E.), *Viennese Architecture in Drawings : 1860-1930*, Londres : Academy Editions, 1979, 128 p., 109 ill.

ROBELS (H.), FISCHER (A. M.), *Idee und Anspruch der Architektur : Zeichnungen des 16.*

bis 20. Jahrhunderts aus dem Cooper-Hewitt Museum, New York. Exposition, Cologne, Wallraf-Richartz Museum, 14 décembre 1979-27 janvier 1980, 127 p., 110 ill. N/B.

Ministère de la Culture et de la Communication-École nationale supérieure des beaux-arts, *Les fonds parisiens d'archives de l'architecture : guide d'orientation*, Paris : CERA, 1979, 117 p. ill.

DEN OUDSTEN (Frank), DE JONG (Cees), SCHILDER (Willem) et NOOTEBOOM (Cees), *Nooit Gebouwd Nederland*, Amsterdam : Koninklÿk Verbond van Grafische Ondernemingen, 1980, 104 p. ill. coul.

HEGLER (Igor), *Finnish Architectural Drawings*. Exposition, Helsinki, Museum of Finnish Architecture, juin-août 1980, 36 p. avec nombreuses ill. N/B et coul.

Kunstbibliothek und Museum für Architektur, Modebild und Grafik-Design, Stuttgart : Belser Verlag, Collection « Kunst der Welt in dem Berliner Museen » 1980, 126 p., 60 ill. N/B et coul.

Arquitecturas de papel : una iconografía popular de la arquitectura. Exposition, Madrid, Colegio Oficial de Arquitectos de Madrid, mai-juin 1980. Catalogue par Mariano Bayón Alvarez. 133 p., ill. N/B et coul.

HAHN (Peter) et WOLSDORFF (Christian), *Bauhaus Archiv Museum : Architektur, Design, Malerei, Graphik, Kunstpädagogik, Sammlungs-Katalog*, Berlin : Gebr. Mann Verlag, 1981, 308 p., 252 ill. N/B et coul.

HARRIS (John), *The Palladians, Collection of RIBA Drawings*, Londres : Trefoil Books, 1981, 132 p., 156 ill. dont 12 planches coul.

BERCHEZ (J.), CORELL (V.), *Catálogo de Diseños de Arquitectura de la Real Academia de BB. AA. de San Carlos de Valencia (1768-1846)*, Valence : Colegio Oficial de Arquitectos de Valencia y Murcia, 1981, 430 p. abondamment illustrées en N/B.

HARRIS (John), *Architectural Drawings in the Collection of the Cooper-Hewitt Museum*, Washington : The Smithsonian Institution, 1982, 32 p., 31 ill. N/B.

Nordisk Klassicism : Nordic Classicism 1910-1930. Exposition itinérante présentée initialement à Helsinki, Museum of Finnish Architecture, 1982. Catalogue par Simo Paavilainen et Juhani Pallasmaa, 180 p., 532 ill. N/B et coul., textes en finlandais et en anglais.

STAMP (Gavin), *The Great Perspectivists*, Londres : RIBA Drawings Series/Trefoil Books, 1982, 144 p., 178 ill. N/B et coul.

DEAN (D.), *The Thirties : Recalling the English Architectural Scene; Collection of RIBA Drawings*, Londres : Trefoil Books, 1983, 144 p., 126 ill. dont 10 en coul.

HARRIS (John), LEVER (Jill) et RICHARDSON (Margaret), *Great Drawings from the Collection of the Royal Institute of British Architects*, Londres : Trefoil Books, 1983, 136 p., ill. N/B et coul.

RICHARDSON (M.), *Architects of the Arts*

and Crafts Movement : Collection of RIBA Drawings, Londres : Trefoil Books, 1983, 152 p., 136 ill. dont 23 en coul.

OUVRAGES MONOGRAPHIQUES RELATIFS AUX TRAVAUX D'ARTISTES CONCERNÉS PAR LA REPRÉSENTATION DE L'ARCHITECTURE

Steinberg, dessins, Paris : Gallimard, 1956. Album (non paginé) de nombreux dessins réalisés entre 1945 et 1955.

Jean Dubuffet : édifices. Exposition, Paris, Galerie Jeanne Bucher, 1968, 48 p.

GIANFRANCO (Bruno), *Immagine per la Citta*, Gênes : Ente Manifestazioni Genovesi, 1972. Catalogue d'exposition, 380 p. (nombreuses ill. surtout en N/B).

GAUTHIER (Blaise), *Les organisations d'espaces de Sannejouand*, Paris : Centre national d'Art contemporain, 1973. Catalogue d'exposition (n° 9 de la série « CNAC-Archives »), 100 p. avec 80 p. d'illustrations.

SPOERRI (Elka), GLAESEMER (Jürgen), *Adolf Wölfli*, Berne : musée des Beaux-Arts, fondation Adolf Wölfli, 1976, 123 p. ill. N/B et coul.

HOOG (Michel), PETERS (Hans Albert), *Robert Delaunay*, Paris : Éditions des Musées nationaux, 1976. Catalogue d'exposition, 152 p.

Christo : Project for Wrapped Reichstag, Berlin. Exposition, Londres, Annely Juda Fine Art, 1977. s.p.

ALBERT (Jean-Max), *Tuteurs fabuleux*, Paris : Éditions Speed, 1978, 144 p., 135 ill. N/B.

Stefan Wewerka, rétrospective 1955-1978. Exposition, Paris, Centre culturel allemand, 13 avril-31 mai 1978. s.p., ill. N/B.

WIRTH (Irmgard), *Eduard Gaertner : der Berliner Architekturmaler*, Francfort : Propyläen, 1979, 289 p., 196 ill. N/B.

Les Monumentaux de Lalanne. Exposition, Saint-Martin-d'Hères, 1980. Catalogue conçu par Jean-Pierre Lemesle, s.p.

MOSCHINI (F.), *Le Stagioni delle case : la casa del sole nascente e l'annesso Ospedale di St. James Arduino Cantafora*, Rome : Edizioni Kappa, 1980, s.p. 94 ill. N/B.

Réalisations et projets d'architectures de Niki de Saint Phalle, Paris : Alexandre Iolas, s.d.-s.p. photos en N/B.

Erik Desmazières : Etchings 1972-1981 Exposition, New York, Fitch-Febvrel Gallery, 1981 s.p., 65 ill. N/B.

Babou. Exposition, Paris, Galerie Krief - Raymond, 1981. « 8 ill. N/B et coul.

GOLDBERGER (Paul), *Richard Hass : an Architecture of Illusion*, New York : Rizzoli, 1981, 160 p., ill. N/B.

Numéro spécial de la revue *Art Press* (Paris). n° 45, févier 1981 sur «Les architectures imaginaires» (p. 4-24).

Deanna Petherbridge : Drawings 1968-1982. Exposition, Manchester, City Art Gallery, 4 novembre-4 décembre 1982. 44 p., ill. N/B.

PEINTURES/MONOGRAPHIES

VON MAUR (Karin), *Ben Willikens : Abendmahl*, Stuttgart : Staatsgalerie Verlag, Münster : Kunstverein Verlag, 1980. Catalogue d'exposition 68 p.

PALLASMAA (Juhani), *Alvar Aalto as Artist*, Norrmark Mairea Foundation, 1982. Catalogue d'exposition, 24 p. avec reproduction de 20 œuvres picturales (dont 14 en couleurs) de l'architecte finlandais.

LE BOT (Marc), *Jacques Poli*, Paris : Galerie Adrien Maeght, 1982.

Gianfranco Pardi : « Diagonale » opere dal 1979 al 1983. Catalogue édité à Mantoue, Publi-Paolini, 1983. Texte de M. Carboni.

People in architecture. Exposition, Architectural Association, thèmes IV, 1983. 59 p. ill. N/B et coul.

OUVRAGES MONOGRAPHIQUES GROUPANT DES DESSINS D'ARCHITECTURE RELATIFS A DES BÂTIMENTS SPÉCIFIQUES OU A DES ENSEMBLES URBAINS PARTICULIERS

Le bateau d'Elie, contributions aux luttes urbaines et projets opportunistes : la Cambre 1971-1975. Exposition, Bruxelles, École nationale supérieure d'architecture et des arts visuels, 1975. Textes de Maurice Culot, Olivier De Mot, Georgio Hirsch, 83 p. ill. N/B.

La tour ferrée : projets dans la ville, Bruxelles : Archives d'architecture moderne, 1978. Projets réalisés à l'Institut supérieur d'architecture de la Cambre, Bruxelles de 1975 à 1978. Textes de L.H. Delevoy et M. Culot, 131 p., ill. N/B.

BAREY (André), CULOT (Maurice) et LEFEBVRE (Philippe), *La reconstitution de la ville européenne : Déclaration de Bruxelles*, Bruxelles : Archives d'architecture moderne, 1979, 117 p., ill. N/B.

HARRIS (John), TAI (A.A.), *Catalogue of the Drawings by Inigo Jones, John Webb and Isaac de Caus at Worcester College Oxford*, Oxford : Clarendon Press, 1979, 98 p., 127 ill.

GARY (Marie-Noële de), *La maison pompéienne du Prince Napoléon, 1856 : dessins de l'architecte Alfred Normand*, Paris : musée des Arts décoratifs, 1979, 24 p.

KRIER (L.) CULOT (M.), *Contre-projets*, Bruxelles : Archives d'architecture moderne, 1980, 58 p. exposition à la Biennale de Venise, 1980. Textes en français, en italien et en anglais, 58 p., ill. N/B.

In Memoriam Kongresshalle Berlin : Realistische Phantasien über die Zukunft unserer Ruine. Exposition, Berlin, Galerie Aedes für Architektur und Raum, novembre 1980-janvier 1981, s.p.

BAYLEY (Stephen), *The Albert Memorial (: The Monument in its Social and Architectural Context*, Londres : Scolar Press, 1981, 160 p., 101 ill. N/B.

JOUVE (Jean-Pierre), PRÉVOST (Clovis), PRÉVOST (Claude), *Le palais idéal du Facteur Cheval : quand le songe devient la réalité*, Paris : Éditions du Moniteur, 1981, 303 p., ill.

WICKBERG (Nils Erik), *The Senate Square*, Helsinki : Anders Nyborg, 1981. Textes en finlandais, anglais et allemand, 184 p, 129 ill. N/B et coul.

CULOT (M.), SCHOONBRODT (R.) KRIER (L.), *La reconstruction de Bruxelles*, Bruxelles : Éditions des Archives d'architecture moderne, 1982, 183 p., ill. N/B et 16 planches couleur.

Roubaix, Alma-gare : lutte urbaine et architecture. Exposition, Paris, Institut français d'architecture, avril-mai 1982, 167 p., ill. N/B et coul.

Centenaire de la reconstruction de l'Hôtel de Ville de Paris : 1882-1982. Exposition, Paris, Hôtel de Ville, 1982, 230 p., ill. N/B et coul.

Sabaudia : Citta Nuova Fascista. Exposition, Londres, Architectural Association, 1982. 48 p., ill. N/B.

TREVISOL (Robert), *Mario Botta : La maison ronde*, Paris : Éditions de l'Équerre, 1982. 110 p., ill. N/B.

OUVRAGES SUR LA PHOTOGRAPHIE D'ARCHITECTURE

MARÉ (Éric de), *Photography and architecture*, Londres : The Architectural Press, 1961, 208 p., 130 ill. N/B.

GIEBELHAUSEN (J.), *Architektur Fotografie*, Munich : Grossbild Technik, 1964.

SIMON (Y.), *Bagdad-sur-Seine : photographies de Daniel Boudinet*, Paris : Fayard, 1973, s.p. ill. N/B.

VELTRI (John), *Architectural Photography*, New York : Amphoto, 1974, 192 p. ill.

Numéro spécial de la revue suisse *Camera* (Lucerne), n° 5, mai 1976, 48 p., par Allan Porter sur la photographie d'architecture.

Murs : photographies de Deidi von Schaewen, Paris : Weber, 1977, s.p. ill. N/B et coul.

BECHER (Bernd et Hilla), *Fachwerkhäuser des Siegener Industriegebietes*, Munich : Schirmer/Mosel, 1977, 350 p. et 350 photos.

Le fil des pierres : photogrammétrie et conservation des monuments. Exposition, Paris, Caisse nationale des monuments historiques et des sites, 1978. Texte de Maurice Carbonnell, 47 p., ill.

FRECOT (J.), *Grenzbegehung - 161 Kilometer in West-Berlin : Fotografiert von Hans W. Mende*, Berlin : Nicolai, 1980, 72 p., photos N/B.

FRECOT (J.), *Berlin und Postdam : architekturphotographien. 1872-1875*, Munich : Schirmer/Mosel, 1980, 120 p. 95 photographies d'architecture de Berlin et Postdam conservés dans la collection de la Berlinische Galerie à Berlin.

VERNIÈRE DE ROSSI (L.), *Bordeaux la lune : photographies de Anne Garde*, Bordeaux : Éddibor, 1980, s.p. ill. N/B.

WOLFF (Arnold), *Dombau in Köln : Photographen dokumentieren die Vollendung einer Kathedrale*, Stuttgart : Verlag Müller und Schindler, 1980, 184 p., 58 planches.

Patrizia della Porta : Fotografia e Architettura Trasfigurazioni. Exposition, Bologne, Fotografis, 1980, 65 photos N/B.

Fotografia e immagine dell'architettura. Exposition, Bologne, Galleria d'Arte Moderna, janvier-février 1980. Exposition organisée par G. Basilico, G. Morpurgo, I. Zannier, 216 p., ill. N/B.

Charles Marville : photographe de Paris de 1851 à 1879. Exposition, Paris, Bibliothèque historique de la ville de Paris, 1980.

KEMP (W.), NEUSÜSS (F.), *Kassel 1850 bis heute : Fotografie in Kassel, Kassel in Fotographien*, Münich : Schirmer/Mosel, 1981, 217 p., ill.

Charles Marville : Photographs of Paris at the Time of the Second Empire on Loan from the Musée Carnavalet, Paris. Exposition, New York, French Institute, 13 mai-26 juin 1981, 67 p., 44 ill.

ROMANO (Marco), BERTELI (Carlo), *Gabriele Basilico : Milano, ritratti di fabbriche*, Milan : Sugar-Co. Edizioni, 1981. 104 p. avec brefs essais (p. 5-16) et 160 ill.

Napoli'81 : Sette Fotografie per una Nuova Immagine. Exposition, Naples, Palazzo Reale, décembre 1981-janvier 1982. Catalogue de Cesare De Seta (édité par Electa), 114 p., 76 ill. N/B et coul.

SCHOONBRODT (René), *Intérieurs : photographies de François Hers et Sophie Ristelhueber*, Bruxelles : Éditions des Archives d'architecture moderne, 1981, 126 p. ill. N/B et coul., Jean-François Chevrier et René Schoonbrodt.

BARUTH (Helmuth), STEINKE (Klaus), *Hessen Vermessen*, Milan : Electa International, 1982 (ouvrage édité à l'initiative du Deutsches Architektur Museum, Francfort) 81 p., 80 ill. coul.

BAUER (Richard), *Das Alte Müchen : Photographien 1855-1912 gesammelt von Karl Valentin*,

Munich : Schirmer Mosel, 1982, 236 p. ill. N/B.

Architekturfotografie und Stadtentwicklung : 1850-1914. Exposition itinérante, Stuttgart, Institut für Auslandsbeziehungen, 1982, 61 p., ill. N/B.

CANTO (Monique), *Villégiatures : photographies d'Anne Garde,* Paris : Éditions Colona, 1982, 103 p., 93 photos en N/B.

HAMM (Manfred), *Dead Tech : a Guide to the Archaeology of Tomorrow,* San Francisco : Sierra Club Books, 1982, 130 p. ill. N/B et coul. Textes de Rolf Steinberg et Robert Jungk. Photographies de Manfred Hamm.

MANTZ (Werner), *Architektur Photographie in Köln 1926-1932,* Cologne : musée Ludwig, 1982, 304 p.

PARE (Richard), *Photography and architecture : 1839-1939,* Montréal : Centre canadien d'Architecture, 1982, 282 p., 147 ill.

SCHMOLZ (Karl) et SACHSEE (Rolf), *Hugo Schmölz : Fotografierte Architektur 1924-1937,* Munich : Mahnert-Lueg, 1982. 34 p., 159 ill. N/B.

WILDE (Ann et Jürgen), THOMA (Dieter), *Albert Renger-Patzsch : Ruhrgebiet Landschaften 1927-1935,* Cologne : Dumont, 1982. 176 p.

La photographie comme modèle : aperçu du fonds de photographies anciennes de l'École des beaux-arts. Exposition, Paris, École nationale supérieure des beaux-arts, 1982, 115 p., 110 ill. N/B. Exposition organisée par Jean Francou et Annie Jacques.

Paris 1910-1931 : au travers des autochromes et des films de la photothèque Albert Kahn. Exposition, Paris, musée Carnavalet, 1982. Exposition organisée par Jeanne Beausoleil, s.p. ill. N/B. et coul.

Joachim Bonnemaison. Exposition, Chalons-sur-Saône, musée Nicéphore Niepce, 12 mars-2 mai 1982, 20 p., 15 ill. en coul.

Precursors of Postmodernism : Milan 1920-1930. Exposition, New York, The Architectural League, 1982. 16 p., photos N/B.

MORIZET (Clair), *L'architecture : sujet, objet ou prétexte; photographies contemporaines.* Exposition itinérante. Catalogue édité par la Direction régionale des Affaires culturelles pour l'Aquitaine, Bordeaux, 1983., 88 p., 74 ill. N/B.

RUETZ (Michael), HIELSCHER (Peter), *Nekropolis,* Berlin : Kunstlerhaus Bethanien, s.d., 62 p.

ARTS DU SPECTACLE

BABLET (Denis et Marie-Louise), *Adolphe Appia (1862-1928) : acteur-espace-lumière,* Lausanne : Éditions l'Age d'Homme, et Zürich : Pro-Helvetia, 1981. Catalogue d'exposition, 116 p. dont 24 consacrées à l'iconographie.

CARRICK (Édouard), *Designing for Films,* Londres et New York : The Studio Publications, 1949, 128 p., ill. N/B.

KAUL (Walter), *Schöpferische Filmarchitektur,* Berlin : Deutsche Kinemathek, 1971, 80 p., ill.

OENSLAGER (Donald), *Stage Design : Four Centuries of Scenic Invention,* New York : A Studio Book, The Viking Press, 1975, 303 p., 31 ill. coul., 217 ill. N/B.

Virgilio Marchi, Architetto Scenografo Futurista. Exposition, Spoleto, Palazzo Ancaiani, 22 juin-10 juillet 1977. Exposition par A. Amico et S. Danesi (édité par Electa) s.p. 78 ill. N/B et coul.

Disegni antichi, Architettura, Scenografia, Ornamenti. Exposition, Rome, Galleria Arco Farnese, 1978 (Édité par Electa, Milan) s.p., 100 ill.

THEVENET (Jean-Marc), *Images pour un film : les décors d'Enki Bilal pour « La vie est un roman » d'Alain Resnais,* Paris : Dargaud Éditeur, 1983, 80 p., ill. en coul.

LIVRES POUR ENFANTS SUR L'ARCHITECTURE

POTTER (Margaret et Alexander), *Houses,* Londres : John Murray publ., 1948 (ré-édition 1973), 50 p., ill.

LOUP, *L'architecture et la bétonneuse,* Paris : L'école des loisirs, 1977, 36 p. en couleurs.

ÉROUART (Gilbert), *Apprendre l'espace : pour une initiation des enfants de l'enseignement élémentaire à l'espace et à l'architecture,* Paris : Éditions de la SADG, 1979, 142 p. abondamment illustrées.

TROIS MAGAZINES ONT ÉTÉ CRÉÉS EN EUROPE IL Y A QUELQUES ANNÉES AVEC L'INTENTION ÉVIDENTE DE PRIVILÉGIER LA RECHERCHE, L'ÉTUDE ET LA DIFFUSION DE L'IMAGE ARCHITECTURALE. ILS CONTRIBUENT AUSSI, HEUREUSEMENT ET MÉTHODIQUEMENT, À RENOUVELER L'ICONOGRAPHIE ANCIENNE ET MODERNE DANS CE DOMAINE DE LA CRÉATION.

« RASSEGNA »

En Italie, cette entreprise est menée depuis 1979 par la revue « Rassegna » dirigée par Vittorio Gregotti. Ce magazine trimestriel de 90 pages rédactionnelles comporte une large proportion d'illustrations (en noir et en couleur) et des textes publiés en italien et en anglais. Chaque numéro (prix unitaire 20 000 lires en 1984) cerne un thème iconographique précis : La tour de Babel (n° 16), les enceintes (n° 1), les expositions (n° 10), les revues d'avant-garde (n° 12), les miroirs (n° 13), le design (n° 14) ou des monographies de créateurs, Giuseppe Terragni (n° 11), Le Corbusier et ses clients (n° 3).
Rédaction : 20 via Matteo Bandello, Milan 20123. Tél. : 495.143.

« L'IVRE DE PIERRE »

En France, c'est l'architecte Jean-Paul Jungmann qui a fondé en 1980 la publication intitulée « L'Ivre de Pierre ». Ce grand album annuel rassemble, en une centaine de pages de grand format (30 × 40 cm), une sélection de travaux d'architectes et d'artistes contemporains qui s'adonnent au plaisir de dessiner des architectures dites parfois « de papier ». Chaque numéro présente de façon détaillée (en privilégiant des illustrations géantes toujours imprimées en noir et blanc) cinq ou six projets souvent spécialement conçus pour l'édition de cette publication qui ne semble avoir aucun équivalent ailleurs. A ce jour, quatre volumes ont été publiés; chacun comporte aussi des essais théoriques ou poétiques sur la signification et la nature du dessin d'architecture.
Rédaction : 4, rue Papin, 75003 Paris. Tél. : 272.81.20.

« DAIDALOS »

En Allemagne de l'Ouest, la revue « Daidalos » joue un rôle similaire. Fondée en 1981 à Berlin par Ulrich Conrads, Norbert Miller, Werner Œchslin, Ursula Opitz-Limelack, Bernhard Schneider et Anna Teut, cette revue trimestrielle de 120 pages rédactionnelles accorde elle aussi une large part à une véritable recherche iconographique (publiée en noir et en couleur) complétée par des essais édités en allemand et en anglais. Chaque numéro (36 DM en 1983) est consacré à un thème précis : le dessin d'architecture (n° 1), l'architecture-objet (n° 2), les enceintes (n° 3), les esquisses d'architecture (n° 5), les façades (n° 6), l'ordre et le désordre (n° 7), la vérité et le mensonge (n° 8), les escaliers (n° 9).
Rédaction : 42 Schlüterstrasse, 1000 Berlin-Ouest 15. Tél. : 881.20.45.

MUSÉES D'ARCHITECTURE ET COLLECTIONS PUBLIQUES
DE DESSINS D'ARCHITECTURE EN EUROPE DE L'OUEST

IL EST APPARU OPPORTUN, À L'OCCASION DE L'ÉDITION DE CET OUVRAGE, D'ÉBAUCHER ICI L'AMORCE D'UN RÉPERTOIRE DES INSTITUTIONS QUI, EN EUROPE DE L'OUEST, SE SONT FIXÉ COMME OBJECTIF PRINCIPAL DE RASSEMBLER, PRÉSERVER, ÉTUDIER ET FAIRE CONNAÎTRE DES DESSINS D'ARCHITECTURE ANCIENS OU RÉCENTS. L'INTENTION N'EST PAS ICI DE DRESSER LA LISTE COMPLÈTE DE CES ARCHIVES MAIS UNIQUEMENT DE MENTIONNER LES PRINCIPALES D'ENTRE ELLES ET, EN PRIORITÉ, CELLES QUI ONT BIEN VOULU NOUS ACCORDER LEUR GÉNÉREUX CONCOURS EN PRÊTANT UNE PARTIE DE LEURS ŒUVRES POUR L'EXPOSITION DONT CET OUVRAGE REND COMPTE. UNE INSTITUTION INTERNATIONALE S'EST RÉCEMMENT CONSTITUÉE AVEC L'OBJECTIF DE COORDONNER L'INFORMATION RELATIVE AUX ACTIVITÉS DES DIVERS ORGANISMES PUBLICS OU PRIVÉS QUI ONT NOTAMMENT POUR VOCATION DE CONSTITUER OU DE GÉRER DES COLLECTIONS DE DESSINS D'ARCHITECTURE. L'INTERNATIONAL COUNCIL OF ARCHITECTURE MUSEUMS (ICAM) A ACTUELLEMENT SON SIÈGE À LONDRES AU ROYAL INSTITUTE OF BRITISH ARCHITECTS (RIBA); IL EST PRÉSIDÉ PAR JOHN HARRIS. L'ICAM PUBLIE UNE LISTE DE SES MEMBRES ET UN BULLETIN D'INFORMATION QUI REND COMPTE DE LEURS ACTIVITÉS ET PROJETS. LES RESPONSABLES DES DIVERSES INSTITUTIONS QUI ADHÈRENT À CE RÉSEAU SE RÉUNISSENT RÉGULIÈREMENT; LA PROCHAINE RENCONTRE AURA LIEU À AMSTERDAM EN ÉTÉ 1984 OÙ ELLE SERA ORGANISÉE PAR LE MUSÉE NÉERLANDAIS D'ARCHITECTURE DIRIGÉ PAR DICK VAN WOERKOM. LA NOTION MÊME DE «MUSÉE D'ARCHITECTURE» EST EN PLEINE MUTATION, EN EUROPE COMME AUX ÉTATS-UNIS. ON PRÉVOIT L'OUVERTURE PROCHAINE D'UN MUSÉE NATIONAL D'ARCHITECTURE À WASHINGTON. D'AUTRES EN EUROPE OUVRIRONT LEURS PORTES AU PUBLIC TRÈS PROCHAINEMENT : EN ÉTÉ 1984 EN ALLEMAGNE, SOUS LA DIRECTION DE HEINRICH KLOTZ À FRANCFORT; EN 1985 À BRUXELLES À L'INITIATIVE DE MAURICE CULOT. EN FRANCE, L'IDÉE D'UN MUSÉE D'ARCHITECTURE EST ÉVOQUÉE DEPUIS LE DÉBUT DU XIXᵉ SIÈCLE; ELLE SEMBLE REVENIR À L'ORDRE DU JOUR. L'EXPOSITION ET L'OUVRAGE *IMAGES ET IMAGINAIRES D'ARCHITECTURE»* ONT ÉTÉ CONÇUS NOTAMMENT POUR DÉMONTRER AU PUBLIC ET AUX AUTORITÉS L'INTÉRÊT CULTUREL ET SCIENTIFIQUE ÉVIDENT QU'IL Y A À FAIRE CONNAÎTRE CE PATRIMOINE ET À L'ORGANISER DE FAÇON ADÉQUATE, EN L'INTÉGRANT DANS UNE ENTITÉ VIVANTE CAPABLE DE RENDRE COMPTE DE L'INTÉRÊT ET DE LA COMPLEXITÉ DE L'ARCHITECTURE : DE SON HISTOIRE, DE SON ACTUALITÉ ET DE SES MULTIPLES ENJEUX. (A SUIVRE.)

BELGIQUE
ARCHIVES D'ARCHITECTURE MODERNE : 14 rue Defacqz, 1050 Bruxelles. Tél. : 537.87.45. Directeur : Maurice Culot.
ARCHIVES HENRY VAN DE VELDE : École nationale supérieure des arts visuels, La Cambre, 21 Abbaye de la Cambre, 1050 Bruxelles. Tél. : 648.96.19. Conservateur : Philippe Pétré.
DANEMARK
KUNSTAKADEMIETS BIBLIOTEK : SAMLINGEN AF ARKITEKTURTEGNINGER (collection des dessins d'architecture de la bibliothèque de l'Académie des beaux-arts) : 1 Kongens Nytorv, 1050 Copenhague. Tél. : 128.659. Directrice de la collection : Lisbet Balslev-Jorgensen.
ESPAGNE
ARXIU HISTORIC DEL COLLEGI OFFICIAL DE ARQUITECTES DE CATALU-NYA (archives historiques du collège des architectes de Catalogne) : 5 Plaça Nova, Barcelone 2. Tél. : 301.50.00. Directeur des archives : David Ferrer.
CATEDRA GAUDI (archives Gaudi) : 7, Avenida de la Victoria (Pedralbes), Barcelone 34. Tél. : 204.52.50. Directeur : Juan Bassegoda Nunell.
FINLANDE
SUOMEN RAKENNUSTAITEEN MUSEO (Musée finlandais d'Architecture) : 24 Kasarmikatv, 00130 Helsinki 13. Tél. : 661.918. Directeur du musée : Aarno Ruusuvuori. Directeur des archives : Sirkka Valanto.
FRANCE
ACADÉMIE D'ARCHITECTURE : 9 place des Vosges, 75004 Paris. Tél. : 887.83.10. Conservateur des collections : Paul Dufournet.
BIBLIOTHÈQUE DE L'ÉCOLE NATIONALE D'ARCHITECTURE DES BEAUX-ARTS : 17 quai Malaquais, 75272 Paris Cedex 06. Tél. : 260.34.57. Conservateur des collections : Anna Jacques.
CENTRE DE RECHERCHES ET DE DOCUMENTATION D'HISTOIRE MODERNE DE LA CONSTRUCTION : Conservatoire national des Arts et Métiers : 292 rue St-Martin, 75191 Paris Cedex 03. Tél. : 271.24.14. Conservateur des collections : Henri Poupée.
FONDATION LE CORBUSIER : 8 square du Docteur-Blanche, 75006 Paris. Tél. : 288.41.53. Secrétaire général : R. Aujame.
INSTITUT FRANÇAIS D'ARCHITECTURE : 6 rue de Tournon, 75007 Paris. Tél. : 633.90.36. Conservateur des collections : Maurice Culot.
MUSÉE DES ARTS DÉCORATIFS : 107 rue de Rivoli, Paris. Tél. : 260.32.14. Conservateur des dessins d'architecture : Marie-Noële de Gary.
MUSÉE DU LOUVRE, CABINET DES DESSINS : Palais du Louvre, 4 quai des Tuileries, 75001 Paris. Conservateur en chef : M. Serullaz.
MUSÉE D'ORSAY, COLLECTION D'ARCHITECTURE : 1 place Henri-de-Montherlant, Paris 75007. Tél. : 544.41.85. Conservateurs des dessins d'architecture : Henri Loyrette et Caroline Mathieu.
GRANDE-BRETAGNE
ROYAL INSTITUTE OF BRITISH ARCHITECTS : BRITISH ARCHITECTURAL LIBRARY AND DRAWINGS COLLECTION : 21 Portman Square, Londres W 1. Tél. : 580.55.33. Directeur de la collection des dessins : John Harris.
ROYAL ACADEMY OF ARTS : Burlington House, Piccadilly, Londres W 1. Tél. : 734.90.52. Président : Sir Hugh Casson. Bibliothécaire : Constance-Anne Parker.
VICTORIA AND ALBERT MUSEUM, DEPARTMENT OF PRINTS AND DRAWINGS : South Kensington, Londres SW 7. Tél. : 589.63.71. Directeur du département : C.M. Kauffmann.
ITALIE
CENTRO STUDI E ARCHIVIO DELLA COMUNICAZIONE, Université de Parme. 7A Piazzale della Pace, Parme 43100. Directeur : Arturo Carlo Quintavalle.
NORVÈGE
NORSK ARKITEKTURMUSEUM DET NORSKE ARKITKTAKADEMI (musée norvégien d'Architecture) : 34 Josefines Gate, Oslo 3. Tél. : 602.290. Directrice : Elisabeth Seip.
PAYS-BAS
NEDERLANDS DOCUMENTATIECENTRUM VOOR DE BOUWKUNST - STICH-TUNG ARCHITECTUUR MUSEUM (musée hollandais d'Architecture) : Droogbak 1A, 1013 GE Amsterdam. Tél. : 220.277. Directeur : Dick van Woerkom.
RÉPUBLIQUE FÉDÉRALE D'ALLEMAGNE
DEUTSCHES ARCHITEKTURMUSEUM (musée allemand d'Architecture) : Schaumain-kai 43, 6000 Francfort-sur-le-Main. Directeur : Heinrich Klotz. Directeur-Adjoint : Volker Fischer. (ouverture prévue en été 1984.)
PLANSAMMLUNG DER UNIVERSITATSBIBLIOTHEK DES TECHNISCHEN UNI-VERSITAT BERLIN (collection de Dessins d'architecture de l'Université technique de Berlin) : 1 Dovestrasse, 1000 Berlin-Ouest 10. Tél. : 314.31.16. Directeur de la collection : Dieter Radicke.
BAUHAUS ARCHIV, MUSEUM FUR GESTALTUNG : 14 Klingelhöferstrasse, 1000 Berlin-Ouest 30. Tél. : 261.16.18. Directeur des Archives : Peter Hahn.
ARCHITEKTURSAMMLUNG DER TECHNISCHEN UNIVERSITAT MUNCHEN (collection d'Architecture de l'Université technique de Munich) : 21 Arcisstrasse, 8000 Munich 2. Tél. : 21.05.24.93. Directeur des collections : Winfried Nerdinger.
KUNSTBIBLIOTHEK BERLIN MIT MUSEUM FUR ARCHITEKTUR, MODEBILD UND GRAFIK-DESIGN, STAATLICHE MUSEEN PREUSSICHER KULTURBESITZ : 2 Jebenstrasse, 1000 Berlin-Ouest, 12. Tél. : 31.01.16. Directeur : Ekhart Berckenhagen.
HITTORFF ARCHIV : WALLRAF-RICHARTZ-MUSEUM : am der Rechtschule, 5000 Cologne 1. Tél. : 2211.
SUÈDE
ARKITEKTURMSEET (musée suédois d'Architecture) : Skeppsholmen, Stockholm 11149. Tél. : 24.63.00. Directeur : Henrik O. Andersson.
SUISSE
ARCHIV FÜR MODERNE SCHWEIZER ARCHITEKTUR (archives suisses d'Architecture moderne) : Institut pour l'histoire et la Théorie de l'Architecture (GTA), Institut fédéral Suisse de Technologie (ETH) : Hönggerberg, Zürich 8093. Tél. : 377.28.89. Directrice : Katharina Medici-Mali.

LES PRÊTEURS ET DONATEURS

FRANCE

INSTITUTIONS : ACADÉMIE D'ARCHITECTURE, PARIS. BIBLIOTHÈQUE DE L'ÉCOLE NATIONALE SUPÉRIEURE DES BEAUX-ARTS, PARIS. BIBLIOTHÈQUE HISTORIQUE DE LA VILLE DE PARIS, PARIS. BIBLIOTHÈQUE DU MUSÉE DES ARTS DÉCORATIFS, PARIS. BIBLIOTHÈQUE NATIONALE (ESTAMPES), PARIS. BIBLIOTHÈQUE DU THÉÂTRE DE LA COMÉDIE FRANÇAISE, PARIS. *CAHIERS DU CINÉMA,* PARIS. CENTRE DE RECHERCHES SUR LES MONUMENTS HISTORIQUES, PARIS. CINÉMATHÈQUE FRANÇAISE, PARIS. COLLECTION ALBERT KAHN, BOULOGNE. CONSERVATOIRE NATIONAL DES ARTS ET MÉTIERS, PARIS. ÉCOLE NATIONALE DES PONTS ET CHAUSSÉES, PARIS. FONDATION LE CORBUSIER, PARIS. FONDATION JEAN DUBUFFET, PARIS. INSTITUT FRANÇAIS D'ARCHITECTURE, PARIS. MUSÉE DE L'ARMÉE, PARIS. MUSÉE D'ART MODERNE DE LA VILLE DE PARIS, PARIS. MUSÉE DES ARTS DÉCORATIFS, PARIS. MUSÉE CARNAVALET, PARIS. MUSÉE FRANÇAIS DE LA PHOTOGRAPHIE, BIÈVRES. MUSÉE DU LOUVRE, PARIS. MUSÉE MARMOTTAN, PARIS. MUSÉE NATIONAL D'ART MODERNE/CNAC GEORGES POMPIDOU, PARIS. MUSÉE NATIONAL DU CHÂTEAU DE COMPIÈGNE, COMPIÈGNE. MUSÉE NATIONAL DU CHÂTEAU DE VERSAILLES, VERSAILLES. MUSÉE NATIONAL DES TECHNIQUES (CNAM), PARIS. MUSÉE NICÉPHORE NIEPCE, CHÂLONS-SUR-SAÔNE. MUSÉE D'ORSAY, PARIS. MUSÉE DU PETIT PALAIS, PARIS. MUSÉE DU THÉÂTRE DE L'OPÉRA, PARIS. OFFICE TECHNIQUE POUR L'UTILISATION DE L'ACIER, PARIS. SOCIÉTÉ FRANÇAISE DE PHOTOGRAPHIE, PARIS. *AGENCES ET GALERIES :* AGENCE CLAIRE PRÉBOIS. AGENCE RAPHO. AGENCE SYGMA. AGENCE ROGER-VIOLLET. GALERIE ALAIN BLONDEL. GALERIE MICHÈLE CHOMETTE. SOCIÉTÉ RUGGIERI. STUDIO CHEVOJON. TOUTES À PARIS. *PARTICULIERS :* ANDRÉ ACQUART. JEAN-MAX ALBERT. JEAN AUBERT. FRANÇOIS BARRÉ. JEAN-FRANÇOIS BATELLIER. ENKI BILAL. RICARDO BOFILL. FRANÇOIS-XAVIER BOUCHART. DANIEL BOUTEILLER. JEAN-PAUL CHAMBAS. JEAN-PHILIPPE CHARBONNIER. JEAN CHARDEAU. PHILIPPE COLLIER. FRANÇOIS DALLEGRET. ÉRIC DEMAZIÈRES. JEAN DIEUZAIDE. PHILIPPE DRUILLET. MARC ET BRIGITTE ENGUERAND. ANNE GARDE. JEAN-CLAUDE GAUTRAND. PAUL GRIMAULT. NORBERT DE GUILLEBON. ODILE PERREAU-HAMBURGER. JEAN-YVES HAMEL. YANNIG HEDEL. FRANÇOIS HERS. LUCIEN HERVÉ. ANDRÉ JAMMES. JEAN-PAUL JUNGMANN. JYH. FRANÇOIS-XAVIER LALANNE. PHILIPPE LECHIEN. DOMINIQUE DE NOUAILLE. JEAN MAGERAND ET ÉLISABETH MORTAMAIS. ANNE MAHIAS. JACQUES MONORY. FERNANDO MONTES. JEAN NOUVEL. ROSINE NUSIMOVICI. PACHECO-RIVAS. GAETANO PESCE. PIER-LUIGI PIZZI. ROBERTO PLATÉ. CHRISTIAN DE PORTZAMPARC. MALIK SALL. BERNARD SANCERNI. ALAIN SARFATI. DEIDI VON SCHAEWEN. NICOLAS SCHÖFFER. KEICHI TAHARA. YVAN THEIMER. MICHEL VERNES.

BELGIQUE

INSTITUTIONS : ARCHIVES D'ARCHITECTURE MODERNE, BRUXELLES. ARCHIVES HENRY VAN DE VELDE, BRUXELLES. MUSÉE COMMUNAL D'IXELLES, BRUXELLES. **PARTICULIERS :** G. FASTENAEKENS. GILBERT DE KEYSER. CHARLES VANDENHOVE.

ESPAGNE

CATEDRA GAUDI, BARCELONE. COLLEGI OFFICIAL DE ARQUITECTOS DE CATALUNYA, BARCELONE.

GRANDE-BRETAGNE

INSTITUTIONS : ROYAL ACADEMY OF ARTS, LONDRES. ROYAL INSTITUTE OF BRITISH ARCHITECTS, LONDRES. SCIENCE MUSEUM, LONDRES. VICTORIA AND ALBERT MUSEUM, LONDRES. ARCHITECTURAL ASSOCIATION, LONDRES. **GALERIES :** ANDERSON O'DAY GALLERY, LONDRES. ANNELY JUDA FINE ART, LONDRES. FISCHER FINE ART LTD, LONDRES. MARLBOROUGH FINE ART LTD, LONDRES. WADDINGTON GALLERIES, LONDRES. YOUNG ARTISTS, LONDRES. ARCHITECTURAL DESIGN, LONDRES. **PARTICULIERS :** LADY BLISS. NIGEL COATES. DUANE VAN DYKE. LILIANE FAWCETT ET GIULIANA MEDDA. MARK FISHER. NORMAN FOSTER. ROBERT GRIFFIN. ZAHA HADID. BEN JOHNSON. AMARJIT KALSI. JAN KAPLICKY. REM KOOLHAAS. LÉON KRIER. PETER MCGURK. GRAHAM MODLEN. CHRIS SAUNDERS. TOM SAUNDERS. JAMES STIRLING. PETER WILSON. RITA WOLFF. CARLOS VILLANUEVA. ZOE ZENGHELI.

HOLLANDE

INSTITUTIONS : STEDELIJK MUSEUM, AMSTERDAM. NEDERLANDS DOCUMENTATIENCENTRUM VOOR DE BOUWKUNST : STICHTING ARCHITECTUUR MUSEUM, AMSTERDAM. KOOPMANSBEURS, AMSTERDAM. DIENST VERSPREIDE RIJKSCOLLECTIES, LA HAYE. GEMEENTEMUSEUM DEN HAAG, LA HAYE. STEDELIJK VAN ABBEMUSEUM, EINDHOVEN. RIJKSMUSEUM KRÖLLER-MÜLLER, OTTERLO. ROTTERDAMSE KUNSTSTICHTING, ROTTERDAM. *PARTICULIERS :* EVA BESNYO. ANJA DE JONG. ERIC VAN DER SCHALIE.

ITALIE

INSTITUTIONS ET GALERIES : MUSEO DE LA SCALA, MILAN. CENTRO ANNUNCIATA, MILAN. GALERIA DAVERIO, MILAN. CENTRO IL DIAFRAMMA-CANON, MILAN. ANTONIA JANNONE, MILAN, STUDIO ALINARI, FLORENCE. CENTRO STUDI E ARCHIVIO DELLA COMUNICAZIONE, PARME. LE POINT GALLERIA D'ARTE MODERNA, ROME. GRAU, ROME : MEMBRES DU GROUPE DONT LES ŒUVRES SONT EXPOSÉES : ALESSANDRO ANSELMI, FRANCO PIERLUIGI, GIUSEPPE MILANO, PATRIZIA NICOLOSI. *PARTICULIERS :* PARIDE ACCETTI. MASSIMO BASILI. GABRIELE BASILICO. ARDUINO CANTAFORA. GIANNI BERENGO GARDIN. GIORGIO GRASSI. MIMMO JODICE. ALESSANDRO MENDINI (STUDIO ALCHYMIA). LORENZO MUZIO. ICO PARISI. PIERO PINTO. PATRIZIA DELLA PORTA. MASSIMO SCOLARI.

RÉPUBLIQUE FÉDÉRALE D'ALLEMAGNE

INSTITUTIONS : BAUHAUS ARCHIV, BERLIN. BERLINISCHE GALERIE, BERLIN. INTERNATIONALE BAUAUSSTELLUNG (IBA, BERLIN). DEUTSCHE ARCHITEKTURMUSEUM, FRANCFORT-SUR-LE-MAIN. DEUTSCHES MUSEUM, MUNICH. DEUTSCHE THEATERMUSEUM, MUNICH. DAUMBAU ARCHIV, COLOGNE. KUNSTBIBILIOTHEK, BERLIN. LANDESBILDSTELLE, BERLIN. MÜNCHNER STADTMUSEUM, MUNICH. MUSEUM LUDWIG, COLOGNE. NATIONAL GALERIE SMPK, BERLIN. STIFTUNG DEUTSCHE KINEMATHEK, BERLIN. TECHNISCHE UNIVERSITÄT BERLIN, BERLIN. TECHNISCHE UNIVERSITÄT MÜNCHEN, MUNICH. WALLRAF-RICHARTZ-MUSEUM, COLOGNE. WOLFSBURG SCHLOSS. *GALERIES :* GALERIE GMURZYNSKA, COLOGNE. GALERIE RUDOLF KICKEN, COLOGNE. GALERIE NIERENDORF, COLOGNE. GALERIE WILDE, COLOGNE.

PARTICULIERS : MANFRED HAMM. HEINRICH HEIDERSBERGER. RICHARD KUSTERMANN. GERD NEUMANN. KARL HUGO SCHMOLZ. INGRID VOTH-AMSLINGER. WEWERKA ET WOLLEK.

SUISSE

INSTITUTIONS : KUNSTMUSEUM BERN, BERNE. INSTITUT GTA, ZURICH. KUNSTHAUS ET FONDATION DE LA PHOTOGRAPHIE, ZURICH. *PARTICULIERS* : MARIO BOTTA. ROBERT ET TRIX HAUSSMANN.

SCANDINAVIE

INSTITUTIONS : ARKITEKTURMUSEET, STOCKHOLM. KUNSTAKADEMIETS BIBLIOTEK, COPENHAGUE. NORSK ARKITEKTURMUSEUM, OSLO. SUOMEN RAKENNUSTAITEEN MUSEO (MUSÉE FINLANDAIS D'ARCHITECTURE), HELSINKI. THE HELSINKI CITY MUSEUM, HELSINKI. *PARTICULIERS* : ALVAR AALTO ARCHITECTS LTD, HELSINKI. ERNST LOHSE, COPENHAGUE. LENNART OLSON, STOCKHOLM. REINA PIETILA, HELSINKI.

CRÉDIT PHOTOGRAPHIQUE

432

Achevé d'imprimer
le 5 mars 1984
sur les presses de l'imprimerie Maury
à Malesherbes, 45330

Composition
Bussière Arts Graphiques, Paris

Photogravure
France Photogravure, Lyon

JEAN-NICOLAS HUYOT
architecte français (1780-1840)
Élévation de l'Arc de triomphe élevé au Rond-Point de l'Étoile
(actuellement place Charles de Gaulle) à Paris
aquarelle, lavis gris et encre noire, 51 × 56 cm, 1828
Musée du Louvre, Cabinet des Dessins, Paris